Türk Musikisi Güfteler Hazînesi

İKİNCİ CİLT

Sadun Aksüt
İ.T.Ü. Türk Musikisi
Devlet Konservatuarı
Öğretim Görevlisi

İNKILÂP KİTABEVİ
YAYIN SANAYİ VE TİCARET A.Ş.
Ankara Cad. 95 - 34410 İSTANBUL

ISBN 975-10-0530-2
93-34-Y-0051-0434

TEKNOGRAFİK MATBAACILIK A.Ş.
Cemalnadir Sok. No: 24
Cağaloğlu — İstanbul 1993

ÖNSÖZ

UZUN yıllar yorucu çalışmalar, titiz araştırma ve incelemeler sonucu bugün elinizde bulunan bu kitabım meydana geldi. Dünyada yanlışsız ve eksiksiz kitap yayımlanmadığı herkesin bildiği bir gerçektir. Bütün dikkat ve özenime karşın gözümden kaçmış yanlış veya hatâlarım, bu arada yazmayı unuttuğum güfteler de olabilir. Yukarıda yazdığım gerçeğe sığınarak bağışlanmayı dilerim.

Türk Musikisi Güfteler Hazînesi'nin bu konu ile ilgilenen herkese büyük bir yardımcı olacağına inanıyorum. Kitabımı hazırlarken değerli müzisyen dostum Cüneyd Orhon'un muazzam nota koleksiyonu ve kütüphânesinden, aynı şekilde büyük sanatkâr dostum Prof. Dr. Alâeddin Yavaşça'nın mükemmel kütüphânesi ve nota koleksiyonundan, değerli gazeteci-yazar Murad Bardakçı dostumun kütüphanesinden yararlandığım gibi her birinin de ayrı ayrı çok yardımlarını gördüm. Neyzen Ümit Gürelman da güftelerin vezinleri için çalışmalarımda yardımlarını esirgemedi. Bu değerli müzisyenlere ayrıca bu kitabı hazırlamam için beni yüreklendiren büyük yazar ve gerçek bir dost Rauf Tamer'e burada açıkça teşekkürlerimi sunuyorum.

Ve neticede (Türk Musikisi Güfteler Hazînesi)ni mükemmel bir şekilde yayıma hazırlayan ve siz sevgili okurlarımıza en güzel şekilde sunmaya çalışan, bu suretle de Türk Musikisine büyük hizmette bulunan INKILÂP Kitabevi'nin kadirşinas, sahimi ve değerli mensuplarına şükranlarımı sunuyorum.

15 Mart 1992
Sadun Aksüt

V

Ulusal kültürümüzün önemli bir değeri olduğu kadar taşıdığı büyük yaşama ve gelişme gücü ile evrensel kültüre de katkısı mukadder olan Türk Musikisi, tarihi bir yanılğı sonucu yarım asır devlet ilgisinden yoksun ve kendi haline bırakılmış bir durumda kaldıktan sonra zamanımızda yeni bir derlenip toparlanma dönemine girmiş bulunmaktadır.

1976'da Türk Musikisi Devlet Konservatuvarı'nın açılması, Devlet Klâsik Türk Müziği Korosunun kurulması, Ege Üniversitesi Güzel San'atlar Fakültesinde Türk Musikisinin programa alınması, İstanbul Teknik Üniversitesi, Boğaziçi Üniversitesi, Hacettepe Üniversitesi, Orta Doğu Teknik Üniversitesi ve İstanbul Üniversitesi gibi bellibaşlı bütün üniversitelerde Türk Müziğine yönelik çalışmalara ağırlık verilmesi, bu dönemin belirgin örnekleridir.

Hiç kuşkusuz bu derlenip toparlanma, Atatürk'ün ana ilkesi doğrultusunda, "ULUSAL ÖZ'Ü ÇAĞDAŞ ÖLÇÜLER İÇİNDE DEĞERLENDİRME" yolunda olacaktır.

Türk Musikisinin bütün mensupları, bu atılım döneminde, bu ana hedeften şaşmamak kaydıyla çabalarını artırmak, güçlerini ve emeklerini birleştirmek ve başarıyı çabuklaştırmakla yükümlüdürler.

Bu sorumluluğun idrâki içinde olan Konservatuvarımız öğretim üyelerinden değerli san'atçı arkadaşım Sadun Aksüt büyük çoğunluğu ile sözlü eserlerden oluşan Türk Musikisi külliyatını tarayarak güfteleri açıklamalı olarak bu hacimli eserinde toplamak suretiyle payına düşeni yapma örneğini vermiştir.

Bütün san'atçılar ve araştırıcıların yararına sunulan bu yorucu ve verimli çalışmasından dolayı kendisini kutlar başarılarının devamını dilerim.

19 Mart 1992
Türk Musikisi
Devlet Konservatuvarı
Başkanı
Ercümend BERKER

Değerli musikîşinas kardeşim SADUN AKSÜT'ün uzun zamandan beri titiz bir araştırma ile Türk Musikîsinde kullanılmış güfteleri tesbit ettiğini biliyordum. Bu mevzuda, hatırladığım kadariyle, son çalışma kıymetli musikîşinas ŞERIF IÇLI'nin 1951 yılında Marmara Matbaası'nca yayımlanan "ŞARKI GÜFTELERI" isimli kitabıdır.

41 yıl sonra, büyük bir mes'uliyet duygusu altında hazırladığına şahid olduğum bu eserin, sade meslekten olanlar için değil herkes için büyük bir ihtiyacı karşılayacağına inanıyor ve bu çok değerli ve yararlı çabası sebebiyle Sadun Aksüt'ü en içten duygularımla tebrik ediyorum.

19 Mart 1992
Cüneyd ORHON

MÂHÛR MAKAMI

Usûlü: Semâî

Beste: Arif Sami Toker
Güfte: Alev Avcı

Gözümde, kulağımda
Dudağımda, canımda
Kansın sen damarımda
Sensiz gülemiyorum

Tanrı şahit sevdâma
Bu yazgı bir günahsa
Tutkunum inan sana
Unutamam diyorum

Sevdim seni bir kere
Unutamam gitsen de
Bilmem seni nedense
Unutamam diyorum.

Sevdim seni bir kere
Uzaklara gitsen de
Bilmem seni nedense
Kalpden silemiyorum.

✻✻

MUHAYYER MAKAMI

Usûlü: Zencir   Beste   *Beste:* Nazîm
                                        Güfte: Sırrî (Vefatı 1692)

Gönül düşüp ham-ı gîsûy-ı yâra kalmışdır
Netîce hâtırım ol yâdigâra kalmışdır
Aceb mi ol büte can vermek isterim Sırrî
Benim işim hele Perverdigâra kalmışdır
Terennüm: Beli yârim işve-bâzım servinâzım
          Cânım cânânım gîsûy-ı yâra kalmışdır.

Mefâîlün/Feilâtün/Mefâîlün/Feilün

HÂM: Eğri, bükülmüş
PERVERD-GÂR: Besleyici, terbiye edici, rızıklandırıcı, Allah

✳✳

Usûlü: Çenber   Beste   Hâfız Post

Vakt-ı subh oldu pür olsun gûşe-i meyhâneler
Âfıtâb-âsâ tulû etsin yine peymâneler
Sakıyâ hemçün nihâl-i gül hırâma başlasın
Bülbülü şûrîde kılsın nâra-i mestâneler
Vay gûşe-i meyhâneler.

Fâilâtün/Fâilâtün/Fâilâtün/Fâilün

✳✳

Usûlü: Aksak Semâ   Ağır Semâî   Hacı Sâdullah Ağa

Hâl-i siyâhı gerden-i nâzik-terindedir
Bir bûsesine cânımı versem yerindedir
Perçem sanır ol nûr-ı siyâhı gören veli
Zıll-ı hümây-ı evc-i saâdet serindedir
Terennüm: Ah canım ya la ya le lel le lel lel le lel
          Lel lel le lelel li ya la ye le la canım yel
          Le le la li.

Mef'ûlü/Fâilâtün/Mefâîlü/Fâilün

HÂL: Ben

✳✳

MUHAYYER MAKAMI

Usûlü: Yürük Semâî   Yürük Semâî   Beste: Hacı
                                          Sâdullah Ağa
                                          Güfte: Enderûnî Vasıf

Bir elif çekdi yine sîneme cânân bu gece
Pek sarıldı bana ol serv-i hırâmân bu gece
Ayın on dördü gibi dün gece meclisde idi
Kande akşamlayacak ol meh-i tâbân bu gece
Terennüm: Aman ey aman ey aman ey aman ey
          Aman aman sîneme cânân bu gece yâr
          Bu gece vay.

Feilâtün/Feilâtün/Feilâtün/Feilün

*

Usûlü: Aksak Semâî   Beste: Ûdî Nevres Bey
                                       Güfte: İhsân Râif Hanım

Gün kavuşdu su karardı beni üzme güzelim
Boynun büküp düşünme gel ver elini gidelim
Kara gümrah kirpiklerin kaldır gözün göreyim
Ver elini bak aşkıma işte şahit yüreğim.

*

Usûlü: Ağır Aksak   Ûdî Selânikli Ahmed Bey

Ben sana takrîre imkân bulmadım ahvâlimi
Hem bilirsin bilmemezlikden gelirsin hâlimi
Öyle fettân-ı zamân oldun ki ey âşûb-i can
Neş'e-i dilsûz-i aşkınla yanar cân ü cihan

Fâilâtün/Fâilâtün/Fâilâtün/Fâilün

*

MUHAYYER MAKAMI

Usûlü: Ağır Aksak   Bimen Şen

Nev-bâharın en güzel leylinde sendin dinleyen
Goncama ilk i'tirâf-ı aşkımı ey nesteren
Üstüne atmışdı ay dilber bir atkı sîmden
Mest,i sahbây-ı safâ olmuş idim altında ben

Fâilâtün/Fâilâtün/Fâilâtün/Fâilün

** **

Usûlü: Ağır Aksak   Ûdî Arşak Çömlekciyan

Ben ne sevmek istedim, ne de sevilmek ey perî
Sormadan ufkumda Hâlik, aşka bend etmiş beni
Bende sanma sû'-i taksîr Hak bile âşık sana
İstemem bi'llâhi vuslat elverir görmek seni

Fâilâtün/Fâilâtün/Fâilâtün/Fâilün

** **

Usûlü: Ağır Aksak   Nuri Halil Poyraz

Sana gül gonca diyorlar bana şeydâ bülbül
Güle gülmek yaraşır bülbüle feryâd ey gül
Gam-ı ferdâyı düşünme gel efendim gül, gül
Güle gülmek yaraşır bülbüle feryâd ey gül

Feilâtün/Feilâtün/Feilâtün/Feilün

** **

MUHAYYER MAKAMI

Usûlü: Aksak   Hacı Faik Bey

Sen serv-i nâzın ruhsâr-ı âli
Gitmez gözümden bir dem hayâli
Âh ile zârım bülbül misâli
Pek sevdi gönlüm sen gül-nihâli

Çeşm-i kebûdün gayet yamandır
Müjgân ü zülfün pek bî amandır
Sevmem desem de belki yalandır
Pek sevdi gönlüm sen gül-nihâli

Müstef'ilâtün/Müstef'ilâtün
Fa'lün/Feulün/Fa'lün/Feulün

**

Usûlü: Aksak   Rifat Bey

I-) Aşkın dili hûn eyledi
Gör bana füsûn eyledi
Çeşmimi mecnûn eyledi
Sevdâ bana gör neyledi
II-) Dildâdeyim sen yâra ben
Rahm eyle bu hâlime sen
Aşkıyle yandı can ü ten
Sevdâ bana gör neyledi

**

Usûlü: Aksak   *Beste:* Hacı Ârif Bey
                                        Güfte: Sâmi Paşa

Humârı yok bozulmaz meclis-i meyhâne-i aşkın
Ayılmaz haşre dek mestânesi peymâne-i aşkın
Harîm-i Kâbe-i aşkı tavaf eyler dil-i cibril
Per-i kerrûbiyan mebnâsıdır kâşane-i aşkın

Mefâîlün/Mefâîlün/Mefâîlün/Mefâîlün

NOT: Son mısra Hânende sh. 465 de aynen. Yalnız usulü (Düyek) yazıl-
mış. S.A.

MUHAYYER MAKAMI

Usûlü: Aksak   Hacı Ârif Bey

(Of) Devâ yokmuş neden bîmar-ı aşka (Of)
Neden bir çare yok nâçâr-ı aşka (Of)
Rehâ olmaz mı bend-i târ-ı aşka (Of)
Aman yâ Rabbi, yandım nâr-ı aşka (Of)
Mefâîlün/Mefâîlün/Feûlün

✳✳

Usûlü: Aksak   Hacı Ârif Bey

Ey âteş-i gam bağrımı yak kanlı kebâb et
Vîrân olası hâne-i kalbimi harâb et
Sâkî ciğerim kanını al bezme şarâb et
Mahşerde sorarlarsa bile böyle cevâb et
Mef'ûlü/Mefâîlü/Mefâîlü/Feûlün

✳✳

Usûlü: Aksak   *Beste:* Rahmi Bey
                                     Güfte: Nedîm

Serâpâ hüsn ü ânsın, dil-sitânsın, nâz-perversin
Civân-ı mihribânsın, şûhsun, nâzende dilbersin
Nazîrin yok cihanda hüsn ile mihr-i münevversin
Bahâ olmaz sana cânâ aceb pâkîze gevhersin.
Mefâîlün/Mefâîlün/Mefâîlün/Mefâîlün

✳✳

Usûlü: Aksak   *Beste:* Şevki Bey
                                     Güfte: Hikmet Bey

Sanki geldim de ne buldum bu harâb-âbâda
Bezm-i gamda bana hûn-ı ciğer oldu bâde
Her gün envâ-ı belâ türlü cefâ âmâde
Âleme geldiğime ben de peşiman oldum

NOT: 2.ci kuplesi de vardır. Okunmaz.

✳✳

MUHAYYER MAKAMI

Usûlü: Aksak

Beste: Şevki Bey
Güfte: Bahriyeli Vâsıf Bey

Şeb-i yeldâ-yı hicrân içre kaldım
Yetiş imdâda buhrân içre kaldım
Serâpâ nâr-ı nîrân içre kaldım
Yetiş imdâda buhrân içre kaldım

Mefâîlün/Mefâîlün/Feûlün

NOT: Bu şarkı üç kupledir, fakat diğer kupleler okunmaz.
Ayrıca birinci kuplenin son mısra'ı:
Yetiş imdâda hüsrân içre kaldım. Diye de görüldü. S.A.

**

Usûlü: Aksak

Beste ve *Güfte:*
Hacı Ârif Bey

İltimâs etmeğe yâre varınız
Kula kul oldum aman kurtarınız
Etsin âzâd beni yâr yalvarınız
Kula kul oldum aman kurtarınız.

Feilâtün/Feilâtün/Feilün

**

Usûlü: Aksak

Kemanî Bülbülî Salih

Acep bülbül ey melek feryâd eder mi (ah) kafesde
Ahdım olsun gözlerini bûs etmek son nefesde
Kalmadı gönlüm mecâli artık ey dil-şikeste
Ahdım olsun gözlerini bûs etmek son nefesde

**

MUHAYYER MAKAMI

Usûlü: Aksak   Subhi Ziya Özbekkan

Titrer yüreğim her ne zaman yâdıma gelsen
Kan ağlar içim hâtır-ı nâşâdıma gelsen
Şu hâl-i perîşânıma bir kerre bakıp da
Allah için ey şûh-ı şenim dâdıma gelsen

Mef'ûlü/Mefâîlü/Mefâîlü/Feûlün

❊❊

Usûlü: Aksak   *Beste:* Subhi Ziya Özbekkan
                                              Güfte: Ahmed Râsim Bey

Dedim: Bu kız ne güzel, nişanlıdır dediler
Tavırları ne kadar da edâlıdır dediler
Nerelidir diye sordum, Vefâ'lıdır dediler
Tavırları ne kadar da edâlıdır dediler.

❊❊

Usûlü: Aksak   *Beste:* Zeki Ârif Ataergin
                                          Güfte: Fuat Hulûsi Demirelli

Sâkî ki sen oldun, su şarâb oldu demekdir
Bir damla içen mest-i harâb oldu demekdir
Kaş çatma alırken ben elinden suyu şen kız
Gülmezsen ümid ufku serâb oldu demekdir.

Mef'ûlü/Mefâîlü/Mefâîlü/Feûlün

❊❊

Usûlü: Aksak   Udî Şerif İçli

Dil'de rastgeldi de dildâra gönül
Ne ferahlandı şu bîçâre gönül
Dökdü sessizce hemen göz yaşını
Yok mu bîçâreliğe çâre gönül

Feilâtün/Feilâtün/Feilün

❊❊

MUHAYYER MAKAMI

Usûlü: Aksak   Klârnet Şükrü Tunar

Yâdımda o sevdâlı yeşil dîdelerin var
Ölsem de unutmam seni kalbimde yerin var
Sînemde açılmış ebedî yarelerim var
Ölsem de unutmam seni kalbimde yerin var

Mef'ûlü/Mefâîlü/Mefâîlü/Feûlün

✱✱

Usûlü: Aksak   Kemanî Sâdi Işılay

Güle güle demişler, bülbüle bakmış
Bülbülün nağmesi güle adakmış
Gül penbe gamzeye göz yaşı akmış
Ne bülbül sevinmiş, ne güz sevinmiş
Ne de bu yollarda gönül sevinmiş
Gurbetin bitmez yolu, her taraf boşluk dolu
Bülbül ağlayınca gül penbeleşmiş
Bu anda bahçeden bir yolcu geçmiş
Bakışı ateşli, adı güneşmiş
İki sevdâlıya rûhunu vermiş
Bülbül yana yana murâda ermiş

✱✱

Usûlü: Aksak(Düyek Değişmeli)   Sadeddin Kaynak

Ben yıllarca yanmışım sen de büsbütün yakma
Günâhımı çekersin sakın beni bırakma
Suçum varsa bağışla, kusurum varsa bakma
Günâhımı çekersin sakın beni bırakma
(Düyek) Dilden dile geziyor bir mecnûn gibi adım
      Kucağında can vermek işte bütün murâdım
      Hicrânınla kırıldı bugün kolum kanadım
(Aksak) Günâhımı çekersin sakın beni bırakma

✱✱

MUHAYYER MAKAMI

Usûlü: Aksak   Ahmed Râsim Bey

Bir gönülde iki sevdâ, sonu bilmem ne olur
Deli gönlüm bana olur
Bu da bir hoş oyun amma, sonu bilmem ne olur
Deli gönlüm bana olur.

Feilâtün/Feilâtün/Feilâtün/Feilün
Feilâtün/Feilâtün

**

Usûlü: Aksak   *Beste:* Melâhat Pars
                                    Güfte: Hikmet Münir Ebcioğlu

Eşi yokdur bana bir sevgili vermiş ki felek
Civelekdir, civelekdir, civelekdir, civelek
Yüzü sünbül gibi şen, sözleri bal, ağzı çilek
Civelekdir, civelekdir, civelekdir, civelek.

Feilâtün/Feilâtün/Feilâtün/Feilün

**

Usûlü: Aksak   Sadeddin Kaynak

Sürmeyi göz öldürür
Âşıkı nâz öldürür
Yiğidi bıçak kesmez
Bir kötü söz öldürür.
Bizim eller dağlık taşlık meşedir
Yâr yatağın güller ile döşedir
Benim gönlüm bâde değil şişedir
Kırılırsa saramazsın sevgilim.

**

MUHAYYER MAKAMI

Usûlü: Aksak   Sadeddin Kaynak

Ada'ya gel gidelim bir gececik bizde kal
Mehtâpda zevk edelim bir gececik bizde kal
Çamlıklarda gezelim, plâjlarda yüzelim
Ne olursun güzelim bir gececik bizde kal.

**

Usûlü: Aksak   Sadeddin Kaynak

Dağlara nûr doğsun, bağlar süslensin
Hatay anayurda kavuşdu diye
Yurtda düğün olsun, sağlar süslensin
Hatay anayurda kavuşdu diye

Belen dağlarından geçin turnalar
Billûr kaynaklardan için turnalar
Türk'ün öz yurdunda uçun turnalar
Hatay anayurda kavuşdu diye

**

Usûlü: Aksak   *Beste:* Dr. Alâeddin Yavaşça
                                  Güfte: Prof. Hâmid Dilgan

Suya gün vursa güzel gölgeni düşmüş sanırım
Seni ben ilk çiçeğin açdığı günden tanırım
Gece yıldızlar ardından üşüşmüş sanırım
Seni ben ilk çiçeğin açdığı günden tanırım

**

MUHAYYER MAKAMI

Usûlü: Yürük Semâî   Hammâmîzâde İsmail Dede Efendi

Sevdiceğim âşıkını ağladır (Ağladır aman)
Göz yaşını sular gibi çağladır (Çağladır aman)
Felek bana kareleri bağladır (Bağladır)
Aman felek, yaman felek vay
Yareliyim, yareliyim, yâr yâr yalvarırım vay
Eyle benim çâremi (Çâremi vay)

❋❋

Usûlü: Devr-i Hindî   Sultan Abdülaziz Hân

Bîhuzûrum nâle-i mürg-i dil-i divâneden
Fark olunmaz cism-i bîmârım bozulmuş lâneden
Bunca derd ü mihnete katlandığım âyâ neden
Terk-i cân etsem de kurtulsam şu mihnethâneden
Müptelây-ı derd-i hicrân olduğum cânân için
Mihnet-i dünyâ çekilmez doğrusu bir cân için.

Fâilâtün/Fâilâtün/Fâilâtün/Fâilün

❋❋

Usûlü: Devr-i Hindî   *Beste:* Hacı Ârif Bey
(Curcuna değişmeli)   *Güfte:* Mehmed Sâ'di Bey

Meyhâne tarâbgâh-ı mey-âşâmı cihândır
Peymâne safâ-bahş-ı dil-i pîr ü civândır
Vermez feleğe gûşe-i meyhâneyi rindân
Zîrâ ki o gam def'ine bir özge mekândır
(Curcuna) Terk etme meyi meykedeyi her söze kanma
          Bîgânelere andaki esrâr nihandır
          İç bâde güzel sev de ne derlerse desinler
          Meyhânede yat evde ne yerlerse yesinler
(Devr-i Hindî) Meyhânede yat evde ne yerlerse yesinler.

Mef'ûlü/Mefâîlü/Mefâîlü/Feûlün

❋❋

MUHAYYER MAKAMI

Usûlü: Sengin Semâî   Tanbûrî Ali Efendi

Feryâda ne hâcet yürü bend eyle dehânın
Bülbül yetişir bağrımı hûn etdi figânın
Vuslat demi kâm alma zamanıdır a canım
Bülbül yetişir bağrımı hûn etdi figanın

NOT: Bu eserin ilk mısra'ı:
    (Feryâda ne hâcet dili bend eyledi ânın)
    Şeklinde de görüldü. Kanaatimce bu mısra' daha da güzeldir.
                                                     S.A.

✳✳

Usûlü: Sengîn Semâî   Tanbûrî Cemil Bey

Pür lerze olur rûyını gördükçe cenânım
Her an seni görmek dilerim rûh-i revânım
Takdîs ederek sevmek seni maksad-ı cânım
Her an seni görmek dilerim rûh-i revânım.

                                 Mef'ûlü/Mefâîlü/Mefâîlü/Feûlün

✳✳

Usûlü: Sengîn Semâî   *Beste:* Lem'i Atlı
                                     Güfte: Semih Mümtaz

Gezdim yürüdüm dün gece hicrânımı yendim
Tâ fecre kadar balkonun altındaki bendim
Bir gün yaşamam ben seni görmezsem efendim
Tâ fecre kadar balkonun altındaki bendim

                                 Mef'ûlü/Mefâîlü/Mefâîlü/Feûlün

✳✳

MUHAYYER MAKAMI

Usûlü: Devr-i Hindî   Kemanî Tatyos

Uyandı bahtım etmem artık şekvâ felekden
Bana vâ'd-i visâl tebşîr oldu o melekden
Def etdim merakı vaz geçdim âh eylemekden
Bana vâ'd-i visâl tebşîr oldu o melekden

**

Usûlü: Yürük Semâî   *Beste:* Kemençevî Halûk Recâî
                              Güfte: İsmet Bozdağ

Bir şarkıyı söylerken yaşarmışsa gözlerin
Bir kadehi tutarken titremişse ellerin
Ürpermişsen bir gece yatağında ansızın
Yıldızlar öpmüş seni, âşık olmuşsun sevin
Karşılığı ha varmış ha yokmuş hiç fark etmez
Sevdin mi yüreğinde çıldırtan bahar bitmez
Eli safâ tüketir, seni kahır eskitmez
Yıldızlar öpmüş seni, âşık olmuşsun sevin.

**

Usûlü: Türk Aksağı   Bestekârı Meşhûl

Yakdın ey âteş-mizâcım sine-i sûzânımı
Ben muhabbet uğruna vakf eylemişken cânımı
Kubbe-i âmâl bilirken gûşe-i âmanımı
Canını yaksın Hudâ yakdın benim canımı

Tâlii uymazsa insanın ne yapsa nâfile
Sabr-ı âmâl eylemek lâzımdır elbet âkile
Böyle nefret eylemek lâyık mı merd-i kâmile
Canını yaksın Hüdâ, yakdın benim canımı

**

MUHAYYER MAKAMI

Usûlü: Türk Aksağı   Sadeddin Kaynak

I-) Karşıda kara yonca
   Gel öpeyim doyunca
   Öpmenin faydası yok
   Gönülden olmayınca

II-) Bekle, sular kararsın
   Bu gece geleceğim
   Bu ne kadar güzellik
   Ben şimdi öleceğim...

III-) Yaz gününde kar tatlı
   Kış gününde nar tatlı
   Kar'la nar şöyle dursun
   İkisinden yâr tatlı.

**

Usûlü: Düyek   Rifat Bey

Sakî içelim câmını dem-sâz ederek gel
Kâkül dökerek, göz süzerek, nâz ederek gel
Sahbây-ı leb-i lâlini incâz ederek gel
Kâkül dökerek, göz süzerek, nâz ederek gel
                    Mef'ûlü/Mefâîlü/Mefâîlü/Feûlün

**

Usûlü: Düyek   Rifat Bey

Gözden cemâlin çün ırağ oldu
Mecnûna döndüm yerim dağ oldu
Zülf-i zenciri bana bağ oldu
Mecnûna döndüm yerim dağ oldu

**

MUHAYYER MAKAMI

Usûlü: Düyek   Hacı Ârif Bey

Niçin mahzun bakarsın sen bana öyle
Nedir küskünlüğün ey mâh söyle
Mükedder durmaklığın lâyık mı böyle
Nedir küskünlüğün ey mâh söyle

✳✳

Usûlü: Düyek   Derdli

Ok gibi hûblar beni yaydan yabana atdılar
Bilmediler kadrimi ucuz bahâya satdılar (Hey...)
Neydi vaktinde güzeller bûseler vâ'd etdiler
Bir söz ile hâsılı şu gönlümü aldatdılar (Hey...)
Haniyâ sâdık diyü medhetdiğin ol nevcivân
Dün gece ol dilberi bir bâdeye oynatdılar
Gördüm ol hûrî-sıfat ağyâr ile ülfet eder
Hasetinden Dertli'yi toplar gibi patlatdılar
Fâilâtün/Fâilâtün/Fâilâtün/Fâilün

✳✳

Usûlü: Düyek   *Beste:* Sadeddin Kaynak
                                            Güfte: Necdet Rüştü Efe

İşte seni seven benim
Senin aşkınla ölenim
Günâh ise gönül çekmek
Gel boynumu vur kölenim
Kıyma bana güzelim

Güzeller içinde teksin
Gönlüm hep sevdânı çeksin
Biliyorum en sonunda
Beni sen öldüreceksin
Kıyma bana güzelim

✳✳

MUHAYYER MAKAMI

Usûlü: Düyek

Beste: Tanbûrî Refik Fersan
Güfte: Faruk Nafiz Çamlıbel

Her güzel bağından bir gül seçerdi
Bundan mı sarardın soldun ey gönül
Güzeller geçerdi, gençler geçerdi
Bir zaman aşk için yoldun ey gönül

**

Usûlü: Düyek

Lem'i Atlı

Gözlerim gözlerini seyre dalsın
Doyunca rûhum gıdasını alsın
Gönlüm de aşkına gömülsün kalsın
Doyunca rûhum gıdasını alsın

**

Usûlü: Düyek

Yesârî Asım Arsoy

Bir ceylâna pusu kurdum yakınımdan geçmedi
Güzel de ceylân gel, gel, gel, gel aman
Keskin akan derelerden eğilip su içmedi
Yakınımdan geçmedi, susamışken içmedi.
Ceylân, ceylân, gel, gel, gel, gel, aman
Uzaklarda ürkek ürkek bakdı beni seçmedi
Canım da ceylân kaçma benden dur varayım yanına
Varayım da saklayayım kıymasınlar canına
Gel, gel, gel, gel, aman.
Ceylânımın gerdanına mavi boncuk takayım
Bir bakışda canlar yakan gözlerine bakayım
Kerem gibi aşka düşüp ben kendimi yakayım
Kara yalçın, kayalar atlayıp da aşamam
Ceylân sana kavuşmazsam ölürüm ben yaşamam
Dile geldi güzel gözlüm bana bir söz söyledi
Beni şaşkın eyledi.

**

MUHAYYER MAKAMI

Usûlü: Düyek   *Beste:* Münir Nureddin Selçuk
                                  Güfte: Yahya Kemal Beyatlı

Çepçevre bahâr içinde bir yer gördük
Ferhâd ile Şîrîn'i beraber gördük
Bakdık geceden fecre kadar ellerde
Yıldızlara yükselen kadehler gördük

Eslâf kapıldıkça güzelden güzele
Fer vermiş o neşveyle gazelden gazele
Sönmez seher-i haşre kadar şi'r-i kadîm
Bir meş'aledir devredilir elden ele

                                  Rübâî(Ahreb)

                    ✳✳

Usûlü: Düyek   Sadeddin Kaynak

Dizlerine kapansam kana kana ağlasam
O güzel saçlarını ben çözüp, ben bağlasam
Başka bir şey istemem yanında sabahlasam
O güzel saçlarını ben çözüp, ben bağlasam

                    ✳✳

Usûlü: Düyek   *Beste:* Sadeddin Kaynak
                                  Güfte: Vecdi Bingöl

Zeynebim uçdu gitdi   Göz yaşlı, gönül kırık
Nazlı bir kuşdu, gitdi   Her sözü bir hıçkırık
Gözleri gözlerimde   Ölüm kurtuluş yolu
Yandı, tutuşdu, gitdi   Çekilmiyor ayrılık

   Bu ayrılık yükünü   Bu ayrılık yükünü
   Taşıyamam Zeynebim   Taşıyamam Zeynebim
   Ben sensiz bir gün bile   Ben sensiz bir gün bile
   Yaşıyamam Zeynebim   Yaşıyamam   Zeynebim

                    ✳✳

MUHAYYER MAKAMI

Usûlü: Düyek   Sadeddin Kaynak

Ne zaman görsem onu ayaklarım dolaşır (Vay vay)
Gülerek selâm verir çabucak uzaklaşır (Esmerim vay vay)
O güzel endâmına ne giyerse yaraşır (Vay vay)
Gece gündüz hayâlim onunla kucaklaşır (Esmerim vay vay)

**

Usûlü: Düyek   Sadeddin Kaynak

Bu gece mehtâbı koynuna almış
Saçından inciler parlayan İzmir
Denizin dibinde uyuyakalmış
Eflâtun mayolu genç bayan İzmir

Uyu da dinlensin kıvırcık başın
Kanım, kaynağımdır toprağın taşın
Mor dağlar yatağın, deniz oynaşın
Sevdâsı gönlümde çağlayan İzmir.

**

Usûlü: Düyek   *Beste:* Sadeddin Kaynak
                              Güfte: Vecdi Bingöl

Bülbülüm gel de dile
Söyle benimle bile
Sesini duyur ele
Çile bülbülüm çile

Issız yuvada tekdin
Çekilmez çile çekdin
Kim derdi gülecekdin
Çil bülbülüm çile

Müjde ey güzel kuşum
Bahara döndü kışım
Gülüyor içim dışım
Çile bülbülüm çile.

**

MUHAYYER MAKAMI

Usûlü: Düyek　　　　　　　　　Sadeddin Kaynak

Gökler perîsi gibi
Pırıl pırıl Emine
Yurdun neş'esi gibi
Sensin bu yıl Emine

Tak göğsüne bir top gül
Güllere sarıl, bükül
Öterken dalda bülbül
Serpil, saçıl Emine

Artık şakra, gül, oyna
Yas dolmasın suyuna
Ceylân gibi boyuna
Bak da bayıl Emine

＊＊

Usûlü: Düyek　　　　　　　　　Sadeddin Kaynak

İndim yârin bahçesine yine düşdüm yareli
Yarelerim onulmaz meğer ki değe yâr eli
Kara gözlüm geçermi dedimdi geldi geçdi
Kirpikleri hançer mi bağrımı deldi geçdi
Yâre bağçevan oldum bağladım gül demeti
Ellerle güler oynar bana bir gül demedi

＊＊

Usûlü: Düyek　　　　　　*Beste:* Kemanî Hüseyin Coşkuner
　　　　　　　　　　　　　　　Güfte: Rüştü Şardağ

Kahrın bize kaldı işven ellere
Felek bizi atdı gurbet ellere
Hâtıran ilhamdır şimdi tellere
Felek bizi atdı gurbet ellere

＊＊

MUHAYYER MAKAMI

Usûlü: Sofyan   Sadeddin Kaynak

Ay doğdu batmadı mı (Oy, oy, oy, oy,)
Humar göz yatmadı mı
        (Nakarat)

Diley diley baygınam hey
Güzel sana ben vurgunam hey
Diley diley baygınam hey

Seni yaratan Allah (Oy, oy, oy, oy)
Beni yaratmadı mı
        (Nakarat)

Elmasda koku olmaz (Oy, oy, oy, oy)
Aşıkda uyku olmaz
        (Nakarat)

Seveceksen sev beni (Oy, oy, oy, oy,)
Bu kadar korku olmaz
        (Nakarat)

Çay taşı çakmak taşı (Oy, oy, oy, oy)
Yârin çatıkdır kaşı
        (Nakarat)

Çirkin ile bal yenmez (Oy, oy, oy, oy)
Güzel ile taş taşı
        (Nakarat)

❋❋

MUHAYYER MAKAMI

Usûlü: Düyek · Ûdî Mısırlı İbrahim Efendi

Sevdim seni yana yana
Sarardım kana kana
Hazîn hazîn bakışların
Can katardı sanki cana

Karşımda bir alev oldun
Geldin yüreğime doldun
Bir âh etdin yanık yanık
Uzaklaşdın kimi buldun

Sevdim seni saramadım
Gülşenine varamadım
Gözlerinden uzak oldum
Kimselere soramadım

＊＊

Usûlü: Düyek · Sadeddin Kaynak

Gece gündüz uyku girmez gözüme
İntizârım elâ gözlü yâr deyû
Gündüz hayâlimde gece düşümde
Selâmı çok bir sevgilim var deyû

   Sevgili cicim yanıyor içim
   Kul kölen olam ben senin için

Ne mümkündür yüzün yârdan döndürem
Yeri göğü aşk od'una yandıram
Bir sırdaşım yokdur yâre gönderem
Var cânânın hatırın sor deyû

   Sevgili cicim yanıyor içim
   Kul kölen olam ben senin için

＊＊

MUHAYYER MAKAMI

Usûlü: Nim Sofyan   Ârif Sami Toker

I-) Yenilendi derdim neden bilemem
Yamandır hasretile hâlin gönül
Ağlayıp da göz yaşımı silemem (Hey hey)
(Nakarat)
Nedir senin âh ü zârın gönül
Gidiyorum sizin olsun
Yâr hasreti bize kalsın
Ağlayıp da göz yaşımı silemem yaralı gönül
II-) Seni sevmek suç mu güzel bileyim
Garip kaldım nerelere gideyim
Senin aşkın ile feryâd edeyim (Hey hey)
(Nakarat)

✳✳

Usûlü: Curcuna   Rifat Bey

Takıldı zülfüne akl ü şuûrum
Seninle gitdi ârâm u huzûrum
Temâşây-ı cemâlindir sürûrum
Seninle gitdi ârâm u huzûrum

Mefâîlün/Mefâîlün/Feûlün

✳✳

Usûlü: Curcuna   *Beste:* Rahmi Bey
                                            Güfte: Nedîm

Yetmez mi sana bister ü bâlin kucağım
Serd oldu havâ çıkma koyundan kuzucağım
Âteşlik eder sana bu sînemdeki dâğım
Serd oldu havâ çıkma koyundan kuzucağım

Mef'ûlü/Mefâîlü/Mefâîlü/Feûlün

✳✳

MUHAYYER MAKAMI

Usûlü: Curcuna   Şevki Bey

Ol gonca dehen bir gül-i handân olacakdır
Âşıkları bülbül gibi nâlân olacakdır
Ahvâlimiz ol saçları Leylâ ile âhir
Mecnûn gibi âlemlere destân olacakdır
                    Mef'ûlü/Mefâîlü/Mefâîlü/Feûlün

✳✳

Usûlü: Curcuna   *Beste:* Sadeddin Kaynak
                                    Güfte: Necdet Rüştü Efe

Batan gün kana benziyor
Yaralı cana benziyor (Esmerim vay vay)
Ah ediyor bir gül için
Şu bülbül bana benziyor
        Vah benim garip gönlüm

Gece kapladı her yeri
Keder sardı dereleri (Esmerim vay vay)
Düşman değil, sevdâ açdı
Bağrımdaki yareleri
        Vah benim garip gönlüm

Rahatça bir dem olaydı
Yarama merhem olaydı (Esmerim vay vay)
Kurtulurdu daha çabuk
Âşıklar verem olaydı
        Vah benim garip gönlüm

NOT: Bu şarkının ikinci kuplesindeki mısra': (Keder sardı dîdeleri) şek-
linde de görüldü. Aynı kuplenin üçüncü mısra'ı da:
        Düşman değil yârim açdı.
şeklinde görülmüşdür. Her iki mısra'da ifade bakımından, anlam
bakımından daha da uygundur. S.A.

✳✳

MUHAYYER MAKAMI

Usûlü: Curcuna

Sadeddin Kaynak

I-) Esmerim kıyma bana (2 kere)
   Kurban olayım sana
      Esmer aman, aman, aman
      Çok içmişim başım duman
      Sevdâlıyım hâlim yaman
   Yılda kurban bir olur (2 kere)
   Her gün kurbanım sana
      Esmer eğlendi gelmedi
      Yolda bağlandı gelmedi
      Ellere uydu gelmedi

      Aman piyâle vaktidir
      Canım piyâle vaktidir
      Gözünü sevdiğim esmer
      Menekşe, lâle vaktidir

II-) Bu gece buralıyım (2 kere)
    Ne bahtı karalıyım
      Esmer aman, aman, aman
      Çok içmişim başım duman
      Sevdâlıyım hâlim yaman
    El beni âşık sanır (2 kere)
    Ezelden yaralıyım

      Esmer eğlendi gelmedi
      Yolda bağlandı gelmedi
      Ellere uydu gelmedi

      Aman piyâle vaktidir
      Canım piyâle vaktidir.
      Gözünü sevdiğim esmer
      Menekşe, lâle vaktidir.

❋❋

MUHAYYER MAKAMI

Usûlü: Curcuna   Sadeddin Kaynak

-I-

Gurbet elde yaman oldu hâlimiz
Sılaya varmağa nice çağlar var
Âh ederim elim erişmez yâre
Aramızda yıkılası dağlar var
    (Nakarat) (Var aman var aman
        Hasretine dayanam)
Ne yaman eğlendik kaldık burada
Dilerim Mevlâ'dan erem murâda
Bana derler neyin kaldı sılada
Bilmezler ki bir ciğerim dağlar var
        (Var aman var aman
        Hasretine dayanamam)

-II-

Bir yiğit düşünce kaldıran olmaz
İyilik unutulup kem demek olmaz
Bu kadar gurbetde eğlenmek olmaz
Ne diyeyim ayaklarım bağlar var.
    (Nakarat) (Var aman var aman
        hasretine dayanam)
Bozulmasın alnımızdan yazılar
Göz göz oldu yaralarım sızılar
Kerem'im der dinleyin hey gaziler
Derdim kazup benim için ağlar var
        (Var aman var aman
        hasretine dayanam)

✳✳

MUHAYYER MAKAMI

Usûlü: Curcuna   (Türkü)

Sînemde bir tutuşmuş yanmış ocağ olaydı
Zülfün karanlığında bezme çerağ olaydı
Olaydı yâr olaydı, yâr bâde dolduraydı
Şu garip gönlüm için kanun icâd olaydı

Zülfün görenlerin hep bahtı siyâh olurmuş
Tek zülfünü göreydim bahtım siyâh olaydı
Olaydı yâr olaydı, yâr bâde dolduraydı
Şu garip gönlüm için kanun icâd olaydı

Meyhâneler kapısı bahtım gibi kapansın
Rindâna bâde içmek sensiz yasağ olaydı
Olaydı yâr olaydı, yâr bâde dolduraydı
Şu garip gönlüm için kanun icâd olaydı

Müstef'ilün/Feûlün/Müstef'ilün/Feûlün

NOT: Bu türkünün her mısra'ı iki kerre okunur.
Türkünün sahibi her ne kadar bilinmiyorsa da, Maden Mutasarrıfı Hayri Bey'den alındığı söylenir.   S.A.

❋❋

MUHAYYER MAKAMI

Usûlü: (Türkü)

Bu gün ayın on dördü
Kız saçını kim ördü
Ördü ise efem ördü
Ay karanlık kim gördü

Bugün ayın onudur
Yüküm buğday unudur
Evliye gönül verme
Eve gider unudur

Ay aydınlık varamam
Dile destân olamam
Ay buluta girince
Bağlasalar duramam.

✳✳

Usûlü: (Türkü)

Söğüdün yaprağı narindir narin
İçerim yanıyor dışarım serin
Zeynebi bu hafta etdiler gelin
Zeynebim Zeynebim anlı Zeynebim
Üç köyün içinde şanlı Zeynebim

Zeynep bu güzellik var mı soyunda
Elvan elvan kokar güller koynunda
Ramazan ayında bayram gününde
Zeynebim Zeynebim anlı Zeynebim
Üç köyün içinde şanlı Zeynebim.

✳✳

MUHAYYER MAKAMI

Usûlü: Aksak   Tanburacı Osman Pehlivan

Sarı Zeybek (aman) şu dağlara yaslanır (aman)
Yağmur yağar silâhları (efem) ıslanır
Bir gün olur (aman) deli gönül uslanır (aman)
Eyvâh olsun telli de doru (efem) şânına
Eğil de bak mor cepkenin (efem) kanına

**

Usûlü: Nim Sofyan   (Türkü)

Çayır ince biçemedim
Soğuk sular içemedim
Bana yârdan geç diyorlar
Yât tatlıdır geçemedim
        (Nakarat)

        Olur desinler olmaz desinler
        Herkes beni sana vurgun desinler
        Meram bağlarında kaldı desinler

Elinizden elinizden
Bir kurtulsam dilinizden
Yeşil başlı ördek olsam
Sular içmem gölünüzden
        (Nakarat)

**

MUHAYYERKÜRDÎ MAKAMI

Usûlü: Hafif   Beste   *Beste:* Zekâî Dede Efendi
                                Güfte: Enderûnî Vâsıf

Vâd eyleyicek vuslatı dünyâ benim oldu
Bu şevka sebep ol meh-i sîmin-tenim oldu
Vâsıf gibi gönlüm olalı bülbül-i hüsnün
Gülşengeh-i aşk ey gül-i ter meskenim oldu
Terennüm: Ya le lel lel lel lel le lel lel
        Te re lel lel lel le lel li
        Ah ah a zîbayı men
                 Mef'ûlü/Mefâîlü/Mefâîlü/Feûlün

✸✸

Usûlü: Aksak Semâî   Ağır Semâî   Zekâî Dede Efendi

Dil-sûz eden ol âfeti tâb-ı nazarımdır
N'itsün o yakan gönlümü kendi şererimdir
Pâşide olan tişe-i âhım dehenimde
Sanma ki şerer-rıze-i lâht-i ciğerimdir
Terennüm: Ah canım yâr nazarımdır
          Hey canım
                 Mef'ûlü/Mefâîlü/Mefâîlü/Feûlün
LÂHT: Bir şeyin parçası cüz'ü

✸✸

Usûlü: Yürük Semâî   Yürük Semâî   Zekâî Dede Efendi

Âgûşa çekerdim seni pirâhenin olsam
Pâ-busuna şâyeste idim dâmenin olsam
Bir gûşe-i güftârına her lâle-i dâğım
Sen bülbül olup sîneme ben gülşenin olsam
Terennüm: Ya lel li ye li ye le li pirâhenin olsam
                 Mef'ûlü/Mefâîlü/Mefâîlü/Feûlün
PİRÂHEN: Gömlek.

✸✸

MUHAYYERKÜRDÎ MAKAMI

Usûlü: Devr-i Hindî   Zekâî Dede Efendi

Hayli dem hicrinle sûzanken gönül ey sevdiğim
Giryenâk-i ye's-i hicrânken gönül ey sevdiğim
Tâl'at-ı mihre nigâhbanken gönül ey sevdiğim
Şimdi teşrifinle şâdandır gönül ey sevdiğim

**

Usûlü: Düyek   Nikoğos Ağa

Nâr-ı firkatle yanar cânım benim
Hâlime rahm eyle cânânım benim
Gûş edip bir kerre efgânım benim
Hâlime rahm eyle cânânım benim
                                    Fâilâtün/Fâilâtün/Fâilün

**

Usûlü: Düyek   Nikoğos Ağa

Varmı hâcet söyleyim ey gül-tenim
Ben kulunum sen efendimsin benim
Merhamet kıl gel bana şûh-i şenim
Ben kulunum sen efendimsin benim
                                    Fâilâtün/Fâilâtün/Fâilün

**

Usûlü: Aksak (Curcuna değişmeli)   Rakım Elkutlu

Bilmem ki günâhım sana olmakda mı bende
Ağlatma yeter kalmadı hiç göz yaşı bende
Curcuna: Bir hasta dilim vardı ki aldın o da sende
          Ağlatma yeter kalmadı hiç göz yaşı bende
Aksak: Ağlatma yeter kalmadı hiç göz yaşı bende
                                    Mef'ûlü/Mefâîlü/Mefâîlü/Feûlün

**

MUHAYYERKÜRDÎ MAKAMI

Usûlü: Aksak   **Ahmek Aksoy**

Fağfur bir kadehden dökülen mey gibi raks et
Mahmur gözlerini rûhuma ver beni şâd et
Mes'ud olalım gel, beni sev, kendine râm et
Mahmur gözlerini rûhuma ver beni şâd et

※※

Usûlü: Aksak   **Kemânî Emin Ongan**

Bülbül gibi her şâm ü seher nâlelerim var
Beyhûde değil sen gibi bir gonca-terim var
Bigânen için mahrem olan bezm-i visâle
Söyletme beni sen bu gönülde nelerim var

※※

Usûlü: Aksak   *Beste:* Dr. Alâeddin Yavaşça
                                          Güfte: Fuat Edip Baksı

Sevgi deli gönülden gönüle bir akışdır
İzi hiç silinmeyen ilk yakıcı bakışdır
Gün olur yeşil bahar, gün olur kara kışdır
İzi hiç silinmeyen ilk yakıcı bakışdır

※※

Usûlü: Düyek   *Beste:* Sadeddin Kaynak
                                        Güfte: Cemâl Nâbedîd Bey

Akşam yine gölgen, yine gölgen, yine akşam
Gölgen neyi görsem, neyi sevsem, neye baksam
Sensiz içilen bâde, karanlık dolu bir câm
Âgûşum açık, rengim uçuk, kalbim ışıksız
Karşımda günün çehresi bir yaslı çatık kız
Hüsnün o kadar taze ki sevgim yakışıksız
Gölgen neyi görsem, neyi sevsem, neye baksam
                    Mef'ûlü/Mefâîlü/Mefâîlü/Feûlün

※※

MUHAYYERKÜRDÎ MAKAMI

Usûlü: Düyek   Sadeddin Kaynak

Gönlüm özledikçe görürdüm hele
Lâcivert kanatlı kumru olsaydım
Seni kıskanırım rüyâda bile
Ahu gözlerinde uyku olsaydım
Sanma ki sevgilim solar biterdim
Belki murâdıma böyle yeterdim
Gonca leblerinde yanar tüterdim
Güllerden süzülen koku olsaydım
Duyabilmek için inceden ince
Bütün benliğimi sana verince
Dalarım aşkına şöyle derince
Gönlünde yaşayan duygu olsaydım

**

Usûlü: Düyek   Sadeddin Kaynak

Bir içim su gibi özlerim seni
Korkulu durumda gözlerim seni
Kendimi veririm gizlerim seni
Gönlümün yıldızı Zühre'm nerdesin

Her gece sorarım yıldıza sandan
Rüzgârı içerim böyle derinden
Yoksulum güzelim şimdi sesinden
Gönlümün yıldızı Zühre'm nerdesin

**

MUHAYYERKÜRDÎ MAKAMI

Usûlü: Düyek

Beste: Sadeddin Kaynak
Güfte: Âşık Emrâh (Erzurumlu)

I-) Yine bahar oldu coşdu yüreğim
Akar boz bulanık selli dereler
Sıla derdi, vatan derdi, yâr derdi
İflâh etmez bu dert beni yaralar

II-) Hayâl oldu âşık Emrâh halleri
Deyin yâra gözlemesin yolları
Herkesin sevdiği giyer alları
Koy benim sevdiğim giysin karalar

**

Usûlü: Düyek

Beste ve *Güfte:*
Tanbûrî Sadun Aksüt

Sislerle örtülü eski yıllardan
Gün olur belirir acı hâtıran
Sesini duyarım beni çağıran
Gelemem kalbinden sen sürgün etdin

Çekdiğim elemden utansın kader
Ömrümü yoluna ber etdim heder
Aşkından usandım istemem yeter
Gelemem kalbinden sen sürgün etdin

**

MUHAYYERKÜRDÎ MAKAMI

Usûlü: Düyek

Beste: Tanbûrî Sadun Aksüt
Güfte: Fazilet Işıtman

Git istersen uzaklara
İçimdesin nasıl olsa
Sal kalbimi acılara
Benimlesin nasıl olsa

Erişilmez tepelerden
Sonsuza dek gecelerden
O ölümsüz bestelerden
Bir ses gelir nasıl olsa

Çağıldayan dalgalardan
Uğuldayan rüzgârlardan
Yankılanan kayalardan
Haber gelir nasıl olsa

Git istersen uzaklara
Sal kalbimi acılara
Dönmesen de buralara
Sen bendesin nasıl olsa

**

Usûlü: Düyek

Sadeddin Kaynak

Karlı dağlar yıldızı
Yamandır yürük kızı
İçdik tatlı kımızı
Yamandır yürük kızı
    Sevinç, ümit çağında
    Üzüm olmuş bağında
    Gönlüm hasret çağında
    Yamandır yürük kızı
Ben bir garip çobanım
Kaval çalar ağlarım
Benim nazlı doğanım
Yamandır yürük kızı

**

Usûlü: Düyek

Beste: Avni Anıl
Güfte: Ümit Yaşar Oğuzcan

Sen ne kadar saklasan gönlündekini
Her şeyi bana bir bir anlatır gözlerin
Değişmem dünyalara seni görmek zevkini
Her şeyi bana bir bir anlatır gözlerin

**

MUHAYYERKÜRDÎ MAKAMI

Usûlü: Düyek

Beste: Avni Anıl
Güfte: Turhan Oğuzbaş

Unutulmuş ne varsa sevgiden geri kalan
Bir kadeh şarap gibi içilmiş şarkılarda
Bütün ışıklar sönmüş, terkedilmiş hâtıran
Bir senin aydınlığın karanlık sokaklarda

**

Usûlü: Düyek

Beste: Âmir Ateş
Güfte: Melek Hiç

Bir kızıl goncaya benzer dudağın
Açılan tek gülüsün sen bu bağın
Kurulur kalplere sevdâ otağın
Kimbilir hangi gönüldür durağın

Her gören göğsüme taksam seni der
Kimi ateş, gibi yakdın beni der
Kimi billûr bakışından söz eder
Kimbilir hangi gönüldür durağın

Feilâtün/Feilâtün/Feilün

**

Usûlü: Düyek

Beste ve Güfte:
Udî Şekip Ayhan Özışık

Rüzgâr söylüyor şimdi o yerlerde bizim eski şarkımızı
Vaz geç söyleme artık hatırlatma mâzideki aşkımızı
Bir kış günüydü başladı bu hazîn mâcerâsı ömrümüzün
Vaz geç söyleme artık hatırlatma mâzideki aşkımızı

**

MUHAYYERKÜRDÎ MAKAMI

Usûlü: Düyek *Beste* ve *Güfte:*
Udî Şekip Ayhan Özışık

O beni bir bahar akşamı terkedip gitdi
Ne o geri geldi, ne bu ömür bitdi
Nerdesin, nerdesin yeşil gözlü meleğim
Nerdesin, nerdesin şirin sözlü bebeğim

Ne olur bir bahar akşamı sen bana dönsen
Yine benim olsan, yine beni sevsen
Gel bana, dön bana yeşil gözlü meleğim
Dön bana, gel bana şirin sözlü bebeğim

⁕⁕

Usûlü: Düyek *Beste* ve *Güfte:*
Udî Şekip Ayhan Özışık

Bakarım yollarına nerdesin sevgilim
Açarım kollarımı nerdesin sevgilim
Baharı bitirdik, yazı geçirdik, kışı getirdik
Nerdesin, nerdesin, nerdesin sevgilim
Yalancı dünya geçer mi sensiz, ömür biter mi
Nerdesin, nerdesin, nerdesin sevgilim

Geçiyor günlerimiz gel bana, dön bana nerdesin sevgilim
Perişan hallerimiz, gel bana, dön bana nerdesin sevgilim
Baharı bitirdik, yazı geçirdik, kışı getirdik
Nerdesin, nerdesin, nerdesin sevgilim
Yalancı dünya geçer mi sensiz, ömür biter mi
Nerdesin, nerdesin, nerdesin sevgilim

⁕⁕

Usûlü: Düyek *Beste:* Kemanî Ali Erköse
Güfte: Müzehher Güyer

Virân olan kalbimde sevgilimi özlerim
Şu gönlümün kahrını sen çekersin gözlerim
Sende duydum aşkımı, yine sende gizlerim
Şu gönlümün kahrını sen çekersin gözlerim

⁕⁕

MUHAYYERKÜRDÎ MAKAMI

Usûlü: Nim Sofyan   Kemanî Ali Erköse

Al gönlünü ondan bana ver
Görmeden eller, görmeden eller
    Yıllarım seni sevmekle geçdi
    Geçecek de, geçecek de, geçecek
Sevgilim gel artık dön bana
Almadan eller, almadan eller
    Yıllarım seni sevmekle geçdi
    Geçecek de, geçecek de, geçecek
Sen yalnız benim ol güzelim
Sarmadan eller, sarmadan eller
    Yıllarım seni sevmekle geçdi
    Geçecek de, geçecek de, geçecek

✱✱

Usûlü: Düyek   *Beste:* Zeki Müren
(Aksak değişmeli)   *Güfte:* Vedat Şenyol

Yaşamak zevki verir rûhuma sonsuz kederim
Seni, yalnız seni, çılgın gibi hâlâ severim
Aksak: Bilirim hiç beni güldürmeyecekdir kaderim
Seni, yalnız seni, çılgın gibi hâlâ severim
                Feilâtün/Feilâtün/Feilâtün/Feilün

✱✱

Usûlü: Düyek   *Beste* ve *Güfte:* Zeki Müren

Tekrar bana dönsen, yine beni sevsen
Kalbimde sen, rûhumda sen, ne olursun bana sevgilim desen
Ey sevgili, bil ki, gam yemezdim yolunda bile ölsem
Kalbimde sen, rûhumda sen, ne olursun bana sevgilim desen

✱✱

MUHAYYERKÜRDÎ MAKAMI

Usûlü: Müsemmen

Zeki Müren

I-) Bülbülü üzer
Gülün dikeni
Sevgilim yeter
Bekletme beni
(Nakarat) Gel, gel geliver
Gül, gül gülüver
Nasıl severim biliver
Göz yaşlarımı siliver

II-) Sevgim çok derin
Kalbimde yerin
Gel bana artık
Bitsin kederim
(Nakarat)

III-) Aşkımı bilsen
Gözümü silsen
Ne olur sanki
Sen bana gelsen
(Nakarat)

**

Usûlü: Düyek

Beste ve *Güfte:*
Udî Şekip Ayhan Özışık

İçin için yanıyor, yanıyor bu gönlüm
Onun için yanıyor, yanıyor bu gönlüm
O bir vefâsızdı, o bir hayırsızdı
Neden gönül anıyor, neden gönül yanıyor
Açık yeşildi gözü, güneş gibiydi yüzü
O çok güzeldi amma, yalancının biriydi
Ah, unut onu gönlüm, unut onu sen de

Neden, niçin arıyor, arıyor bu gönlüm
Onun niçin soruyor, soruyor bu gönlüm
O bir vefâsızdı, o bir hayırsızdı
Neden gönül anıyor, neden gönül soruyor
Açık yeşildi gözü, güneş gibiydi yüzü
O çok güzeldi amma, yalancının biriydi
Ah, unut onu gönlüm, unut onu sen de

**

MUHAYYERKÜRDÎ MAKAMI

Usûlü: Düyek

Beste: Kemanî Ali Erköse
Güfte: Orhan Erener

Al beni kollarına sen benimsin de bana
Unutulmaz hâtıra bırak bu gece bana
Bilsen nasıl hasretim yıllar var ki sana
Unutulmaz hâtıra bırak bu gece bana

**

Usûlü: Düyek

Beste ve Güfte:
Kemanî Ali Erköse

I-) Eller ne derse desin
İnan ilk sevgilimsin
Bekliyorum yıllardır
Ne zaman geleceksin

II-) Rûhumsun aşkımsın sen
Her yerde senin sesin
Bekliyorum yıllardır
Ne zaman geleceksin

III-) Unutamam bûseni
Sevgilim sen nerdesin
Bekliyorum yıllardır
Ne zaman geleceksin

**

Usûlü: Düyek

Beste: Ûdî Selâhaddin Erköse
Güfte: Rüştü Şardağ

Unutulmaz adınla dudakda kal sevgilim
Hâtıran yeter bana uzakda kal sevgilim
Sakın güneş doğmasın, şafakda kal sevgilim
Hâtıran yeter bana uzakda kal sevgilim

**

MUHAYYERKÜRDÎ MAKAMI

Usûlü: Düyek

Beste: Ûdî Selâhaddin Erköse
Güfte: Yaşar Erköse

Güzel yüzün mehtâp gibi kalbime doğsun
Hiç bir gün kararmasın ömrüm seninle solsun
Güneş kadar parlak gözlerin kalbime dolsun
Hiç bir gün kararmasın ömrüm seninle solsun

**

Usûlü: Düyek

Beste: Ûdî Selâhaddin Erköse
Güfte: Baki Süha Ediboğlu

Kapat şu pencereyi aşkımız gizli kalsın
Bizi kimse görmesin saatler sessiz çalsın
Sızmasın dışarıya senin rengin bakışın
Bizi kimse görmesin saatler sessiz çalsın

**

Usûlü: Müsemmen

Beste ve Güfte:
Dr. Selâhaddin İçli

Ayrılık var çıkan falda
Silindin sen rüyâlarda
Solar lâle, kanar güller
Seni bekler bu yollarda
    Murâdımsın baharla gel
Gece sensiz deniz ağlar
Kederlenmiş siyah dağlar
Geçer aylar, geçer yıllar
Gönül yaslı kara bağlar
    Sabahımsın seherle gel
Vefâ yoktur güzellerde
Denir, gelmez üzerler de
Sarardım bak esen yeller
Yazar hasret kaderlerde
    Ne olursun hazanla gel

**

MUHAYYERKÜRDÎ MAKAMI

Usûlü: Düyek

Ârif Sami Toker

Ey sevgili hasretim sana
Yıllardır arkadaş ıztırab bana
Güzel başını kalbime yaslasana
Hayat sensiz azapdır sevgilim bana
  Gel sevgilim, nazlı dilberim
  Bahtımın yıldızı, canım güzelim
  Senin yoluna dile de can vereyim
  Hayat sensiz azapdır sevgilim bana
Ah gözleri bahtım gibi kara sevgilim
Kalbim ahla doluyor sen gideli
Senin yoluna canımı verdim vereli
Hayat sensiz azapdır sevgilim bana

✳✳

Usûlü: Düyek

Beste ve *Güfte:*
Necdet Tokatlıoğlu

Hiç tükenmeyecek sandığımız aşkımız bitecek miydi
Kalbimizde yanan aşk ateşi gün gelip sönecek miydi
Nerdesin sevgilim, kimbilir nerde, ararım seni ben
Gezdiğim yerde, sorarım seni ben gezdiğim yerde

El ele tutuşup gezdiğimiz demleri anarım şimdi
Mutlu günlerimi yâdederek ah edip yanarım şimdi
Nerdesin sevgilim, kimbilir nerde, ararım seni ben
Gezdiğim yerde, sorarım seni ben gezdiğim yerde

✳✳

MUHAYYERKÜRDÎ MAKAMI

Usûlü: Düyek

Beste ve *Güfte:*
Yusuf Nalkesen

Kapın her çalındıkça "O mudur" diyeceksin
Beni kaybetdin artık, sen çok bekliyeceksin
Hele bir yalnız kal da, nasılmış göreceksin
Beni kaybetdin artık, sen çok bekliyeceksin

**

Usûlü: Düyek

Beste ve *Güfte:*
İsmet Nedim Saatçi

Bana kollarını uzatsan biraz
Uğrunda bu gönül neye katlanmaz
Öl desen ölürüm, ölürüm inan
Seven ne yapmaz, seven ne yapmaz.

Ümidim, hevesim, emelim sensin
Bağrımda soluğum, nefesim sensin
Gel öldür bu ömür böyle tükensin
Sana bin can fedâ, seven ne yapmaz.

**

MUHAYYERKÜRDÎ MAKAMI

Usûlü: Düyek

Beste: Zekâî Tunca
Güfte: İlkan San

I-) Bunca güzel içinde birisi var ki
   Bana sevgi ile bakışı başka
   Kalbimde yer eden çok oldu amma
   Onun şu gönlümü yakışı başka
   Nakarat: Kışımı bahara döndürdü benim
   Sanki bir kısmeti tutuyor elim
   Kabına sığmayan coşan bir selin
   Benimle çağlayıp akışı başka.
II-) Simsiyah saçları okşanmak ister
   Bağrında gülleri koklanmak ister
   Bir altın kalbi var saklanmak ister
   Cana can katıp da atışı başka.
Nakarat.

⁂

Usûlü: Düyek

Beste: İsmail Denirkıran
Güfte: Ferda Güven

"Rüzgârın dilinde hasret şarkısı"

Rüzgârın dilinde hasret şarkısı
Özlemler dökülmüş bütün yollara
Bu kaçıncı bahar, kaçıncı hazan
Acımıyor musun giden yıllara

Gitdiğin yerlerden dönemiyorun
Bir düş'dü, hayâldi, unut diyorsun
Bir ömür sevmemi istemiyorsun
Acımıyor musun giden yıllara.

⁂

MUHAYYERKÜRDÎ MAKAMI

Usûlü: Düyek

Beste ve *Güfte:*
Hayati Günyeli

Bırak yağsın delice hüznümün yağmurları
Bırak dolsun gönlüme ayrılık akşamları
Sen yanımda olmasan n'eylerim dünyaları
Bırak dolsun gönlüme ayrılık akşamları

**

Usûlü: Düyek

Beste: Nurettin Demirtaş
Güfte: Adem Esen

I-) Hasretin içimde yanar dururken
   Dön artık sevgilim, bitsin bu özlem
   İstemem ne saray, ne de köşk senden
   Bir sıcak gülüşün, gelişin yeter.

II-) Ömrümü harcadım bu aşk uğruna
    Kuşlarla selâmlar gönderdim ona
    Adaklar adadım hep yollarına
    Son defa uzakdan göreyim yeter

Nakarat: Gözlerim yollarda sarardım soldum
   Bu aşka düşeli bir garip oldum
   Dönmedin adını vefâsız koydum
   Sesini bir duysam, o bana yeter.

NOT: Nakarat kuplesi iki kıt'a arasında okunacak, ikinci kıt'adan sonra
   tekrar edilecekdir. S.A.

**

MUHAYYERKÜRDÎ MAKAMI

Usûlü: Düyek

Beste: Faruk Şahin
Güfte: Yalçın Benlican

"Aşk çölünde kanun buymuş"

I-) Mecnûn gibi seven kulmuş II-) Her buluttan yağmur ummuş
    Kervan dizmiş çöle koymuş   Derya diye kumda yunmuş
    Kimi görse vefâ sormuş   Feryâd etmiş kendi duymuş
    Aşk çölünde kanun buymuş   Aşk çölünde kanun buymuş

             III-) Sarhoş gezmiş mey içmeden
                 Külsüz korsuz yanar olmuş
                 Ateş akmış her çeşmeden
                 Aşk çölünde kanun buymuş.

❋❋

Usûlü: Düyek

Beste ve Güfte:
Mediha Şen Sancakoğlu

Bu dünyada güzel olan ne varsa say senin olsun
Bana aydınlığın yeter güneş ve ay senin olsun

Dudaklardan dökülen her söz bence musikidir
Kanun, keman, ud, klârnet, tanbur ve ney senin olsun.

Gonca dudakların benim, çiçek ve dal senin olsun
O tatlı dillerin benim, şeker ve bal senin olsun.

NOT: 4. cü mısra'daki (klârnet) kelimesi istenilirse (Kemençe) olarak
     okunabilir. Bestekârın kaydıdır. S.A.

❋❋

MUHAYYERKÜRDÎ MAKAMI

Usûlü: Düyek-Sofyan   *Beste:* Suphi İdrisoğlu
                                         Güfte: Mustafa Töngemen
                "Bir güzele ömür verdin"

Bir güzele ömür verdin delisin sen, delisin sen
Söyle gönül nedir derdin, delisin sen delisin sen
Nakarat: Bırak o gül orda dursun
         Düşünmesen unutursun
         Derdi dertle avutursun
         Delisin, delisin, delisin gönül
Her dikeni çiçek sandın, gördün sevdin, sevdin yandın
Ne usandın, ne uslandın delisin sen, delisin sen
         Nakarat
Avunmazsın meyle gönül, gel derdini söyle gönül
Yaşanır mı böyle gönül, delisin sen, delisin sen
         Nakarat

**

Usûlü: Düyek   *Beste:* Dr. Cemâlettin Alptekin
                                  Güfte: Şadi Toktay

Kuruyan gözlerim yaş diye ağlar
Geri dön sevgilim kim anlar beni
Âşıkım bir sana bir de Mevlâ'ya
Ümidim bir sensin bir de Mevlâ var.

Tutuldum çâresiz kara sevdâya
Râzıyım geri dön bir merhabaya
Âşıkım bir sana bir de Mevlâ'ya
Ümidim bir sensiņ bir de Mevlâ var.

**

MUHAYYERKÜRDÎ MAKAMI

Usûlü: Sofyan   *Beste:* Ali Şenozan
                                                      Güfte: Dr. Ayten Uğuralp
                          "Hasreti yıllara sor"

Hasreti yıllara sor
Irağı yollara sor
Beni ellere sorma
O mahzun kullara sor.
    Kınalı ellere sor
    İncecik bellere sor
    Dalında boynu bükük
    Sararan güllere sor.
O yanık türküne sor
Şu geçen ömrüne sor
Elde arama beni
A cânım, gönlüne sor.

             ✳✳

Usûlü: Sofyan   *Beste:* Udî Bülent Ulusoy
                                                 Güfte: Şükrü Yetimoğlu

I-) Gönüller sevgiden uzak kalmışsa
    Dallarda çiçekler, güller solmuşsa
    İlk yazda sonbahar ve kış olmuşsa
    Gönülde mi, sevgide mi, suç kimin?

II-) Ayrılık hasreti gönlü yakmışsa
    Sevgilim adımı dilden atmışsa
    Falcılar fallara yalan katmışsa
    Sözler mi, falcıda mı, suç kimin?

III-) Göz yaşım sel olup boşa akmışsa
    Ağlayan gözlerim yola bakmışsa
    Saçlarım ağarıp akla dolmuşsa
    Yıllarda mı, aklarda mı, suç kimin?

             ✳✳

MUHAYYERKÜRDÎ MAKAMI

Usûlü: Düyek-Sofyan

Beste: Suphi İdrisoğlu
Güfte: Cahit Kamışçı

"Bahar geldi yine"

Bahar geldi yine çok uzaklardan
Her taraf gül, her taraf renk-renk çiçek
Fal tutdum güzelim papatyalardan
Sevcek mi? Sevmeyecek mi? Sevecek.

Sevgi sardı, ümit sardı içimi
Saçlar altın, gözler bir su içimi
Ellerini uzatıp ellerimi
Tutacak mı? Tutmayacak mı? Tutacak.

Adını yazdığım çınar altında
El ele, diz-dize pınar yanında
Beklerim hep seni, gözüm yollarda
Gelecek mi? Gelmeyecek mi? Gelecek.

Tanrım; acı biraz âşık kuluna
Fedâdır herşeyim O'nun uğruna
Ben çâresiz âşık sevdâ yoluna
Ölecek mi? Ölmeyecek mi? Ölecek.

✳✳

Usûlü: Sofyan

Beste: Fatih Salgar
Güfte: Rauf Alanyalı

"İstanbul ve akşam"

İstanbul'un ufkunda erimiş akşam
Uzanmış sulara serilmiş akşam
Bilmem ki nelere sevinir akşam
Âşıkın gönlünde gezinir akşam.

Bu aşkın yarası gönülde kanar
İstanbul, İstanbul içimde yanar
Bir aşkdır anılar hayâlde yaşar
Âşıkın gönlünde gezinir akşam.

✳✳

MUHAYYERKÜRDÎ MAKAMI

Usûlü: Nim Sofyan   *Beste:* Erol Bingöl
                   Güfte: Muhammet Yılmaz
       "Düşen sarı yapraklara"

I-) Düşen sarı yapraklara
      Yağan deli yağmurlara
      Hırçın esen rüzgârlara
      Seni sordum yok dediler
Nakarat: Rıhtımdaki sandallara
          Körfezdeki dalgalara
          Gökyüzünde yıldızlara
          Seni sordum "yok" dediler.
II-) Oturduğun masalara
      Uçup giden martılara
      Bilmediğim insanlara
      Seni sordum "yok" dediler.
      Nakarat

✱✱

Usûlü: Nim Sofyan   *Beste:* Kutlu Payaslı
                   Güfte: Mehmet Erbulan

I-) Adım adım ümit verdiğim yollar
      Gönül isterdi ki böyle bitmesin
      Bu hayal, bu ümit, bu aşk, bu bahar
      Gönül isterdi ki böyle bitmesin.

II-) Çözülsün isterdim bütün düğümler
      Serâba dönmesin o mesut günler
      O içli şarkılar, tatlı nağmeler
      Gönül isterdi ki böyle bitmesin.

III-) Gelmedin vefâsız bekletdin beni
       Ne kadar sevmişdim, ne kadar seni
       Sevgilim, hayatım bu aşkın sonu
       Gönül isterdi ki böyle bitmesin.
NOT: Her üç kuplenin üçüncü mısra'ları serbest okunur. S.A.

✱✱

MUHAYYERKÜRDÎ MAKAMI

Usûlü: Sofyan   *Beste* ve *Güfte:* Yıldırım Gürses
(Gençliğe Vedâ)

Elvedâ gençliğim, elvedâ ey hâtıralar
Elvedâ mes'ut günlerin, ümit dolu sayfalar
     Yine mevsimler dönecek, yine yapraklar düşecek
     Giden gençliğim hiç geri gelmeyecek
Ellerim semâya doğru yalvardım yıllarca
Dursun zaman, dönmesin mevsimler
Tanrı'm bana ümit ver, heyhât...
     Yine mevsimler dönecek, yine yapraklar düşecek
     Giden gençliğim hiç geri gelmeyecek
Elvedâ, elvedâ, âh elvedâ...

**

Usûlü: Sofyan   *Beste* ve *Güfte:* Tanbûrî Sadun Aksüt

Sonbahar ağlıyor, çiçekler üzgün
Sapsarı saçları yerde, başımda
İçimi kaplarken bir garip hüzün
Rüzgârı nefesin sandım saçımda.

Bahar bakışlarım hazâna döndü
Gönlümde heyecân ateşi söndü
Ufkumda yeniden güneş göründü
Ne olur gitmeyin, durun seneler.

Beliren bir ümit eridi gitdi
Bir aşk masalı da böylece bitdi
Gözüme çekildi siyah perdeler
Gidin artık, gidin, gidin seneler.

**

MUHAYYERKÜRDÎ MAKAMI

Usûlü: Nim Sofyan   İsmet Nedim

Burası Agora meyhânesi
Burda yaşar aşkların
En dîvânesi,
En şâhânesi
Nakarat: Bu gece benim gecem,
          Cama vuran her damlada
          Seni hatırlıyorum
          Ve sana susuzluğumu
Bu akşam ümitlerimi
Meze yapıp içiyorum
İçiyor içiyorum.
Nakarat:

**

Usûlü: Sofyan   *Beste:* İsmet Nedim
                                             Güfte: Mehmet Erbulan

Aşkımla oynama kumar değildir
Seviyorum demek hüner değildir
Benim de canım var, ben de insanım
Benim de kalbim var, ben de insanım

Belki güzel değil çirkinim amma
Gel sen acı bari düşürme gama
Benim de canım var, ben de insanım
Benim de kalbim var, ben de insanım

**

MUHAYYERKÜRDÎ MAKAMI

Usûlü: Sofyan   İsmet Nedim

Sürmeyi kaşdan alır
Ufacık yaşdan alır
Şu zamanın güzeli
Aklımı başdan alır

Sarı gülüm kokmaz mı (Ah)
Aşkı beni yakmaz mı (Ah)
Kaçıp giden sevgilim
Acep bana bakmaz mı

**

Usûlü: Sofyan   İsmet Nedim

I-) Gözyaşım şarab olsa
    Gençliğim harab olsa
    Her günüm azâb olsa
    Yine seni seveceğim

(Nakarat) Arım, balım, peteğim
          Gülüm, dalım, çiçeğim
          Bilsem ki öleceğim
          Yine seni seveceğim

II-) Ne emelim, ne arzum
     Kalmasa tek umudum
     Erisem yudum yudum
     Yine seni seveceğim
          (Nakarat)

**

MUHAYYERKÜRDÎ MAKAMI

Usûlü: Sofyan

Beste: İsmet Nedim
Güfte: Faruk Nafiz Çamlıbel

Bir zaman başından aşkındı derdi
Mermeri oyardı, taşı delerdi
Kaç yanık yolcuya soğuk su verdi
Değdi kaç dudağa çoban çeşmesi

Ne şair yaş döker, ne âşık ağlar
Tarihe karışdı eski sevdâlar
Beyhûde seslenir, beyhûde ağlar
Bir sağa, bir sola çoban çeşmesi

**

Usûlü: Düyek

Beste: Tanbûrî Erol Sayan
Güfte: Atilla Barlas

Gönülde bu saltanat
Sevginle alır kanat
Seviyorum seni ben
Bilsin bütün kâinat
(Nakarat) Gel kucakla, sev beni
    Sînende sakla beni
    Derdinle yakma beni
    Gönlümden bağla beni
    Nasılsa bir sevmişim
    Benim aşkım demişim
    Unutamam bir daha
    Kalbimde yer vermişim

Gülerse güzel yüzün
Günlerim bahar olur
Kaderse kavuşmamız
Ayrılık ölüm olur
(Nakarat)

**

MUHAYYERKÜRDÎ MAKAMI

Usûlü: Sofyan   *Beste* ve *Güfte:*
                                      Ûdî Şekip Ayhan Özışık

Yalan, yalan bütün sözleri yalan
Seviyorum, yanıyorum, ölüyorum dese de ona inanmam
Bana yine göz süzecek, bana yine nâz edecek
Önümde diz çök, dizimde ağla, beni yine sev diyecek
Yalan, yalan bütün sözleri yalan
Yalan, yalan, bütün her şeyi yalan
Buluşalım, konuşalım, sevişelim
Dese de ona inanmam, bütün her şeyi yalan

⁂

Usûlü: Düyek   Zeki Müren

Nazlı bir çiçek gibi
Uçan kelebek gibi
Endâmı ipek gibi
Sarıversem ne olur

Baharımın dalısın
Peteğimin balısın
Sen gönlümün malısın
Bana gelsen ne olur

İsmimin hecesini
Kalbimin gecesini
Sevdâ bilmecesini
Biliversen ne olur

⁂

MUHAYYERKÜRDÎ MAKAMI

Usûlü: Nim Sofyan   Gündoğdu Duran
            (Ankara Rüzgârı)

Penbe küçük dudağın söyledi şarkımızı
İndi bahar Ankara'nın sisli yamaçlarına
İçli sesin, ah ne kadar açdı gönülde sızı
Her gören ağladı, kalbini bağladı dalgalı saçlarına
(Nakarat) Söyledim aşkımı ben, Ankara rüzgârına
        Olmadı kaldı benim her hevesim yarına
        Her gören ağladı, kalbini bağladı dalgalı saçlarına
Önce biraz gülecek, kalbe ümit katacak
Söz verecek, gelmeyecek, hep seni aldatacak
Sev diyecek, sevmeyecek, belki de ağlatacak
Boş yere ağlama, kalbini bağlama Ankara kızlarına
(Nakarat)

**

Usûlü: Sofyan   Tanbûrî Akın Özkan

I-) Gönül âşık oldu sana
Gezer durur yana yana
Uzak olsan da sen bana
Bana benden de yakınsın

(Nakarat) Bekliyorum, bekliyorum
        Sevgilim kaç senedir

II-) Gece olur düşümdesin
    Bu sevdâlı başımdasın
    Neye baksam karşımdasın
    Bana benden de yakınsın
        (Nakarat)

**

MUHAYYERKÜRDÎ MAKAMI

Usûlü: Curcuna
(Aksak değişmeli)

Beste: Tanbûrî Selâhaddin Pınar
Güfte: Fuat Edip Baksı

(Curcuna): Bakışı çağırır beni uzakdan
Varınca çatılır kaşlar nedendir
Bir yandan hoşlanır azarlamakdan
Bir yandan gözünde yaşlar nedendir
(Değişme)
　　　　　Derindir alnımda gurbet çizgisi
　　　　　Değişmez diyorlar bahtın yazısı
　　　　　Gönlümün içinde var ki bir sızı
　　　　　Her akşam yeniden başlar nedendir
(Curcuna): Hasreti bağlayıp sazın teline
Yıllardır çıkmışım gurbet eline
Düşmüşüm bu yüzden elin diline
Üstelik yâr beni taşlar nedendir

**

Usûlü: Curcuna

Beste: Kemânî Emin Ongan
Güfte: Orhan Seyfi Orhon

Sen gül dalında gonca, ben dağ yolunda yonca
Sen açılır gülersin, ben sararıp solunca
Huzuruna varayım, diz çöküp yalvarayım
Sensin çalan kalbimi, aç koynunu arayım

Aynı güfte: Hüseyini Aksak Faiz Kapancı Hicaz-Düyek-Kasım İnaltekin

**

Usûlü: Curcuna

Hüseyin Mayadağ

Dün akşam feryâdıma neden kalbin taş oldu
Bana senden hâtıra, şu bir damla yaş oldu
Neş'eyle el uzatdım, geldi dert yoldaş oldu
Bana senden hâtıra, şu bir damla yaş oldu

**

MUHAYYERKÜRDÎ MAKAMI

Usûlü: Çifte Sofyan   Tanbûrî Selâhaddin Pınar
(Curcuna değişmeli)

Kalbimi ayağına atsam ölecek gibi
Gelip bir gün yoluna yatsam ölecek gibi
Ya çıksam dağ başına, düşsem gurbet taşına
Aşkımı gözyaşına katsam ölecek gibi
Ya gelsem evinize, ömrümü versem size
Bir lâhza dizinize yatsam ölecek gibi

**

Usûlü: Semâî   *Beste:* Dr. Selâhaddin İçli
                                        Güfte: Ahmed Hâşim

İşveyle, fısıltıyla, gülüşle
Olmuş şeb-i sevdâ yine bî-hâb
Oklar gibi saplanmada kalbe
Düşdükçe semâdan yere mehtâb

Bûseyle kilitlenmiş ağızlar
Gözler neler eyler neler işrâb
Uçmakda bu âteşli havâda
Vuslat demi bir kuş gibi bî-tâb

                          Mef'ûlü/Mefâîlü/Feûlün

**

Usûlü: Semâî   *Beste ve Güfte:* Zeki Müren

Ayrılık ölümden beter
Ölümden beter ayrılık
Gel artık sevgili yeter ayrılık
Yeter, yeter ayrılık
Bilmem ki ne zaman biter ayrılık
Biter ayrılık
Bilmem ki ne zaman biter ayrılık

**

MUHAYYERKÜRDÎ MAKAMI

Usûlü: Semâî

Beste: Yusuf Nalkesen
Güfte: Orhan Seyfi Orhon

Hani o bırakıp giderken seni
Bu öksüz tavrını takmayacakdın
Alnına koyarken vedâ bûseni
Yüzüne bu türlü bakmayacakdın
Gelse de en acı sözler dilime
Uçacak sanırım bir kaç kelime
Bir alev hâlinde düşdün elime
Hani ey göz yaşım akmayacakdın

. ✳✳

Usûlü: Semâî

Güfte ve *Beste:*
Gündoğdu Duran

I-) Ne çıkar bahtımızda
   Ayrılık varsa yarın
   Sanma ki hikâyesi
   Şu titreyen dalların
   Düşen yaprakla biter
   Böyledir kara sevdâ
   Kara toprakla biter

II-) Ağlama olma mahzun
   Gülerek bak yarına
   Sanma ki güzelliğin
   O ipek saçlarına
   Dökülen akla biter
   Böyledir kara sevdâ
   Kara toprakla biter

✳✳

MUHAYYERKÜRDÎ MAKAMI

Usûlü: Semâî

Beste ve *Güfte:*
Aydın Tekindor

I-) Bilmezsin kalbimde gizli yerini
Çekerim yıllardır ben hasretini
O güzel saçının her bir telini
Kanayan gönlüme bağlayayım gel.
Nakarat: Biliyorum bir gün beni bırakıp sen gideceksin
        Bilmem artık dertli gönül hasretini nasıl çeksin.

II-) Ufkunda beliren yıldızlar gibi
   Yok imiş dünyâda eşi emsâli
   Gözlerden süzülen yaşlar misâli
   Yol bulup dağlardan çağlayalım gel.
   Nakarat

✸✸

Usûlü: Aksak

Beste ve *Güfte:*
Kanûnî Necdet Varol

Ne tac ister ne taht ister
Ne mal ne mülk ne pul ister
Varsın hepsi ırak olsun
Gönül senden seni ister

   Varım yoğum senin olsun
   Gayrısı tüm yalan olsun
   Gönül senden seni ister
   Özüm sana kurban olsun

✸✸

MUHAYYERKÜRDÎ MAKAMI

Usûlü: Nim Sofyan

Beste: Tanbûrî Erol Sayan
Güfte: Hikmet Münir Ebcioğlu

Kadehinde zehir olsa
Ben içerim bana getir
Dudakların mühür olsa
Ben açarım bana getir
(Nakarat): Ağladığın geceleri
Kalbindeki acıları
Çekinmeden bana getir
Sen tükenme beni bitir
Aşk bağının gülü ol da
Dikenini bana batır
Bakma canım yandığına
Sorma benim hâlim nedir
(Nakarat)

**

Usûlü: Semâî

Beste: Ûdî Selâhaddin Altınbaş
Güfte: Turgut Yarkent

I-) Duydum ki unutmuşsun
Gözlerimin rengini
Yazık olmuş o gözlerden
Sana akan yaşlara
Bir zamanlar sevginle
Ateşlenen başımı
Dizlerinin yerine
Dayasaydım taşlara

II-) Hani bendim yedi renk
Hani tende can idim
Hani gündüz hayâlin
Geceler rüyân idim
Demek ki senin için
Aşk değil yalan idim
Acırım heder olan
O en güzel yıllara

**

MUHAYYERKÜRDÎ MAKAMI

Usûlü: Semâî

Ûdî Teoman Alpay

I-) Yalnız kalan rûhumun
Acısı çok derindir
Yıllar geçse de inan
Kalbim yine senindir
(Nakarat) Alamaz bin sevgili
Kalbimdeki yerini   *bu yeri*
Sanki içimde açan
Bu sarmaşık gülleri
II-) Her yerde hâtıran var
Her şey seninle dolu
Her şeyde senin izin
Bu yol aşkımın yolu
(Nakarat)

✳✳

Usûlü: Semâî

Beste ve *Güfte:* Mustafa Seyran

I-) Elbet bir gün buluşacağız
Bu böyle yarım kalmayacak
İkimizin de saçları ak
Öyle durup bakışacağız

II-) Belki bir deniz kenarında
El ele mâziyi konuşacağız
Benim içimde yanan ateş var
Sevgilim ne zaman bulaşacağız

III-) Belki bir gemi güvertesinde
Sen beni unutmuş için kupkuru
Benim gönlümde hâlâ o arzu
Sevgilim ne zaman kavuşacağız

✳✳

MUHAYYERKÜRDÎ MAKAMI

Usûlü: Sofyan

Beste: Kanûnî Sadettin Öktenay
Güfte: Sevim Yücealp

Dudaklarında arzu kollarında yalnız ben
Sana bakan bir çift göz ben olayım sevgilim
Gününe, gecene eş, gözünde yaş yine ben
Sana âşık yalnız ben, ben olayım sevgilim

Bütün ömür boyunca kalbinde sevgilin ben
Benliğinde yalnız ben, ben olayım sevgilim
Gününe, gecene eş, gözünde yaş yine ben
Sana âşık yalnız ben, ben olayım sevgilim.

NOT: Bu şarkının esas makamı KÜRDÎ makamıdır. S.A.

**

Usûlü: Düyek

Beste: Necdet Tokatlıoğlu
Güfte: Türkân Ateş

Artık yeşerecek bir dalım yok
Yağmurlar yağsa da hoş, yağmasa da
Üç günlük ömrümü bir günde yitirdim
Yarınlar gelse de hoş, gelmese de
Paydos, mutluluğa paydos artık
Kaderim gülse de hoş, gülmese de
Üç günlük ömrümü bir günde yitirdim
Yarınlar gelse de hoş, gelmese de.

NOT: Bu şarkının esas makamı KÜRDÎ makamıdır. S.A.

**

MUHAYYERKÜRDÎ MAKAMI

Usûlü: Aksak   (Türkü)

Çubuğum yok aman yol üstüne uzatam
Takatım yok yâr yolların gözetem
Menendin yok aman seni kime benzetem
Ört yârim yazmayı boylu boyunca
Ben saramadım eller sarsın doyunca

Altı ay yollarda ağlayıp gezer
Sırma saçlarını bağlayıp çözer
O güzel bağrımı dağlayıp geçer
Ört yârim yazmayı boylu boyunca
Ben saramadım eller sarsın doyunca

**

Usûlü: Oynak   (Türkü)

Evlerinin önü handır aman
Yanar da yüreğim külhandır
Görmeyeli çok zamandır aman
(Nakarat) Ya ben de o güzele yalvarayım mı
          Gelmezse kareleri bağlayayım mı
          Haydindi hopla da gel, şalvarı topla da gel
          Cebini yokla da gel.
          Haydindi allı güzel, lebleri ballı güzel
          Yanağı benli güzel.

Evlerinin önü nane aman
Ben kül oldum yane yane
Kâfir isen gel imâne aman
          (Nakarat)
Evlerinin önü Mersin aman
Mevlâ'm da seni bana versin
Akşama kalmasın gelsin aman
          (Nakarat)

**

MUHAYYERKÜRDÎ MAKAMI

Usûlü: Aksak   *Beste:* Sadeddin Kaynak
                                  Güfte: Lâmi Güray
(Mudanyalı Şükrü Çavuş)

Şükrü çavuş mert yürekli, sert bakışlı kahraman
Elde tüfek, belde fişek, nişancıdır pek yaman
Mermisini hedefine ulaştırır her zaman
Yurduna göz dikenlere dedirtmişdir el'aman
Mudanyalı Şükrü çavuş kahramandır, kahraman

Yavukluya vedâ etti tamam yirmi yaşında
Donanmaya karşı koydu iskelenin başında
Düşmanları yere serdi İstiklâl savaşında
Koç yiğidin menkıbesi âbidesi taşında
Mudanyalı Şükrü Çavuş kahramandır, kahraman.

NOT: Bu şarkı, İstiklâl savaşının büyük kahramanı şehit Şükrü Çavuş'a
ithaf edilmişdir. S.A.

**

MUHAYYERSÜNBÜLE MAKAMI

Usûlü: Remel   Beste   Mehmed Ağa

Câm-ı emelim bâde-i lâ'linle dolunca
Gamhâne-i endişedeyim ömrüm olunca
Bak, gamze-i fettânına, ebrûya nigâh et
Âhir nazar et gird-i ruha yollu yolunca
(Terennüm)
Kurban, kurban, ben sana hayran
Ez î dil-ü can bende-i fermân aman aman
Padişâh-ı zaman

Mef'ûlü/Mefâîlü/Mefâîlü/Feûlün

**

Usûlü: Ağır Çenber   Beste   Vardakosta Seyyid
                                         Ahmed Ağa

Zebân-ı aşkı anlar sana benzer işve-ger var mı
Cihân-ı ârâsın el-hak sana şimdi şöyle dilber var mı
Leb-â lebdir derûnu uşşâkın cânâ hayâlinle
İnanmazsan girip gönlüne seyr et gayrı yer var mı
Terennüm: Aman sana benzer işveger var mı...

**

Usûlü: Zencir   Beste   Tanbûrî Ali Efendi

Tutuşdu gam oduna şâd gördüğün gönlüm
Mukayyed oldu ol azâd gördüğün gönlüm
Diyâr-ı hicrde seyl-i sitemden oldu harâb
Fezây-ı aşkda âbâd gördüğüm gönlüm

Mefâîlün/Feilâtün/Mefâîlün/Feilün

**

MUHAYYERSÜNBÜLE MAKAMI

Usûlü: Yürük Semâî   Nakış Yürük Semâî   Hacı Sadullah Ağa

Bağlandı gönül zülfüne dîvâneliğinden
Düşdü heves-i yâr lâline mestâneliğinden
Hem hâbe-i yâr olsa dahi âşık odur kim
Ümmîd-i visâl etmiye merdâneliğinden
(Terennüm): Canım ye le lel lel lel lel le le li
      Vay işve-bâzım
      Gel gel gel çâre-sâzım vay.

Mef'ûlü/Mefâîlü/Mefâîlü/Feûlün

❋❋

Usûlü: Yürük Semâî   Yürük Semâî   Hacı Sadullah Ağa

Şâhım hemîşe lûtfun umar bu fütâdeçik
Himmetle bunda ferze çıkar bir piyadecik
Çok çok niyâz-ı bus-ı ruh et at sür üstüne
Filvâki öyledir alagör, bir ziyâdecik

Mef'ûlü/Fâilâtü/Mefâîlü/Fâilün

Ferze: Satranç oyununda "Vezir" demektir

❋❋

Usûlü: Devri revân   *Beste:* Vardakosta
      Seyyid Ahmed Ağa
      Güfte: Şeyh Galib

Ey nihâl-i işve bir nevres fidanımsın benim
Gördüğüm günden beri hâtır-ı nişânımsın benim
Ben ne hâcet kim diyem rûh-ı revânımsın benim
Gizlesem de âşikâr etsem de cânımsın benim

Fâilâtün/Fâilâtün/Fâilâtün/Fâilün

❋❋

MUHAYYERSÜNBÜLE MAKAMI

Usûlü: Ağır Aksak

H. Abdullah Efendi

Lâle-veş dâğ-ı muhabbet sînede
Gel açıl gonca dehânım gel açıl
Derd-i aşkın sîne-i bî-kinede
Gel açıl ey nev-nihâlim gel açıl

Fâilâtün/Fâilâtün/Fâilün

✳✳

Usûlü: Aksak

Zekâî Dede Efendi

Bir işâret eylese ebrûların
Murg-i cânı sayd eder gîsûların
Yakdı bağrım reşkile âhûların
Pek yamandır çeşm-i fitne-cûların

Fâilâtün/Fâilâtün/Fâilün

✳✳

Usûlü: Aksak

Hacı Ârif Bey

Açılmamış bir gonca ter
Gâyet güzeldir fer ü ser
Güldükçe güller reşk eder
Gâyet güzeldir fer ü ser

Müstef'ilün/Müstef'ilün

NOT: 2. kuplesi de vardır. S.A.

✳✳

MUHAYYERSÜNBÜLE MAKAMI

Usûlü: Düyek   Sultan III. Selim

Ey gonca-i nâzik-tenim
Sensin benim şûh-ı şenim
Mâdem ki ben efkendenim
Gönlüm senindir, sen benim
Arâm-ı cânımsın benim

Müstef'ilün/Müstef'ilün

✳✳

Usûlü: Düyek   Sultan III. Selim

Bir yosma şûh-ı dilrübâ
Seyredüp oldum müptelâ
Her bir edâsı pür-ezâ
Her bir nigâhı canfezâ

Müstef'ilün/Müstef'ilün

✳✳

Usûlü: Sengin Semâî   *Beste:* Kemânî Sadi Işılay
                               Güfte: Mustafa Nafiz Irmak

Gitdi o güzel yâdıma bir handesi kaldı
Ondan bana son hâtıra firkat sesi kaldı
Sevdâsına râm etdi bütün bir yüce ömrü
Ondan bana son hâtıra firkat sesi kaldı

Mef'ûlü/Mefâîlü/Mefâîlü/Feûlün

✳✳

-902-

MUHAYYERSÜNBÜLE MAKAMI

Usûlü: Müsemmen   Dr. İrfan Doğrusöz

Âşıkım ol hastayım ki câna cânân isterim
Hâlimi arz etmeye bir merd-i İrfân isterim
Sevdiğim ben müptelâyım derde dermân isterim
Hâlimi arzetmeye bir merd-i İrfân isterim

Fâilâtün/Fâilâtün/Fâilâtün/Fâilün

**

MÜSTEÂR MAKAMI

Usûlü: Hafif   Beste   Gevrekzâde Mustafa Ağa

Mânend-i hâle kol dolasam afıtâbıma
Ol mâh-ı işve gelse benim câme-hâbıma
Yıkmak bezmde ol büt-i nâzı kolay idi
Seng-i sitem dokunmasa câm-ı şarâbıma
Terennüm: Ah canım yâr yâr yel le lel lel lel le lel li
         Vay yâr dolasam afıtâbıma
                    Mef'ûlü/Fâilâtün/Mefâîlü/Fâilün

NOT: 3. mısradaki "bezmde" kelimesi vezin zaruretiyle "bezimde" diye
okunacakdır. S.A.

※※

Usûlü: Muhammes   Beste   Kâr-ı Geysû (Zekâî Dede)

Gönül derbend-i giysûy-ı muanber olmak istermiş
Sefidul vechi fi'd-dâreyne mazhar olmak istermiş
Ne mümkin zen-menişler rehver-i hâmun-ı aşk olmak
Bu yolda her belâya ser verip er olmak istermiş
Hüdâ'dan her kişi bir âtifet, bir menzelet ister
(Veled) de çâker-i Al-i peyamber olmak istermiş
                Mefâîlün/Mefâîlün/Mefâîlün/Mefâîlün

NOT: Zekâî Dede Kül. C. II. Sh. 183'de kayıt var. S.A.

※※

Usûlü: Çenber   Beste   *Beste:* Abdülhalîm Ağa
                                  Güfte: Münîr

Gönül ey mâh-rû aşkınla ârâm etmeden kaldı
O zülf ü kâkülün endişesiyle dil şiken kaldı
Ne bağ-ı dilkeşin verd-i ser-efrâzısın âyâ kim
Derûnunda "Münîr"in lezzet-i bûs-i dehen kaldı
Terennüm: Ah ömrüm canım efendim aman yâr kaldı
                Mefâîlün/Mefâîlün/Mefâîlün/Mefâîlün

※※

MÜSTEÂR MAKAMI

Usûlü: Aksak Semâî   Ağır Semâî   Ebûbekir Ağa

O nev-resîde nihâlim ne serv kaamet olur
Benim hayâl-i dilim meşrebimce âfet olur
Rüsûm-ı nâzı tamâm ezber eylemiş "Ârif"
O dilrübâyı görürsen katı kıyamet olur
Terennüm: Beli Beli ye lel le lel le lel ye lel le
Lel le lel lel li aman aman

1-) Ah ne sevr-i kaamet olur vay
2-) Ezber eylemiş "Ârif"

NOT: 4.cü mısra'daki (dilrübâyı) kelimesi Hâşim Bey, Sh. 368 de (fitne-
cûyı) şeklindedir. S.A.

Mefâîlün/Feilâtün/Mefâilün/Feilün

**

Usûlü: Aksak Semâî   Şâkir Ağa

Ey tûtî-i mir'ât-ı tekellüm
Kıl bülbül-i gülzâra tebessüm
Lûtf eyle cânım etme teellüm
      (Nakarat)
Kurban olayım, kurban olayım
Sen gül hemen ben nalân olayım.

Mef'ûlü/Mefâîlü/Feûlün

NOT: Hânende Mecmuası sahife 564'de bu eserin üçüncü mısra'ı şu şe-
kildedir: (Lûtf a cânım etme teellüm) (2. kuplesi vardır.) S.A

**

MÜSTEÂR MAKAMI

Usûlü: Ağır Aksak   Ûdî Selânikli Ahmet Bey

Sunma mey serv-i hırâmanınla da serhoşlanırım
Bu edâlı gelişinden ol kadar hoşlanırım
Varamam öpmeğe pâyin öyle bî-huşlanırım
Bu edâlı gelişinden ol kadar hoşlanırım

**

Usûlü: Ağır Aksak Semâî   *Beste* ve *Güfte:* Şâkir Ağa

Ey sakî-i Cem neş'e-i mül tâze yetişdi
Gülzâr-ı ümîdimde o gül tâze yetişdi
Mahmûr idi mestâne gönül tâze yetişdi
Gülzâr-ı ümîdimde o gül tâze yetişdi
                    Mef'ûlü/Mefâîlü/Mefâîlü/Feûlün
(2. kuplesi vardır.)

**

Usûlü: Aksak   Tanbûrî Mustafa Çavuş

I-) Beğenirsen al yanına
    Nazar eyle gerdanına (aman aman)
    Boş bulunma gözet kendin
    Dokunma gül yanağına
    (Aman) Al ebrûlar yanağında
    (Aman) Sevilecek bu çağında
        Aman yâr aman aman
        Dil uzatma gözet kendin
        Dokunma gül yanağına
II-) Safâ etsün ehl-i irfân
    Unutmasın bizi yârân (Aman aman)
    Husûsâ ki meclisinde
    Bulunursa gümüş gerdan
    (Aman) Dilberin ünvânına
        Doyulmaz seyrânına
        Tanbûrî'nin bu sohbeti
        Bergüzârdır yârânına
NOT: Hânende Mecmuası Sh. 565. Sütün 1'de Şu kayıt vardır:
    (Mazbut olan notasında Tanbûrî Zeki Mehmed Ağa'nın nâmına
    gösterilmişdir.) S.A.

**

MÜSTEÂR MAKAMI

Usûlü: Aksak   Hacı Ârif Bey

Güzel görsem yanar sabr ü karârım
Civân sevmekde ben bî-ihtiyârım
Kocalmaz bu dil-i sevdâşiârım
Civân sevmekde ben bî-ihtiyârım

Mefâîlün/Mefâîlün/Feûlün

**

Usûlü: Aksak   *Beste* ve *Güfte:* Rahmi Bey

Gel ey sâkî şarâbı tâzelendir
Ruh-ı gül-reng-i yâri gâzelendir
Rebâb-ı sînemi avâzelendir
Kitâb-ı ömrümü şîrâzelendir.

Mefâîlün/Mefâîlün/Feûlün

**

Usûlü: Aksak   Ûdî Selânikli Ahmet Bey

Süzüldü dîde-i sevdâ-penâhın
Beni mest etdi o baygın nigâhın
Dili bend eyledi zülf-i siyâhın
Beni mest etdi o baygın nigâhın

Mefâîlün/Mefâîlün/Feûlün

**

MÜSTEÂR MAKAMI

Usûlü: Aksak   Melikzet Efendi

I-) Ne güzelsin
    Senden var bir dileğim
    Eyle va'din bileyim
    Ne zaman ben geleyim

II-) Hele gitmiş ağyâr
    Muntazırmış bana yâr
    Eyleyip terk-i diyâr
    Ne zaman ben geleyim.

✱✱

Usûlü: Aksak   Şakir Ağa

I-) Evvel benim nazlı yârim
    Severim kimseler bilmez
    Bir aşkadır düşdü gönlüm
    Yanarım kimseler bilmez

II-) Sevdim seni etmem inkâr
    Gönül sende kıldı karar
    Bir aşkadır düşdü gönlüm
    Yanarım kimseler bilmez

✱✱

Usûlü: Devr-i Hindî   Lâtif Ağa

I-) Gördüğüm şeb bağrımı hûy eyledin
    İltifâtınla beni bend eyledin
    Bende-i bîçâreye gör neyledin
    İltifâtınla beni bend eyledin

II-) Yandı cismim oldu hep mahv ü hebâ
    Bilmezem cânâ hele n'oldu bana
    Söyleyeyim hâlimi bir bir sana
    Bilmezem cânâ hele n'oldu bana

Fâilâtün/Fâilâtün/Fâilün

✱✱

MÜSTEÂR MAKAMI

Usûlü: Devr-i Hindî   Kanûnî HacıÂrif Bey

Can dayanmazmış vedâ-ı firkate
Âkıbet düşdüm diyâr-ı gurbete
Kalmadı sabr ü mücâlim firkate
Âkıbet düşdüm diyâr-ı gurbete

Fâilâtün/Fâilâtün/Fâilün

NOT: Bestekâr bu eserini Yemen'de iken bestelemişdir. S.A.

**

Usûlü: Devr-i Hindî   Ûdî Selânikli Ahmet Bey

Nev nihâl-i hüsn ü ansın her gören özler seni
Arz-ı dîdâr eyle dilber gözlerim gözler seni
Sevdirir dünyada her dem ol güzel gözler seni
Arz-ı dîdâr eyle dilber gözlerim gözler seni

Fâilâtün/Fâilâtün/Fâilâtün/Fâilün

**

Usûlü: Düyek   Hâşim Bey

I-) Ey şûh seninle gizlice
    Mehtâba çıksak bir gece
    Kimseye açma mahfice
    Mehtâba çıksak bir gece

II-) Binsen Küçüksu'dan nihan
     Olsak Tarabya'ya revân
     Bir çifte zevrakla heman
     Mehtâba çıksak bir gece

Müstef'ilün/Müstef'ilün

**

MÜSTEÂR MAKAMI

Usûlü: Düyek   Ûdî Selânikli Ahmet Bey

Lâyık mı sana a nûr-i pâkim
Uşşâk ola kalb-i çâk-çâkim
Eyvâh ki kudretim de mefkûd
Anlatmaya ah-ı sûz-nâkim

Mef'ûlü/Mefâîlün/Feûlün

**

Usûlü: Müsemmen   Ûdî Selânikli Ahmet Bey

O güzel hüsnünü dünyâ seviyor cânânım
Allah, Allah, yakışır mı dili üzmek cânım
Ne vebâlim var ise söyle bana sulthanım
Allah, Allah, yakışır mı dili üzmek cânım

Feilâtün/Feilâtün/Feilâtün/Feilün

**

Usûlü: Düyek   *Beste:* Sadeddin Kaynak
                                        Güfte: İlhami Bey

Şebâbet geçdi artık zevk-i mâzî bir serâb oldu
Solup şevk u emeller bâğ-ı rûhum hep harâb oldu
Eser yok neş'eden, zevkden, gönül pür-ıztırâb oldu
Bu gidişle hayat artık bana kahr ü azâb oldu

Mefâîlün/Mefâîlün/Mefâîlün/Mefâîlün

**

Usûlü: Düyek   Kemal Emin Bara

Bu neş'den sana ey dil kelâl gelmedi mi (Of)
Cihâna geldiğine infiâl gelmedi mi
Bu köhne mastabanın bâde-i neşâtı gönül
Riyâyı koy, sana zehr-i melâl gelmedi mi

Mefâîlün/Feilâtün/Mefâîlün/Feilün

**

MÜSTEÂR MAKAMI

Usûlü: Türk Aksağı   Ûdî Selânikli Ahmet Bey

Sevdâya düşkün kâm almak ister her işve-gerden
Azâde kalmaz bîçâre gönlüm bir dem kederden
Ta'dâda gelmez alâmı çokdur mahbûbelerden
Azâde kalmaz biçâre gönlüm bir dem kederden

Müstef'ilâtün/Müştef'ilâtün/Müstef'ilâtün

**

Usûlü: Türk Aksağı   Kemanî Tatyos

I-) Tağyîr olunmuş gûyâ havâsı
   Gelmez meşâma bûy-ı vefâsı
   Nerde o hâl-i cennet-nümâsı
   Bitmiş bu bâğın zevk u safâsı

II-) Böyle değildi bilmem ne olmuş
    Hep lâlezârı kasvetle dolmuş
    Envârı kaçmış, ezhârı solmuş
    Bitmiş bu bâğın zevk u safâsı

Müstef'ilâtün/Müstef'ilâtün

**

Usûlü: Curcuna   *Beste:* Subhi Ziya Özbekkan
                                    Güfte: Ahmet Hâşim

I-) Dönsek mi bu aşkın şafağından
   Gitsek mi ekâlim-i leyâle
   Bizden daha evvel erişenler
   Ağlar bugün evvelki hayâle

II-) Dönsek mi ne mümkün geri dönmek
    Düşdüyse gönüller bu melâle
    Bir eldir ufuklardan uzanmış
    Zûlmet bizi çekmekde visâle

Mef'ûlü/Mefâîlü/Feûlün

**

NEVÂ MAKAMI

Usûlü: Nim Sakîl   -KÂR-   Buhûrîzade Mustfa Itrî

Ey gülbün-i iyş mi demed sakî-i gülizâr kû (canım)
Ey bâd ı bahar meyvezed, bâde-i hoş-güvâr ku (canım)
Terennüm:
     Ah te ne nen ni te ne nen ni te ne nen nen nen nen nen ni
     Ye le le le le le le lel li te re le le le lel li
     Ah ya la yel lel li ye le lel lel lel lel lel lel li
     Aman ye lel le lel le lel li ye le lel lel lel lel lel li
     Bâde-i hoş-güvâr kû (canım)

✳✳

Ey her gül-i nez-i gül ruhı bâd-ı hem-i dehd veli (canım)
Ey gûş-i sühan şinev küca dîde-i itibâr kû (canım)
Terennüm:
     Ah te ne nen ni te ne nen ni te ne nen nen nen nen nen ni
     Ye le lel lel lel lel li ye le le le le le lel li
     Te re le le le le le lel li ah ya la yel lel li
     Ye le lel lel lel lel lel lel li aman ye lel le lel
     Le lel li ye le lel lel lel lel li
Dîde-i itibâr kû (canım)
Nâfe-i zülf-i yâr kû (canım)
Ey meclis-i bezm-i işrâ gâliye-i merâm-ı nist (canım)

✳✳

Usûl: Sakîl

Ten ten ne nen nen nen nen nen nen nen
Ten ten ne nen nen nen nen nen ni
Ten te re le lel li ye le lel lel lel lel li
Te re lel lel lel lel lel li ya la yel lel li
Gâliye-i merâm-ı nist (canım)

✳✳

NEVÂ MAKAMI

Usûl: Devr-i Revân

Ah de re dil la di de re dil la te ne ta dir ney
De re dil la dil de re dil la te ne ta dir ney (canım)

**

Usûl: Remel

Ey şahid-kudsî ki keşed bend-i nikabet
Vey mürg-i beliştî ki dehed dâne vü âbet

**

Usûl: Yürük Semâî

Dir ten nen ni ten nen ni ten nen ni ten ten nen ni
Ten ten nen ta dir ney dir ten nen ni ten nen ni ten nen ni
Ten ten nen ni ten te nen ta dir ney

**

Usûl: Devri Kebir.

Yen tir la tir yel lel lel li
Ya la yel lel lel le lel lel li
Yen tir la tir yel lel lel li
Ya la yel lel lel le lel li

**

Usûl: Berefşan.

Ten dir ten dir ta na dir dir ten
Ten tir ten dir ta na dir dir ten

**

NEVÂ MAKAMI

Usûl: Muhammes (16/2lik olarak yazılıdır)

Ye le le le lel lel li
Ah ya la yel lel li
Te re le le le le lel li
Ah ya la yel lel li

✳✳

Usûl: Berefşan.

Te re lel lel lel li ah ya la yel lel li (Tekrar edilir)

✳✳

Usûl: Nîm Sakîl

Ah ey dem-i subh-ı hoş nefes nâfe-i zülf-i yâr kû (canım)

NOT: Eserin ikinci terennümüne geçilir ve (Kâr) böylece son bulur. S.A.

✳✳

NEVÂ MAKAMI

Usûlü: Zencir   Beste   *Beste:* Buhûrîzade Mustfa Itrî Ef.

Güfte: Şehid AhmedMuhtar Paşa

Piyâleler ki o ruhsâr-ı âle dür getürür
Diyâr-ı hüsne gelir bâri cem güher getürür
Hatâya tevbe o rakkas-ı işve-perdâzın
Hırâm-ı şîveleri hâtıra neler getürür.
Terennüm: Ömrüm ya la ye le lel le la
            Mirim ya la lel le le le lel li
            Sâr-ı âle dür getürür.

NOT: Hânende Mecmuası Sh. 373'de şu not vardır:
        "Bu beste bazı yerde Abdullah Ağa, ve bazı yerde Tosunzâde nâ-
        mına kayd edilmişdir."

        Ayrıca şunu belirtmek gerekir ki: Türk Musikisi Ansiklopedisi
        Cilt 1 Sh. 306 da (Yılmaz Öztuna) DEDE Efendi adına kayd et-
        mişdir.
        Fakat bunun bir yanlışlık eseri olduğunu sanıyoruz. Zira, Hânen-
        de mecmuasında Itrî, Türk Sanat Musikisi Sözlü Eserler Repertu-
        arı (TRT) kitabında Sh. 182'de Itrî, adına kayıtlıdır. Bizim araştır-
        malarımız neticesinde de bu eserin DEDE adına kayıtlı her hangi
        bir notasına veya dökümana rastlamadık.   S.A.

***

Usûlü: Zencir   Beste   Tosunzâde Abdullah Efendi

Ne dem ki kasd-ı dile tîğ-i hûn-feşân çekilir
Tarf tarf o mâha gerdan-ı aman çekilir
Zaman gelir yed-i kudretle ol sitemkârın
Berât-ı hüsn-i dilârâsına nişan çekilir
Terennüm: Ya le lel li ya le le lel li ömrüm
            Ya la ye le lel le le lel li
            Tîğ-i hûn-feşân çekilir.

***

NEVÂ MAKAMI

Usûlü: Sakîl   Beste   Hâfız Post

Dil verdim ol perîye nihân gördüğüm gibi
Oldum esîr-i aşkı hemân gördüğüm gibi
Ey âfıtâb-ı şebnem eden hüsn-i eşkimi
Benden o demde gitdi nişan gördüğüm gibi

※※

Usûlü: Muhammes   Beste   *Beste:* Hammamîzade İsmail
Dede Efendi
Güfte: Ulvî

Zeyn eden bağ-ı cihânı gül müdür bülbül müdür
Âşıkın ârâm-ı canı gül müdür bülbül müdür
Bülbül ağlar gül güler derler meseldir âviye
Fâş eden râz-ı nihânı gül müdür bülbül müdür
Terennüm: Servinâzım, dilnüvâzım gül müdür, bülbül müdür.

※※

Usûlü: Lenk Fahte   Nakış Beste   Rauf Yektâ Bey

Ey bülbül-i rebîi bâis nedir nevâya
Gülden midir şikâyet bu ben gam-âşinâya
Sabrın sonu selâmet derler bu bir meseldir
Sûz ü güdâzı terk et geç başka bir havâya
Terennüm: Ta dir tâ na ye le lel li yen tir ye le le le lel li
Ta na ta na ye le lel li yen tir ye le le le lel li
Âh sînemde cânımsın benim
Gönlümde mâhımsın benim
Âh lûtfunla beni yâd et
Bu bendeni dilşâd et a cânım.

REBÎL: Bahara âit, baharla ilgili.
SÛZ: Yakan, yakıcı
GÜDÂZ: Eriten, yakan, mahv eden

※※

NEVÂ MAKAMI

Usûlü: Aksak Semâî   Ağır Semâî   Nazîm

Def gibi sîne kerem edem nâle-i dil rebâb iken
Hûn-ı dilim şarab idi lâht-ı ciğer kebâb iken
Bir dil tîre kim bula pertev-i aşkla kemâl
Zerresi âfitâb olur zerre-i âfıtâb iken
Terennüm:
     Ya le le le le lel le lel lel lel lel lel lel le le lel lel li
     Ömrüm nâle-i dil rebâb iken

TÎRE: Bulanık, kara, karanlık.
DİL-TÎRE: Karanlık gönül.

Cami-ül Elhân Sh. 565'de
Hânende Sh. 372'de

**

Usûlü: Aksak Semâî   Ağır Semâî   Âmâ Kadri Ef.

Sevdi bu gönül seni yaman eylemedi (vay)
Çekdi sitemin bunca figan eylemedi (vay)
Terennüm: Be li be li be li dost be hey zâlim

Bîçâre zaifi imtihan etmek için
Terennüm: Hey canım, hey hey mirim hey nâzenînim

İzhâr-ı muhabbet etdi kan eylemedi (vay)
Terennüm: Be li be li be li dost be hey zâlim
(Âh) Bildi tamam-i âlem ben derd-i mend-i aşkım (tekrar)
     Ya Rab henüz hâlimi bilmez m'ola yâr-ı men
Terennüm: Hey canım, hey hey mirim ye lel le la li
     Ya Rab henüz hâlimi bilmez m'ola yâr-ı men
Terennüm: Hey canım, hey mirim vay.

**

NEVÂ MAKAMI

Usûlü: Yürük Semâî   Yürük Semâî   Buhurîzâde
                                                  Mustafa Itrî

Hûn-ı dilimi gonca-i câm eyledi bülbül
Bezm-i gülü nâle ile tamam eyledi bülbül
Her nâlede bir nihâl-i güle kondu safâdan
Her nağmede tebdil-i makam eyledi bülbül
Terennüm: Hey canım ah be li be li be li dost câm eyledi bülbül.

❋❋

Usûlü: Yürük Semâî   Yürük Semâî   Hammamîzâde
                                                  İsmail Dede Ef.

Ey gonca dehen âh-ı seherden hazer eyle
Âyîne-i mihr-i ruhını bî-keder eyle
Ey bülbül-i hoş-lehçe gezip nağme-serâyâ
Her kûşede sad cilve-nümâ işveler eyle
Terennüm: Yâr yâr yâr be li yârım, dost be li mirim
          Ter dil li te nen ter dil li te nen (Tekrar)
          Ter dil li te nen te nen te nen te nen
          Na te ne dir ney.
SERÂYA: Düşman üzerine gönderilen küçük süvâri müfrezeleri

❋❋

Usûlü: Yürük Semâî   Yürük Semâî   Ûdî Şerif İçli

Birlikde bu akşam çıkalım seyre civânım
Mehtâbı içip mest olalım rûh-ı revânım
Terennüm: Gel gel gel kaşı kemanım
          Gel gel gel gonca dehânım
Hüsnün gülüdür, bülbülü gönlümdür o aşkın
Gel bülbülü sen gülle kavuşdur e mi cânım

NOT: Eserin her mısra'ı iki kere tekrar edilmekdedir. S.A

❋❋

NEVÂ MAKAMI

Usûlü: Ağır Aksak Semâî   *Beste:* Hammâmîzâde İsmail
                                                    Dede Efendi
                                          Güfte: Nedim

Gülzâra salın mevsimidir geşt ü güzârın
Ver hükmünü ey serv-i revân köhne baharın
Dök zülfünü sammur giyinsin ko izârın
Ver hükmünü ey serv-i revân köhne bahârın

NOT: Hânende Mecmuası Sh. 375'de bu eserin usûlü (Ağır Aksak Se-
     mâî) olarak gösterilmekdedir. Türk Musikisi Ansiklopedisi C.I.
     .Sh. 306/1'de (Yılmaz Öztuna)-Ağır Aksak- diye bildiriyor.
     Ancak biz Ahmed Avni Konuk'a itibâr ediyor, usûlü de yukarı-
     daki gibi (Ağır Aksak Semâî) olarak belirtiyoruz. Bu eserin ikinci
     kuplesi varsa da okunmamakdadır.   S.A.

❋❋

Usûlü: Ağır Aksak   Dede Efendi

Müşkil oldu sûzişim etmek nihân
Gerçi cevre lâyık oldum ben heman
Sîneden çıkdı yine bulundu âh u figan
Yandım insaf eyle cânım el aman

Eyledi gönlüm hayâlin hasbehâl
Pâyine eşkimle etdim arz-i hâl
Bi-terahhum etmedin arz-ı cemâl
Yandım insaf eyle cânım elaman

(T.M. Ans. Sh. 306 Aksak) kaydedilmiş.

❋❋

NEVÂ MAKAMI

Usûlü: Aksak

Ko sînem âteşe yansın
Gönül eğlensin aldansın
Firak-ı hicr ile yansın
Gönül eğlensin aldansın

Bu can sana fedâ olsun
Bırak âşık harâb olsun
Neme benim sensiz hayat
Bırak âşık harâb olsun

NOT: Bu eser (Cami ül Elhân) da Sh. 568'de Rif'at Bey adına; (Hânende Mecmuası) Sh. 376'da Rif'at Bey adına; İstanbul Radyosu Türk Musikisi Nota Küt. Nevâ Faslı No: 11 de Şemseddin Ziya Bey Adına; (TRT Türk Sanat Musikisi Sözlü Eserler Repertuarı) Sh. 134 de Şemseddin Ziya Bey adına; (Türk Musikisi Ansiklopedisi) (Y. Öztuna), C.II.II kısım Sh. 277 Şemseddin Ziya Bey adına, kayıtlıdır.

Rif'at Bey (1820-1888) tarihleri arasında, Şemseddin Ziya Bey ise (1882-1925) yılları arasında yaşamışlardır. Bu duruma göre şarkının bestekârının karıştırılması pek şaşırtıcı. İsmail Hakkı Bey ile Ahmed Avni Konuk. Bey'lerin bu kadar büyük bir yanlışlık yapmaları da olağan dışıdır. Bu arada şunu da belirtelim ki, eserin ikinci kuplesi ne (Cami ül Elhân) da ne de (Hânende) mecmuasında yazılı değildir.

Bu açıklamaları yapdıkdan sonra eserin gerçek bestekârının bulunmasını araştırmacılarımıza bırakıyoruz.   S.A.

✳✳

NEVÂ MAKAMI

Usûlü: Aksak   Kemanî Rıza Efendi

Düşüp ruhsâr-ı âle târ-ı giysû
Açıldı verd–i sadberk üzre şeşû
Yazıldı safha-i hüsnünde ya hû
Benim canımda cansın ey melek hû

Batarsa pâyime bin hâr-ı hicrân
Değil gam ey gül-i gülzâr-ı irfân
Bana her bir gamın bin türlü ihsân
Benim câhımda cansın ey melek hû

✻✻

Usûlü: Aksak   Kemanî Ali Ağa

Bir dahi semt-i Vefâ'ya gitmeyim
Ahdım olsun ben seni incitmeyim
Her zaman böyle lâtife etmeyim
Ahdım olsun ben seni incitmeyim

Eyler iken ben seninle hasb-ı hâl
Bendene etdin geçen gün infiâl
Tövbe tövbe ey gül-i nevres nihâl
Ahdım olsun ben seni incitmeyim

✻✻

NEVÂ MAKAMI

Usûlü: Aksak   İstavri

Yetdi bunca intizârım
Gel benim ey şîvekârım
Senin için âh ü zârım
Gel benim ey şivekârım

Sen heman ağyâre nisbet
Âkışınla eyle ülfet
Dem-be-dem artar muhabbet
Gel benim ey şivekârım.

NOT: Bu eserin ikinci kuplesinin üçüncü mısra'ı (Hânende) Sh. 375 de
(Sensin âh ü zârım) şeklinde eksik olarak yazılmıştır. S.A.

** **

Usûlü: Aksak   Muhiddin Ağa

Edemem hâl-i dili şerh ü beyân
Hâli takrire kadir mi zebân
Şâhid-i maksudumuz gözden nihân
Âh kim dil-besteyim hayli zaman

Yâr sormuyor hâl-i zârımdan benim
Nâle-i bî-ihtiyârlarımdan benim
Bir haber ver nazlı yârımdan benim
Âh kim dil-besteyim hayli zaman

** **

NEVÂ MAKAMI

Usûlü: Aksak   Tanbûrî Mustafa Çavuş

Muntazırım teşrifine
Reftâr ile revişine
Bir ben miyim âşık olan
Bülbül âşık gülüşüne.
Nakarat: Gel aman âfet-i devrân
        Yakma hasret âteşine
Feryâd edip yandı bülbül
Nazarımda bir taze gül
Seni seven âşıkların
Gel efendim kadrini bil
        Nakarat
Gizli sevmek müşkil yârı
Şiddeti çok aşkın nârı
Pervâneden beter yandım
Belki işitdin âh ü zârım
        Nakarat
Dilberlerin revişine
Zarâfetle gelişine
Kapılırsın sen Tanbûrî
Yalvar yakar düş peşine
        Nakarat

❋❋

Usûlü: Aksak   *Beste:* Selâhaddin Pınar
                                        Güfte: Munis Fâik Ozansoy

Bir deli gönlün var bir kırık sazın
Çırpınır durursun doğdun doğalı
Elinde bir derin hıçkırık sazın
Deli gönlün gibi o da yaralı
(Curcuna): Varsın deli gönlün ağlasın dursun
           Göz yaşın sel gibi çağlasın dursun
           Bağrını bin acı dağlasın dursun
           Söyle hiç güldün mü âşık olalı
(Aksak):   Bir deli gönlün var bir kırık sazın
           Çırpınır durursun doğdun doğalı

❋❋

NEVÂ MAKAMI

Usûlü: Aksak

Beste: Selâhaddin Pınar
Güfte: Osman Nihat Akın

Gonca açmaz, gül olmaz, baharı yok gönlümün
Gonca açsa gül solar, kararı yok gönlümün
Bir garip âşıkım diyârı yok gönlümün
Gonca aşça gül solar, kararı yok gönlümün

**

Usûlü: Aksak

Fehmi Tokay

Sonbahar oldu deyip yazla kışa
Ağlarım gizlice son ayrılışa
Avutur hâtıralar hasretimi
Ağlarım gizlice son ayrılışa

**

Usûlü: Aksak

Klârnet Şükrü Tunar

Bir gönül yarası aşılar gibi
Bahtımdan renk alan kara gözlerin
Gülüşü bir cihan bağışlar gibi
Gözümden gönlüme dolan gözlerin

Geceler ki nasıl rengi boğarsa
Gün nasıl geceyi yutar doğarsa
Kalbimin sesini için duyarsa
Bana da gülecek yaman gözlerin

**

NEVÂ MAKAMI

Usûlü: Yüksek Semâî   Zekâî Dede

Yine bağlandı dil bir nev-nihâle
Misâli gelmez âlemde hayâle
Nigeh akla ziyandır zülf-i hâle
Amansız girmez agûş-i visâle
Ne sabra çâre var ne arz-ı hâle

Dehânı gül, lebi mül, zülfü şebû
Miyân mû, çeşmi âhû, gamze câdû
Keman ebrû, perî-rû, bir melek hû
Eser etmez o bî-insâfa nâle
Ne sabra çâre var ne arz-ı hâle

Melâhat gülşeninde tâze bir gül
Felekde olmaz akranı tahayyül
Dökülmüş turra turra hem çü sünbül
Ruh-ı tâbânı üzre ebr-i kâkül
O mâh-ı hüsne olmuş zülf-i hâle

✳✳

Usûlü: Yürük Semâî   *Beste:* Tanbûrî Dürrü Turan
                                         Güfte: Râbia Hâtun

Bir kâsedir gönlüm alev dolu yana yana
Men tâ senin yanında dahi hasretem sana
Yaşlar dökende söndüremez hasretimi su
Döksen elinle kanımı içsem kana kana

Olsandı sen havâ olsam'dı ben semâ
Alsamdı ben seni dem dem nefes nefes
Olsandı sen zaman olsamdı ben mekân
Afâkı dolduran bir aşk olurdu bes

✳✳

NEVÂ MAKAMI

Usûlü: Yürük Semâî   *Beste:* Fehmi Tokay
                                        Güfte: Ârif Rüşdü Bey

Mey-i engûr ile doldur ne durursun kadehi
İçelim biz bize pîr aşkına bekletme tehî
Gam-ı şâdisine aldırma sakın sen feleğin
Dalalım böylece biz âlem-i mestiye gehî

❋❋

Usûlü: Sengin Semâî   Fehmi Tokay

Bir gonca gülün uğruna bülbül heder oldu
Her çekdiği dert, gördüğü yalnız keder oldu
Pervâne gibi yandı, ney gibi ötdü durdu
Her çekdiği dert, gördüğü yalnız keder oldu

❋❋

Usûlü: Düyek   Şakir Ağa

Mevsim-i güldür gülistân vaktidir
Lâlezâra gel ki seyrân vaktidir
Bu nevây-ı andelibin vaktidir
Lâlezâra gel ki seyrân vaktidir

Goncasın çığ bağa, seyret gülşeni
Sinen aç görsün semen sîmin teni
Cümle ezhâr-ı çemen bekler seni
Lâlezâra gel ki seyrân vaktidir

❋❋

NEVÂ MAKAMI

Usûlü: Aksak   Numan Ağa

Bildim kelâmın   Üzmek merâmın
Gördüm hırâmın   Üzmek merâmın

Gönlüm kaparsın   Yoldan saparsın
İşler yaparsın   Üzmek merâmın

❋❋

Usûlü: Düyek   Rif'at Bey

Lûft et efendim sen heman
Çalsın bütün sâzendegân
Zevk u safâ kıl her zaman
Çalsın bütün sâzendegân

Olsun fedâ can yoluna
Rahm et efendim kuluna
Bir sağına bir soluna
Çalsın bütün sâzendegân

❋❋

Usûlü: Düyek   Kemanî Mustafa Ağa

Bilmez misin ey dil-rübâ
Vârım bugün etdim fedâ
Lâyık mıdır cevr ü cefâ
Kıydın bana yazık sana

Sevdi gönül sen dilberi
Oldum hele ben müşteri
Rahm etmedin aslâ perî
Kıydın bana yazık sana

NOT: Hânende Mecmuası (Sh. 377)de bestekâr kaydı yok ve güfte ek-
sikdir. Hâşim Bey Mecmuası (Sh. 204)de bestekâr belirtilmemiş-
dir. Güfte dört kuple olarak yazılmışdır.
Câmi ül Elhân (Sh. 5896) da bestekâr olarak Kemanî Mustafa
Ağa gösterilmekdedir. S.A.

❋❋

NEVÂ MAKAMI

Usûlü: Düyek

Beste: Selâhaddin Pınar
Güfte: Yunus Emre

Ben yürürüm yane yane
Aşk boyadı beni kane
Ne akîlem ne dîvâne
Gel gör beni aşk n'eyledi

Aşkın beni mesteyledi
Aldı gönlüm hasteyledi
Öldürmeğe kasdeyledi
Gel gör beni aşk n'eyledi

Gâh eserim yeller gibi
Gâh tozarım yollar gibi
Gâh coşarım seller gibi
Gel gör beni aşk n'eyledi

Ben Yunus'u bîçâreyim
Aşk elinden âvâreyim
Başdan ayağa yareyim
Gel gör beni aşk n'eyledi

✲✲

Usûlü: Semâî

Bestenigâr: Ziyâ Bey

Seyret ol reng-i zârı
Âşıkın etmiş hezârı
Kimsenin olmaz şikârı
Anladım ol yâdigârı
Şivekârı, cilvekârı

✲✲

NEVÂBÛSELİK MAKAMI

Usûlü: Ağır Çenber   Beste   Hâfız Abdullah
                                             (Şehvelendim)

Benefşe hattı dildârın serinde kâküli anber
Güzel endâmı tarz u tavrı gâyet nâzenin dilber
Nevâ'da Bûselik'le mutribâ bir nağme gûş etdim
Usûliyle yapıldı halka-i âhımla bir çenber
Terennüm: Ah serinde kâküli anber...

Mefâîlün/Mefâîlün/Mefâîlün/Mefâîlün

BENEFŞE: Menekşe

**

Usûlü: Hafif   Beste   Mehmed Ağa

Ne gam-ı cevre ne lûtf-i gâh gâha kailiz
Biz heman neylerse uşşâka o mâha kailiz
Künc-i uzletde nişîniz merhamet kıl sevdiğim
Gûşe-i çeşminle olsun bir nigâha kailiz.
Terennüm: Nev'edâsın, dilrübâsın, nişleyim pek bîvefâsın
          Yâr aman, aman belî şâh-ı men

Fâilâtün/Fâilâtün/Fâilâtün/Fâilün

**

Usûlü: Ağır Semâî   Ağır Semâî   Hâfız Abdullah
                                                (Şehvelendin)

Sînemde yat ey rûh-i revân canda tenim ol
Gel geç yakadan sarılalım pirâhenim ol
Ben müşteriyim sana eyâ zühre-cebînim
Olsun dil ü can nakdi senin, sen de benim ol
Terennüm: Ah ömrüm yâr mîrim nâzenînim
          Yâr aman aman canda tenim ol
          Ol gel canım.

Mef'ûlü/Mefâîlü/Mefâîlü/Feûlün

**

NEVÂBÛSELİK MAKAMI

Usûlü: Yürük Semâî   Nakış Yürük Semâî   Hâfız Abdullah
(Şehlevendim)

Açılır nâz ile ol gonca ruha gül deseler
Gazab âlûde olur şîve ile gül deseler
Gülistân eyler idim kûyını feryâdım ile
O gül-i âle sezâ işde şu bülbül deseler.
Terennüm: Gel gel kurbanın olam, gel, gel hayranın olam
Sergerdânınam yâr ey yâr ey yâr ey dost
Âşıkınam, sâdıkınam vay
Beli beli yâr-ı men beli beli mîrimen vay.

Mef'ûlü/Mefâîlü/Mefâîlü/Feûlün

NOT: Nevâbûselik makamındki bu klâsik eserlerin hepsinin notası
Tanbûrî Refik Fersan'dan alınmışdır.

Ancak çok önemli bir noktayı burada belirtmek isteriz: Ne-
vâbûselik takımı zamanla unutulmuş, kaybolmuş, hâfızalardan
silinmişdir. Fakat Zekâî Dede, aynı güfteleri aynı makamda ve
usûlde, ilk bestekârlarının tavırlarına sâdık kalarak yeniden bes-
telemişdir.

Ne var ki bütün bu eserlerin üstüne yine de ilk bestekârlarının
isimlerini yazmış, kendi ismini yazmamışdır.

Böylece musikimize hem klâsik ve nâdide bir takım kazandıran,
hem de Hâfız Abdullah ve Mehmed Ağaların bu vesile ile de
anılmalarını sağlayan Zekâî Dede'yi bu kadirşinaslığı dolayısı ile
bir kere daha rahmetle anlıyoruz.   S.A.

✳✳

NEVÂBÛSELİK MAKAMI

Usûlü: Devr-i Revân   *Beste:* Hâfız Abdullah (Şehlevendim)
                                                        Güfte: Fâik

Ey gül-nevres hezârı eyleme hicrinle zâr
İştiyakınla eder feryâd bülbül sad hezâr
Oldu vasfı verd-i rûyin andelib-i zâr-kâr
Nakarat: Nevcivândır nazlı yoluna canım fedâdır
Nâzna canlar dayanmaz yamandır

Saç efendim vechine giysûnu arz et sünbüle
Boynunu eğsin benefşe hâline âlem güle
Gülşen-i hüsnün görünce ben de döndüm bülbüle
          (Nakarat)
                              Fâilâtün/Fâilâtün/Fâilâtün/Fâilün

✱✱

Usûlü: Curcuna   Suyolcuzâde Salih Efendi

Sevdim seni pek   Mümkün mü geçmek
Etme buna şek   Mümkün mü geçmek
Sende ey âfet   Varken bu hâlet
Tâ be kıyamet   Mümkün mü geçmek
Bir gül fidansın   Kaşı kemansın
Tâze civansın   Mümkün mü geçmek

                         Müstef'ilâtün/Müstef'ilâtün

                    ✱✱
Usûlü: Ağır Aksak   Hâfız Efendi (Balıkçı-Mevlevî)

Bezm-i târîki cemâlin ile pür-tâb edelim
Bu gece meclise gel biz bize mehtâb edelim
Dil-i mihnetzedeyi bârî safâyâb edelim
Bu gece meclise gel biz bize mehtâb edelim
Etmek ülfet ile rağbet bezmimiz bezm-i mahabbet
          Mehtâb edelim.
(2. kuplesi de vardır.)   *Feilâtün/Feilâtün/Feilâtün/Feilün*

                    ✱✱

NEVÂBÛSELİK MAKAMI

Usûlü: Aksak   Numan Ağa

Dâvet edip beni bağa   Meram düşürme tuzağa
Ben gidemem soldan sağa   Meram düşürme tuzağa

Bağ zevkine bir zevk uymaz   Erkence gel kimse duymaz
Bu fırsat her vakit olmaz   Meram düşürme tuzağa

İntizâra yok tehammül   Bağı teşrif eyle ey gül
Nûş edip aşkınla ben mül   Meram düşürme tuzağa

⁂

Usûlü: Aksak   Hâfız Ahmed Efendi

Şimdi bildim ben seni ey bî-vefâ
Bi–vefâsın, bı-vefâsın, bî vefâ
Söyle bu rütbe nedir cevrin bana
Nakarat: Sendedir gönlüm benim ey dil rübâ
        Eyleme ben kuluna böyle edâ
        Rahm edersin diyü oldum mübtelâ

Bî-vefâsın yokdur inkârın yeri
Yok hayâlin gezdim artık her yeri
Ağlarım şimden-gerü ben ey perî
    (Nakarat)

                                    Fâilâtün/Fâilâtün/Fâilün

⁂

Usûlü: Aksak   *Beste:* Dr. Selâhaddin İçli
                                      Güfte: Veliye Yakut

Sana bir lâle kopardım gönlümde yetişmiş
Soldurma sakın, mevsim geçer, her zaman açmaz
Boynu firkatle bükük, rengi hicrânla sarı
Soldurma sakın, mevsim geçer, her zaman açmaz

⁂

NEVÂBÛSELİK MAKAMI

Usûlü: Düyek   Sultan III. Selim

Çünki ey şûh fedâyî
Gönlümü etdin hevâyî
Eyleme gayrı edâyı
Sürelim zevk u safâyı
Nakarat: Gel a cânım, nevcivânım
     Sürelim zevk u safâyı
Iyd'e ey gül-berg-nâzım
Bergi-i gülden câme lâzım
Sana zirâ serfirâzım
Yaraşır telli sevâyı
    (Nakarat)

**

Usûlü: Düyek   Tanbûrî Mustafa Çavuş

Tahammül kalmadı zerrece dilde aman
El'aman ey nâzlı yârım el'amân
Nedir efendim bu edâlar sende
El'aman ey nâzlı yârım el'aman
Hüsnüne hayran, yoluna kurban ben olayım gel aman

Her güzele meyil etmez gönlüm benim
Tende râhat kalmadı canım benim
Dil ne çeker hasretinle efendim
El'aman ey nâzlı yârım el'aman
Hüsnüne hayran, yoluna kurban ben olayım gel aman.

**

Usûlü: Sofyan   Sadeddin Kaynak

Elbet gönüllerde sabâh olacak
Bir gün ağlayanlar ferâh bulacak
Unutma ki benimsin, biricik sevgi'imsin (Tekrar)
Sensiz bil ki tadı yok baharın da kışın da
Ümidim şimdi pek çok o tatlı bakışında
Unutma ki benimsin, biricik sevgilimsin. (Tekrar)

**

NEVESER MAKAMI

Usûlü: Zencir　　　　　　Beste　　　*Beste:* Hammâmîzâde
　　　　　　　　　　　　　　　　　　　İsmail Dede Efendi
　　　　　　　　　　　　　　　　　　　Güfte: Enderûnî Vâsıf

Nasıl edâ bilir ol dilber-i fedâyı görün
Aman aman o perî-rûdaki edâyı görün
Diğerle hem-dem olup Vâsıfâ kaçar bizden
O şûhun eylediği vaz'ı nâ-revâyı görün
Terennüm: Canım ye le lel li te re lel lel le le lel li
　　　　　Ömrüm ya lel li ya le y le ya le lel li
　　　　　Dilber-i fedâyı görün.

Mefâilün/Feilâtün/Mefâilün/Feilün

✸✸

Usûlü: Berefşan　　Beste　　　　*Beste:* Kömürcüzâde Hâfız
　　　　　　　　　　　　　　　　　　　Mehmet Efendi
　　　　　　　　　　　　　　　　　　　Güfte: Enderûnî Vâsıf

O nihâl-i nâzın âyâ sorun âşinâsı var mı
Hele pek güzeldir ammâ acabâ vefâsı var mı
Sana Vâsıf açdı râzın kerem eyle tut niyâzın
Bu kadar cefâ vü nâzın a beğim safâsı var mı
Terennüm: Ya la ya la yel le lel ye le lel lel le le le li vay
　　　　　Soran âşinâsı var mı

Mütefâilün/Feulün/Mütefâilün/Feulün

Ebkem: Söz söylemeye muktedir olmayan.

✸✸

Usûlü: Aksak Semâî　　Ağır Semâî　*Beste:* Kömürcüzâde Hâfız
　　　　　　　　　　　　　　　　　　　Mehmed Efendi
　　　　　　　　　　　　　　　　　　　Güfte: Enderûnî Vâsıf

Meclisde bu revnâk bu şetâret sana mahsus
Bu nâz ü nezâket bu letâfet sana mahsus
Meclisde benimle meselâ sohbet ederken
Ebrû ile etrâfa işâret sana mahsus
Terennüm: Sevdim seni, atma beni yâd ellere vermem seni
　　　　　Gel canım.

Mef'ûlü/Mefâîlü/Mefâîlü/Feûlün

✸✸

NEVESER MAKAMI

Usûlü: Yürük Semâî Nakış Yürük Semâî *Beste:* Hammamîzâde
İsmail Dede Efendi
Güfte: Enderûnî Vasıf

Diyemem sîne-i berrâkı semen-ber
Yasemen, belki o gül-nahli semen-ten gibidir
Gel gel serde hevâ gel gel a pür cefâ (Tekrar edilir)
Ah sana hem bende hem efkende aman (Tekrar edilir)
İşte kulun vay gel gel aman efendim (Tekrar edilir)
(Méyan)
Reng ü bûy-ı gülü ta'rife ne zahmet çekeyim
Gül benim bildiğim ey gonca-dehen sen gibidir.
Feilâtün/Feilâtün/Feilâtün/Feilün

❋❋

Usûlü: Aksak   Lâtif Ağa

Nâz ile süzdün o çeşm-i fülfüli
Oldu âlem sen gülün hep bülbülü
Rûyine kılma nikab ol kâkülü
Oldu âlem sen gülün hep bülbülü

Gülşene teşrif et ey gül-beden
Sîneni görsün utansın yâsemen
Âşıkım yokdur deme ey yosma sen
Oldu âlem sen gülün hep bülbülü
Fâilâtün/Fâilâtün/Fâilün
FÜLFÜL: Kara biber.

❋❋

Usûlü: Ağır Aksak   *Beste:* Bekir Sıtkı SEZGİN
Güfte: Ümit GÜRELMAN

Nev'eser bir şarkı yazdım, yâd'edin dostlar beni
Yâr elinden yârelendim, şâd'edin dostlar beni
Siz vefâsız olmayın, â'bâd edin dostlar beni
Yâr elinden yârelendim, şâd'edin dostlar beni

❋❋

NEVESER MAKAMI

Usûlü: Aksak   Lâtif Ağa

Gönlüm alıp ey kaşı yâ
Kaddim eden sensin dü-tâ
Vâh ey tegâfül-âşinâ
Gitdikçe oldun bî-vefâ

Haylî zaman etdim niyâz
Rahm et diye bârî biraz
Olmak dilerken çare-sâz
Gitdikçe oldun bî-vefâ

Müstef'ilün/Müstef'ilün

DÜ-TÂ: İki kat bükülmüş, kamburu çıkmış.
KADD-I DÜ-TÂ: Boyu iki kat olmuş.

**

Usûlü: Aksak   Rif'at Bey

Dilber içre bî-menend dil-cû musun
Bu beyazlıkdan garaz incû musun
Pertev-i hüsnün güzel meh-rû musun
Bu beyazlıkdan garaz incû musun

Öyle meftûn olmuşum cânâ sana
Gitmezem bezminden aslâ bir yana
Çok merak oldu güzel bildir bana
Bu beyazlıkdan garaz incu musun

Fâilâtün/Fâilâtün/Fâilün

DİL-CÛ: Güzel, nazlı, gönül arayıcı
GARAZ: Hedef, gâye, maksat, istek, meyil.
İNCÛ: İnci

**

NEVESER MAKAMI

Usûlü: Aksak   *Beste:* Sîne Kemanî Nuri Bey
                                            Güfte: Ra'fet Bey

Leylâ'yı andıran bu yaz gecesi
Olsun aşk faslından bir saz gecesi
Mecnûnluk edelim gelmeden ömrün
İnzivâ akşamı, niyâz gecesi

✳✳

Usûlü: Aksak   *Beste:* Sadeddin Kaynak
                                            Güfte: Vecdi Bingöl

Hicrânla harâb oldu da sevdâ ili gönlüm
Uslanmadı gitdi deli gönlüm, deli gönlüm
Cânân diye, hicrân diye can vermeli gönlüm
Uslanmadı gitdi deli gönlüm, deli gönlüm.

                         Mef'ûlü/Mefâîlü/Mefâîlü/Feûlün

NOT: 3. mısra': (Cânân diye hicrân diye âh etmede gönlüm) şeklinde de
    görüldü. (20. Yüz Yıl Türk Musikisi Sh. 417. Mustafa Rona.)

✳✳

Usûlü: Aksak   *Beste:* Yektâ Akıncı
                                            Güfte: Nâhit H. Özeren

Acıyor, elleme kalbimde yarandır kanayan
Çıkarıp atma gönülden ben ölürsem bana yan
Gece mehtâbda gezerken yine sevdâmızı an
Çıkarıp atma gönülden ben ölürsem bana yan

                         Feilâtün/Feilâtün/Feilâtün/Feilün

✳✳

NEVESER MAKAMI

Usûlü: Aksak   Dr. Alâeddin Yavaşça

O güzel gözlerinin sihrine kandım o gece
Senin aşkın ile başdan başa yandım o gece
Seni sevdim, sana yandım, sana kandım o gece
Beni Mecnûn, seni Leylâ gibi sandım o gece
Feilâtün/Feilâtün/Feilâtün/Feilün

**

Usûlü: Devr-i Hindî   Lâtif Ağa

Sende şefkat yok mu ey meh tâl'atım
Eyledin meslûb hâb-ı râhatım
Gerçi var cevrinle ammâ ülfetim
Âteş-i hicrâna yokdur tâkatım

Gamzene emreyle ey serv-i revân
Vermesin cân ü dile aslâ aman
Râzıyım her ne edersen et heman
Âteş-i hicrâna yokdur tâkatım.
Fâilâtün/Fâilâtün/Fâilün
MESLUB: Soyulmuş, alınmış, giderilmiş.

**

Usûlü: Devr-i Hindî   Hâşim Bey

Seyredelden hüsn ü dîdârını hayrânım sana
Eylemez kalbine te'sîr âh ü efgânım sana
Âşıkım elhâsıl ey şûh-ı dilistânım sana
Nakarat: Nakledersem mâcerây-ı seyl-i eşkim ben sana
Çağlayandan farkı yokdur gel acı bârî bana

Zülfünü dökmüş ruh-ı zıbâsına ol bî-aman
Her teline bin dil-i bîçâre bend etmiş heman
Bârı lûtf eyle efendim gayrı yandı tende can
(Nakarat)
Fâilâtün/Fâilâtün/Fâilâtün/Fâilün

**

NEVESER MAKAMI

Usûlü: Devr-i Hindî   İsmet Ağa

Kerem eyle budur sana dileğim
Sevdiceğim aç yüzünü göreyim
Bana sâdık yâr olduğun bileyim
Sevdiceğim aç yüzünü göreyim

Mâh yüzüne sırma saçın telleri
Kaplamış hep kara kara benleri
Elâ gözle etdin beni serseri
Sevdiceğim aç yüzünü göreyim

**

Usûlü: Yürük Semâî   Ârif Sami Toker

Bitmiş diye her neş'esi gam çekmede bülbül
Sevdâ ile solmuş sarı bir yüz gibi eylûl
Feryâd ederek derdini anlatmada kırlar
Yaprakla bürünmüş gibi renge yokuşlar
Körfez düşünür karşıda dalgın ve yeisli
Körfezde hayâl âleminin meltemi gizli
Mef'ûlü/Mefâîlü/Mefâîlü/Feûlün

**

Usûlü: Sengin Semâî   *Beste:* Subhi Ziya Özbekkan
                                          Güfte: Hikmet Münir Ebcioğlu

Sesimde şarkısı aşkın figân olup gidiyor
Bahâra ermedi mevsim hâzan olup gidiyor
O bitmeyen geceler hep bir ân olup gidiyor
Yazık yazık ki şu ömrüm ziyân olup gidiyor
Mefâilün/Feilâtün/Mefâilün/Feilün

**

NEVESER MAKAMI

Usûlü: Sengin Semâî   Dr. Şükrü Şenozan

Köpürsün bâdeler, peymâneler, fevvâreler gelsin
Süzülsün çeşm-i mestin işveden bir nev'eser gelsin
Yeter hicrân-ı nâzın gül dudakdan müjdeler gemsin
Semen tenden meşâm-ı cânâ, bûy-i neş'eler gelsin
Mefâîlün/Mefâîlün/Mefâîlün/Mefâîlün

**

Usûlü: Düyek   Rıfat Bey

Ey gözleri âhû misâl
Çeşm-i felek görmek muhâl
Esmerde böyle rûy-i âl
Yandım efendim bî-mecâl

Müjgânların tîği çeker
Ebrûların cânâ kıyar
Taşdan ola âdem meğer
Yandım efendim bî-mecâl
Müstef'ilün/Müstef'ilün

**

Usûlü: Düyek   Ekmekçi Bağdasar

Gülüm takmış takışdırmış
Ne giydiyse yakışdırmış
Bütün halkı bakışdırmış
Biraz zannım çakırdırmış

Yaman ebru o gül yanak
Çaksan bugün daha parlak
Gönül mahmûr nigâha bak
Biraz zannım çakışdırmış.

NOT: Bazı kayıtlarda usûlü (Sofyan) olarak da görüldü. Ayrıca aynı
güfte İsmet Ağa, tarafından da Nihavend makamında ve Düyek
usûlünde bestelenmişdir.   S.A.

**

NEVESER MAKAMI

Usûlü: Curcuna   Hacı Ârif Bey

Bahar erdi yeşillendi çemenler
Dağıldı seyre hep sîmin bedenler
Açıldı lâleler, güller, semenler
Nakarat: Buyur gülzâra bülbüller uyansın
          Görüp âl-i ruhın güller utansın

Heman zevk edelim her sûde bu yaz
Dil olsun şâdümân mey menba-ı nâz
Edip etrafa çeşmin nâvek-endâz
          (Nakarat)
NOT: Aynı güfte Kanûnî Âmâ Nâzım Bey, tarafından da Hicaz maka-
     mında ve Düyek usûlnde bestelenmişdir. S.A.

✸✸

Usûlü: Curcuna   Kemanî Cevdet Çağla

Seni rüyâlarımda gördüğüm gün çok oldu
İşte böyle bir ömür geçdi renklerim soldu
Her ızdırâbın sonu kalbim aşkınla doldu
İşte böyle bir ömür geçdi renklerim soldu

✸✸

Usûlü: Curcuna   Fehmi Tokay

Nicedir katlanırım sabrederim hasretine
Doyamadım rûhumu teshir edecek ülfetine
Ömrümün geçmedi bir ânı elem yoklamadan
Daldı âfetzede gönlüm feleğin mihnetine.

✸✸

NEVESER MAKAMI

Usûlü: Semâî   Ahmet Mükerrem Akıncı

Bahâr kâküllerin ördü mü lâlelerle
Menbâ'lardan içdin mi altın piyâlelerle
O menbâ'lar önünde gözleri bağlı mısın
Bahâr, sevdâlı mısın, sevdâlı mısın.

✳✳

Usûlü: Semâî   *Beste* ve *Güfte:*
Neveres Kökdeş

Seni ah anmadan, aşkınla yanmadan
Sevgilim sensiz ben olamam, olamam
Ufkunda hayâller, yemyeşil çemenler
Sevgilim sensiz ben olamam, olamam.

O tatlı emeller, ne mutlu sevenler
Sevgilim sensiz ben olamam, olamam
Kalplerde her dem âh olmalı neş'eler
Sevgilim sensiz ben olamam, olamam.

✳✳

NİHÂVEND MAKAMI

Usûlü: Zencir   Beste   *Beste:* Hacı Fâik Bey
                                           Güfte: Nazîm

Visâl-i yâra gönül sarf-ı himmet istermiş
Gelir imiş o perî bezme dâvet istermiş
Gönül ki sâye-i lûtfunda neş'e bulmak için
Zemîn-i sînede bir serv-kamet istermiş
Terennüm: Canım yel le lel le le lel lel lel lel lel li
              Mîrim ya lâ ye le lel lel li vay
              Âh sarf-ı himmet istermiş

✷✷

Usûlü: Fâhte   Beste   Muallim İsmail
                                           Hakkı Bey

Acıyaydı bana bir kerrecik ol gonca femim
Acımazdı yüreğimde acıyan zahm-ı dilim
Acı Allâh için olsun ki harâb-ı aşkım
Râhatım aldı visâlin hevesiyle elemim.
Terennüm: Ya la ya la ya la
              Yel lel le lel lel lel lel la ta na
              Ta na ta na te nen ne ten nen nen nen na.
                  Feilâtün/Feilâtün/Feilâtün/Feilün

✷✷

Usûlü: Lenf Fâhte   Beste   *Beste:* Ali Rif'at Çağatay
                                           Güfte: NEVRES

Zülfün görenlerin hep bahtı siyâh olurmuş
Tek zülfünü göreydim bahtım siyâh olaydı
Güçmüş vefâ yolunda Nevres, murâda ermek
Ey kâş kûy-i yâra bir başka râh olaydı.
Terennüm: Hey yâr-i men hey hey mîr-i men
              Hey cân te ne nen dir til lil lâ na
              Te ne nen dir
              1-) Baht-ı siyâh olaydı
              2-) Bir başka râh olaydı
                   Mef'ûlü/Fâilâtün/Mef'ûlü/Fâilâtün
KÂŞ: Keşke
RÂH: Yol

✷✷

NİHÂVEND MAKAMI

Usûlü: Aksak Semâî   Ağır Semâî   Ali Rif'at Çağatay

Gördüm yine bir gonca-i nâdîde-edâyı
Kılmış turra-i zülfüne dilbeste edâyı
Zannetme tehî nâlemi mânende-i bülbül
Sevdim ol gül-i âl-î hezâr işve-nümâyı
Terennüm: Canım ye le lel lel le lel li
        Ah aman ye lel li yâr yâr aman
        Ye le lel le li vay.

Mef'ûlü/Mefâîlü/Mefâîlü/Fe'ûlün

**

Usûlü: Aksak Semâî   Nakır Ağır Semâî   *Beste:* Muallim
                                İsmail Hakkı Bey
                                Güfte: Esrâr Dede

Seni hükm-i ezel âşûb-i devrân etmek istermiş
Beni bahtım gibi zâr ü perişân etmek istermiş
Terennüm: Seni seni çokdan beri aceb niçün üzdün beni

Te nen ni nen te nen ni nen te nen ni nen ni
        Te nen nen ni
        Ye lel li lel ye lel li lel ye lel li lel li
        Ye lel lel li
        Perişân etmek istermiş...
Meyân: (Âh) meğer sâkî-i devrânın füsûn u işveden kasdı
        Beni bir câm ile rüsvây-ı devrân etmek istermiş.
        (Terennüm)

**

NİHÂVEND MAKAMI

Usûlü: Yürük Semâî Yürük Semâî *Beste:* Tanbûrî Ali Ef.
Güfte: Nevres-i Cedîd

Bilmezdim özüm gamzene meftûn imişim ben
Afet-zede, dil-haste, ciğer-hûn imişim ben
Sevdâ-zedesin sen dediler zülfüne söyle
Çeksin beni zencîre ki mecnûn imişim ben
Terennüm: Ter dil li ter dil li ter dil li te ne nen
  Na te ne dir ney
  Gel gel gel işvebâzım
  Gel gel gel çâresâzım
  Sevdi seni can ey şeh-i hûbân
  Lûtf eyle aman bendene ey nazlı cuvân vay.
Mef'ûlü/Mefâîlü/Mefâîlü/Feûlün

※※

Usûlü: Yürük Semâî Yürük Semâî *Beste:* Münir
Nureddin Selçuk
Güfte: Fuzûlî

Ruhsârına eyb etme nigâh etdiğimi
Göz yaşı döküp nâle vü ah etdiğimi
Terennüm: Ten nen ni ten nen ni
Ten nen ni te ne nen
Na te ne dir ney
Gel sevr-i revân, gel, gel kaşı keman gel
Göz yaşı döküp nâle-vü âh etdiğimi (Yâr)
Ey pâdişeh-i hüsn terahhum çağıdır
Terennüm: Yel lel li yel lel li yel lel li le re lâ
  Lâ ye lel li
  Gel serv-i revân gel, gel, gel kaşı keman gel
Affeyle ki bilmişim günâh etdiğimi.
Rubâî: Ahreb

NOT: Eserde iki ayrı terennüm bulunuşu sebebiyle güfteyi eserin oku-
nuşuna göre yazmak lüzumunu hissettim. S.A.

※※

NİHÂVEND MAKAMI

Usûlü: Aksak Semâî   Numan Ağa

Âkıbet vîrân edip gönlüm felek
Aldı elden sevdiğim zâlim felek (a canım)
Çün benim gûş etmedin zârım felek
Gayrı ben de terkedem cânım felek
Aldı elden sevdiğim zâlim felek (a canım)

Fâilâtün/Fâilâtün/Fâilün

**

Usûlü: Ağır Aksak   *Beste:* Hacı Fâik Bey
                                       Güfte: Sultan V. Murad

Nâ-murâdım tâliim âvâredir
Derdime ancak visâlin çâredir
Zahm-ı hicrânınla dil sad-pâredir
Derdime ancak visâlin çâredir.

Fâilâtün/Fâilâtün/Fâilür.

NOT: Bu eserin bestekârı hakkında çeşitli isimler söylenmektedir. Hacı
Fâik Bey, Hacı Ârif Bey, Enderûnlu Hâfız Hüsnü.. Eserin bestele-
nişindeki tavır bizce Hacı Fâik Bey'in tavrıdır. Güfte itibariyle
Hacı Ârif Bey'in yaşadığı fırtınalı hayatı tasvir ediyor. Hep sevgi-
li kaybetme ve onun visâlini tahayyül Hacı Ârif Bey'in işi.. En-
derûnlu Hâfız Hüsnü'ye âidiyeti söz konusu olamaz.
Elimizde bulunan dokümanlardaki kayıtlar şöyle:

1-) İstanbul Radyosu Repertuar Katibı: Hacı Fâik Bey
2-) Türk Musikisi Ansiklopedisi C. I. sh. 64.st.I. Hacı Arif Bey
3-) Gülzâr-Musiki: Hacı Fâik Bey
4-) Camil'ül-Elhân: Hacı Fâik Bey
5-) Seçilmiş Şarkı Güfteleri C.I.sh. 119 Hacı Ârif Bey
6-) Türk Musikisi Klâsikleri 6 sh. 7. sıra 13 Hacı Arif Bey
7-) Yirminci Yüz Yıl Türk Musikisi sh. 64.st.I. Enderûnlu Hâfız Hüsnü

S.A.

**

-950-

NİHÂVEND MAKAMI

Usûlü: Ağır Aksak   Rif'at Bey

Nâr-ı aşkınla senin ey nev-cuvân
Döndü âteşzâra cism-i nâtüvân
Hasret-i hâlinle hâl oldu yaman
Elamân âhû bakışlım elamân.

Fâilâtün/Fâilâtün/Fâilün

✳✳

Usûlü: Ağır Aksak   *Beste:* Hacı Ârif Bey
                                          Güfte: Mehmet Sâ'dî Bey

Ahteri düşkün garîb ü âşık-ı âvâreyim
Gün gibi deryây-ı aşkında gezer bîçâreyim
Sana kul oldum kapında gayrı kime varayım
Şivekârım sen dururken ben kime yalvarayım

Bir perî-suret güzelsin serv-i hoş-reftârsın
Mah-rûlarda nazîrin yok misilsiz yârsın
Âşıkın hâline rahm eyleyici dildârsın
Şivekârım sen dururken ben kime yalvarayım.

Fâilâtün/Fâilâtün/Fâilâtün/Failün

AHTER: Yıldız.

✳✳

Usûlü: Ağır Aksak   Ûdî Selânikli Ahmed Bey

Sevdiğim lûtf eyleyip gelmez misin imdâdıma
Aşkın olmuşdur sebep tedrîc ile berbâdıma
Nûr-ı çeşmim rikkat et bir kerre şu feryâdıma
Aşkın olmuşdur sebep tedrîc ile berbâdıma.

Fâilâtün/Fâilâtün/Fâilâtün/Fâilün

TEDRÎC İLE: Gittikçe artarak, git gide
NÛR-İ ÇEŞM: Göz nûru
RİKKAT: Acıma

✳✳

NİHÂVEND MAKAMI

Usûlü: Ağır Aksak   Ûdî Selânikli Ahmed Bey

Ömrümü, gönlümü, rûhum sana vakfetmişken
Kalbini benden alıp başkasına verdin sen
Gayrı mâtem tutayım haşre kadar hecrinden
Kalbini benden alıp başkasına verdin sen.

**

Usûlü: Ağır Aksak   *Beste:* Ûdî Arşak
                 Güfte: Kaymakam Mustafa Reşid Bey

Ey nihâl-i emelimde sararan penbe çiçek
Reng ü bû vermek için ben sana vermişdim emek
Acırım koklamadan ben seni soldurdu felek
Sana can vermek için can veririm ben gülerek.

Feilâtün/Feilâtün/Feilâtün/Feilün

**

Usûlü: Ağır Aksak   Râkım Elkutlu

Ne yanan kalbime bakdı, ne akan göz yaşıma
Bırkıp gitdi o çapkın beni bir tek başıma
Ona yıllarca kul oldum da kıyıp genç yaşıma
Bırakıp gitdi o çapkın beni bir tek başıma.

Feilâtün/Feilâtün/Feilâtün/Feilün

**

NİHÂVEND MAKAMI

Usûlü: Aksak

İsmet Ağa

Seni tenhada bir bulsam
Bu çağın geçmeden sarsam
Kemâl-i zevk ile kansam
Bu çağın geçmeden sarsam

Gelince ruhların yâda
Dil oldu gayet üftâde
Emel etdim pek ziyâde
Bu çağın geçmeden sarsam.

✳✳

Usûlü: Aksak

Hacı Ârif Bey

Meyler süzülsün meydâne gelsin
Meclis donansın peymâne gelsin
Mahmûr-ı nâzım cevlâna gelsin
Âhû bakışlım seyrâna gelsin.

Müstef'ilâtün/Müstef'ilâtün

NOT: Güfte üç kupledir. Ancak, şarkı olarak birinci kuple okunur. S.A.

✳✳

Usûlü: Aksak ((Yürük)

Hacı Ârif Bey

Yâdigâr kaldı bana dilde bu âh
Neyleyim âlemde bahtım pek siyâh
Cevr eder zâlim felek bî-iştibâh
Neyleyim âlemde bahtım pek siyâh.

Fâilâtün/Fâilâtün/Fâilün

BÎ-İŞTİBAH: Şüphesiz

NOT: Güfte iki kupledir. Fakat sadece birinci kuplesi okunagelmiştir.
S.A.

✳✳

-953-

NİHÂVEND MAKAMI

Usûlü: Aksak

Beste: Hacı Ârif Bey
Güfte: Mehmed Sa'di Bey

Bakmıyor çeşm-i siyeh feryâda
Yetiş ey gamze yetiş imdâde
Gelmiyor hançer-i ebrû dâda
Yetiş ey gamze yetiş imdâda

çeşm - göz
ebru - kaş

Fâilâtün/Fâilâtün/Fâilün

DÂD: (Farsça isim) adâlet, insâf

**

Usûlü: Aksak

Kemanî Tatyos

Âh-cânâ firkatinle sînemi ben dağlarım
Yâd edip eyyâm-ı vaslı dem-be-dem kan ağlarım
Şimdi mâtemgîr-i hicrânım siyehler bağlarım
Yâd edip eyyâm-ı vaslı dem-be-dem kan ağlarım

Fâilâtün/Fâilâtün/Fâilâtün/Fâilün

MÂTEMGÎR: Yas tutan

**

Usûlü: Aksak

Şeyh Edhem Efendi

Gönlüm yine bir âteş-i hicrâna dolaşdı
Sevdây-ı mahabbet başıma gör neler açdı
Bu hâl-i perîşânıma düşman bile şaşdı
Sevdây-ı mahabbet başıma gör neler açdı.

Mef'ûlü/Mefâîlü/Mefâîlü/Mefâîlü

**

NİHÂVEND MAKAMI

Usûlü: Aksak

Beste: Şeyh Edhem Efendi
Güfte: Mekki Bey

İnfiâlim tâli-i nâ-sâzadır
İnkisârım çerh-i bî-enbâzadır
Yâr elinden çekdiğim hamyâzedir
İhtiyâr olsam da gönlüm tâzedir

Gitmiyor dilden hevây-ı zülf-i yâr
Gözlerimden kan akar leyl ü nehâr
Kıldı ahvâlim perîşân rüzgâr
İhtiyar olsam da gönlüm tâzedir.

Fâilâtün/Fâilâtün/Fâilün

İNFİÂL: Gücenme
NÂSÂZ: Düzensiz, uygunsuz, münasebetsiz
İNKİSAR: Kırılma, lânet okuma
ÇERH: Dünya
BÎ-ENBÂZ: Ortaksız
HAMYÂZE: Sıkıntı, azâb
DİL: Gönül
LEYL: Gece
NEHÂR: Gündüz
RÛZGÂR: Felek

❈❈

Usûlü: Aksak

Musa Süreyya Bey

Sûziş-i aşkınla ben nâlân iken
Nevha-i hicrânı hiç duydun mu sen
Yara açdın bir bakışla sînede
Hasretin kalbim perîşân etmede
Hâlelensin aşkımız ey gül beden

Fâilâtün/Fâilâtün/Fâilün

SÛZİŞ: Yanma, yakma, yürek yanması
NEVHA: Ölüye sesle ağlama.

❈❈

NİHÂVEND MAKAMI

Usûlü: Aksak   Sâdeddin Kaynak

Gel göklere yükselelim gel de seninle
Çık sevgilerin üstüne bülbül gibi inle
Nağmenle yanan kalbime yaslan beni dinle
Çık sevgilerin üstüne bülbül gibi inle

Mefâilü/Mefâilü/Mefâilü/Feûlün

✻✻

Usûlü: Aksak   Kanûnî Artaki Candan

Koklasam saçlarını bir gece tâ fecre kadar
Acı duysam gözünün rengine dalsam da senin
Kanatır rûhumu mâzîde kalan hâtıralar
Doyamam ömrüme ben kalbini çalsam da senin
                     Feilâtün/Feilâtün/Feilâtün/Feilün

✻✻

Usûlü: Aksak(Nim Sofyan Değişmeli)   Sadeddin Kaynak

Aşkın susuz bağında pınar gibi çağlarım
Ceylân oldum bağında gezer gezer ağlarım
(Serbest) Ah.. ah.. ah...
          Dağlar, taşlar aşa aşa
          Sordum onu uçan kuşa
          Çekilirmiş gelen başa
          Yüreğimi dağlarım
(Nim Sofyan) Gözlerimde melâli var
          Neye baksam hayâli var
          Kavuşmak ihtimâli var
          Ümidimi bağladım

✻✻

NİHÂVEND MAKAMI

Usûlü: Aksak

Beste: Kemanî Cevdet Çağla
Güfte: Ömer Bedrettin Uşaklı

Âşıkım dağlara kurulu tahtım
Çobanlar bağrımı dağlar da geçer
Günümü yıl eden şu kara bahtım
Engin gurbetlerden çağlar da geçer

**

Usûlü: Aksak

Beste: Cevdet Çağla
Güfte: Faruk Şükrü Yersel

Bana bir zâlimi Leylâ diye sevdirdi felek
Çekmek isterdim onun derdini tâ mahşere dek
Tapmışım hüsnüne yıllarca onun bilmeyecek
Geçdi bir tâze ömür işte bakın aldanarak.

Feilâtün/Feilâtün/Feilâtün/Feilün

**

Usûlü: Aksak

Yesârî Âsım Arsoy

Alsam Ada'nın dilberini çamlara gitsem
Bir kaç kadehi neş'e ile zevk ile içsem
Sarsam, dolasam gonca gülü, koklasam öpsem
Bir kaç kadehi neş'e ile zevk ile içsem

Mef'ûlü/Mefâîlü/Mefâîlü/Feûlün

**

Usûlü: Aksak

Beste ve Güfte:
Ûdî D'ramalı Hasan Güler

Sana bilmem ki neden hiç doyamam
Seni yıllarca da sevsem doyamam
Seni bir gün göremezsem yaşamam
Seni yıllarca da sevsem doyamam

Feilâtün/Feilâtün/Feilün

**

NİHÂVEND MAKAMI

Usûlü: Aksak

Beste: Rifat Ayaydın
Güfte: Mustafa Nâfiz Irmak

Mâzîye karışmış sararan günleri andım
Birden acı bir hisle tutuşmuş gibi yandım
Rûhumda beyaz bir gecenin neş'esi varken
Bir damla yaşın zehrini içdim oyalandım

Mef'ûlü/Mefâîlü/Mefâîlü/Feûlün

**

Usûlü: Aksak (Yürük Semâî değişmeli)

Beste: Râkım Elkutlu
Güfte: Rifat
Ahmed Moralı

Mümkün mü unutmak güzelim neydi o akşam
Rûyâ gibi, hülyâ gibi bir şeydi o akşam
(Yürük Semâî) İçdik kanarak bir ezelî meydi o akşam
(Aksak)   Rûyâ gibi, hülyâ gibi bir şeydi o akşam

Mef'ûlü/Mefâîlü/Mefâîlü/Feûlün

**

Usûlü: Aksak (Curcuna Değişmeli)

Beste: Muzaffer İlkar
Güfte: Yahya Kemal Beyatlı

Dün kahkahalar yükseliyorken evinizden
Bendim geçen ey sevgili sandalla denizden
Gönlümle uzaklarda bütün bir gece sizden
Bendim geçen ey sevgili sandalla denizden
(Curcuna) Dün bezminizin bir ezelî neş'esi vardı
          Saz sesleri tâ fecre kadar körfezi sardı
          Vaktâki sular şarkılar inlerken ağardı
(Aksak)   Bendim geçen ey sevgili sandalla denizden

Bu güfte Lem'i Atlı Şevkefzâ- Curcuna; Zeki Arif Ataergin - Kürdilihi-
cazkâr Curcuna ve Hayri Yenigün 2 nci kuplesi Uşşak Sengin semâî
bestelemişlerdir. S.A.

Mef'ûlü/Mefâîlü/Mefâîlü/Feûlün

**

NİHÂVEND MAKAMI

Usûlü: Aksak

Beste: Muzaffer İlkar
Güfte: Hikmet Münir Ebcioğlu

Aldatmadığın kalmadı hâlâ da kaçarsın
Bir elde solar gül gibi bir elde açarsın
Her âşıka bir lâhza verirsin kederinden
Her tutkuna bir damla şifâ serper uçarsın
Bir elde solar gül gibi bir elde açarsın.

Mef'ûlü/Mefâîlü/Mefâilü/Feûlün

**

Usûlü: Aksak

Beste: İsmail Bahâ Sürelsan
Güfte: Mahmut Nedim Güntel

Yaz günleri en tatlı hayâller gibi geçdi
Rûyâdaki esrâr oldu hâller gibi geçdi
Rûhumda derin en derin hicrândır o günler
Ruhâdaki esrâr dolu hâller gibi geçdi

NOT: 3. mısra'ın vezni bozukdur. S.A.

**

Usûlü: Aksak

Klârnet Şükrü Tunar

Bir gönül yarası aşılar gibi
Bahtımdan renk alan kara gözlerin
Gülüşü bir hicrân bağışlar gibi
Gözünden gönlüme dalan gözlerin

**

NİHÂVEND MAKAMI

Usûlü: Aksak   *Beste:* Violonselist Vecdi Seyhun
                                   Güfte: Hüseyin Aydın Kaya

Hatırlar mısın beni bir zamanlar
Ne kadar severdim seni ne kadar
Gözümde güneşdin gönlümde bahar
Ne kadar severdim seni ne kadar

Başımda eserdi sevdânın yeli
Hislerim taşkındı gönlüm bir deli
Böyle derbeder miydim ya evveli
Ne kadar severdim seni ne kadar.

✵✵

Usûlü: Aksak   *Beste:* Violonselist Vecdi Seyhun
                                   Güfte: M. Nedim Güntel

Beni hicrânlara terk eyleyerek gitdi o yâr
Ağlarım her gece yâdiyle onun fecre kadar
Sararak rûhumu bin bir ebedî hâtırası
Ağlarım her gece yâdiyle onun fecre kadar

Feilâtün/Feilâtün/Feilâtün/Feilâtün/Feilün

✵✵

Usûlü: Aksak   Piyanist Şefik Gümeriç

Haftalar aylar var ki hasretinle üzgünüm
Beni ne hâle koydun ey gözleri süzgünüm
Seni hatırlamakla geçiyor bütün günüm
Hasretinle üzgünüm, ey gözleri süzgünüm.

✵✵

NİHÂVEND MAKAMI

Usûlü: Aksak   *Beste:* Münir Nureddin Selçuk
                                Güfte: Behçet Kemal Çağlar

Yok başka yerin lûtfu ne yazdan ne de kışdan
Bir tatlı huzûr almaya geldik Kalamış'dan
İstanbul'u sevmezse gönül aşkı ne anlar
Düşsün suya yer yer erisin eski zamanlar
Sarsın bizi akşamda şarap rengi dumanlar
Bir tatlı huzûr almaya geldik Kalamış'dan
                       Mef'ûlü/Mefâîlü/Mefâîlü/Feûlün

❋❋

Usûlü: Aksak   *Beste:* Münir Nureddin Selçuk
                                  Güfte: Dr. Necdet Ataman

Bilmem bu gönülle ben nasıl yaşayacağım
O daha genç yaşında, benimse geçdi çağım
Kurtulmak mümkün olsa bırakıp kaçacağım
Fakat ne yazık artık elinde oyuncağım
Onun zoru sürümek beni gitdiği yola
Ben giderim sağıma, o çeker beni sola
Arkasından bakarım gözlerim dola dola
Ey gençlik arkadaşım sana uğurlar ola.

❋❋

Usûlü: Aksak (Yürük)   Tanbûrî Refik Fersan

Beğendim biçimini, her yerin mini mini
Dudaklarım ismini anıyor Kadıköylü
Saçın bir deste ipek, kendin güzel bir bebek
Seni gören bir melek sanıyor Kadıköylü

Usandım bu huyundan, hoşlanırsın oyundan
Seni herkes boyundan tanıyor Kadıköylü
Yapma bu kadar şaka, beni bastırma faka
Yüreğim her dakika yanıyor Kadıköylü.

Bu güftenin ilk dört mısra'ı Osman Nihat Akın tarafından Hüzzam-
Aksak olarak bestelenmiştir.

❋❋

NİHÂVEND MAKAMI

Usûlü: Aksak   Sadeddin Kaynak

İlkbahara bürünmüşsün
Gül yüzüne şal olaydım
Güle, bülbüle dönmüşsün
Tutunduğun dal olaydım.

Dilinden düşmeyen beste
Seni yâdeden her seste
Haram sunup deste, deste
Boynunda vebâl olaydım.

Mehtâpda ben izlerinde
Uzanmışken dizlerinde
Senin yeşil gözlerinde
Silinmez hayâl olaydım

İçip aşkın şarabını
Dudaklarının âb'ını
O senin mâh-i tâbını
Seyrederek lâl olaydım.

✳✳

Usûlü: Aksak   Prof. Dr. Halid Ziya Konuralp

Mest olur haşredek seyreden dîdârını
Şerm eder açmazdı güller görseler ruhsârını
Rehgüzârında gezen ben âşıka kılsan nazar
Fark ederdin dehr içinde yârini, ağyârını

✳✳

NİHÂVEND MAKAMI

Usûlü: Aksak

Beste: Şerif İçli
Güfte: Mesut Kaçaralp

Gece sahilden açıp sandalı enginlere biz
Uyuyan Marmara'nın koynuna girsek ikimiz
Öpüşürken iki âşık gibi mehtâpla deniz
Biz de tâ fecre kadar böyle sevişsek ikimiz.

Feilâtün/Feilâtün/Feilâtün/Feilün

**

Usûlü: Aksak

Beste: Teoman Alpay
Güfte: Hüseyin Mayadağ

Dün Göztepe'nin neş'eli bir âlemi vardı
Şen kahkahanız bahçelerin koynunu sardı
Hicrân ne gezer, Göztepe'de gam ne arardı
Şen kahkahanız bahçelerin koynunu sardı.

Mef'ûlü/Mefâîlü/Mefâîlü/Feûlün

**

Usûlü: Aksak

Prof. Dr. Halid Ziya Konuralp

Elâ gözler kalem kaşlar
İnce belli fidan boylu
Dökmüş saçlarını
Taramış tel tel
Nakarat: Yaradan özenmiş daha neylesin
          Mavi boncuk tak göğsüne
          Nazar değmesin.

Kiraz dudak beyaz tenli
Hoş bakışlı pamuk elli
Dökmüş saçlarını
Taramış tel tel.
Nakarat.

**

NİHÂVEND MAKAMI

Usûlü: Raks Aksağı

Beste ve *Güfte:*
Fethi Karamahmudoğlu

Başka bir renk, başka bir tad
Sende bahar, baharda sen
Kırda çiçek, kuşda kanat
Sende bahar, baharda sen
Nakarat: Dilde umut, bedende can
Tende arzu, yürekde kan
Coşkun akan bir çağlayan
Sende bahar, baharda sen
Yanaklarda mahcub bir iz
Kimler öpmüş böyle sessiz
Körpe bir dal, yeşil bir göz
Sende bahar, baharda sen

✶✶

Usûlü: Aksak

Beste: Mahmut Oğul
Güfte: T.Turan Atasever

"Şu kalbimin atışında"

I-) Şu kalbimin atışında
Seni, seni hissederim
Güneşin her batışında
Seni, seni hissederim.
Nakarat: Açılacak fallar gibi
Çiçeklenmiş dallar gibi
Dudağımda ballar gibi
Seni, seni hissederim.
II-) Hep adını hecelerde
Dolaşırım yüceler de
Şu karanlık gecelerde
Seni, seni hissederim

✶✶

NİHÂVEND MAKAMI

Usûlü: Aksak   *Beste:* İsmail Hakkı Özkan
                Güfte: 1.ci kuple: M.Cenânî Kandiye
                II. ci kuple: Gavsi Baykara

I-) Mehtâb uyanırken gece aşkın denizinde
    Yatsam, uyusam gizlice sandalda dizinde
    Süratle geçen dalgaların sâkin izinde
    Yatsam, uyusam gizlice sandalda dizinde.

II-) Kalbimdeki hisler bana en tatlı emeldi
    Leblerde uçan kahkahalar ömre bedeldi
    Mehtâb da suda dalgalanırken ne güzeldi
    Yatsam, uyusam gizlice sandalda dizinde.

Mef'ûlü/Mefâîlü/Mefâîlü/Feûlün

❋❋

Usûlü: Aksak   *Beste:* Erol Güngör
                Güfte: İlham Behlül Pektaş

I-) Kalbime sormadan bilemem deme
    Bu gece gamlıyım gülemem deme
    Hasta ve yorgunum gelemem deme
    Seni aşk burcunda bekleyeceğim.

    II-) Bağrımı rüzgâra açamam deme
      Kaderin elinden kaçamam deme
      Hasta ve yorgunum gelemem deme
      Seni aşk burcunda bekleyeceğim.

❋❋

NİHÂVEND MAKAMI

Usûlü: Aksak Tanbûrî Fâize Ergin

I-)
Kız sen geldin Çerkeş'den
Pek güzelsin herkesden
Farkın yoktur bi'llâhi
Lepiska saçlı Çerkes'den

Annen baban işte bunu bilmezler
Annen baban işte bunu bilmezler
Kız seni beylere vermezler
Kız seni beylere vermezler

II-)
Kız acırım hâline
Aldanma el âline
Satsalardı alırdım
Ben seni dünya maline

Annen baban işte bunu bilmezler
Annen baban işte bunu bilmezler
Kız seni beylere vermezler
Kız seni beylere vermezler

✳✳

Usûlü: Aksak

Beste ve *Güfte:*
Tanbûrî Sadun Aksüt

O şâhâne gözlerin mavi bir ummân gibi
Saçların âh savrulan sarı yapraklar gibi
Sesinin âhengiyle kalbimde titreyiş var
Kış mevsiminde gönlüm bir bahâr yaşar gibi

✳✳

NİHÂVEND MAKAMI

Usûlü: Aksak   *Beste:* Zekâî Tunca
                                       Güfte: Erdal Eroğlu
"Yüreğime kör düğümler atılmış"

Yüreğime kör düğümler atılmış
Çözemedim, çözülmüyor sultanım
Yıllar yılı kaderimin hükmünü
Bozamadım, bozulmuyor sultanım.
    Sevgi buldum gerçi birkaç güzelden
    Vurdu beni her biri can evimden
    Bir güzeli tâ yürekden, gönülden
    Sevdim amma, eremedim sultânım.
Bu bendeki çölün suya çağrısı
Dinmez içimdeki gönül ağrısı
Burda güzel çokdur amma doğrusu
Sevemedim, sevilmiyor sultânım.

✳✳

Usûlü: Devr-i Hindî   *Beste:* Hacî Arif Bey
(Curcuna Değişmeli)   *Güfte:* Mehmed Sâ'di Bey

(Dev.H) Mahzûn ise dil anda safâ cilveger olmaz
        Meksûr olan âyînede aks-i suver olmaz
        Meydân-ı mahabbetdir efendim neler olmaz
        Sînem gibi çevgân-ı belâya siper olmaz
(Curc.)   İnsan olan envâ-ı vukûâta memerdir
(Dev.H.) Her dem geçer amma ana sabr etme hünerdir.
                       Mef'ûlü/Mefâîlü/Mefâîlü/Feûlün
NOT: Güfte Müseddes'tir. Üçüncü mısra'daki (mahabbet) kelimesi bazı
      yerlerde (felâketdir) şeklinde yazılmıştır. Dördüncü mısra'daki
      (çevgân) kelimesi de yine bazı yerlerde (Cevlân) olarak görüldü.
                                                  S.A.

MEKSÛR: Kırılmış, kırık
SUVER: Suretler.
ÇEVGÂN: Cirit oyununda topu idare eden eğri uçlu sopa.
    (Farça)
MEMER: Gelip geçilen yer, geçit.

✳✳

NİHÂVEND MAKAMI

Usûlü: Devr-i Hindî   *Beste:* Hacı Ârif Bey
                           Güfte: Mehmed Sâ'dî Bey

Aşk âteşi sînemde yine şûle-feşândır
Şevk-ı ruh-ı dildâr ile çeşmim dolu kandır.
Bîçâre gönül derd ile bî-tâb ü tüvândır
Bu hâle koyan hep beni bir yosma cuvândır
Yektây-ı zaman şûh-i cihan rûh-i revândır
Âhû nigehi akla ziyân âfet-i candır.

✻✻

Usûlü: Devr-i Hindi   Hacı Faik Bey

Ümîdim kalmadı cânâ nedir bu gönlüme çâre
Efendim gayrı lûtfeyle derûnüm oldu pâre pâre
Mecâlim yok terahhum kıl gönül olmakda âvâre
Senin müjgân-ı tîğın açdı dilde zahm-ı sad-pâre
                 Mef'ûlü/Mefâîlü/Mefâîlü/Feûlün

NOT: Güfte (müseddes)tir. İki kuple olmasına rağmen şarkı olarak birinci kuplesi okunmakdadır.
FEŞÂN: Saçan, saçıcı.
BÎ-TÂB: Güçsüz, kuvvetsiz.
TÜVÂN: Güç-Natüvân: Güçsüz, bitik
BÎ-TAB Ü TÜVÂN: Güçsüz kuvvetsiz.
YEKTÂ: Tek, eşsiz, benzersiz.

✻✻

Usûlü: Devr-i Hindî   *Beste:* Kemanî Emin Ongan
                           Güfte: Rıza Savaşkan

Gül kokan sünbül kokan şeb-tâbı sensiz neyleyim
Nevbahârı, gülşeni, mehtâbı sensiz neyleyim
Olsa da devreyleyen peymâneler âb-ı hayât
Sevdiğim ben ol şarâb-ı nâbı sensiz neyleyim.
                 Fâilâtün/Fâilâtün/Fâilâtün/Fâilün

✻✻

NİHÂVEND MAKAMI

Usûlü: Yürük Semâî   Tanbûrî Ali Efendi

Sevdim yine bir şûh-i dilâra pek ilerde
Elbet de gönül vuslatın ister de, diler de
Bir şûh-i cihan, fitne-i can, ey rûh-i revân
Emsâli bulunmaz onun evsâfı ilerde

**

Usûlü: Yürük Semâî
(Dev. Hindî değişmeli)

Beste: Rahmi Bey
Güfte: Recai-zâde
Mahmut Ekrem Bey

(Y.S.) Süzüp süzüp de ey melek
    O çeşm-i nîm-hâbını
    Neden ya rağbet etmemek
    Dağıtmağa sehâbını
(D.H.) Gönül beğendi sevdi pek
    Hitâbını cevabını
(Y.S.) İç imdi iç şarâbını
    Ko bir yana hicâbını
    Aç imdi aç nikaabını
    Ayân et âfıtâbını
(Y.S.) Zalâm-ı şek içinde bir
    Hakîkatin misâlisin
    Ya bir bulutda müstetir
    Feriştenin hayâlisin
(D.H.) Venüs mü Zühre mi nedir
    Anın melâl-i hâlisin
(Y.S.) İç imdi iç şarâbını
    Ko bir yana hicâbını
    Aç imdi aç nikaabını
    Ayân et âfitâbını

Mefâîlün/Mefâilün

SEHÂB: Bulut, Karanlık
ZALÂM: Karanlık, haksızlık
ŞEK: Sanı, şüphe.
MÜSTETİR: Örtülü, gizlenen
FERİŞTE: Melek.

**

NİHÂVEND MAKAMI

Usûlü: Sengin Semâî   Misak Ağa

Bir nigehle yakdın ey mehveş teni
Ah n'olaydı görmeyeydim ben seni
Sabrı müşkil derde uğratdın beni
Ah n'olaydı görmeyeydim ben seni.

Fâilâtün/Fâilâtün/Fâilün

**

Usûlü: Sengin Semâî   Ûdî Âfet(Apet Mısırlıyan)

Bir âşık-ı dil-hasteyi dilşâd edecek yok
Sûzân olana çâre ne, imdâd edecek yok
Feryâd ederim hâlbuki bir dâd edecek yok
Sûzân olana çâre ne, imdâd edecek yok.

Mef'ûlü/Mefâîlü/Mefâîlü/Feûlün

NOT: Güfte iki kupledir. İkincisi okunmaz.

**

Usûlü: Sengin Semâî   Ûdî Âfet

Geçdikçe demler sehhârelendi
Ol şivekârım mehpârelendi
Kahr-ı cefâdan dil yarelendi
Ol şivekârım mehpârelendi.

Müstef'ilâtün/Müstef'ilâtün

**

NİHÂVEND MAKAMI

Usûlü: Sengin Semâî   Mahmud Celâleddin Paşa

Âteş-i aşkınla sûzân oldu dil
Kayd-ı zülfünden rehâ mümkin değil
Bendeki hâl-i perîşandır delil
Kayd-ı zülfünden rehâ mümkin değil,
Kalb-i nizârım nâr-ı sevdâ dağladı
Eşk-i çeşmim firkatinle çağladı.

**

Usûlü: Sengin Semâî   *Beste:* Lem'i Atlı
                                          Güfte: Yaşar Nâbi Nayır

Bir gül çıkarırdım sana kalbimdeki külden
Bir gün beni ansaydın eğer sen de gönülden
Bülbül gibi yanmazdı gönül sevdiği gülden
Bir gün beni ansaydın eğer sen de gönülden
                    Mef'ûlü/Mefâîlü/Mefâîlü/Feûlün

**

Usûlü: Sengin Semâî   Mûsa Süreyya Bey

Bir gün o güzel şâd ecek rûhumu sandım
Sâkin geceler sûziş-i hicrânımı andım
Aşkın ezelî olduğuna sonra inandım
Sâkin geceler sûziş-i hicrânımı andım.
                    Mef'ûlü/Mefâîlü/Mefâîlü/Feûlün

**

Usûlü: Sengin Semâî   Nuri Halil Poyraz

Bir gonca-i terdir o perî-çehre nigârım
Gül rûyına bakdıkça gider sabr-ü karârım
Sevdâmı nedir arttırıyor nâle vü zârım
Gül rûyına bakdıkça gider sabr-ü karârım.
                    Mef'ûlü/Mefâîlü/Mefâîlü/Feûlün

**

NİHÂVEND MAKAMI

Usûlü: Sengin Semâî   *Beste:* Violonselist Vecdi Seyhun
                              Güfte: Güngör Güner

Bakdım da hazân akşamının ufkuna dalgın
Rûhumda bahar günlerinin hasreti yandı
Mâtem tutuyor koyda deniz, ay bile dargın
Gönlüm o güzel günleri hicrân ile andı.

Mef'ûlü/Mefâîlü/Mefâîlü/Feûlün

⁕⁕

Usûlü: Sengin Semâî   Hüseyin Mayadağ

Coşsun yine bülbüller o hicrânlı sesinde
Bak gönlüme her gün seni sevmek hevesinde
Aşk olmasa ömrün bu derin felsefesinde
Sevdâ yaratır kalbin ilâhî nefesinde.

Mef'ûlü/Mefâîlü/Mefâîlü/Feûlün

⁕⁕

Usûlü: Yürük Semâî   *Beste:* Ûdî Zeki Duygulu
                                Güfte: Bâdi Nedim Ofdağ

Ayrıldı gönül şimdi yine bir tek eşinden
Bulmakda teselli batan akaşam güneşinden
Terennüm: Canım yel le lel ye le lel lel li
        Ömrüm ye le lel li
Alnımdaki hattı yaşımın mâtemi sanma
Her çizgi açıldı acı hicrân âteşinden
        (Terennüm)

Mef'ûlü/Mefâîlü/Mefâîlü/Feûlün

⁕⁕

NİHÂVEND MAKAMI

Usûlü: Düyek   Rifat Bey

Aman ey gonca-i nevres nihâlim
Seni terk edemem yok ihtimâlim
Reh-i aşkında pek âzürde-hâlim
Seni terk edemem yok ihtimâlim.

Ruhın seyr eyleyip ey şûh-i gülten
Nasıl mecbûr-ı hüsnün olmayım ben
Ne mümkün vaz geçilmek ah ki senden
Seni terk edemem yok ihtimâlim.

Mefâîlün/Mefâîlün/Feûlün

ÂZURDE: İncinmiş, kederli, üzgün
ÂZÜRDE-DİL: Gönül kırık.
RUH: Yanak

✳✳

Usûlü: Değişmeli   Hacı Fâik Bey
         (Ara nağme: Semâî, Şarkı: Düyek-Curcuna-Düyek)

Gelin kızlar annemize soralım
Bahçemize salıncağı kuralım
Karşılıklı binip kolan vuralım

(Curcuna) Salıncakdır genç kızların oyunu
           Kolan vurdukça seyredin boyunu.

(Düyek)   Bir güzel kız salıncakda sallanır
            Kolan vurdukça göklere yollanır
            Şiddetinden yanakları allanır
(Curcuna) Yanağında gül açılmış sanırsın
           Üstüne güller saçılmış sanırsın.

✳✳

NİHÂVEND MAKAMI

Usûlü: Düyek   Münir Nureddin Selçuk

Hatırla mâzî-i mes'ûdu sen de ben gibi yan
Tulû bak beni yâdet, gurûba bak beni an.
Unutmadım seni ömrümde bir dakîka inan
Tulû'a bak beni yâdet, gurûba bak beni an.
Zemîni türlü çiçeklerle süsledikçe bahar
Dalar terennüme gülşende tatlı tatlı hezâr
Hatırla sen de beni her dakîka sevgili yâr
Unutmadım seni ömrümde bir dakîka inan
Tulû'a bak beni yâdet, gurûba bak beni an.

Mefâîlün/Feilâtün/Mefâîlün/Feilün

TULÛ: Doğma, burada güneşin doğuşu.
HEZÂR: Bülbül

**

Usûlü: Düyek   Sâdeddin Kaynak

Rûhuma gecenin mâtemi doldu
Ben şimdi derdimle bir kırık ney'im
Ümidim kırıldı bir hayâl oldu
Kimsesiz yollarda kalan gölgeyim.

Bilmem ki derdimi kime yanayım
Kime yalvarayım (ah) kimi anayım
Bir zaman benim de baharım vardı
Gülerdim içimde güller açardı
Şimdi her şey bitdi gönlüm karardı
Kimsesiz yollarda kalan gölgeyim.

**

NİHÂVEND MAKAMI

Usûlü: Düyek   *Beste:* Sâdeddin Kaynak
(Semâî Değişmeli)   *Güfte:* Vecdi Bingöl

Kalplerden dudaklara yükselen sesi dinle
Bu içden duyuşlarla başbaşayız seninle
Çifte kumrular gibi.
Gölgeli derelerde çağlayan sular gibi
Bir ilâhî nağmedir gönülden coşar gelir
Rûha kadar yükselir.

(Semâî) Sevgiden güzellikden örülmüş hâle olur
       Dillerde nâle olur, gözlerde jâle olur
       Birleşen dudaklarda gül olur, lâle olur
(Serbest) İşte bu hoş terâne aşkın sesidir gülüm
       O her şeyde bahane, aşksız hayat bir ölüm.

**

Usûlü: Düyek   *Beste:* Sâdeddin Kaynak
                                   Güfte: Vecdi Bingöl

Mehtâba bürünmüş gece
Bir gelindir ay duvaklı
Yıldızlar birer bilmece
Kalbim gibi gizli, saklı
Mehtâb dalgın, gece ıssız
O da benim gibi yalnız
Susma öyle güzel gece
Söyle, söyle, söyle bana
Nedir bu aşk, bu sevdâ

**

NİHÂVEND MAKAMI

Usûlü: Düyek   *Beste:* Sâdeddin Kaynak
(Devr-i Hindî değişmeli)   *Güfte:* Vecdi Bingöl

Ey ipek kanatlı seher rüzgârı
Uğradı mı yolun Leylâ üstüne
Bağrımda titretdin o bergüzârı
Sevdâlar getirdin sevdâ üstüne
(Devrihindî değişme) Sevişmemiz ne hoş çağdı
            Yıldız gibi birden ağdı
            Acı bir göz yaşı yağdı
            O penbe rüyâ üstüne
(Düyek) Şimdi o çağlar
       Yâdında ağlar
       Gönlümü bağlar
       Hülyâ üstüne

✴✴

Usûlü: Düyek   *Beste:* Sâdeddin Kaynak
                               Güfte: Vecdi Bingöl

Menekşelendi sular sular menekşelendi
Esmer yüzlü akşamı dinledim yine sensiz
Leylâk pırıltılarla bahçeler gölgelendi
İnledi yine bülbül, olmazmış gül dikensiz.
(Semâî) Dikensiz gül olmazmış
       Çilesiz bülbül Ayşe
       Her kuş bülbül olmazmış
       Her çiçek de gül Ayşe
(Serbest) Ne bülbül gülü sevdi seni sevdiğim kadar
       Ne böyle seven gönül, ne de senden güzel var
       İçli bir özleyişle bırak beni yanayım
       Gözlerinde gördüğüm rüyâma inanayım.
(Semâî) Dikensiz gül olmazmış
       Çilesiz gönül Ayşe
       Her kuş bülbül olmazmış
       Her çiçek de gül Ayşe

✴✴

NİHÂVEND MAKAMI

Usûlü: Düyek

Beste: Sâdeddin Kaynak
Güfte: Vecdi Bingöl

(Ah) O gözler siyah gözler
Bakınca günah gözler
Karanlıklar içinde
Beliren sabah gözler

Hayâl midir düş müdür
Perilere eş midir
Beni çıldırtan gözler
Bir yanlış görüş müdür

Göz göze baktı gitdi
Gönlüme aktı gitdi
Beni ıssız çöllerde
Yaktı bıraktı gitdi

O gözler siyah gözler
Bakınca günah gözler
Karanlıklar içinde
Beliren sabah gözler.

✳✳

Usûlü: Düyek

Beste: Sâdeddin Kaynak
Güfte: Fuad Hulûsi Demirelli

Sevgi kanununun aldım o ilâhî sesini
Yâsemen ellere sundum bu gönül bûsesini
Canda her nağme bulurken bu sabah ma'kesini
Yâsemen ellere sundum bu gönül bûsesini.

✳✳

NİHÂVEND MAKAMI

Usûlü: Düyek   *Beste:* Sâdeddin Kaynak
Güfte: Nureddin Rüştü Bey

Kirpiklerinin gölgesi güllerle bezenmiş
Rabbim yaratırken onu bir hayli özenmiş
Bir noktası var gamzelerinde o da benmiş
Rabbim yaratırken onu bir hayli özenmiş

Mef'ûlü/Mefâîlü/Mefâîlü/Feûlün

**

Usûlü: Düyek   *Beste:* Tanbûrî Sadun Aksüt
Güfte: Ayhan İlter

Gitmek yaraşır sana dönmeyi bilemezsin
Başdan başa acısın gülmeyi bilemezsin
Belki ışıklar söner o siyah gözlerinde
Aşk için ölmedin ki ölmeyi bilemezsin

**

Usûlü: Düyek   Sâdeddin Kaynak

Aşk böyledir, aşk böyledir
Aşk böyledir, böyledir aşk, böyledir
Âşıkı sevdâ söyletir
O söz gönül diliyledir
Dert çektirir, ah eyletir
Sevdâ mukaddes bir azâp
İşve dolu bin ıztırab
Şerheder onu dört kitap
Bu ıstıraba sen de tap
Aşk böyledir aşk böyledir
Aşk böyledir, böyledir aşk, böyledir

**

NİHÂVEND MAKAMI

Usûlü: Düyek

Beste: Sâdeddin Kaynak
Güfte: Vehbi Cem Aşkun

I-) Ne dert kalır ne hüzün
Bir sudur akar zaman
Seni ilk gördüğüm gün
Dedim âh benim olsan.

II-) Ay değil yıllar geçdi
Kavuşmak şimdi bir an
Kış geçdi, bahâr geçdi
Dedim âh benim olsan.

III-) Yeter üzme çabuk gel
Uzamasın şu hicrân
Bugünlerden çok evvel
Dedim âh benim olsan.

**

Usûlü: Düyek

Beste: Arif Sami Toker
Güfte: Fuad Edip Baksı

Yüzün penbe güllerden, sesin bülbülden güzel
Ey benim servi boylum, gözünden öpeyim gel
Özlenen vuslatındır bende en güzel emel
Ey benim servi boylum, gözünden öpeyim gel.

**

NİHÂVEND MAKAMI

Usûlü: Düyek

Beste ve Güfte:
Şekip Ayhan Özışık

Âh bahâr gelmiş neyleyim
Neyleyim bahârı yazı sen olmayınca
El eleydik bir zamanlar
Göz gözeydik, diz dizeydik
Biz bizeydik bir zamanlar
Yaz oldu, bahâr oldu şu yalancı dünyada
Hayat güzeldi senin yanında
Yalanmış aşkın, yazık ki aldandım
Ümit verirken güzeldi dünya
Seven yanarmış yazık sana
Bahâr gelmiş neyleyim
Neyleyim âh sen olmayınca.

❋❋

Usûlü: Düyek

Beste ve Güfte:
Şekip Ayhan Özışık

Yine hazân mevsimi geldi
Yine yapraklar rüzgârların peşi sıra gidecek
Yine deli gönlüm yine bu mevsimde
Hicrânını yalnız başına çekecek
Hüsrânını yalnız çekecek
Geleceksin belki de
O zaman ne o yapraklar, ne o rüzgâr
Ve ne ben olacağım
Yine deli gönlüm, yine bu mevsimde
Hicrânını yalnız başına çekecek
Hüsrânını yalnız çekecek.

❋❋

NİHÂVEND MAKAMI

Usûlü: Düyek(Semâî Değişmeli)   Nuri Halil Poyraz

Hicrânla tutuş bağrımı yak, göz yaşın aksın
Hülyâ dolu akşamda sükûn bulmayacaksın
(Semâî) Mâdem ki gönül şimdi tesellîden uzaksın
(Düyek) Hülyâ dolu akşamda sûkûn bulmayacaksın.

Mef'ûlü/Mefâîlü/Mefâîlü/Feûlün

❋❋

Usûlü: Düyek(Curcuna Değişmeli)   *Beste:* Kemanî Sadi Işılay
                                    Güfte: Mustafa Nâfiz İrmak

Bir kır çiçeğinden daha tazesin
Dilinde bülbülün hecesi gizli
Rûhuma su gibi akıyor sesin
Bir demet neş'esin gonca benizli (2 defa)
(Curcuna) Yüzünde o renk ne, gül mü, şafak mı
            Kâkülün alnında nûrdan duvak mı
            Gözlerin güneşden daha sıcak mı
(Düyek)   Bir demet neş'esin gonca benizli (2 defa)

❋❋

Usûlü: Düyek   *Beste:* Ûdî Şekip Ayhan Özışık
                                    Güfte: Bakî Suha Ediboğlu

Tek resim senden kalan göğsümün üzerinde
Yıllar var ki duruyor kalbimdeki yerinde
Onu kimse göremez derinde, gönlümün tâ içinde
Yıllar var ki duruyor kalbimdeki yerinde.

❋❋

NİHÂVEND MAKAMI

Usûlü: Sofyan

Beste: Ali Rifat Çağatay
Güfte: Orhan Seyfi Orhon

Sarahaten acaba söylesem darılmaz mı
Darılmak âdeti bilmem ki çapkının nâz mı
Desem ki ben seni.. Yok dinlemez ki hiddet eder
Niçin, bu sözde ne var sanki, hiddet etse ne der
Desem ki ben seni pek... Ya kızar konuşmazsa
Derim bu çekdiğim insâf edin eğer azsa.
Desem ki ben seni pek çok... Hayır kızar bilirim
Tereddüdüm acaba hiddetinden az mı elîm
Desem ki ben seni pek çok... Sakın gücenme emi
Sakın gücenme eğer anladınsa sevdiğimi.

Mefâilün/Feilâtün/Mefâilün/Fâilün

**

Usûlü: Sofyan

Beste: Şekip Memdûh Bey
Güfte: Yahya Kemal Beyatlı

Gönlümle oturdum da hüzünlendim o yerde
Sen nerdesin ey sevgili yaz günleri nerde
Dağlar ağarırken konuşurduk tepelerde
Sen nerdesin ey sevgili yaz günleri nerde

Akşam güneş artık deniz ufkunda silindi
Hülyâ gibi yalnız gezinenler koya indi
Ben kaldım uzaklarda günün sesleri dindi
Gönlümle hayâlât gibi ben kaldım o yerde
Sen nerdesin ey sevgili yaz günleri nerde.

NOT: Bu güfte, Hayri Yenigün tarafından Hüzzam-Türk Aksağı, M. Re-
şat Aysu tarafından Nihavend-Semâî, Akın Özkan tarafından Hi-
caz-Sengin Semâî olarak da bestelenmiştir. S.A.

Mef'ûlü/Mefâîlü/Mefâîlü/Feûlün

**

NİHÂVEND MAKAMI

Usûlü: Müsemmen　　　　　*Beste:* Kemanî Emin Ongan
　　　　　　　　　　　　　　Güfte: Üsküdar'lı Sâfî

Pâre pâre eyledi gamzen derûn-i kalbimi
Katre katre gözlerimden döktü hûn-i kalbimi
Gâh zülfün, gâh ruhsârın gelir endişeme
Bir nigâhın eyledi muhtel sükûn-i kalbimi

　　　　　　　　　Fâilâtün/Fâilâtün/Fâilâtün/Fâilün

MUHTEL: (arapça sıfat) (Halel'den) Bozuk, bozlmuş, karışmış.

**

Usûlü: Düyek　　　　　　*Beste:* Kemanî Emin Ongan
　　　　　　　　　　　　　Güfte: Mustafa Nâfiz Irmak

Gamdan âzâd olmuyor gönlüm benim
Rûhum ağlar ben esîr-i handenim
Bin bahâr açmış sesinden gülşenim
Sen bilirsin ki bütün ben sendenim.

　　　　　　　　　Fâilâtün/Fâilâtün/Fâilün

**

Usûlü: Düyek　　　　　　*Beste:* Kemanî Emin Ongan
(Semâî Değişmeli)　　　　*Güfte:* Kâmuran Özbir

Bahar meltemidir başımda esen
İçimde hâtıran gözlerimde sen
Sen tatlı şarkısın dudakda her an
Bir isimsiz peri cennetde kalan
(Semâî) Sen yeşil bir deniz uzayıp giden
　　　En tatlı emelsin gözümde tüten
　　　Yeşil bir köşedir içimde yerin
　　　Bir deryâ, bir ummân yeşil gözlerin

**

NİHÂVEND MAKAMI

Usûlü: Düyek   Kemanî Emin Ongan

Sen benim gönlümde açan son güldün
Hasretindir yanan içimde şimdi
Kırdığın kadeh son tesellimdi
İçindeki meyle sen de döküldün
(Nakarat) Ne yapdım sana ben, neden uzaklaşdın
             Yeter bu hasret yeter, gel dönelim sevgimize
             Sen benim güneşim tatlı baharım
             Her şeyimdin benim gülen bahtımdın
             Son aşkım, son eşim, gönül tahtımdın
Sensizim şimdi, nasıl harabım
             (Nakarat)

**

Usûlü: Düyek   *Beste:* Kemanî Emin Ongan
                                          Güfte: Emriye Gürdal

Bugün yine gönlümün bahçesinde gezindin
Sana bakdım ay kadar, bahar kadar güzeldin
Gel gör beni nelere dûçâr eyledi derdin
Sana bakdım ay kadar, bahar kadar güzeldin

**

Usûlü: Düyek   *Beste:* Avni Anıl
                                    Güfte: İlham Behlül Pektaş

Aşk nedir, nasıldır bilen var mı
Sevip de her zaman gülen var mı
Ben seviyorm demek çok kolay
Hadi öl denince ölen var mı

**

NİHÂVEND MAKAMI

Usûlü: Düyek

Beste: Avni Anıl
Güfte: Orhan Şeneş

Seni gördükçe gönlüm gibi ömrüm de bir başkalaşır
Sana rüyâ, sana hülyâ, sana sevdâ yaraşır.
Ömrüne zindan olacak günlere girme sakın
Sana rüyâ, sana hülyâ sana sevdâ yaraşır.

✻✻

Usûlü: Düyek

Beste: Râkım Elkutlu
Güfte: Nahit Hilmi Özeren

Hayâl içinde akıp geçdi ömr-i derbederim
Bakıp, bakıp da o mâziye şimdi âh ederim
Ne bir emel, ne ümit var, hayat bu muydu derim
Bakıp, bakıp da o mâziye şimdi âh ederim.

Mefâîlün/Feilâtün/Mefâîlün/Feilün

✻✻

Usûlü: Düyek

Beste ve Güfte:
Şekip Ayhan Özışık

Ufacık, tefecikdin
Yemyeşil, yemyeşil gözlerin vardı
Aşkı inkâr edişinde bile
Bir güzellik, bir zarâfet, bir incelik vardı
Ufacık, tefecikdin sevgilim
Sende bir başkalık vardı.
Bir bahâr günüydü
Bırakdın ellerimi
Dedim ki artık elvedâ
Elvedâ, elvedâ sevgilim sana elvedâ...
Sebep dedim, gülümsedin
Dedim ki, aşkından daha güzel hasretin
Ne zaman bahâr gelse
Sen gelirsin aklıma...
Yeşil gözlerin gelir, aşkı inkârın gelir...
Ufacık, tefecikdin sevgilim,
Sende bir başkalık vardı.

✻✻

NİHÂVEND MAKAMI

Usûlü: Düyek

Beste: Yük.Müh.Erdoğan Berker
Güfte: Dr. Bekir Mutlu

"Yudum yudum sevdâyım"

Gönlüm çiçek aşk bağında seçmesini bilmedin
Kalbim sana aşk köprüsü geçmesini bilmedin.
Nakarat: Yudum yudum sevdâyım ben içmesini bilmedin
Zaman değil sevgilim geçip giden habersiz
Ömrün en güzel çağı geçiyor inan sensiz.
Sevdâ dolu gözlerimde bakmasını bilmedin
Kalbim ocak, aşkın ateş yakmasını bilmedin
Nakarat
Yıllar yılı bekliyorum gelmesini bilmedin
Canım gibi sevdim seni kıymetini bilmedin
Nakarat

❋❋

Usûlü: Düyek

Beste: Halil Aksoy
Güfte: Ayten Baykal

"Sarı güller"

Unutmadım seni bir an
Bir alevsin kalpde yanan
Akıp duran zâlim zaman
Söyler bizim şarkımızı
Nakarat: Neydi cânım ah o günler
Mehtâb sen ve sarı güller
Aşkla dolu yaşlı gözler
O günleri, seni özler
Kalbimizde kalan izler
Söyler bizim şarkımızı
Nakarat
Kenetlenmiş âşık eller
Saçlardaki gümüş teller
Çardaklarda sarı güller
Söyler bizim şarkımızı
Nakarat

❋❋

NİHÂVEND MAKAMI

Usûlü: Düyek
(Semâî Değişmeli)

Beste: Avni Anıl
Güfte: Ümit Yaşar Oğuzcan

Biraz kül, biraz duman o benim işte
Kerem nisâli yanan o benim işte
(Semâî) İnanma gözlerine ben ben değilim
(Düyek) Beni sevdiğin zaman o benim işte

**

Usûlü: Düyek

Beste: Avni Anıl
Güfte: Ülkü Aker

Gözlerin bir aşk bilmecesi sorar gibi
Bakışın eski günleri arar gibi
Ben sana her şeyini geri vermedim mi
Öyleyse neden kalbin hâlâ yanar gibi
Bakışın eski günleri arar gibi

**

Usûlü: Düyek

Beste: Avni Anıl
Güfte: Veliye Yakut

Mâziyi düşündüm de yoruldum hâlin elinde
Gönlüm hâlâ o geçen günlere dönmek emelinde
Mehtâb ömrüme doğsa da istemem artık
Gönlüm hâlâ o geçen günlere dönmek emelinde

**

Usûlü: Düyek

Beste: Avni Anıl
Beste: H.Şinasi Önol

Her seher goncalar açdıkça solan gül dökülür
Eski sevdâ yarasından yeni bir aşk görünür
Dost elinden kimi hasret, kimi vuslatdan ölür
Eski sevdâ yarasından yeni bir aşk görünür

Feilâtün/Feilâtün/Feilâtün/Feilün

**

NİHÂVEND MAKAMI

Usûlü: Düyek   *Beste:* Münir Nureddin Selçuk
                    Güfte: Munis Fâik Ozansoy

Gezerken yağmurda, rüzgârda, karda
İçimde güneşi yakar giderim
Ömrümü kaplayan karanlıklarda
Ben bir şimşek gibi çakar giderim
Varsın kovalasın gece gündüzü
Bahar içindeyim düşünmem güzü
Bana gülmese de hayatın yüzü
Ben ona gülerek bakar giderim
Ben bir şimşek gibi çakar giderim.

✳✳

Usûlü: Düyek   Nebahat Üner

Bir gün seni görmesem harâb olurum
Çünki bütün neş'emi sende bulurum
Nazlanma şâd et güldür mahzûn kalbimi
Çünki bütün neş'emi sende bulurum

✳✳

Usûlü: Düyek   *Beste* ve *Güfte:* Sadi Hoşses

Ağlamakla, inlemekle, ömrüm gelip geçiyor
Devâsı yok, garip gönlüm günden güne (ah) eriyor
Feryâdıma, efganıma kimse bir ses vermiyor
Devâsı yok, garip gönlüm günden güne (ah) eriyor.

✳✳

Usûlü: Düyek   Muzaffer İlkar

Gurbete düşdüğüm günlerden beri
Ömrümün öksüzdür zevki kederi
Zaman ister dursun, ister yürüsün
Gün saymam ben sensiz geçen günleri
Ömrümün öksüzdür zevki, kederi.

✳✳

NÎHÂVEND MAKAMI

Usûlü: Düyek   Ekrem Güyer

Unuttaramaz seni hiç bir şey unutulsam da ben
Her yerde sen, her şeyde sen, bilmem ki nasıl söylesem
Bir sisli hâzân kesilir rûhum eğer görmesem
Neş'em de sen, hüznüm de sen, bilmem ki nasıl söylesem.

**

Usûlü: Düyek   *Beste:* Muzaffer İlkar
                                                  Güfte: Fakih Özlen

Şarkılar seni söyler, dillerde nağme adın
Aşk gibi, sevdâ gibi huysuz ve tatlı kadın
En güzel günlerini demek bensiz yaşadın
Aşk gibi, sevdâ gibi huysuz ve tatlı kadın.

**

Usûlü: Düyek   *Beste* ve *Güfte:* Muzaffer İlkar

Sensiz her gecenin sabahı olmayacak sanırım (ah dertliyim)
Kararan gönlüme güneş de doğmayacak sanırım (ah dertliyim)
Mehtâba yalvarır, semâdan geleceksin sanırım (ah dertliyim)
Sana bin can ile bağlıyım seni canım sanırım (ah dertliyim)

**

Usûlü: Düyek   Nevzat akay

Doymadım sana ağlarım
Ah ederek yana yana
Geç buldum, çabuk kaybetdim
Hicrân oldu hayat bana
(ah) Aldı felek, çâresi yok
Acısın Allah, bana
Geç buldum, çabuk kaybetdim
Hicrân oldu hayat bana.

**

NİHÂVEND MAKAMI

Usûlü: Düyek   *Beste* ve *Güfte:* Osman Nihat Akın

Bir ihtimâl daha var, o da ölmek mi dersin
Söyle canım ne dersin
Vuslatın başka âlem sen bir ömre bedelsin
Sen bir ömre bedelsin
Sükût etme nazlı yâr beni mecnûn edersin
Beni mecnûn edersin
Vuslatın başka âlem sen bir ömre bedelsin
Sen bir ömre bedelsin

**

Usûlü: Düyek   Osman Nihat Akın

Geçdi hayâl içinde bunca yıl bir gün gibi
En eski hâtıralar daha henüz dün gibi
Neden gönül bu içli hayata küşkün gibi
En eski hâtıralar daha henüz dün gibi

**

Usûlü: Düyek   Faruk Kayacıklı

Birkaç damla gözyaşı aşkın yemini midir
Yaralı gönlüm için bu bir teselli midir
Canân incitir, kırar, sonra yanar, ağlarmış
Yaralı gönlüm için bu bir teselli midir.

**

Usûlü: Düyek   *Beste:* Arif Sami Toker
                                 Güfte: Fuad Edip Baksı

Aşkımın ilk baharı ilk heyecanım benim
Sevgilim iki gözüm biricik canım benim
Eşi yok, menendi yok gönül sultanım benim
Sevgilim iki gözüm biricik canım benim

**

NİHÂVEND MAKAMI

Usûlü: Düyek   *Beste:* Arif Sami Toker
Güfte: Hüceste aksavrın
(İstanbul'a Hasret)

Ayrılık büküverdi boynumu
Çıplak dağlar sarıverdi yolumu
Onu mu, şunu mu, bunu mu
Özlüyorum İstanbul'umu
Şu dağları aşabilsem diyorum
Sana kadar varabilsem diyorum
Kucağında ölebilsem diyorum (Serbest okunur)
Özlüyorum İstanbul'umu
Gurbet kara, hasret kara, yol kara (Serbest okunur)
Ümitlerim asılmışlar dallara
Selâmımı seriverdim yollara
Özlüyorum İstanbul'umu

**

Usûlü: Düyek   Ahmet Üstün

Yaprakları göğsünde açan gonca iken dün
Kimler seni incitdi gülüm, sen niye küstün
Bağrımda coşan duygu inan sevgiden üstün
Kimler seni incitdi gülüm, sen niye küstün
Mef'ûlü/Mefâîlü/Mefâilü/Feûlün

**

Usûlü: Düyek   Neyzen Süleyman Erguner

Çam kokulu havanı bir kerecik koklasam
Ferahlardı yüreğim, dağılırdı her tasam
Yıll rdır ki derdinle esiyor beynimde sam
Sarardım soldum işte hicrinle yana yana.

**

NİHÂVEND MAKAMI

Usûlü: Düyek

Beste: Avni Anıl
Güfte: Nâdide Gülpınar

"Dalıp hâtıralar"

Dalıp hâtıralara unutma ara beni
Bir haber ver düşürme sakın yollara beni
"Aradım yoksun" deme bul sora sora beni
Bir haber ver düşürme sakın yollara beni

❉❉

Usûlü: Düyek

Beste: Yük.Müh.Erdoğan Berker
Güfte: Dr. Bekir Mutlu

"Sevgi üzerine sohbet"

Bir ilkbahar sabahı güneşle uyandın mı hiç
Çılgın gibi koşarak kırlara uzandın mı hiç
Bir his dolup içine uçuyorum sandın mı hiç

Nakarat: Geçen günlere yazık, yazık etmişsin gönül sen
Öyleyse hiç sevmemiş, sevilmemişsin gönül sen
Albümdeki o resme bakarken ağladın mı hiç
Mâzideki günlere kalbini bağladın mı hiç
Unutmayıp adını senelerce andın mı hiç
Nakarat

❉❉

NİHÂVEND MAKAMI

Usûlü: Düyek-Semâî   *Beste:* Yük.Müh.Erdoğan Berker
                   Güfte: Dr. Bekir Mutlu
        "Bir dinlesen kalbimi"

Yağmurlardan bulutdan rüzgârlardan izlerim
Aşkımı ben kendimden senden bile gizlerim
Kuruyan yaprak gibi dökülse de hislerim
Aşkımı ben kendimden senden bile gizlerim.
Nakarat: (Semâî): Bir dinlesen kalbimi bir dinlesen ne olur
             Sen seversen sevgilim geçenler unutulur.
(Düyek): Acı hasret ve keder ayrılığın arkası
        Yine falda sen çıkdın yok ki senden başkası
        Senelerdir dilimde senden hasret şarkısı
        Yine falda sen çıkdın yok ki senden başkası.
        Nakanrat

               ✹✹

Usûlü: Düyek   *Beste:* Yıldırım Gürses
                             Güfte: Aydın Ünsal
              "Son Mektup"

Anla artık anla beni
Unut bütün geçenleri
Bitsin herşey, bütün aşkın
Bunu senden diliyorum
Son mektubu yazarken ben
Saadetler diliyorum.
Biliyorum ayıracak
Bu son mektup ikimizi
Bu son mektup koparacak
Yıllar süren sevgimizi
Nakarat: Bitsin herşey, bütün aşkın
          Bunu senden diliyorum
          Bu mektubu yazarken ben
          Saadetler diliyorum.
Üzülsende artık yeter
Gelmez güzel günler geri
Nakarat:

NİHÂVEND MAKAMI

**

Usûlü: Sofyan   *Beste:* Osman Babuşçu
                                   Güfte: Güzide Taranoğlu

"Kanımda Kıvılcım.."

I-) Kanımda kıvılcım canımda ateş
Dünyama sen ışık verir gibisin
O asîl varlığın meleklere eş
Cennetden süzülüp gelir gibisin

Nakarat: Te re lel lel le le lel lel le le lel lel lel
lel li yâr. Te re lel lel le le lel le te re
lel lel lel lel li yâr. Te re le lel le le lel
lel te re lel lel lel lel li yâr.
Cennetden süzülüp gelir gibisin.

Meyan: Tükenmez kaynakdır aşkın canımda
Huzurum sonsuzdur varsan yanımda
Neş'emde, sevinçde, heyecanımda
İçimde çağlayan nehir gibisin
Nakarat

II-) Sanadır içimde en sıcak hisler
Sevgimiz gönlümde gençliği besler
Aşkınla açılır güller, nergisler
Ömrümde çözülmez sihir gibisin.
Nakarat.

Meyan: Şefkatin bir başka, sevgin bir başka
Sadâkat sembolü olmuşsun aşka
Destanlar yazdırır cansın âşıka
Sözlere sığmayan şiir gibisin.
Nakarat.

**

NİHÂVEND MAKAMI

Usûlü: Düyek   *Beste:* Zekâî Tunca
Güfte: Metin Pütmek

"Leylâkları, Sünbülleri..."

I-) Leylâkları, sünbülleri
   Soldurdun gonca gülleri
   Aşkla yanan gönülleri
   Öksüz koydun sen giderken

Nakarat: Ne bir arzu, ne düş kaldı
         Ne safâlı gülüş kaldı
         Sımsıcak bir öpüş kaldı
         Dudağımda sen giderken.

II-) Son buluşma serap gibi
    Alıp gitdi seni benden
    Dünya o an durdu sanki
    Güneş söndü sen giderken.
    Nakarat

✶✶

Usûlü: Düyek   *Beste:* Turhan Özek
Güfte: Mehmet Erbulan

Bir ben sevdim gönülden, bir de Mecnûn ben kadar
Sevmedim hiç kimseyi seni sevdiğim kadar
Ne sevildi bu kadar, ne özlendi başka yâr
Sevmedim hiç kimseyi seni sevdiğim kadar

✶✶

NİHÂVEND MAKAMI

Usûlü: Düyek   *Beste* ve *Güfte* Yıldırım Gürses
"Kırık Kalp"

I-) Aşkım bahardı, ümitler vardı
    Sen gitdin diye gönlüm karardı.
Nakarat: Ah... Geçdi o günler, unutuldu yeminler
    Bir kırık kâlp kaldı.
    Aşkım balardı, ümitler vardı
    Sen gitdin diye gönlüm karardı.
II-) Neden terketdin, bırakıp gitdin
    Ümitsiz kaldım, gönlüm karardı
    Nakarat

✳✳

Usûlü: Müsemmen   *Beste:* Burhan Durucu
                                        Güfte: Hikmet Şinasi Önol

Şimdi aşklar eski sevdâlar kadar şâd etmiyor
Vuslatın efsûnu gitmiş ömre bir aşk yetmiyor
Bembeyaz olmakla saçlar çılgın arzu bitmiyor
Vuslatın efsûnu gitmiş ömre bir aşk yetmiyor

Fâilâtün/Fâilâtün/Fâilâtün/Fâilün

✳✳

Usûlü: Düyek   *Beste* ve *Güfte:*
                                        Orhan Kızılsavaş

Önde muhteşem bir koy, arkada küskün bir göl
Tanrısal bir güzellik raksediyor sularda
Seyret, bin kez daha bak... ihtişâm içinde öl
Koya doy, renge doyma... yeşil, mavi ard-arda.

✳✳

NİHÂVEND MAKAMI

Usûlü: Düyek

Beste: Baki Duyarlar
Güfte: Mustafa Sevilen

Gurbetde sevgilim hasta dediler
Kırlarda çiçekler yasda dediler
Duâlar okunsun dosta dediler
Devâsız dertlere düşürme beni

Nakarat: Yüreğim yaralı gözümde yaşlar
Yıldızlar doğarken acılar başlar
Yaralı bir kuşa atılmaz taşlar
Devâsız dertlere düşürme beni

Göklere açılan eller aşkına
Aşkı heceleyen diller aşkına
Sabahı bekleyen güller aşkına
Devâsız dertlere düşürme beni

✸✸

Usûlü: Müsemmen

Nuri Halil Poyraz

Sorma bana söylemem kalbimin feryâdını
Çaldı bir şûh gönlümü duymadı efgânımı
Çok zamanlar ağladım bekledim insâfını
Böyle imiş tâli'im kimse bilmez hâlimi

NOT: Bu güfte, Ali Selâhî Bey tarafından Sûznâk-Düyek olarak da bestelenmiştir.

✸✸

-997-

NİHÂVEND MAKAMI

Usûlü: Düyek

Beste: Necdet Tokatlıoğlu
Güfte: Halit Çelikoğlu

"Sevgiye Çağrı"

Yılları dukduracak
Güneşi doğduracak
Dünyamı dolduracak
Bir sevgi istiyorum
Nakarat: Deli gibi sevecek
        Ömür boyu sürecek
        Gözlerimde tütecek
        Bir sevgi istiyorum
Hâlimi anlayacak
Derdime katlanacak
Benimle ağlayacak
Bir sevgi istiyorum

✳✳

Usûlü: Düyek

Beste ve *Güfte:* Bâki Çallıoğlu

Aşka gönül vermem, aşka inanmam
Yıllarca boş yere ağlayıp, yanmam
Böyle bir arzuya meyledip kanmam
Nakarat: Unut sevme beni, bu aşkın sonu
        Ne yazık ki hicrân, gözyaşı dolu.

Nasıl olsa sonu gelmeyecek mi
Her güzel şey gibi bitmeyecek mi
Bırakıp da bizi gitmeyecek mi.
      Nakarat

✳✳

NİHÂVEND MAKAMI

Usûlü: Düyek   *Beste* ve *Güfte:* Necip Mirkelâmoğlu

Şu güzeller güzeli
Yâr gibi geldi bana
Gözlerinde bir mânâ
Var gibi geldi bana
Nakarat: Bir münasip zamanda
        Meselâ saat onda
        Buluşalım Kordon'da
        Der gibi geldi bana
Gel benim gonca gülüm
Kalmadı tahammülüm
Sensiz hayat İzmir'lim
Zor gibi geldi bana
        Nakarat

❋❋

Usûlü: Düyek   Dramalı Hasan Güler

Aklımda sen, fikrimde sen
Kalbimde rûhumda sen
Nakarat: Baygınım ben sana
        Candan yana yana
        Şu yanan kalbimi bilsen
Ben ne oldum, hemen soldum
Aşkınla doldum ah bilsen
        Nakarat
Cana yakın sözlerin var
Ne güzel gözlerin var.
Sanki bir meleksin
Sevimli bebeksin
Beni sen öldüreceksin.
Benimle gel, kıskansın el
Kaçıp gitsin şu emel
        Nakarat

❋❋

NİHÂVEND MAKAMI

Usûlü: Düyek

Beste: Ünal Narçın
Güfte: Âşık Yener

"Kız Sen İstanbul'un Neresindensin"

I-) Duruşun andırır asîl soyunu
Hisar, Kuruçeşme, sahil boylu mu
Arnavutköylü'mü, Ortaköylü'mü
Kız sen İstanbul'un neresindensin?

Bilmem sözlü müsün ya nişanlı mı
Sevgilin yaşlı mı, delikanlı mı
Emirgân, Bebek'li, Âşiyân'lı mı
Kız sen İstanbul'un neredisdensin?

II-) Başında esen kavak yeli mi
Gözünden akan aşkın seli mi
Sarıyer, Tarabya, İstinye'li mi
Kız sen İstanbul'un neresindensin

Soyun buralı mı, başka yerden mi
Huyun âşığına küsenlerden mi
Yeşilyurt, Florya, Bakırköy'den mi
Kız sen İstanbul'un neresindensin?

III-) Gülüşün sahte mi yoksa candan mı
Bağlarbaşı'ndaki tozlu yoldan nı
Erenköy, Kadıköy, Üsküdar'dan mı
Kız sen İstanbul'un neresindensin?

Merhametin bahar, yoksa kışdan mı
Tatlı yanağından, çatık kaşdan mı
Esentepe, Yıldız, Beşiktaş'dan mı
Kız sen İstanbul'un neresindensin?

**

NİHÂVEND MAKAMI

Usûlü: Düyek   *Beste:* Tanbûrî Kâmuran Yarkın
                                   Güfte: Dr. Doğan Işıksaçan

Sen kimseyi sevemezsin, sevmeyeceksin
Rüzgârların önünde kuru bir yaprak gibi sürükleneceksin
Şefkat nedir, aşk nedir, ömrünce bunu bilmeyeceksin
Rüzgârların önünde kuru bir yaprak gibi sürükleneceksin

**

Usûlü: Düyek   *Beste* ve *Güfte:* Dr. Selâhaddin İçli

Güzel kendini sun sonra aşkı anlayamazsın
Sahte gururla aşkın sırrını anlayamazsın
İsyan ediyor, feryâd ediyor zûlmünle gönül
Sâde füsunla aşkın sihrini anlayamazsın

**

Usûlü: Düyek   *Beste* ve *Güfte:* Zeyneddin Maraş

İnleyen nağmeler rûhumu sardı
Bir rüyâ ki orda hep şarkılar vardı
(Nakarat)
Uçan kuşlar, martılar, yeşil tatlı bir bahar
Gülen şen sevdâlılar vardı

Arzular orada, zevk oradaydı
Bir deniz ki aşk dolu dalgalar vardı.
(Nakarat)

**

NİHÂVEND MAKAMI

Usûlü: Düyek   *Beste* ve *Güfte:* Zeyneddin Maraş

I-) Gizli aşk bu söyleyemem derdimi hiç kimseye
Zevke vedâ, neş'eye de vedâ artık herşeye
Nakarat:

Arzular bir hayâl oldu, baharımın gülleri soldu
Gönlüm, hicrân, hasret, gamla doldu.
II-) Sevdim amma görmüyor bak gözlerim hiç kimseyi
Gizli aşk bir gizli dertmiş fedâ etdim herşeyi
(Nakarat)

**

Usûlü: Düyek   *Beste:* İsmet Nedim
                                  Güfte: Mehmed Erbulan

Artık senin adını, zehir saçan aşkını
Unutmak istiyorum, unutmak istiyorum
Artık ben o kadını, zehirli bakışını
Unutmak istiyorum, unutmak istiyorum.

(Nakarat): Aşkda seven sevilmez, seven mesut olmazmış
           Sevilen kıymet bilmez, seven gönül yanarmış

İsteseydin verirdim sana canımı bile
Artık senden vazgeçdim, anmam adını bile
(Nakarat)

**

NİHÂVEND MAKAMI

Usûlü: Düyek

Beste: İsmet Nedim
Güfte: Muammer Karaca

Gel gel ah gel
Kalbimin tahtında saltanat süren güzel
Gel mustarip rûhuma saadet veren güzel

(Nakarat): Gel yalnızım bu dünyada aşkın bir tesellidir
Gel sensiz yaşayamam hayatım şüphelidir

Gel, gel, bulut saçlarını yüzüne dökerek gel
Gel, gel, bahar çekilmeden güneşi öperek gel
Gel bu boş âlemde biz de bir şey olalım
Gel hiçlikten sıyrılıp saadeti bulalım.
(Nakarat)

**

Usûlü: Düyek

Beste: Sadun Aksüt
Güfte: Nedim Uçar

Gözlerimde ışık, kulağımda ses
Dudağımda hece, göğsümde nefes
Rûhumda yeşeren ilk aşk, ilk heves
Bana hayat veren sensin sevgilim.

İçimi ürpertir baygın bakışın
Nehirlere benzer kalbe akışın
Beyaz tül içinde bir gülsün kışın
Bana hayat veren sensin sevgilim.

**

NİHÂVEND MAKAMI

Usûlü: Düyek   *Beste:* Zeynettin Maraş
                                        Güfte: Cansın Erol

"Yağmur Git Penceremden"

Yağmur git penceremden uykum kaçırıyorsun
Yârdan ayrı gelip de beni ağlatıyorsun
Türlü şekilde inip, durmadan cama vurup
Hasretle kalbe girip beni ağlatıyorsun
Bulutla bir olmuşsun, göklerde savrulmuşsun
Gözlerime dolmuşsun beni ağlatıyorsun
Türlü şekilde inip, durmadan cama vurup
Hasretle kalbe girip beni ağlatıyorsun.

✳✳

Usûlü: Düyek   *Beste:* M.Reşat Aysu
                                        Güfte: Uğur Gür

"İzmir Geceleri"

I-) Geceleri Kule'den İzmir'in ışıkları
    Körfeze aksederek yürekleri dağlıyor
    Kordonboyu'nun ürkek, sevdalı âşıkları
    Birbirine sarılmış, mutluluktan ağlıyor.

II-) Yıldızlar rakkasedir söylenirken şarkılar
     Cilve yapar dalgalar, nağme saçan sazlara
     Gelme sakın göz göze dâvetkârdır bakışlar
     Mehtâb sanki göz kırpar, Kordon'daki kızlara.

III-) İmbat eser savurur, kızların saçlarını
      Kahkahalar yükselir, şûh sesler göğe varır
      Güneş sessiz doğarken, ay çatar kaşlarını
      Gece bitmesin diye, duâ eder yalvarır.

✳✳

NİHÂVEND MAKAMI

Usûlü: Düyek- Semâî
(Değişmeli)

Beste: M.Reşat Aysu
Güfte: Reşat Özpirinçci

"Gönül Dilekleri"

Bir sevdâ iksiri var meltemin nefesinde
Mehtâb sevgili gibi suların sînesinde
İşlemiş suların gönlüne nakşını aşkın
Fısıldaşır, oynaşır sular, hevesi aşkın (x)
Bu gece derinden yanıyor aşk ile deryâ
Kenarda, kumlar üstünde bak bir kayık var ya
Boş duruyor, bekliyor sevgilim sanki bizi
Verelim rüzgâra yelken gibi kalbimizi
Göz göze, can cana çekelim kürekleri,
Dinle bestelerimden gönül dileklerini
Sığar mı küçük sandala bu büyük aşk deme
Daracık sîneye sığan aşk, sığar her yere
Mızrâb oldu kürekler, nağmeler verir sular
İçimde çalkanır bir his, sevmek arzusu var.

(x): Aşmak'dan.

✳✳

Usûlü: Düyek

Beste: Kadri Şençalar
Güfte: Selâhattin Hisli

Kararan gönlüme artık felek de olmuyor yâr
Ne tükenmez bir çileymiş dinmeyen göz yaşım var
Sensiz kalan şu kalbime ses vermiyor bu diyâr
Ne tükenmez bir çileymiş dinmeyen göz yaşım var.

✳✳

NİHÂVEND MAKAMI

Usûlü: Düyek   *Beste:* Ünsal Silleli
                                 Güfte: Güzide Taranoğlu

Söz verip de aramazsın, böyle vefâ olur mu
Âşıka bundan fazla, söyle cefâ olur mu

Yürekde kara sevdâ, dilde safâ olur mu
Âşıka bundan fazla, söyle cefâ olur mu

**

Usûlü: Düyek-Semâî   *Beste:* Alâeddin Yavaşça
(Değişmeli)   *Güfte:* Salih Korkmaz

Ufukdaki güneşin denizi öpdüğü gün
Sensiz o sâhilleri dolaşdım üzgün üzgün
Bitsin artık ayrılık, bitsin artık bu hüzün
Semâî: Mutluluk bulamadım ne baharda, ne yazda
       Buluşalım sevgilim gel bu akşam Boğaz'da.

Dalgaların vurduğu kıyılarda ağladım
Her gemiye sen varsın diyerek el salladım
Ne olursun dön artık yalnızlık zor, anladım
Semâî: Mutluluk bulamadım ne baharda, ne yazda
       Buluşalım sevgilim gel bu akşam Boğaz'da.

**

Usûlü: Düyek   *Beste:* Nihat Adlim
                            Güfte: Günsel Çelikoğlu

Sevince hayat güzel, yaşanan mevsim bahâr
Kalplerde sevinç, neş'e gönüller coşar, taşar
Her günde tâzelenir özlemi sevgilinin
Sararsa seni sevdâ, hayat da o gün başlar

**

NİHÂVEND MAKAMI

Usûlü: Düyek

Beste: Turhan Taşan
Güfte: A. Aşkın Tuna

I-) Bugün sana bir müjdem var
İşte artık söylüyorum
İlk gördüğüm günden beri
Seviyorum, seviyorum.

Nakarat: Sevdâlandım gülüşünden
Uçuyorum sevincimden
Yaşamaya döndüm birden
Seviyorum, seviyorum.

II-) Çiçeklendi gönül dalım
Gerçekleşdi umutlarım
Sevgi dolu her bir yanım
Seviyorum, seviyorum.

✳✳

Usûlü: Sofyan

Beste: Muhlis Sabahattin Ezgi
Güfte: Tahsin Nâhid

Üç yıl beni sevdânın ipek saçları sardı
Hummâlı başım göğsünün üstünde yanardı
Bir çift iri sevdâlı yeşil gözleri vardı
Kirpiklerin gölgesi tâ kalbe dolardı.

Mef'ûlü/Mefâîlü/Mefâîlü/Feûlün

✳✳

NİHÂVEND MAKAMI

Usûlü: Sofyan   Muhlis Sabahattin Ezgi

Pek özledim sesini
Çok var görmedim seni
Senden ayrı yaşamak
Pek harâb etdi beni

Aşkının ben esiri
Gecmez aslâ tesîri
Hatırla her dem beni
Çok sevmişdim ben seni

**

Usûlü: Sofyan-Semâî   *Beste:* Mısırlı İbrahim Efendi
(Değişmeli)   *Güfte:* Ahmed Refik Altınay

Semâlardan güneş hâlâ inmiyor
İçim mahzûn gözümden yaş dinmiyor
Ada sensiz yüreğime sinmiyor
Semâî: Gel de biraz gözlerini göreyim
Sofyan: Mimozadan sana çelenk öreyim.

**

Usûlü: Sofyan   *Beste* ve *Güfte:*
                                    Yesârî Âsım Arsoy

Yaz geldi cicim eğlenelim, zevk edelim gel (zevk edelim gel)
Yelken açalım şen Ada'ya, gel gidelim, gel (gel güzelim gel)
Bir tâze hayat bulmak için gel içelim gel (gel içelim gel)
Yelken açalım sen Ada'ya gel gidelim, gel (gel güzelim gel)

Mef'ûlü/Mefâîlü/Mefâîlü/Feûlün

**

NİHÂVEND MAKAMI

Usûlü: Sofyan

Beste: Fethi Karamahmudoğlu
Güfte: Sevgi Balın

Her sevgilinin sözleri yalan
Gözlerinde yanıp tutuşan ateş
Dudaklarında gülüş yalan
İçinden arzuların titreyişi, ürperişi
Yüzündeki gülümseyişi yalan
Ölümsüz aşklar sevgiler
Bin bir yeminle dudak büküşler yalan
Her sevgilinin sözleri yalan
Gözlerinde donup kalan yaş
Ellerinde okşayış yalan

**

Usûlü: Sofyan

Beste ve *Güfte:* Sadun Aksüt

Dört mevsim bahar olur
Bana geldiğin zaman
Yedi renk çiçek açar
Bana güldüğün zaman
Senin benliğin şimdi
Damarlarımda akan
Dünyalar benim olsa
Sensiz olamıyorum.

NOT: Her beyit iki kere okunur.

**

NİHÂVEND MAKAMI

Usûlü: Sofyan   *Beste:* Fethi Karamahmudoğlu
Güfte: Şadi Kurtuluş

"Yaşamak Var Şarkılarda"

Yaşamak var şarkılarda çal eğlen
Bir yalancı dünyadayız neş'elen
Kederleri dertleri at severken
Yaşamak var şarkılarda çal eğlen.

Şunu bunu dert edinme kendine
Dost bildiğin elem katar derdine
Bilemezsin insanların rengi ne
Yaşamak var şarkılarda çal eğlen.

**

Usûlü: Sofyan   *Beste* ve *Güfte:* Yusuf Nalkesen

Arkamdan tas tas su dökmeyi bırak
Ne adak yak, ne dedeye mum yak
Sen benim gönlümü kırmamaya bak
Nakarat: Huysuzsun, huysuzsun kabul et bunu
Sevgilim değiştir sen bu huyunu
Hiç yokdan dargınlık çıkarıyorsun
Sebepli, sebepsiz kalp kırıyorsun
Sonra da oturup ne ağlıyorsun
Nakarat
Sevgine inancım olmasa eğer
Sana hiç kalbimde verir miyim yer
Sanma ki başkası bu kahrı çeker
Nakarat

NOT: Bestekârın 1987 yılında imzaladığı nota kolleksiyonumuzdadır.

S.A.

**

NİHÂVEND MAKAMI

Usûlü: Sofyan
(Fantezi)

Beste: Turhan Taşan
Güfte: Meryem Sevin

I-) Düşünürken seni yüzüm gülüyor
    Uykuya böylece dalsam diyorum
    Rüyâma gir diye duâlar edip
    Durup durup seni sarsam diyorum
Nakarat: Yaşamak çok güzel inan seninle
    Bu ömrüm tükensin senin sevginle
    Doyamam birtanem, doyamam diye
    Durup durup seni sarsam diyorum
II-) Unutturdun bana inan her şeyi
    Resmini alıp da baksam diyorum
    Yanıma gelmiş de tutacak gibi ·
    Durup durup seni sarsam diyorum.
Nakarat
III-) Kimseler bilemez ne çekdiğimi
    Sevenler anlıyor sensizliğimi
    Özledim birtanem, özledim seni
    Durup durup seni sarsam diyorum.

NOT: 9 Temmuz 1990 tarihinde bestelenmiş olan bu şarkı "TRT-1990 Türk
Sanat Musikisi Beste Yarışması"nda "Mansiyon" kazanmıştır. S.A.

✱✱

Usûlü: Sofyan

Beste: Süleyman Mertkanlı
Güfte: Salih Korkmaz

I-) Kaybolan yıllar gibi
    Çiçeksiz dallar gibi
    Ağlayan kullar gibi
    Çâresizim çâresiz

Nakarat: Aşk dolu roman gibi
    Ateşsiz duman gibi
    Boş kalan eller gibi
    Çâresim çâresiz

II-) Yağmursuz çöller gibi
    Sararan güller gibi
    Boş kalan eller gibi
    Çâresizim çâresiz.
Nakarat

✱✱

NİHÂVEND MAKAMI

Usûlü: Sofyan

Beste: Alâeddin Şensoy
Güfte: Uğur Gür

"Anılara Yolculuk"

I-) Yıllardan sonra seni görmek istedim
   Gönlün hâlâ boş mudur bilmek istedim
   Bana yer yoksa bile mâziye dönüp
   Anılara yolculuk yapmak istedim.
Nakarat: Ellerim ellerini her an tutarak
   Gözlerim gözlerine mahzun bakarak
   Hayâl olan aşkıma gerçek katarak
   Anılara yolculuk yapmak istedim.
II-) Sorarım hep yollara, bilir diyerek
   Seslenirim kuşlara, görür diyerek
   Nerdesin, hani nerde, gelir diyerek
   Anılara yolculuk yapmak istedim.

❋❋

Usûlü: Düyek

Beste: Ûdî Teoman Alpay
Güfte: Hikmet Münir Ebcioğlu

I-) Gökyüzünde yalnız gezen yıldızlar
   Yeryüzünde sizin kadar yalnızım
   Bir haykırsam belki duyulur sesim
   Ben yalnızım, ben yalnızım, yalnızım
(Nakarat) Kaderim bu böyle yazılmış yazım
   Hiç kimsenin aşkında yokdur gözüm
   Bir yalnızlık şarkısı söyler sazım
   Ben yalnızım, ben yalnızım, yalnızım

II-) Tatmadığım zevk kalmadı dünyada
   Hangi kalbe girdimse kaldı izim
   Taşa geçer kendime geçmez sözüm
   Ben yalnızım, ben yalnızım, yalnızım.
   (Nakarat)

❋❋

NİHÂVEND MAKAMI

Usûlü: Düyek   *Beste* ve *Güfte:* Tanbûrî Erol Sayan

I-) Sevgilim desen bana
     Âşıkım inan sana
     Gözlerime baksana
     Yakdın beni yıllardır
     Ne olur anlasana
Nakarat: Yalvarırım üzme beni
        Sen de ben gibi yanarsın
        Aşkım, ömrüm nerde diye sızlanırsın.
II-) Sevgiye inan olmaz
      Yalvarırım duyulmaz
      Zannederler gül solmaz
      Yakdın beni yıllardır
      Ne olur anla biraz
        (Nakarat)

✳✳

Usûlü: Düyek   *Beste* ve *Güfte:*
                                    Ûdî Şekip Ayhan Özışık

I-) Ellerim böyle boş, boş mu kalacakdı
     Gözümde hep böyle yaş, yaş mı olacakdı
     (Nakarat) Aramızda sıra dağlar, dağlar mı olacakdı
            Üzülme sen meleğim gün olur kavuşuruz
            Ecel ayırsa bile mahşerde buluşuruz
II-) Biz de mi böyle, böyle olacakdık
      Bu en güzel çağda yas mı tutacakdık
     (Nakarat) Aramızda sıra dağlar, dağlar mı olacakdı
            Üzülme sen meleğim gün olur kavuşuruz
            Ecel ayırsa bile mahşerde buluşuruz.

✳✳

NİHÂVEND MAKAMI

Usûlü: Sofyan   *Beste:* Sabri Süha Ansen
                                                  Güfte: Kenan Akansu

Aşkı içir sen bana alevden dudağınla
Sevgin yıllanmış şarap nefesin yanağımda
Böyle bir aşk yaşamak ne mutluluk, ah ne hoş
Gözler, sözler, kadehler bütün bir dünya sarhoş.

***

Usûlü: Sofyan   *Beste:* Kanunî Sadeddin Öktenay
                                                  Güfte: Turgut Şarkent

I-) Sevil neş'elen sevme yanarsın
    Bir sarı saçı okşar kanarsın
    O bir gölgedir varlık sanırsın
(Nakarat) Sevil de sevme, ağlama ağlat
          Yoksa zehrolur bu tatlı hayat
II-) Sevdâ çölünden geçerse yollar
     Bütün bir ömür âh ile dolar
     İnan ki gençlik gülden er solar
     (Nakarat)

***

Usûlü: Sofyan   *Beste* ve *Güfte:* Tanbûrî Erol Sayan

Hep sen geleceksin diyerek   II-) Aşkınla yanan kalbime dön
Boş bırakdım kalbimi   Beklemek inan ki zor
Aldatdın beni zalim   Yıllardır seni andım
Hani sevecekdin   Hani sevecekdin
Bekletdin beni zalim   Yıllardır seni sevdim
Hani sevecekdin   Hani gelecekdin
Artık yüzüme gülme benim
Bir daha yakma beni
Aldatdın beni zalim
Hani sevecekdin
Bekletdin beni zalim
Hani sevecekdin

***

NİHÂVEND MAKAMI

Usûlü: Nim Sofyan
Beste: Kapdanzâde Ali Rıza Bey
Güfte: Ömer Seyfettin

I-) Benim gönlüm sarhoşdur
Yıldızların altında
Sevişmek ân ne hoşdur
Yıldızların altında
Nakarat: Yanmam gönlüm yansa da
Ecel beni ansa da
Gözlerim kapansa da
Yıldızların altında

II-) Mâvi nûrdan bir ırmak
Gölgede bir salıncak
Biz de ikimiz kalsak
Yıldızların altında.
Nakarat.

III-) Etdiğim âh değildir
Bahtım siyah değildir
Bûse günâh değildir
Yıldızların altında.

NOT: Bir kuplesi daha varsa da okunmamaktadır. S.A.

✳✳

Usûlü: Nim Sofyan
Beste ve *Güfte:* Gündoğdu Duran

I-) Gözleri aşka gülen
Tâze söğüt dalısın
Gel bana her gece sen
Gönlüme doğmalısın
II-) Sensiz elem bana yâr âh (serbest okunur)
Doğ benim ömrüme, doğ da güneş gibi
Aşkımı tâzele gel, ruhumu tâzele gel

III. Bekleme son baharı
Bir acı rüzgâr eser
Gel bana her gece sen
Saçların bağrıma ser.
Nakarat.

Nakarat:
Tatlı gülüş pek yaraşır
Gözleri ömre bedel
Ah ne güzel ne güzel seni sevmek
Ah ne güzel, ne güzel.

✳✳

NİHÂVEND MAKAMI

Usûlü: Nim Sofyan

Beste: Osman Ülkü
Güfte: Gülten Çiçek

"Köle midir herkes sana"

I-) Köle midir herkes sana
   Hep tepeden bakıyorsun
   Hiçbir şey anlatma bana
   Kendini ne sanıyorsun
Nakarat: Bu ne hava, bu ne gurur
        Bende bırakmadın huzur
        Sanki sensiz dünya durur
        Kendini ne sanıyorsun.
II-) Her zaman böyle şen misin
    Gül olsan da gülşen misin
    Güzel desem, bir sen misin
    Kendini ne sanıyorsun.
    Nakarat
III-) Bir kere gururu yen de
     Kul olayım sana ben de
     Şeytan tüyü mü var sende
     Kendini ne sanıyorsun
     Nakarat

**

Usûlü: Nim Sofyan

Beste ve *Güfte:* Alâeddin Şensoy

"Büyüleyen Gözlerinle"

I-) Büyüleyen gözlerinle
   Yeşil yeşil bakıyorsun
   Sevdâlanmış yüreğime
   Damla damla akıyorsun.
II-) Samur samur saçlarınla
    Kalem kalem kaşlarınla
    Çıldırtan bakışlarınla
    Alev alev yakıyorsun.
    Nakarat

Nakarat: Karanfiller gibi renkli,
        Bülbüller gibi âhenkli
        Neş'eli, sevinçli, zevkli
        Nağme nağme şakıyorsun.

**

NİHÂVEND MAKAMI

Usûlü: Nim Sofyan   *Beste:* Metin Everes
Güfte: Mehmet Erbulan

I-) Neler etdin sen neler
   Senelerce sen bana
   Dermânın dertden beter
   Derdimi açmam sana.
      Yapma dedim kaç kerre
      Yakdın beni boş yere
      Avuç açar göklere
      Elimi açmam sana
II-) Hergün başka dert olsa
   Başıma karlar yağsa
   Mahşere dek boş kalsa
   Kalbimi açmam sana
      Gençliğim geçse boşa
      Yazılan gelir başa
      Derdimi döker taşa
      İçimi açmam sana.

⁂

Usûlü: Nim Sofyan   *Beste:* Erdinç Çelikkol
Güfte: Mustafa Töngemen

"Ne Olursun"

I-) Gel gönlümü yerden yere
   Vurma güzel ne olursun
   Gül dururken dikenleri
   Derme güzel ne olursun.
Nakarat: Git diyemem, kal diyemem
      Sen goncasın, gül diyemem
      Çok severim söyleyemem
      Sorma güzel ne olursun.
II-) Sevgin nefes, sevgin candır
   Sevgin bana heyecandır
   Kalbim ince bir fidandır
   Kırma güzel ne olursun.
Nakarat.

⁂

NİHÂVEND MAKAMI

Usûlü: Nim Sofyan

Beste: Erdinç Çelikkol
Güfte: Halit Çelikoğlu

"Bana ne..."

Gelincikler çiçek açdı kırlarda
Bahar kokar şu dumanlı dağlarda
Bu mevsimde iki gözüm yollarda
Sen yoksun ki, çiçeklerden bana ne.
Nakarat: Gözlerime ay doğuyor uzakdan
       Gecelere bir haber ver şafakdan
       Korkar oldum sensiz gelen sabahdan
       Sen yoksun ki, gecelerden bana ne.
Kulağıma sevgilerden ses gelir
Benim kâlbim damla damla tükenir
Bir gün değil, bir ay değil, yıl değil
Sen yoksun ki, sevgilerden bana ne.

✳✳

Usûlü: Türk-Aksağı
Nim Sofyan (Değişmeli)

Beste: Bilge Özgen
Güfte: Meral Rona

Borçlusun bana zaman
Borçlusun bana an, an
Ömrümü çalan zaman
Borçlusun bana an, an.

Güzellikler saklı sende
Anılarım hani nerde
Sildin bir tufan gibi
Ne bırakdın ki elde.

Borçlusun bana zaman
Borçlusun bana an, an

✳✳

NİHÂVEND MAKAMI

Usûlü: Nim Sofyan   *Beste ve Güfte:* Sadun Aksüt
"Kırk Yılda Bir Olsa..."

Yılların ardında eski bir bahâr
Sararan mâzide bin hâtıra var
Kalbim titreyerek hep seni anar
Nerdesin şimdi sen güzel gözlü yâr

(Nakarat) Soldu mu gönlünün açan gülleri
Aşkımızı anıp hep yanar mısın
Seninle geçen o mesut günleri
Kırk yılda bir olsa hatırlar mısın

Gündüzüm seninle gecem seninle
Gölgeli yollarda bitmez derdimle
Ağlayıp gezerken ben hayâlinle
Nerdesin şimdi sen güzel gözlü yâr
     Nakarat

❉❉

Usûlü: Türk Askağı   Hacı Ârif Bey

Ben bûy-i vefâ bekler iken sûy-i çemenden
Aldım boyumun ölçüsünü serv-i semenden
Âzâr-ı hezâr etse de vaz geçse de benden
Geçmez yine şeydâ gönül ol gonca dehenden

Mef'ûlü/Mefâîlü/Mefâîlü/Feûlün

NOT: Şarkı iki kupledir. İkinci kuplesi okunmaz. S.A.

❉❉

NİHÂVEND MAKAMI

Usûlü: Türk Aksağı Hacı Ârif Bey

Neden tâ subh olunca eşk-bârım
Nedendir böyle oldu girye kârım
Hevây-ı zülfün aldı ihtiyârım
Ne çâre tîre-baht-ı rûzgârım

Geçer âlâm-ı hicrinle zamanım
Tahammül-sûzdur ah-ü figaanım
Tutuşdu lâne-i sabr ü tüvânım
Ne çâre tire-baht-ı rüzgârım

Mefâîlün/Mefâîlün/Feûlün

SUBH: Sabah
EŞK-BÂR: Göz yaşı saçan
GİRYE: Ağlama
KÂR: İş, uğraşma
ZÜLF: Yanağa düşen saç
İHTİYÂR: Karar, irâde
TÎRE-BAHT-I RÛZGAR: Zaman kara tâlihlisi
ÂLÂM: Elemler
HİCR: Ayrılık
TAHAMMÜL-SÛZ: Tahammül yakan
LÂNE: Yuva
TÜVÂN: Dinçlik, kudret, güç
TÎRE: Kara, karanlık

✳✳

Usûlü: Türk Aksağı Giriftzen Âsım Bey

Açdı firkat yareler dilde peri
Olmuyor merhem akan çeşmim teri
Şimdi Leylâveş gezerim serseri
Gel canım üzme arslanım beni
Ah efendim özlüyor canım seni

✳✳

NİHÂVEND MAKAMI

Usûlü: Türk Aksağı-   *Beste:* Kemençevî Halûk Recâî
Aksak   *Güfte:* NEDİM

(5/8) Gülzâre salın mevsimidir (9/8) geşt-i güzârın
(5/8) Ver hükmünü ey serv-i revân (9/8) köhne bahârın
(5/8) Bülbüllerin ister seni ey /9/8) gonca dehen gel
(5/8) Gül gitdiğini anmıyalım (9/8) gülşene sen gel
(5/8) Ver hükmünü ey serv-i revân (9/8) köhne bahârın

NOT: Eserin çok karakteristik bir yapısı olması sebebiyle besteleniş de
kullanılmış olan Türk Aksağı (5/8 lik) ve Aksak (9/8 lik) usûlleri
rakkamlarla bilhassa gösterildi. S.A.

✳✳

Usûlü: Türk Aksağı   *Beste:* Tanbûrî Selâhaddin Pınar
                         Güfte: Zekâî Cankardeş

Hâlâ yaşıyor kalbimin en gizli yerinde
Bir hâtıra ki izleri yıllarca derinde
Hummâlı geçen bir gecenin tâ seherinde
Bir hâtıra ki izleri yıllarca derinde
               Mef'ûlü/Mefâîlü/Mefâîlü/Feûlün

✳✳

Usûlü: Türk Aksağı   *Beste:* Ûdî Şerif İçli
                      Güfte: Muhittin Kutbay

Sensiz yaşamam bil ki bu söz bence yemindir
Rûhumda yerin öyle büyük, öyle derindir
Ömrümde eğer varsa senin şâh eserindir
Rûhumda yerin öyle büyük öyle derindir.

            Mef'ûlü/Mefâîlü/Mefâîlü/Feûlün

✳✳

NİHÂVEND MAKAMI

Usûlü: Türk Aksağı   *Beste:* Yesârî Âsım Arsoy
                    Güfte: Zühtü Paşa damadı İlhan Bey

Çamlarda şafak rengi gibi gönlüme akdın
Her nûr-i nigâhında benim rûhumu yakdın
Lâkin güzelim söyle niçin benden uzaksın
Her nûr-i nigâhında benim rûhumu yakdın.

                Mef'ûlü/Mefâîlü/Mefâîlü/Feûlün

❋❋

Usûlü: Türk Aksağı   Ser Müezzin İsmail Hakkı Efendi

Nerelerde kaldın ey serv-i nâzım
Bana bir haber ver budur niyâzım
Hasretinden acep ölmek mi lâzım
Bana bir haber ver budur niyâzım.

❋❋

Usûlü: Türk Aksağı   *Beste:* Osman Nihat Akın
                    Güfte: Yahya Kemal Beyatlı

Körfezdeki dalgın suya bir bak göreceksin
Geçmiş gecelerden biri durmakda derinde
Mehtâb, iri güller ve senin en güzel aksin
Velhâsıl o ruyâ duruyor yerli yerinde

                Mef'ûlü/Mefâîlü/Mefâîlü/Feûlün

❋❋

NİHÂVEND MAKAMI

Usûlü: Türk Aksağı

Beste: Erdinç Çelikkol
Güfte: Reşat Özpirinççi

I-) Erdik bahâre çıkdık mesâre
    Rûhum o yâre âşık ne çâre
    Düşdüm bu nâre hem âh ü zâre
    Rûhum o yâre âşık ne çâre
II-) İnler şu gönlüm bülbül misâli
    Nâz eyledikçe bir gül misâli
    Çağlar şu gözler o gül-izâre
    Rûhum o yâre âşık ne çâre.

**

Usûlü: Türk Aksağı

Beste: Sâmi Güney
Güfte: Nevin Emgen

Solmuş güle bülbül gibi ağlar özümüz
Akmaz dereler var diye çağlar gözümüz
Tanrım, bizi kurtar bu çekilmez çileden
Kurtarmaya yol yok deme yoldur yönümüz.

Mef'ûlü/Mefâîlü/Mefâîlü/Feûl

**

Usûlü: Curcuna

Hacı Fâik Bey

Sevdi gönlüm ey melek-haslet seni
Sevmemek mümkün mü sen nâzik-teni
Sen ne âfetsin ki bilsen sen beni
Sevmemek mümkün mü sen nazik teni

Fâilâtün/Fâilâtün/Fâilün

**

NİHÂVEND MAKAMI

Usûlü: Curcuna   Hacı Ârif Bey

Şarâb iç gülfeminde güller açılsın
Bırak zülfün zerendûdun saçılsın
Utandır necm-i giysûdârı gökde
Bırak zülfün zerendûdun saçılsın

ZERENDÛD: Altın işlemeli
NECM-İ GİYSÛDÂR: Kuyruklu yıldız.

**

Usûlü: Curcuna   Hacı Ârif Bey

Uyur dâim uyanmazdı benim baht-ı siyehkârım
Arar bulmazdı aslâ hâb-ı râhat çeşm-i bîdârım
Açıldı gonca-i matlûb yine şenlendi gülzârım
Arar bulmazdı aslâ hâb-ı râhat çeşm-i bîdârım

Mefâilün/Mefâilün/Mefâilün/Mefâilün

(Şarkı iki kupledir ikinci kuple okunmaz) S.A.

**

Usûlü: Curcuna   Hacı Ârif Bey

Vücûd iklîminin sultânısın sen
Efendim derdimin dermânısın sen
Bu cism-i nâtüvânın cânısın sen
Efendim derdimin dermânısın sen

Mefâîlün/Mefâîlün/Feûlün

**

NİHÂVEND MAKAMI

Usûlü: Curcuna

Beste: Hacı Ârif Bey
Güfte: Enderûnî Vâsıf

Çözülme zülfüne ey dil-rübâ dil bağlayanlardan
Kaçınma âteş-i aşkınla bağrın dağlayanlardan
Düşer mi ictinâb etmek seninçün ağlayanlardan
Sirişk-i çeşmimin bak farkı var mı çağlayanlardan

Mefâîlün/Mefâîlün/Mefâîlün/Mefâîlün

İCTİNÂB: Sakınma, çekinme
SİRİŞK: Gözyaşı

✳✳

Usûlü: Curcuna

Beste ve Güfte: Rahmi Bey

Saçlarına bağlanalı ey peri
Oldu dil envâ-ı cünûn meşheri
Hasret-i çeşm-i siyehinle gözüm
Mâtem içinde görüyor her yeri

Müfteilün/Müfteilün/Fâilün

ENVA: Çeşitler, neviler.
CÜNÛN: Delilik
MEŞHER: Sergi, teşhir yeri.

✳✳

Usûlü: Curcuna

Beste: Selânikli Kemanî Mustafa
Güfte: Esadpaşa-zâde Said Bey

Lâyık mı sana böyle bırakmak beni
Ölsemde billâh terketmem seni
Hicrinle yakma ey gül bendeni
Ölsemde billâh terketmem seni

Hâlet-i nez'imde olsam unutmam güzel
Severim ben ebediyyen gelse de ecel
Aşkıma artık inan âgûşuma gel
Ölsem de billâh terketmem seni

✳✳

NİHÂVEND MAKAMI

Usûlü: Curcuna   Ûdî Şekerci Cemil Bey

Ezvâk-ı cihan rü'yet-i rüyâ gibi geçdi
Eyyâm-ı visâl fikret-i hülyâ gibi geçdi
Ben Kays'e şebîh, ol dahi Leylâ gibi geçdi
Eyyâm-ı visâl fikret-i hülyâ gibi geçdi

Mef'ûlü/Mefâîlü/Mefâîlü/Feûlün

EZVÂK: Zevkler
FİKRET: Düşünme, düşünmeye dalma.
KAYS: Leylâ ile Mecnun'da mecnunun adıdır.
ŞEBÎH: Benzer, aynı, tıpkı

**

Usûlü: Curcuna   Kemanî Serkis

Kimseye etmem şikâyet ağlarım ben hâlime
Titrerim mücrim gibi baktıkça istikbâlime — *talih düzgünlüğü*
Perde-i zûlmet çekilmiş, korkarım ikbâlime
Titrerim mücrim gibi baktıkça istikbâlime

Fâilâtün/Fâilâtün/Fâilâtün/Fâilün

NOT: Aynı güfte Sûznâk: Curcuna, İhsan hanım Cami'ül Elhân 169 /

**

Usûlü: Curcuna   *Beste:* Tanbûrî Selâhaddin Pınar
                            Güfte: Vecdi Bingöl

Geçdi ömrüm yine hâla ben o bin dert ileyim
Söyle dermânını ey sevgili, aşkın bileyim
Böyle hicrân eleminden nice bir inleyeyim
Söyle dermânını ey sevgili aşkın bileyim.

Feilâtün/Feilâtün/Feilâtün/Feilün

**

NİHÂVEND MAKAMI

Usûlü: Curcuna   *Beste:* Sadeddin Kaynak
(Düyek Değişmeli)   *Güfte:* Ramazan Gökalp Arkın

Bahar bitdi güz bitdi
Artık bülbül ötmüyor
Yâre tel çekem dedim
Tel derdim iletmiyor

Yollar kapalı kardan
Turna gelmez diyârdan
Haber çıkmadı yârdan
Bu ayrılık bitmiyor

Derdim çok dermânım yok
Cânân çok cânânım yok
Onsuz adım sanım yok
Teselli kâr etmiyor

(Düyek) Bahar, yeşil gözüydü
        Bülbül, tatlı sözüydü
        Gonca, pembe yüzüydü
        Hayâlimden gitmiyor

(Serbest) Ayrılık deniz gibi
         Ölü bir beniz gibi
         Uzayan bir iz gibi
         Bitmiyor âh bitmiyor

**

Usûlü: Curcuna   *Beste:* Kemanî Cevdet Çağla
                                         Güfte: Selim Aru

Bir dert gibi akşam suların koynuna indi
Gönlümde siyah gözlerinin rengi gezindi
Göklerde sönen yıldıza mâtem ne derindi
Gönlümde siyah gözlerinin rengi gezindi
                    Mef'ûlü/Mefâîlü/Mefâîlü/Feûlün

**

-1027-

NİHÂVEND MAKAMI

Usûlü: Curcuna
(Aksak Değişmeli)

Beste: Tanbûrî Selâhaddin Pınar
Güfte: Vecdi Bingöl

Sana gizli bir diyeceğim var
Yakın gel, sokul rûhuma kadar
Dinle kalbimi neler fısıldar
Yakın gel sokul rûhuma kadar

Senden uzakda içim eriyor
Beni hasretin sarıveriyor
Bu özleyişden can ürperiyor
Yakın gel sokul ruhuma kadar

(Aksak)   Bir acı var mı intizâr gibi
           Sabır tükenir yol uzar gibi
           Beklerim seni aydoğar gibi
(Curcuna) Yakın gel sokul ruhuma kadar

**

Usûlü: Curcuna

Beste: Kemanî Cevdet Çağla
Güfte: Selim Aru

Baharda bu yıl bir melâl var hüzün gibi
Bülbülde ses, gülde renk açmaz olmuş neden
Gönülde sarı bir hicrân var yüzün gibi
Bülbülde ses, gülde renk açmaz olmuş neden

**

NİHÂVEND MAKAMI

Usûlü: Curcuna

Beste: Kemanî Sadi Işılay
Güfte: Behçet Kemal Çağlar

Son çiçekler de soldu çorak bozkır içinde
Gönlüm al al yanıyor, saçlarım kır içinde
Varlığım bir koru ki kuşlar şakır içinde
Gönlüm al al yanıyor, saçlarım kır içinde

Arıyor, bulduğuna yaslanmayı bilmiyor
Hangi kına girse de paslanmayı bilmiyor
İhtiyâr olsa bile uslanmayı bilmiyor
Gönlüm al al yanıyor saçlarım kır içinde.

※※

Usûlü: Curcuna

Beste ve *Güfte:* Sadeddin Kaynak

Gönül nedir bilene gönül veresim gelir
Gönülden bilmeyene sersem diyesim gelir
Aşk nedir, sevdâ nedir bunu bilmek gerekdir
Bunu bilen âşıkı hergün göresim gelir

※※

Usûlü: Curcuna

Kemanî Memduh Bey

Hele bir tane daha nûş edelim
Gam-ı dünyayı ferâmûş edelim
Varalım yâri derâgûş edelim
Gam-ı dünyâyı ferâmûş edelim
Varalım hânesine yalvaralım
Bir iki bûsecik olsun alalım
Bu gece orda misafir kalalım
Gam-ı dünyâyı ferâmûş edelim

Feilâtün/Feilâtün/Feilün

※※

NİHÂVEND MAKAMI

Usûlü: Curcuna   Subhi Ziya Özbekkan

Edilsin bâdeler nûş, inlesin tanbûr, sabâh olsun
Sun ey sakî şarâb-ı lâl ile ömrüm tebâh olsun
Gönüller vecde gelsin cûş-i elhân-ı Nihavend'le
Sun ey sakî şarâb-ı lâl ile ömrüm tebâh olsun

Mefâîlün/Mefâîlün/Mefâîlün/Mefâîlün

**

Usûlü: Curcuna   *Beste:* Ûdî Fahri Kopuz
                                                    Güfte: Şâdân Ruma

Saçların hayâtımın neş'esiyle örgülü
Gözlerinde gecemi aydınlatan mehtâb var
Kırmızı dudakların baharımın ilk gülü
Gözlerinde gecemi aydınlatan mehtâb var

**

Usûlü: Curcuna   *Beste:* Ûdî Fahri Kopuz
                                                    Güfte: Zekâi Bey

Hülyâ gibi sessiz süzülüp kalbime akdın
Yakdın güzelim gönlümü bir kül gibi yakdın
Ağyâra inandın beni en sonra bırakdın
Yakdın güzelim gönlümü bir kül gibi yakdın

Mef'ûlü/Mefâîlü/Mefâîlü/Feûlün

**

Usûlü: Curcuna   Tanbûrî Ömer Altuğ

Rûhumda bu akşam yine bir gizli elem var
Sevdim seni düşdüm bu melâle beni kurtar
Gönlümdeki hasret acısı gün-be-gün artar
Sevdim seni düşdüm bu melâle beni kurtar

Mef'ûlü/Mefâîlü/Mefâîlü/Feûlün

**

NİHÂVEND MAKAMI

Usûlü: Curcuna   *Beste* ve *Güfte:* Sadi Hoşses

Benden ayrılsan da yine, yine gönlüm sendedir
Neye baksam, neyi görsem, yine kalbim sendedir
Benim sensin bütün zevkim, bütün rûnum, hayatım
Neye baksam neyi görsem, yine kalbim sendedir.

**

Usûlü: Curcuna   Ekrem Güyer

Ayrılmak ne kadar zor, unutulmak çok acı
Dün gülen bakışların bugün bana yabancı
O kadar zâlim olma bu mahzun kalbe karşı
Dün gülen bakışların bugün bana yabancı

**

Usûlü: Curcuna   Osman Nihat Akın

Güzel bir göz beni atdı bu derin sevdâya
Benziyor şimdi benim ömrüm uzun rûyâya
Yâri karşımda görsem de dalarım hülyâya
Benziyor şimdi benim ömrüm uzun rûyâya

**

Usûlü: Curcuna   *Beste:* Osman Nihat Akın
                    Güfte: Ertuğrul Şevket Bey

Kalbimdeki son aşka inerken kara perde
Bir ağlayacak göz aradım bendeki derde
Bahtın, bütün insanları güldürdüğü yerde
Bir ağlayacak göz aradım bendeki derde

Mef'ûlü/Mefâîlü/Mefâîlü/Feûlün

**

NİHÂVEND MAKAMI

Usûlü: Curcuna   Osman Nihat Akın

Şu seven kalbin feryâdını duy bir gece olsun
Ses ver ne olur tatlı sesinle acılar dursun
Karşımda senin gül renkli yüzün ay gibi doğsun
Güldür beni de, güldüğüm akşam son gecem olsun

✳✳

Usûlü: Curcuna   *Beste* ve *Güfte:* Osman Nihat Akın

Yine bu yıl Ada sensiz içime hiç sinmedi
Dil'de yalnız dolaşdım hep gözyaşlarım dinmedi
Ben de şaşdım nasıl oldu yüreğime inmedi
Dil'de yalnız dolaşdım hep gözyaşlarım dinmedi.

✳✳

Usûlü: Curcuna   Osman Nihat Akın

Göze mi geldim sen mi unutdun gelmiyorsun âh
Öyle karanlık gece ki rûhum olmuyor sabah
Yüksel ufukdan sîneni göster bir gün göreyim
Öyle karanlık gece ki rûhum olmuyor sabah

✳✳

Usûlü: Curcuna   Muhlis Sabahaddin Ezgi

Dün gece saz meclisine neden geç geldin
Söyle bana haydi kuzum sen neredeydin
Sensiz sazın zevki mi var, bâde neye yarar
Bir daha geç kalma sakın göz seni arar

✳✳

NİHÂVEND MAKAMI

Usûlü: Curcuna ·   Melâhat Pars

Bezmimizden gitdi dildâr ağla ey dil ağla sen
Kanmadım ben can fezâ ezvâka ey dil ağla sen
Gitdi eyvâh yok teselli başka hiç bir çârede
Bitdi gülzâr ağla ey hâr, ağla bülbül, ağla sen.

Fâilâtün/Fâilâtün/Fâilâtün/Fâilün

**

Usûlü: Curcuna   *Beste:* Melâhat Pars
       Güfte: Şadi Kurtuluş

Her gecenin sabahı bir rüyâyla yalandır
Acılar, gözyaşları bana kalan rüyândır
Ne yaşadımsa ancak o an ki hâtırandır
Acılar, gözyaşları bana kalan rüyândır

**

Usûlü: Curcuna ·   Mustafa Çağlar

Anlatamam bu aşkın hikâyesini derindir
Beni kaç yıl inleten o güzel gözlerindir
Gönlüm senin esirin kalbim senin yerindir
Beni kaç yıl inleten o güzel gözlerindir

**

Usûlü: Curcuna   *Beste:* Klârnet Saffet Gündeğer
       Güfte: Remzi Şentel

Yine aşkınla mı yanıp öleyim
Söyle ki ben sevdiğini bileyim
Sensiz hayat bana zindan oluyor
Söyle ki ben sevdiğini bileyim

**

NİHÂVEND MAKAMI

Usûlü: Curcuna

Beste: Melâhat Pars
Güfte: Ülkü ergenekon

Nağmelerinin esiri oldum, coşdum bu gece
Seni duymak, sana kanmak için koşdum bu gece
Bağlandı gönlüm rûhundan kopan sedâlara hep
Sonsuz ufuklarda uçmak için koştum bu gece

**

Usûlü: Curcuna

Melâhat Pars

Hiç dinmeyen bir arzudur sana olan hasretim
Geçdi gecem yine sensiz bir teselli bekledim
Acı duydum, harâb oldum derde bin dert ekledim
Geçdi gecem yine sensiz bir teselli bekledim

**

Usûlü: Curcuna

Beste: Avni Anıl
Güfte: Mustafa Ege

I-) Sâkî boşalan sâgara dök eski şarapdan
    Dem geçmede gülzâra hazân inmede artık

II-) Devrân bizi mahv eylemeden kâm alalım biz
     Dem geçmede gülzâra hazân inmede artık

Mef'ûlü/Mefâîlü/Mefâîlü/Feûlün

**

Usûlü: Curcuna

Beste: Avni Anıl
Güfte: Rüştü Şardağ

Aşk bu değil yapma güzel
Sen insanı güldürürsün
Sevişirken güzel güzel
Sen insanı öldürürsün.

**

NİHÂVEND MAKAMI

Usûlü: Curcuna

Beste: Avni Anıl
Güfte: Şadi Kurtuluş

Düşündükçe mâzîyi bir rüyâ gibi zaman
Ne ararken ne bulduk şu sevdâ oyunundan
Ne kadar boş hayâller, zaman ne kadar yalan
Ne ararken ne bulduk şu sevdâ oyunundan

**

Usûlü: Curcuna
(Düyek Değişmeli)

Beste: Avni Anıl
Güfte: M.Sami Aşar

Gülünce güzelsin, ağlarken güzel
Gecenin koynunda yatarken güzel
Çiçekler mevsimsiz açar yüzünde
Uykudan sıyrılıp kalkarken güzel
(Düyek) Bir gün öleceksin amma en güzel.

**

Usûlü: Curcuna

Beste: Tanbûrî Erol Sayan
Güfte: Gültekin Yertut

Gördüğüm her çiçekde, menekşede sen varsın
Kimbilir şimdi nerde, hangi ellere yârsın
Gün geçer, devrân döner, bir gün beni ararsın
Kimbilir şimdi nerde, hangi ellere yârsın

**

Usûlü: Curcuna
(Düyek Değişmeli)

Beste: Dr. Kanûnî Ümit Mutlu
Güfte: Reşat Pirinçcioğlu

I-) Aşk pınardır susayanlar
    Ve bu yoldan hep sevenler gelecekler geçecekler
(Nakarat): Günleri aylara ekler, ayları yıllara ekler
(Düyek)   Gönüllerde ne dilekler her gönül bir güzel bekler
II-) Bu yollarda kimi hasret, kimi çile çekecekler
    Bu gülşende açacaklar, solacaklar ne çiçekler,
(Nakarat)

**

NİHÂVEND MAKAMI

Usûlü: Curcuna
(Semâî Değişmeli)

Beste: Dr. Selâhaddin İçli
Güfte: Fethi Dinçer

Önümde açılmış kapısı aşkın
Öyle yorgunum ki artık giremem
Derde isyân etdim beni bırakın
Tanrı'ya adanmış ömrü veremem
(Semâî) Mâzîde ne varsa hepsini yakın
      Külü de kalmasın uçsun bırakın
      Yıkılan dünyâmı başdan kuramam
      Tek ümit, son çâre olsa da aşkın
(Curcuna) Önümde açılmış kapısı aşkın
      Öyle yorgunum ki artık giremem.

✱✱

Usûlü: Curcuna

Neveres Kökdeş

Gönül bağında gezerken hep seni ararım
(Nakarat) Hâline sen ağla gönül, gece gündüz çağla gönül
      Vefâ umma yârdan gönül, inle gönül, yan gönül
Aşkına doymadan, sevginle solmadan
Ne kadar üzgündür gönül, ah gönül
      Nakarat:

✱✱

Usûlü: Curcuna

Neveres Kökdeş

Hüsranla gönül hep inler
Gece gündüz âh eder
(Nakarat) Bir serâb oldu şimdi hayâlin
      Canım sen, neş'em sen bir lâhza görsem
Neden solar çiçekler
Onlar da hasret mi çeker
Bilinmez ne söyler
Sevdiğini mi özler gözler
      (Nakarat)

✱✱

NİHÂVEND MAKAMI

Usûlü: Curcuna   Neveres Kökdeş

Sensiz göremem âlemi, sen göz bebeğimsin
Rûhun bu hazânında açan son çiçeğimsin
Mecnûna çevirdin beni sen, söyle neyimsin
Dünyâda benim tek dileğim, (ah) tek meleğimsin.

Mef'ûlü/Mefâîlü/Mefâîlü/Feûlün

**

Usûlü: Curcuna   Şükrü Tunar

Seni sevmekse günâhım beni terkediversen
Ağlatma beni bu akşam Allah'ını seversen
Billâhi darılmam sana, bana her ne de etsen
Ağlatma beni bu akşam Allah'ını seversen

**

Usûlü: Curcuna   Zeki Müren

Seni sevmek, sana yanmak, senin olmak dileğim
Bu elemler yeter artık, beni üzme meleğim
Senin aşkınla tutuşmak kabahat mı bileyim
Bu elemler yeter artık, beni üzme meleğim

Feilâtün/Feilâtün/Feilâtün/Feilün

**

Usûlü: Curcuna   *Beste:* Kemanî Hüseyin Coşkuner
                                    Güfte: Hüsamettin Seyhan

Karardı mehtâbım, gündüzüm gece
Gülmedim ömrümde bir gün, bir gece
Kalbimde yaşayan ismin bir hece
Yetişir ağlatma, güldür bir gece

**

NİHÂVEND MAKAMI

Usûlü: Curcuna   *Beste:* Ûdî Zeki Duygulu
                                    Güfte: Behçet Kemâl Çağlar

Sabah yıllardan beri ilk defa oldu bence
Billâhi sensiz geçen her gecem bir işkence
Yanan dudaklarıma uzan bir an gizlice
Billâhi sensiz geçen her gecem bir işkence

**

Usûlü: Curcuna   *Beste:* Prof.Dr. Selâhaddin İçli
                                    Güfte: Şahin Çandır

Ben seni ilkbahâr gökleri gibi isterim
Güneşli, bulutsuz ve hep öyle mavi duran
Sense, sağnak yağmurlar gibi sisli karanlık
Öfkelerle gelirsin
Gönlümü incitirsin ve hüzün getirirsin

Ben seni o yaz ırmakları gibi isterim
Kendi hâlinde uysal, iyimser, sessiz akan
Sen, şahlanmış nehirler gibi coşkun, gözü pek
Taşkınlarla gelirsin
Gönlümü incitirsin ve hüzün getirirsin

Ben seni Eylül denizleri gibi isterim
Kuytu bir koyda şöyle uzanmışca süt liman
Sen, okyanuslar gibi dağ boyu köpük köpük
Dalgalarla gelirsin
Gönlümü incitirsin ve hüzün getirirsin

**

NİHÂVEND MAKAMI

Usûlü: Curcuna   *Beste:* Nezahat Soysev
                                            Güfte: Beşir Kara

Niçin böyle hüzünlüsün, gülmüyorsun hiç neden
İncitdim mi yoksa seni söyle canım bilmeden
Bak sunduğum çiçekler de güldürmedi yüzünü
İncitdim mi yoksa seni söyle canım bilmeden.

✳✳

Usûlü: Curcuna - Aksak   *Beste:* Selâhaddin İçli
(Değişmeli)   *Güfte:* Mebrûke Çağla

Yıllarca özlem, gönlümde elem, benim son bestem, sen
Işıksız kalan, aşkınla yanan, hep seni anan, ben
Nakarat (Aksak): Ağlatma yeter, ölmekden beter, cevrine bir son ver
                     Zehroldu hayat, incitme yaşat, aşkıma bir ses ver.
Lâleden soylu, serviden boylu, ipekden huylu, sen
Mazide kalan, derdinle yanan, günleri sayan, ben.
             Nakarat

✳✳

Usûlü: Curcuna   *Beste:* Prof. Dr. Selâhaddin İçli
Yürük Semâî (Değişmeli)   *Güfte:* Erinç Başar

Curcuna: Diyorum ki her gün bana gelesin
            Gözlerini gözlerime seresin
            Gönlümdeki gül senindir deresin
            Derdiğini sakın söylemeyesin.
Nakarat: Diyorum ki bunu bir sen bilesin
            Diyorum ki sakın söylemeyesin
Yürük Semâî: Özlüyorum humar bakan gözünü
            Özlüyorum şeker kaymak dilini
            Özlüyorum gözden akan selini
            Geldiğini, sevdiğini, aşkımızı söylemeyesin sakın
Curcuna: Sözüm sözdür başım üzre gelesin
            Gözlerini yollarda eylemeyesin
            Tatlı dilin sohbetini veresin
            Sohbetini sakın söylemeyesin.
            Nakarat.

✳✳

NİHÂVEND MAKAMI

Usûlü: Curcuna   *Beste:* Violonselist Vecdi Seyhun
                             Güfte: Hüseyin Aydınkaya

Gönül sen, hey, hey gönül sen
Kime dert yansam elinden
Bana adım bile dertken
    Mecnun edip dile yaydın
    Gönül sen olmaz olaydın
Ben önce derken vur diye
Yolumu kesdin dur diye
Aşkın yaşı yokdur diye
    Gençliğimi hiçe saydın
    Gönül sen olmaz olaydın.

✴✴

Usûlü: Semâî   Tanbûrî Cemil Bey

Sevdim seni ey işve-bâz   — *naz edici*
Çekdiklerim tâkat-güdâz
Bunca zaman etdim niyaz   — *yalvarma*
Bilmem neden bu ihtiraz
    Ey servinâz, ey işvebâz
    Sen de beni sevsen biraz   — *Ey rûh-nüvaz, ey dil nüvaz*
Lâyık mıdır ey gül-beden   *Hicrane ol sen çare saz*
Bu âşık-ı mihnetzeden   *belâlı aşk*   *[706]*
Çeksin de aşkınla mihen   *eziyet*
  Rahm etme sen, lutf etme sen
acıma   Ey servinâz, ey işvebâz
    Sen de beni sevsen biraz

                         Müstef'ilün/Müstef'ilün

GÜDÂZ: Eriten, yakan, tüketen, anlamında.
İHTİRAZ: Sakınma, çekinme.
MİHEN: Mihnetler, eziyetler.

✴✴

NİHÂVEND MAKAMI

Usûlü: Semâî

Lem'i Atlı

Nedir a sevdiğim söyle bu hâlin
Niçin böyle sarardı gül cemâlin
Senin elbet de vardır bir melâlin
Niçin böyle sarardı gül cemâlin.

Mefâilün/Mefâilün/Feulün

✳✳

Usûlü: Semâî

Beste: Lem'î Atlı
Güfte: Tokadîzâde Şekip Bey

Artıyor ye'sim bakınca hâlime
Ağlarım mâtemli istikbâlime
Genç iken etdim vedâ âmâlime
Ağlarım mâtemli istikbâlime

Fâilâtün/Fâilâtün/Fâilün

✳✳

✓ *Usûlü:* Semâî

Kemanî Reşat Erer

Aşkınla bey ey nevcivân
Yanmakdayım dâim hemân
Nâz eyleme gel mihribân
Pür-yaredir sînem hemân

Müstef'ilün/Müstef'ilün

NOT: Bazı kayıtlarda 1 mısra' şöyle görüldü "Aşkın ile ey nev-civân"

S.A.

✳✳

NİHÂVEND MAKAMI

Usûlü: Semâî   Muhlis Sabahaddin Ezgi

Müjgân gibi hicrân oku tâ kalbime geçdi
Kaçsam dedim eyvâh o da bî-sûd o da geçdi
Bir katra-i zehrini aşkın gönül içdi
Artık bu muhabbet kara sevdâyı da geçdi

BÎ-SÛD: Boş, faydasız.

❋❋

Usûlü: Semâî   *Beste:* Tanbûrî Mes'ud Cemil
                                        Güfte: Nâzım Hikmet
Kanatları gümüş yavru bir kuş (hey)
Gemimizin direğine konmuş (hey)
Dağlara çıkma Karadeniz (hey, hey)
Yavrudur yârim uçamaz bensiz (hey)

Bir yârim var bu yavru kuş gibi (hey)
Yârim yüreğime konmuş gibi (hey)
Dağlara çıkma Karadeniz (hey)
Yavrudur yârim uçamaz bensiz (hey)

❋❋

Usûlü: Semâî   Mehveş Hanım

Kaçsam bırakıp senden uzak yollara gitsem
Kalbim yanıyor ismini her kimden işitsem
Derdinle ufuklarda sönen gün gibi bitsem
Kalbim yanıyor ismini her kimden işitsem

Gönlüm o kadar aşkınla yanmış iki ezelden
Bir lâhza unutmak seni bak gelmiyor elden
N'olurdu ölüm zehrini içseydim ecelden
Kalbim yanıyor ismini her kimden işitsem
                    Mef'ûlü/Mefâîlü/Mefâîlü/Feûlün
Aynı güfte Hicaz-Sengin Semâî Bimen Şen bestelemişdir. S.A.

❋❋

NİHÂVEND MAKAMI

Usûlü: Semâî

Beste: Nuri Halil Poyraz
Güfte: Melâhat Akan

Bir neş'e umdu gönül serâpâ keder oldum
Göründü, geçdi bahar hazânla heder oldum
Bülbülle hem-derdim ben, her an âh eder oldum
Göründü, geçdi bahar hazânla heder oldum.

✳✳

Usûlü: Semâî (Düyek-değişmeli)

Sadeddin Kaynak

Yalnız seni sevdim, seni sevdim, seni yaşadım
Derdinle inledim, inledim, seninle yaşadım
Sensin benim kalbimdeki son adım
Anılsın sevgilim adınla adım
Ömrümün doyulmaz demidir şimdi
(Düyek) Sevdâ bir ıztırapdır çeken gönül n'oldu
Ümidimi süsleyen dikenli bir gül oldu
Nağmelerin rûhumda şakıyan bülbül oldu
Aşkımın en değerli mesut demidir şimdi

✳✳

Usûlü: Semâî

Violonselist Vecdi Seyhun

Tek yıldız parlamıyor bu gönül bahçesinde
Artık hicrân taşıyor nazlı güzel sesinde
Sarı gülü bak soldu şimdi aşk bahçesinde
Son hatıran yaşıyor kalbimin köşesinde

✳✳

NİHÂVEND MAKAMI

Usûlü: Semâî   Melâhat Pars

Gönlümü başka emellerle avutsaydım
Ne olurdu seni bir lâhza unutsaydım
Rûhumu bir gece hülyâsız uyutsaydım
Ne olurdu seni bir lâhza unutsaydım

✳✳

Usûlü: Semâî   Muzaffer İlkar

Dünyâya değişmem seni en tatlı emelsin
Öldürse de aşkın beni bir ömre bedelsin
Sensin bu hayâtın eseri, mihveri sensin
Öldürse de aşkın beni bir ömre bedelsin.

Mef'ûlü/Mefâîlü/Mefâîlü/Feûlün

✳✳

Usûlü: Semâî   *Beste:* Muzaffer İlkar
                                        Güfte: Şâyeste Hanım

Sen göğsüme takdığım sevgili gülsün
Tek emelim tapdığım o yüzün gülsün
Sensiz yaşamakdansa kalbim sökülsün
İnanmadı bu sözüme bakıp da geçdi

✳✳

Usûlü: Semâî   *Beste:* Muzaffer İlkar
                                        Güfte: Munis Faik Ozansoy

Bir mevsim o yollardan, o yaz bahçelerinden
Günler vererek el ele hülyâ gibi geçdi
Yapraklar uçarken kuru dallar üzerinden
Ömrün daha bir mevsimi rüyâ gibi geçdi

Mef'ûlü/Mefâîlü/Mefâîlü/Feûlün

✳✳

NİHÂVEND MAKAMI

Usûlü: Semâî   Kaptanzâde Ali Rıza Bey

Seni en nazlı kadınlar bile meftûn anıyor
Sevecekler diye gönlüm seni pek kıskanıyor
Yâdın oldukça ateşler gibi beynim yanıyor
Sevecekler diye gönlüm seni pek kıskanıyor.

Feilâtün/Feilâtün/Feilâtün/Feilün

**

Usûlü: Semâî   *Beste:* Dr. Alâeddin Yavaşça
                                                 Güfte: Şadi Kurtuluş

Bir mutlu günün hâtırası var
Kalbin acı bir mâziyle yanar
Mahzun bir gönül ve yaşlı gözler
Bir teselli yok mâziden eser

Hâlâ dün gibi göz yaşlarında
Şimdi o Boğaz akşamlarında
Mehthaba bakıp ağlıyor yer yer
Şimdi o Boğaz akşamlarında

**

Usûlü: Semâî   *Beste:* Arif Sami Toker
                                                 Güfte: Nedîm

Erişdi nev-bahar eyyâmı açıldı gül-i gülşen
Çerâğan vakti geldi lâlezârın dîdesi rûşen
Çemenler döndü rûy-i yâre reng-i lâle vü gülden
Çerâğan vakti geldi lâlezârın dîdesi rûşen

Açıldı dilberin ruhsârı gibi lâleler güller
Yakışdı zülf-i hûban-veş zemîne saçlı sünbüller
Nevâsâz olmada bin şevk ile âşüfte bülbüller
Çerâğan vakti geldi lâlezârın dîdesi rûşen.

Mef'âîlün/Mefâîlün/Mefâîlün/Feûlün

**

NİHÂVEND MAKAMI

Usûlü: Semâî　　　　　　　　*Beste:* Kemanî Yavuz Özüstün
　　　　　　　　　　　　　　　Güfte: Turan Oğuzbaş

Bir deniz ki gözlerin ölürcesine derin
Savrulan harmanların rüzgârı saçlarında
Ve yaşanmamış aşklar küçük avuçlarında
Siyahında yeşil var kimsesiz gecelerin
Savrulan harmanların rüzgârı saçlarında
Ve yaşanmamış aşklar küçük avuçlarında.

✻✻

Usûlü: Semâî　　　　　　　　*Beste:* Dr. Alâeddin Yavaşça
　　　　　　　　　　　　　　　Güfte: Orhan Tokmakoğlu

Füsûn serpen sazının dinlesem nağmesini
Ulaştırır rûhlara bir âlemin sesini
Lâl olur bütün diller vecd içinde dinlerler
Yâr dinler, ağyâr dinler, ser-mest olur gönüller
Âh susar bezm-i canda, can dinler, cânân dinler.

✻✻

Usûlü: Semâî　　　　　　　　*Beste:* Münir Nureddin Selçuk
　　　　　　　　　　　　　　　Güfte: Faruk Nafiz Çamlıbel

Bahçemde açılmaz seni görmezse çiçekler
Sahil seni, rüzgâr seni, akşam seni bekler
Gelmezsen eğer mevsimi nerden bilecekler
Sahil seni, rüzgâr seni, akşam seni bekler.

Mef'ûlü/Mefâîlü/Mefâîlü/Feûlün

✻✻

NİHÂVEND MAKAMI

Usûlü: Semâî   Münir Nureddin Selçuk

Sensiz ey şûh gözlerim âvâre kalbim ağlıyor
Görmesem bir lâhza ey bî-dert gönlüm ağlıyor
Beklemem ümmîd-i vuslat bir nigâhın isterim
Görmesem bir lâhza ey bî-dert gönlüm ağlıyor

Fâilâtün/Fâilâtün/Fâilâtün/Fâilün

**

Usûlü: Semâî   Yesârî Âsım Arsoy

I-) Bekledim de gelmedin
    Sevdiğimi bilmedin
    Gözyaşımı silmedin
    Hiç mi beni sevmedin
        Söyle, söyle, hiç mi beni sevmedin.

II-) Bir öpücük ver bana
     Yalvarıyorum sana
     Beni kucaklasana
     Kollarına alsana
        Söyle, söyle, hiç mi beni sevmedin.

III-) Gözlerinden öpeyim
      Senin olsun her şeyim
      Gel azıcık seveyim
      Kollarında öleyim
        Söyle, söyle, hiç mi beni sevmedin.

**

NİHÂVEND MAKAMI

Usûlü: Semâî

Beste: Tanbûrî Sadun Aksüt
Güfte: Fazilet Işıtman

Bin kerre yemin etdim
Ben her zaman seninim
Kalbim bir gün dursa da
Ben yine de seninim
(Nakarat) Canımsın sevgilimsin
Dünyada her şeyimsin
Dünyada tek eşimsin
Ben sensiz yaşıyamam
Gönlümün sultânısın
Kalbimin sahibisin

Gözlerim gözlerinde
Vız gelir dünya bana
Ellerim ellerinde
Zor gelir çözmek bana

Aşkımız ölene dek
Yaşamalı sevgilim
Bu sevgim sonsuza dek
İnan bana sevgilim
(Nakarat)

✳✳

Usûlü: Semâî

Beste: Tanbûrî Ferit Sıdal
Güfte: Reşat Pirinççioğlu

Aklımı başımdan aldı gözlerin
İçimde bir yara oldu gözlerin
Gözlerin, gözlerin, güzel gözlerin
Gözlerin, gözlerin, siyah gözlerin
O senin simsiyah yalan gözlerin
Beni öldürecek inan gözlerin
Gözlerin, gözlerin, güzel gözlerin
Gözlerin, gözlerin, siyah gözlerin.

✳✳

NİHÂVEND MAKAMI

Usûlü: Semâî   *Beste* ve *Güfte:* Alâeddin Yavaşça

I-) Gönlümün bülbülüsün
Aşk bahçemin gülüsün
Sevdâ ufuklarında
Gül endâmın yürüsün

Aşkına yandı gönül
Sözüne kandı gönül
Belki beni ararsın
Diye aldandı gönül

Sevgili aşka inan
Onun ateşiyle yan
Âşık gönüllerdeki
Sevgiye aşka inan

II-) Sevgili gül yüzüne
İnan benim sözüme
Yalan söylesem bile
Sakın vurma yüzüme

Aşka düşdüm yeniden
Sensin beni kül eden
Gönlümdeki bu aşka
İnanmıyorsun neden

Sevgili aşka inan
Onun ateşiyle yan
Âşık gönüllerdeki
Sevgiye aşka inan

✳✳

NİHÂVEND MAKAMI

Usûlü: Semâî

Beste: Tanbûrî Sadun Aksüt
Güfte: Rezzan Kardeşler

I-) Gitme ne olur gitme
   Sevene cefâ etme
   Sensiz nefes alamam
   Beni canımdan etme.

II-) Ömrümü heder etme
    Ellere gönül verme
    Sen varsan yaşıyorum
    Beni canımdan etme.

❊❊

Usûlü: Semâî

Beste ve *Güfte:* Zeki Müren

Yaprak dökümü mevsimi geldi seni andım
Yandım o yeşil gözlerinin uğruna yandım
Tekrâr eridim o sararmış hâtıralarla
Sensiz yaşamaz hasta gönül, şimdi inandım.

❊❊

Usûlü: Semâî

Beste: Avni Anıl
Güfte: İ. Hilmi Soykut

Bir alev, bir ışık senin bakışın
Gözlerin içinde yanar gibidir
Göğsüne bir tutam çiçek takışın
Bir bahar içinde bahar gibidir

Başkadır sevdiğim senin gözlerin
Bakışın o kadar esrârlı derin
Doğru da olmasa söylediklerin
Gönlüm o sözlere kanar gibidir.

❊❊

NİHÂVEND MAKAMI

Usûlü: Semâî **Beste:** Avni Anıl
Güfte: Ümit Yaşar Oğuzcan

Bir kerre bakanlar unutur derdi, günâhı
Görmem gözünün nûruna daldıkça sabâhı
Ben hiç bu kadar sevmedim ömrümce siyâhı
Görmem gözünün nûruna daldıkça sabâhı.

Mef'ûlü/Mefâîlü/Mefâîlü/Feûlün

✳✳

Usûlü: Semâî **Beste:** Avni Anıl
Güfte: Ümit Yaşar Oğuzcan

İçimde nice uzun yılların özlemi var
Bu gece efkârlıyım ağla gitar, çal gitar
Bitmesin bu serhoşluk sürsün sabaha kadar
Bu gece efkârlıyım ağla gitar, çal gitar.

✳✳

Usûlü: Semâî **Beste:** Avni Anıl
Güfte: Orhan Arıtan

Diz çöksem önünde âh niyâz etsem
Yâr koynun açıp gel der mi ki bilmem
Ağuşuna düşsem âh göz yaşı döksem
Yâr koynun açıp gel der mi ki bilmem.

✳✳

NİHÂVEND MAKAMI

Usûlü: Semâî

Beste: Zeki Müren
Güfte: Vedat Şenyol

Gözlerinin içine başka hayâl girmesin
Bana ait çizgiler dikkat et silinmesin
İstersen yum gözlerini, tıpkı düşünür gibi
Benden evvel başkası bakıp seni görmesin

Kıskanırım seni ben kendi gözümden bile
Nasıl veririm seni bir gün yabancı ele
Sana gelen yollarda dâima beni bekle
Benden evvel başkası görüp seni sevmesin.

⁕⁕

Usûlü: Semâî
(Düyek Değişmeli)

Beste: Avni Anıl
Güfte: Bakî Süha Ediboğlu

Geceler içinden bir gece seçdik
Hep aynı kadehten beraber içdik
Yudumlar bir iksir olup taşarken
Bir başka âleme beraber geçdik

(Düyek) Şarkılar dallara konan bir kuşdu
        Irmaklar, dereler, çağlayıp coşdu
        Gönüller o anda yandı tutuşdu.

(Semâî) Geceler içinden bir gece seçdik
        Hep aynı kadehten beraber içdik
        Bir başka âleme beraber geçdik

⁕⁕

NİHÂVEND MAKAMI

Usûlü: Semâî   *Beste* ve *Güfte:* Kanûnî Necdet Varol

Süzül güzel süzül de gel
Deli gönlüm bak seni ister
Seninle bütün yollar
Cennete Gider.
(Nakarat) Aşkımsın gel, canımsın gel
     Bir tanem, sevdiğim, güzelim gel
Alın güzel, salın güzel
Seni gönlüm ah ne çok özler
Nâzın, hasretin güzel
Vuslatın güzel.
(Nakarat)
Aman güzel, yaman güzel
Özü, sözü şipşirin güzel
Bahar böyle çok sürmez
Güzel hemen gel
     (Nakarat)

✳✳

Usûlü: Semâî   *Beste:* Dr. Alâeddin Yavaşça
(Düyek Değişmeli)   *Güfte:* Münir Müeyyet Berkman

Ne bildim kıymetin, ne bildin kıymetim
Revâ mı şiddetin, revâ mı hiddetin
Zûlmeden sen misin, bilmem ki ben miyim
Kader mi, tâli'mi, ağyâr mı, acep kim
Kışkançlık alevi kalplere gireli
Sen deli, ben deli, aşk deli, rûh deli
Severken sen beni, severken ben seni
Bir gurur mahvetdi hem seni, hem beni
(Düyek) Ne sensiz bir mekân, ne sensiz heyecan
     Vermiyor teselli, ne ümit, ne de can
     Sararken gönüllü iştiyak an-be-an
     Değermi bu hasret, bu firkât, bu hicrân.

✳✳

NİHÂVEND MAKAMI

Usûlü: Semâî   *Beste:* Ûdî Selâhaddin Erköse
                                     Güfte: Fuat Edip Baksı

Ak saçlarıma değil gönlüme bak sevgilim
Bu sevdâ ocağını durmadan yak sevgilim
Başını kalbime koy nâzı bırak sevgilim
Bu sevdâ ocağını durmadan yak sevgilim.

❋❋

Usûlü: Semâî   *Beste:* Neveres Kökdeş
                                 Güfte: Necmeddin Hunça

Yıllardır bekliyorum bir gün dönersin diye
Neden bağlandı gönül vefâsız sevgiliye
Kalbimdeki aşkını hayâlimle süsledim
İnan bana güzelim seni candan özledim
Çokdandır hasretinle inliyor dertli gönül
Iztırapla mı geçsin böylece benim ömrüm
Kalbimdeki aşkını hayâlimle süsledim
İnan bana güzelim seni candan özledim

❋❋

Usûlü: Semâî   Neveres Kökdeş

Neden bilmem bu iptilâ
Günden güne hâlim fena
(Nakarat) Aşkda yok mu vefâ
        Sorsam sana
        Hastadır gönlüm inan bana
Sevmek nedir hiç mi bilmedim
Aylar geçdi seni görmedim.
        (Nakarat)

❋❋

NİHÂVEND MAKAMI

Usûlü: Semâî

Neveser Kökdeş

Sevdikçe seni ömrüm artar ey yâr
Aşkındır bana güzelim yâdigâr
Başbaşa kalsak seninle bir an
Döksem sana içimi kalbim ferahlar
Hayâl olmasa ah bu mesut günler
Solmasa kalpdeki güzel çiçekler
Başbaşa kalsak seninle bir an
Döksem sana içimi kalbim ferahlar.

**

Usûlü: Semâî

Beste ve Güfte: Yusuf Nalkesen

1 —) Bana sensiz her şey el
Vuslata olma engel
Baharım geçmeden gel
Hasretim sana
Dön artık bana
İçelim aşk şarabını
Gel kana kana

II —) Gülüşünle neş'e ver
Bitsin çileli günler
Dinle bak bestem ne der
Hasretim sana
Dön artık bana
İçelim aşk şarabını
Gel kana kana.

**

NİHÂVEND MAKAMI

Usûlü: Semâî   *Beste ve Güfte:* Ûdî Teoman Alpay

1 —) Hani bir gün gelecekdin
Yine beni sevecekdin
Benim için ölecekdin
Hep sözlerin yalan imiş
Yalancısın, yalancısın
Gönlümü çaldın ansızın.

II —) Adadaki o şen günler
Hani nerde o yeminler
Gözüm yolda seni bekler
Hep sözlerin yalan imiş
Yalancısın, yalancısın
Gönlümü çaldın ansızın.

**

Usûlü: Semâî   *Beste ve Güfte:* Ûdî Teoman Alpay

I —) Bahar geldi gül açıldı
Rûhuma neş'e saçıldı
Mavi gözlü sarışın kız
Gel gidelim adaya biz

II —) Sevdim seni sandım melek
Biraz olsun bana lûtfet
Mavi gözlü sarışın kız
Gel gidelim adaya biz

III —) Bir gül gibi açıyorsun
Niye benden kaçıyorsun
Mavi gözlü sarışın kız
Gel gidelim adaya biz

**

NİHÂVEND MAKAMI

Usûlü: Semâî

Beste : Nazmi Atlığ
Güfte: Orhan Seyfi Orhon

I —) Benim gönlüm bir kelebek
Dolaşıyor çiçek çiçek
Tükenecek ömrü böyle
Çırpınarak titreyerek.

(Nakarat) Ne şerefli bir adı var
Ne bir büyük maksadı var
Her gün biraz zedelenen
İki ipek kanadı var.

II —) Her şey ona karşı durur
Güneş yakar, kış dondurur
Bazı tutar kanadından
Bir fırtına yere vurur.

(Nakarat)

III —) Benim gönlüm bir kelebek
Dolaşıyor titreyerek
Zavallının bir baharlık
Ömrü böyle tükenecek.

**

Usûlü: Semâî

Beste ve Güfte: Zeki Müren

Ömrüm senin olsun
Gülüşün gülden güzel
Bakışın ömre bedel
Esirindir bu gönül
Bekletme gel artık, gel

Gel biricik meleğim
Senin olmak dileğim
Aşkını söyle bana
Sevdiğini bileyim
Ömrüm senin olsun
Senin olsun bu gönül

**

NİHÂVEND MAKAMI

Usûlü: Semâî   *Beste ve Güfte:* Arif Sami Toker

Bir kara gözlüye ay balam tutulup yanmışam
Öldürdü beni, öldürdü beni, o ceylân, o ceylân, o ceylân balam
Bir tutam elinden gelir sanmışam
Gelirim der yine nâz eder balam
Öldürdü beni, öldürdü beni, o ceylân, o ceylân, o ceylân balam

***

Sürmeli gözleri ay balam, kalem kaşları
Öldürdü beni, öldürdü beni, o ceylân, o ceylân, o ceylân balam
Öpüm gel, gel desem kömür gözünden
Gel eder gül yanak allanır balam
Öldürdü beni, öldürdü beni, o ceylân, o ceylân, o ceylân balam.

**

Usûlü: Semâî

                                          Beste: Avni Anıl
                                          Güfte: Turgut Yarkent

"*Mihrâbım diyerek...*"

Mihrâbım diyerek sana yüz vurdum
Gönlümün dalında bir yuva kurdum
Yıllardan beridir yalvarıp durdum
Sevgilim demeyi öğretemedim.

Gönlünde sevgime yer vermedin de
Yaban güllerini hep derledin de
Ellerin ismini ezberledin de
Bir benim adımı öğretemedim.

Sonunda hicrânı öğretdin bana
Ben sana sevmeyi öğretemedim.

**

NİHÂVEND MAKAMI

Usûlü: Semâî

Beste: Münir Nureddin Selçuk
Güfte: Niyazi Damla

Yâr senden kalınca ayrı
İstemem yazı bahârı
Ömrümün kalmadı hayrı
Geçmiyor günler, geçmiyor.

Âh ayrılık varmış arada
Göz yaşda, gönül karada
Sen orada, ben burada
Geçmiyor günler, geçmiyor

**

Usûlü: Semâî

Beste ve Güfte: Alâeddin Şensoy

I -) Biliyorsun bir zamanlar
Seni ne çok seviyordum
Kederinle üzülüyor
Sevincinle gülüyordum

II -) Beraberce gezdiğimiz
O yerlerden kaçıyorum
Kederlerden uzaklaşdım
Şimdi neş'e saçıyorum.
Nakarat.

Nakarat: Göz göze gelmek istemem
Yüzünü görmek istemem
Seninle gülmek istemem
Ellerle aldatdın beni
UnutDum artık ben seni

**

NİHÂVEND MAKAMI

Usûlü: Semâî-Aksak   *Beste:* İsmail Demirkıran
(Değişmeli)   *Güfte:* Halit Çelikoğlu

Semâî: Yağmurum ol gözlerime yağ benim
Vazomdaki çiçek senin, dal senin
Hayatımda sevgi ile kal benim
Yaşadığım hayat senin, can senin.
Aksak: Dermânım ol sanma sana dar gönlüm
Kalbimdeki sevdâlarda kal ömrüm   (Tekrarlı)
Semâî: Sende bahar açan gonca gül gördüm
Yaşadığım hayat senin can senin   (Tekrarlı)

Not: Şarkının aranağmesi *(Semâî)* usûlündedir. S.A.

✳✳

Usûlü: Semâî-Düyek   *Beste:* Avni Anıl
(Değişmeli)   *Güfte:* Sadri Alışık

1991
"Merhaba İstanbul'um"
Merhaba Kızkulesi, merhaba.
Eyüpsultan, Kanlıca, Şehremini merhaba.
Merhama iki gözüm İstanbul'um merhaba...

Bir İstanbul esiyor, eski çocukluğumdan
Bak hâlâ bir sonbahar, Acıbadem'de.
Yûşâ'dan mı okunurdu, Hırka-i Şerîf'den mi
O ezânlar...

Merhaba Beylerbeyi, merhaba Sultanselim
Merhaba iki gözüm İstanbul'um merhaba.

Aşıboyası sokaklarında ne mevsimler eskimiş
Lacivert Mayıslarda köprüaltları
Ve Boğaziçi'nde Şirket-i Hayriyye
Duman duman...
Merhaba Kızkulesi, merhaba
Eyüpsultan, Kanlıca, Şehremini merhaba...
Merhaba iki gözüm İstanbul'um merhaba

✳✳

NİHÂVEND MAKAMI

Usûlü: Semâî-Nim Sofyan
(Değişmeli)

Beste: Alâeddin Şensoy
Güfte: Aylâ Peken

I —) Gözlerime çöken akşam gibisin
Rûhumda bir alev, gözümde nemsin
Bana hayat veren, ümit verensin
Nim Sofyan: Anlamıyor musun, âşığım sana.

II —) Umûdum bitse de, aşkım tükenmez
Karşımda hayâlin bir lâhza gitmez
Seni anlamaya şu ömrüm yetmez
Nim Sofyan: Anlamıyor musun, âşığım sana.

**

Usûlü: Semâî
Beste: Avni Anıl
Güfte: Şâhin Çandır

"Öyle dudak büküp..."

I —) Öyle dudak büküp hor gözle bakma
Bırak küçük dağlar yerinde dursun
Çokdan unuturdum ben seni, çokdan
Ah bu şarkıların gözü kör olsun.

II —) Güzelsen güzelsin, yok mu benzerin
Goncadır ilk hâli bütün güllerin
Aklımda kalmazdı yüzün, ellerin
Ah bu şarkıların gözü kör olsun.

III —) Bir gülüşün var ki kaş çatar gibi
En sıcak sözlerin azarlar gibi
Hiç bağlanır mıydım çocuklar gibi
Ah bu şarkıların gözü kör olsun.

IV —) Sonunda tuz bastım gönül yarama
Nice dağlar koydun nice arama
Seni terkedip de gitmek var ma
Ah bu şarkıların gözü kör olsun.

**

NİHÂVEND MAKAMI

Usûlü: Semâî

Beste: Avni Anıl
Güfte: Abbas Demirtaş

Söyletenle söyleyen dil hepsi bir
Leylâsıyla Mecnûnuyla hepsi bir
Çeken de bir çekdiren de hepsi bir
Bir olmasa ne olurdu kim bilir
Akçasıyla, karasıyla, sırasıyla insan bir
Yağan yağmur, akan ırmak, deryâ, deniz hepsi bir
Mecnûnun da emeli bir, Leylâsıyla aşkı bir
Bir olmasa ne olurdu kim bilir

※

Usûlü: Semâî

Beste ve Güfte:: Âmir Ateş

Sevgisiz hiç olmuyor
Sensiz çilem dolmuyor
Kalbimde bir gül açdı
Yıllar var ki solmuyor

※

Usûlü: Semâî

Beste ve Güfte: Türkân
Karamağralı

I —) Sevgiler yetmiyor artık sevmeye
Gönlüne bağlanıp gönül vermeye
Dilim varmaz inan *"Bitdi"* demeye
Derdime dert katan bu gizli aşka.

II —) Hem acı hem keder içimde kalan
Anladım ki bütün sözlerin yalan
Verecek bir şeyim yok sana inan
Bir ömür dolusu sevgiden başka

※

NİHÂVEND MAKAMI

Usûlü: Semâî

Beste ve *Güfte:*
Aydın Tekindor

I —) Eski bir şarkıyı söyler denizler
Uyuyan mehtâbda dinler misiniz
Gönlüme yer eden o tatlı gözler
Benim de yolumu gözler misiniz

II —) Şimdi bir hâtıra olsun sizlere
Göklere yükselen şen kahkahalar
Kavuşmak mümkünse o sevgiliye
Beni de götürün ey hâtıralar.

✳✳

NİKRİZ MAKAMI

Usûlü: Muhammes   Beste   Buhurîzâde Mustafa Itrî Efendi

Cânı kullâb-ı ser-i zülfün çeker senden yana
Kûşe-i çeşmin n'olur olsa şehâ benden yana
Gonca-i lâ'lin gül rûyin görenler n'eylesin
Ey boyu servim varıp bir dahi gülşenden yana
Terennüm: Cânım, cânanım yel lel lel le le le lel lel lel lele le
       Lel lel lel lel li âh yâr çeker senden yana

KULLÂB: Çengel, kanca.
ŞEHÂ: Şah, padişah.

✳✳

Usûlü: Zencir   Yusuf Çelebi
                    (Tîz nâm Hâfız Yusuf Efendi)

Gelince çeşmine cânâ şarâb-ı nâb senin
Nigâh-ı nâzın eder âlemi harâb senin
O rûy-i âl'i görenler arak-rîz edip hararet-i mey
Gül cemâlin açmış bu âb u tâb senin
Terennüm: Ya la yel le lel lel lel lel li
       Ya le le lel li yâr şarâb-ı nâb senin
ARAK-RÎZ: Ter döken, terleyen

✳✳

Usûlü: Hafif   Beste   Hâfız Rif'at Efendi
                         (---- , 1720)

Erbâb-ı sûz eylese de hande bir zaman
Terennüm: Te re li le le le le le lel li
        Te re li ye le le le le le lel li
        Ah be li be li tir ye le le li
        Ah be li yâr-i men
Meyan: Âlemnümâlık eyleye dersen çün âyine
               Terennüm.
NOT: Yukarıda yazdığım şekil Beste'nin okunuş şeklidir. Güfte-
nin tamamı, yani murabba okunmak istendikde güfte:

NİKRİZ MAKAMI

Erbâb-ı sûz eylese hande bir zemân
Mânend-i şem' olur yine sûzende bir zemân
Âlemnümâlık eyleye dersen çün âyine
Dursun elinde sâğar-ı rahşende bir zemân

Mef'ûlü Fâilâtü Mefâîlü Fâilün

Sûzende: Yakın, yakıcı. — *âlem-nümâ:* Cihânı gösteren. — *Âyine:*
Ayna. — *Sâğar:* Kadeh. — *Rahşende:* Parıldayan.

**

Usûlü: Çenber   Beste   Hasan Efendizâde
                                                  (Üsküdarlı Âhî Efendi)

Melûl olmak neden ey dil şarâb-ı erguvân yok mu
Seni yoksa safâya sevk eden bir mihribân yok mu
Helâk etdi seni tut dâmânın inkârına bakma
Nice inkâr eden şimşir bir anında kan yok mu

Terennüm: Dil şarâb-ı erguvân yok mu.

**

Usûlü: Yürük Semâî   Nakış Yürük Semâî   *Beste:* Kassamzâde
                                             Güfte: Âsım

Meclis-i meyde sâkîyâ bana ne gül ne lâle ver
Def'i gama devâ için nîmce bir piyâle ver.
Sebze-i pâyimâliyim ben de bu gülşenin felek
Değmez isem su vermeğe bir iki katre jâle ver
Terennüm: Beli be li be li cânânım
              Be li be li sultânım yâr yâr yâr yâr dost dost dost
                                                                  dost
              Muntazır-i cemâlinim, yolunda pâyimâlinim
              Bana terahhum eyle kim âşık-ı bî-mecâlinim
              Gel gel gel gel nîmce bir piyâle ver vay.
SEBZE-İ PÂYİMÂL: Ayak altında ezilen ot, yeşillik.
JÂLE: Kırağı, çığ.

NİKRİZ MAKAMI

Usûlü: Ağır Aksak   Ûdî Nasibin Mehmed Yürü

I —) Kınalı parmakların	Sedefdir tırnakların
Kız ne güzel kızarmış	Kırmızı dudakların
Nakarat: Yürü güzelim yürü	Eteklerini sürü
Peşinden koşar gelir	Delikanlı bir sürü
II —) Yanakların allanmış	Kiraz dudak ballanmış
Belindeki şalvarın	Ucu yere sallanmış
Nakarat: El ele yürüyelim	Haydi köye gidelim
Düğün dernek kuralım	Gülelim eğlenelim

**

Usûlü: Aksak   Tanbûrî Mustafa Çavuş

Elmas senin yüzün gören (Tekrar)
Ayrılır mı kadrin bilen
Elmasımdan mendil aldım (Tekrar)
Mecnûn olur gönül veren
Aman aman aman hâlim pek yaman.
    * * *
Elmasımın sadâsını (Tekrar)
Herkes sever edâsını
Elmasımdan mendil aldım (Tekrar)
Mecnûn olur gönül veren
Aman aman aman hâlim pek yaman
    * * *
Elmas yüzük taksam sana (Tekrar)
Kuzum nişan gelsen bana
Âşıkının gir koynuna (Tekrar)
Mecnûn olur gönül veren
Aman aman aman âlim pek yaman

NOT: (Tanbûrî Mustafa Çavuş'un 36 Şarkısı) adlı ve Dr. Suphi
Ezgi tarafından notaya alınıp hazırlanmış, İstanbul Bele-
diye Konservatuvarı yayını olan kitabın (47. sayfasında)
bu eserin 3. kuplesi şöyledir:

NİKRİZ MAKAMI

Elmas yüzüğü taksam sana
Kuzum nişan gelsen bana
Âşıkının gir koynuna.

Güftenin bu şekilde okunması mümkin değildir. Ayrıca ikinci mısrada mânâ bakımından eksik kalır. Doğrusu yukarıda bizim yazdığımız şekildir. S.A.

**

Usûlü: Aksak

Beste : Sadi Hoşses
Güfte: Cevdet Baybora

Meyhânede kaldık bu gece âh mestiz efendim
Bir şeyle mukayyet değiliz, serbestiz efendim
Ta'n etme bizi sofi gibi gel hoş gör efendim
Bir şeyle mukayyet değiliz, serbestiz efendim.

**

Usûlü: Aksak

Beste : Yüksel Kip
Güfte: Hakkı Petek

Bürünür al tüllere yeşil palmiyelerin
Güneş alev saçıyla tutuşdururken koyu
Yıldızları örtünüp uyursun derin derin
Ne tatlı akşamın var, İzmir'in Kordonboyu.

**

Usûlü: Türk Aksağı   Bir Destân

Beste: Selâhaddin İçli
Güfte: Hasan Kaya Manioğlu

I —) Bir destân dolaşır Bolu dağının
Dumanında, rüzgârında, taşında
Yiğitlerin, güzel köylü kızların
Türküsünde, şenliğinde, düşünde.

II—) Karlı çam dalları, köknar dalları
Göğe kucak açmış çınar dalları
Bahar aylarında dağın yolları
Çiçek çiçek Köroğlu'nun peşinde.

III —) Köroğlu destânı burda yazıldı
Yedigöl yolunda düğüm çözüldü
"Tüfek icâd oldu mertlik bozuldu"
Diye ninni dendi beşik başında

NİKRİZ MAKAMI

Usûlü: Türk Aksağı   Beste : Kani Karaca
                                        Güfte: Ümit Gürelman

Sevginle inan, gönlüme sen başka cihansın
Cânan diyemem ben sana, sen sînede cansın
Gam çekme sakın dinlediğin şarkılarımla
Ölsem de bu gün, kalbime sen, tek heyecansın.

                             Mef'ûlü mefâîlü mefâîlü feûlün
                          ✳✳

Usûlü: Aksak   Türkü

Yörük de yaylasında (aman) yaylayamadım (imanım)
Divâne gönlümü eyleyemedim
Diyecek sözümü (aman) söyleyemedim (imanım)
Yaylamam yaylada kar olmayınca (vay)
Eylemem gönlümü yâr olmayınca vay
               * * *
Yörük de yaylasında (aman) süt bakır bakır (imanım)
Sevdiğim yosmanın gözleri çakır
Güle de bülbül konmuş (aman) ne güzel şakır (imanım)
Yaylamam yaylada kar olmayınca (vay)
İçmem de rakı şarabı yâr olmayınca (vay)
               ✳✳

Usûlü: Aksak   Türkü   Ûdî Kadri Şençalar

Dağ başında tüter duman
Benim efem cesur yaman
Düşmana vermez aman
Benim efem cesur yaman
Nakarat: Sırma cepkenli efem, yanağı benli efem (tekrar)
           Dağları titretirsin aslan yürekli efem (tekrar)
               * * *
Efem seni bekler Fatma'n
Yeter artık silâh atman
Dağı taşı yakıp yıkman
Yaklaşıyor düğün haftan
              (Nakarat)
               ✳✳

NİKRİZ MAKAMI

Usûlü: Düyek   *Beste :* Tanbûrî Fâize Ergin
                                  Güfte: Rûhî Bey

Gönül ne için âteşlere yansın
Hicrinle melûl, pür keder mi kalsın (aman aman kalsın)
Efsûs hâlim mucib-i terahhümdür (aman aman terahhümdür)
Ben helâk oldum o dildâr kalsın (aman aman kalsın)

✱✱

Usûlü: Sofyan   *Beste :* Kemanî Cevdet Çağla
                                  Güfte: Hâlet Hanım

Karanlık rûhumu aydınlatacaksın sandım
İnleyen kırık kalbimi saracaksın sandım
Ebedî aşkımı sen anlayacaksın sandım
Siyah gözlerimden damlayan yaşlarla kaldım
Ne yazık sen de beni anlamadın
Yine mahzûn, yine perişân kaldım

✱✱

Usûlü: Düyek   *Beste :* Kemânî Cevdet Çağla
(Curcuna Değişmeli)   *Güfte:* Osman Cemâl Kaygılı

Benim aşkım, senin aşkın bütün bunlar birer hülyâ
Muhabbetler gönüllerde muvakkat hep birer rüyâ
(Curcuna)
    Hatırlarsın üç ay evvel sevişmişdik biraz güyâ
(Düyek)
    Muhabbetler gönüllerde muvakkat hep birer rüyâ
(Curcuna)
    Uyan ey nazlı uykundan uyan artık o dem geçdi
    Bu yıpranmış köhne yoldan babam geçdi, dedem geçdi
    Üç ay evvel senden bana bir acaib sitem geçdi
(Düyek)
    Muhabbetler gönüllerde muvakkat hep birer rüyâ

✱✱

NİKRİZ MAKAMI

Usûlü: Sofyan   Türkü

I —) Kahve Yemen'den gelir
    Bülbül çemenden gelir
Nakarat: Aman a cânım sürmelim
    -Palazım kekliğim de
    Yeşillim aman aman
        * * *
II —) Dağda keklik kovarım
    Düşdüm dizim ovarım
        (Nakarat)
        * * *
III —) Sen bir paşa kızısın
    Niçin yaya yürürsün
        (Nakarat)

**

Usûlü: Sofyan   *Beste :* Tanbûrî Sadun Aksüt
                                         Güfte: Karacaoğlan

Yanık tenli yörük kızı
Yüreğime verdin sızı
Geçmez oldum yaylalardan
Haber almam turnalardan (Of)
    Gel kız karşımda dursana
    Şu benim hâlim bilsene
    Zülfünden bir tel versene
    Koklayayım gül yerine
Ala gözlü yörük kızı
Koma beni el yerine
Altın kemerin olayım
Dola beni bel yerine (Of)
    Hicine gönlüm hicine
    Yiğide ölüm gecine
    Al beni zülfün ucuna
    Sallanayım tel yerine

**

NİKRİZ MAKAMI

Usûlü: Curcuna   Yesârî Âsım Arsoy

Yalova'nın şen kızını kandıralım alalım
Elâ gözlü dilber yârı sevdâlara salalım
Nâz ederse o ceylânı yatağından çalalım
Nakarat: Edâsı hoş, işvesi hoş, kendisi hoş
      Kokladım oldum sarhoş
      Güzel Yalva, şirin Yalva,
      Bu yaz vallah, yandı tutuşdu Yalva.
       * * *
Yalova'ya gün doğuyor sevgilimiz gelince
Yüzüm güler, gönlüm güler yeşil gözlüm gülünce
Kapanmış bahtım açıldı cemâlini görünce
      (Nakarat)

※※

Usûlü: Curcuna   *Beste :* Kemânî Emin Ongan
                                       Güfte: İ. Hilmi Soykut

O güzel saçlarına hercâi tak demedim
Gönül verdimse sana gönlümü yak demedim
Elimde aşkın sazı, başımda kara yazı
Bırak dedimse nâzı, beni bırak demedim.

※※

Usûlü: Curcuna   İstanbul Türküsü

Gönül sevdi bir duhteri   Benim gibi gam-küsâra
Harâm etdi bana her yeri   Mürüvvetsiz ol sitemkâra
Acep nerde şimdi ol peri   Gönül sevdi âh ne çâre
Beni âteşlere saldı   Neden oldu bu iftirak
Ne aklım ne fikrim kaldı   Nedir bu çekdiğim iştiyak

※※

NİŞÂBÛREK MAKAMI

Usûlü: Zencir   Beste   Enfî Hasan Ağa

Güşâde sînesi bilmem ki bir sehâsı mı var
Acebdir ol şeh-i hüsnün bize atâsı mı var
Meşâm-ı nefha-i bâd-ı hevâsına tevbe
Dedimse zülfüne misk, zan hatâsı mı var
Terennüm: Canım ya le lel li
            Te re li ye le lel lel lel li
            Mirim ya lâ ye lel le le le le lel le li.

Mefâilün/Feilâtün/Mefâilün/Feilün

GÜŞÂDE: Açık
SEHÂ: Cömertlik
ATÂ: Son derece cömertlik
MEŞÂM: Koku alacak yer, burun.
NEFHA: Üfleyiş
MİSK: Güzel koku

✳✳

Usûlü: Aksak Semâî   Ağır Semâî   Enfî Hasan Ağa

Câme-i sürh ile sanma lâl-gûn olmuş gelir
Fedâ edip uşşâkını alûde-hûn olmuş gelir
Çâre-sâz ol ey tabîb-i can ü dil kim hasteye
Kûyuna dermân için zâr u zebûn olmuş gelir
Terennüm: Ah meleğim, ah güzelim
            Var dileğim, yâr meded ey
                        Failâtün/Fâilâtün/Fâilâtün/Fâilün

CÂME: Elbise.
CÂME-İ SÜRH: Kırmızı elbise.
LÂL-GÛN: Al renkli.
ZEBÛN: Aciz.
ÇÂRE-SÂZ: Çare bulan

NOT: Murad Bardakçı'nın özel koleksiyonunda bulunan ve
Tanburî Cemil Bey'in 7 Mayıs 1913'de Dârüttâlîm-i Musiki Ce-

NİŞÂBÛREK MAKAMI

miyeti'ne getirdiği notadan Hakkı Süha Gezgin'in kopya etdiği notada yukarıdaki eserin 2. ve 4. mısraları aşağıdaki gibidir:

2. mısra: Ateş-i aşkınla bahtım pek zebûn olmuş gelir
4. mısra: Te'sîr-i gamla lâ'l-gûn olmuş gelir.

S.A.

**

Usûlü: Hafif   Beste   Muallim İsmail Hakkı Bey

Bir kerre yüzün görmeyi dünyâya değişmem
Câm-ı lebini neş've-i sahbâya değişmem
Ermezken elim meyve-i vasla yine ammâ
Bir kamet-i mevzûnunu tûbâya değişmem.
Terennüm: Gel nazlı cenan, gonca dehen
            Sen kaşı kemansın a civân
            Bir kerre yüzün görmek için
            Kalmadı sabrım gel aman
                    Mef'ûlü/Mefâîlü/Mefâîlü/Feûlün

**

Usûlü: Yürük Semâi   Yürük Semâî   Kassamzâde

Gel ey sabâ o gül-i hoş nümâyı söyleşelim
Ümîd-i lûtf ile harf-ı vefâyı söyleşelim
Aman aman gönül ol tıfl-ı işve-perdâzın
Yakında başladığım nev'edâyı söyleşelim
Terennüm: Canım ye lel ye le lel li
            Mirim te rel le le lel li
            Ömrüm te rel le le le li
            Vefâyı söyleşelim.
                    Mefâîlün/Feilâtün/Mefâilün/Feilün

TIFL: Çok genç
SABÂ: Sabah rüzgârı
İŞVE-PERDÂZ: İşveli
HOŞNÜMÂ: Güzel görünen
NEV-EDÂ: Yeni edâlı

NİŞÂBÛREK MAKAMI

Usûlü: Yürük Semâî   Nakış Yürük Semâî   *Beste:* Ziya Paşa
                                            Güfte: Fuzûlî

Ey gül ne acep silsile-i müşk-i terin var
Ey şûh ne hoş cân alıcı işvelerin var
Azürde dili şerhaledi tünd nigâhın
Ey gözleri âhû ne yaman gamzelerin var
Terennüm: Gel çâre sâzım, dil-nüvâzım
Serv-i bülendim, sensin efendim.
Canım ye le lel li lel lel lel lel li
Yâr işvelerin var.
                        Mef'ûlü/Mefâîlü/Mefâîlü/Feûlün

SİLSİLE-İ MÜŞK-İ TER: Misk gibi siyah ve kokulu örülü saç
                             Sürekli güzel koku.
ÂZÜRDE-DİL: İncinmiş gönül.
TÜND-NİGEH: Sert bakış.
GAMZE: Göz ucuyla bakış.

⁎⁎

Usûlü: Ağır Aksak   *Beste:* Tanbûrî Akın Özkan
                                   Güfte: Şeyh Galip

Ey nihâl-i işve bir nevres fidânımsın benim
Gördüğüm günden beri hâtır-nişânımsın benim
Var mı hâcet kim diyem rûh-ı revânımsın benim
Gizlesem de, âşikâr etsem de cânımsın benim.
                   Fâilâtün/Fâilâtün/Fâilâtün/Fâilün

NOT: Şeyh Galip tarafından yazılmış olan bu harikulâde güftenin ta-
nınmış olan bestesi: Vardoksta Seyyid Ahmed Ağa'ya ait olup,
Muhayyer Sünbüle makamında ve Devri Revân usûlündedir.
Ayrıca, yukarıda kayıtlı olan güftedeki üçüncü mısra'a dikkat
edilirse değişik olduğu anlaşılacakdır. Zirâ güftenin aslında:
"Ben ne hâcet kim diyem rûh-ı revânımsın benim" şeklinde
olması lâzımdır; edebiyatımıza da böylece geçmişdir. Yukarıdaki
güftede olduğu gibi (Var mı hâcet...) şeklinde bestelenmiş olması
bestekârın bir yanılması sonucu olsa gerekdir. S.A.

NİŞÂBÛREK MAKAMI

Usûlü: Ağır Evfer (Türk Aksağı değişmeli)   Nuri Halil Poyraz

Gel gör ki nihan-hâne-i dilde neler oldu (ah)
Her rûz u şebim sâle-dırâz keder oldu (ah)
Enfâs-ı hayatım dahi bir derd-i ser oldu
(Türk Aksağı): Artık çekemem derd-i fırakım yeter oldu
          Günden güne ahvâl-i dilim pek beter oldu
(Ağ.Evfer) : Günden güne ahvâl-i dilim pek beter oldu

Mef'ûlü/Mefâîlü/Mefâîlü/Feûlün

SÂLE: Senelik
DİRÂZ: Uzun

**

Usûlü: Aksak   Bestekârı Meçhul

Meğer oymuş senin derdin
Bana kat'î cevap verdin
Hele maksûduna erdin
Bana kat'î cevap verdin
      * * *
Ne yapdım ben sana ey mâh
Benim hâlimden ol agâh
Uyup eller sözüne vâh
Bana kat'î cevap verdin.

Mefâîlün/Mefâîlün

NOT: Bu şarkının bestekârını Y.Öztuna, T.M. Ans. (C.1) (sh. 28'de) Kemanî Ali Ağa olarak göstermektedir. Kat'i bir mehaz bulunamadı. S.A.

**

NİŞÂBÛREK MAKAMI

Usûlü: Aksak   Tanbûrî Ali Efendi

Görmesem bir lâhza cânânım seni
Ârzû eyler heman canım seni
Kâkülün divânesi olmuş görüp
Bu dil-i âşüfte-sâmânım seni
***
Mest idin dün gece bâde-i pür zûrdan
Gizledin ben âşık-ı mehcûrdan
El sallardın ellere hep dûrdan
Gördüm ey serv-i hırâmanım seni

Fâilâtün/Fâilâtün/Fâilün

NOT: Bu şarkı için, TRT Türk Sanat Musikisi Sözlü
Eserler Repertuarı (Hazırlayan: Tarık Kip) adlı kitabın
103. sahifesinde şöyle kayıt vardır: Usûlü: Devri Hindî,
bestekârı: Mutaf Ali Efendi, Hânende Mecmuası Sh. 368/
1'de: Tanbûrî Ali Efendi'ye kayıtlıdır.
Türk Mus. Ans. C.1-Sh.'31'de (Y.Öztuna) Tanbûrî Ali
Efendi adına kaydetmişdir.S,A.

PÜR-ZÛR: Zorlu, keskin, müessir.

✳✳

Usûlü: Aksak   Hâşim Bey

Gel ey gül-i nâzik-edâ
Olma sakın cevr-âşinâ
Zirâ beğim düşmez sana
Olma sakın cevr-âşinâ
***
Ağyâr ile gezmek nihan
Düşmez sana ey nevcivan
Daha küçüceksin aman
Olma sakın cevr-âşinâ

Müstef'ilün/Müstef'ilün

✳✳

NİŞÂBÛREK MAKAMI

Usûlü: Aksak   Markar Ağa

Harâretle bâde içdim
Mest olup kendimden geçdim
Hülyâ edip ölçdüm, biçdim
Bu sevdâdan ben vaz geçdim.

⁂

Usûlü: Aksak   Hâfız Mehmed Eşref Efendi

Çeşmini süzme bakıp sen ey perişânım aman
Saçma zülfün ağlatırsın, ağlıyor zâten bu can
Hâtırımdan çıkmıyor nâzik hırâmın bir zaman
Saçma zülfün ağlatırsın, ağlıyor zâten bu can
                              Fâilâtün/Fâilâtün/Fâilâtün/Fâilün

⁂

Usûlü: Aksak   Kemençevî Hasan Fehmi Mutel

Niye bilmem ki bugün bende keder var
Ne o sevdâ ne de cânândan eser var
Şimdi artık ne o günler ne o yer var
Ne o sevdâ ne de cânândan eser var.
                              Feilâtün/Feilâtün/Feilâtün

⁂

Usûlü: Raks Aksağı   Nuri Halil Poyraz

Ben görmedim böyle güzel
Âşıkını pek çok üzer
Göz süzerek nâzlar eder
Âşıkını pek çok üzer

Göz görürse gönül akar
Mahmûr bakış canlar yakar
Can yakıcı işve saçar
Mahmûr bakış canlar yakar.

⁂

NİŞÂBÛREK MAKAMI

Usûlü: Yürük Semâî

Beste: Ziya Paşa
Güfte: Nedîm

Mest-i nâzım kim büyütdü böyle bî-pervâ seni
Kim yetişdirdi bu gûnâ servden bâlâ seni
Bûydan hoş, renkden pâkizedir nâzik tenin
Beslemiş koynunda gûya kim gül-i râ'nâ seni

Fâilâtün/Fâilâtün/Fâilâtün/Fâilün

**

Usûlü: Yürük Semâî

Ali Rıfat Bey

Meyledip bir gül-izâra
Döndüm aşkıyla hezâra
Başladım feryâd ü zâra
Döndüm şkınla hezâra.

Sînenîn ey şûh-ı gül-ten
Farkı yokdur yâsemenden
N'olsa senden vaz geçem ben
Âşıkım âşık ne çâre

Fâilâtün/Fâilâtün

**

Usûlü: Sengîn Semâî

Garbis Uzunyan
(Notacı - Kanunî)

Görmek ister dâimâ her yerde çeşmânım seni
Söyle mümkün mü unutmak söyle cânânım seni
Özlüyor nûr-ı hayatım, sevdiğim cânım seni
Söyle mümkün mü unutmak söyle cânânım seni.

Fâilâtün/Fâilâtün/Fâilâtün/Fâilün

**

NİŞÂBÛREK MAKAMI

Usûlü: Türk Aksağı   Nuri Halil Poyraz

Yıllarca süren gamlarımın nâlesi dindi
Rûhum yeni bir nûr-ı meserretle sevindi
Gülzâr-ı dile cennetinin hûrisi indi
Rûhum yeni bir nûr-ı meserretle sevindi

✱✱

Usûlü: Türk Aksağı   Lâtif Ağa

Gel sevdiğim afv et beni
Göreceğim geldi seni
Hasret odu yakdı beni
Göreceğim geldi seni

✱✱

Usûlü: Türk Aksağı   Lem'i Atlı

Varsın gönül aşkınla harâb olsun efendim
Cânânıma nezr eylemişim cânımı kendim
Dermân aradım derdime hicrânı beğendim
Yansın gönül aşkınla harâb olsun efendim.

Mef'ûlü/Mefaîlü/Mefaîlü/Feûlün

✱✱

Usûlü: Türk Aksağı   *Beste:* Münir Nureddin Selçuk
                                                          Güfte: Nedîm

Bir söz dedi cânân ki kerâmet var içinde
Dün geceye dâir bir işâret var içinde
Meyhâne mukassî görünür taşradan ammâ
Bir başka ferah, başka letâfet var içinde
Eyvâh o üç çifte kayık aldı karârım
Şarkı okuyup geçdi bir âfet var içinde
Ey şûh Nedîmâ ile bir seyrin işitdik
Tenhâca varıp Göksu'ya işret var içinde.

Mef'ûlü/Mefâîlü/Mefâîlü/Feûlün

NİŞÂBÛREK MAKAMI

Usûlü: Düyek   Hammâmîzâde İsmail Dede Efendi

Bîgânelik etdin bana   Ağyâr ile germiyyetin
Ey dilber-i cevr-âşinâ   Kâr etdi câna firkatin
Rencîdedir gönlüm sana   Sakınma benden vuslatın
Ey dilber-i cevr-âşinâ   Ey dilber-i cevr-âşinâ

Müstef'ilün/Müstef'ilün

RENCÎDE: İncinmiş, kırılmış.
GERMİYYET: Hararet, sıcaklık, ateşli çalışma.

**

Usûlü: Düyek   *Beste:* Çilingirzâde Ahmed Ağa
                                  Güfte: Mihrî

Bakmazsın âşık pendine
İstersin almak bendine
Gelmem senin ben fendine
Nâz etme kendi kendine

Küsdüm sana ey gonca-fem
Çekme sakın aslâ elem
Gayrı ocni ben istemem
Nâz etme kendi kendine

Müstef'ilün/Müstef'ilün
**

Usûlü: Düyek   Tâhir Ağa

Gülsün yaraşır gül sana   Gül gonca-i zîbendesin
Ziynet siyah kâkül sana   Amma ne zîbâ-handesin
Yansa aceb mi gül sana   Sen bir gül-i nâzendesin
Güller olur bülbül sana   Güller olur bülbül sana
        Nakarat: Hüsnün görüp bu dem seni
            Bülbüle verdim gülşeni
Müstef'ilün/Müstef'ilün

NİŞÂBÛREK MAKAMI

Usûlü: Düyek
                                    Yusuf Ağa

Karlar yağar buram buram   Kucağında pamuk kedi
Yolcu yok ki yolum soram   Annen sana gitme dedi
Evim yok ki açam girem   Kurtlar kuşlar etin yedi
   Nakarat: (Ah) Ada, adalarda kalan yavrum
      Çam, çam dibinde ölen oğlum.

**

Usûlü: Düyek
                                    Tanbûrî Ali Efendi

Ol yosma gönül yıkmıyor   Seyr eyleyip ol esmeri
Bir lâhza cânım sıkmıyor   Oldum gönülden müşteri
Üftâdesinden bıkmıyor   Ol dilberin çokdan beri
Dilden hayâli çıkmıyor.   Dilden hayâli çıkmıyor.

Müstef'ilün/Müstef'ilün
**

Usûlü: Sofyan
                                    Medenî Aziz Efendi

Kırdı geçirdi beni   Dilde emel kalmadı
Sadme-i dehr-i denî   Çille-i ser dolmadı
Yakdı kül etdi beni   Etdiğine doymadı
Sadme-i dehr-i denî   Sadme-i dehr-i denî
                              Müstefilün/Fâilün
**

Usûlü: Müsemmen
                                    Beste: Ziya Paşa
                                    Güfte: Nedim

Bin zeban söylersin ol çeşm-i sühân-perdâz ile
Dâsitanlar şerh edersin bir nigâh-ı nâz ile
Sen itâb-i nâzı kasd etsen dahi ol çeşm-i şûh
Âşıkı memnun eder bir şîve-i mümtâz ile
Fâilâtün/Fâilâtün/Fâilâtün/Fâilün

NİŞÂBÛREK MAKAMI

Usûlü: Müsemmen   *Beste:* Kemâni Cevdet Çağla
                Güfte: Bahtî (Sultan I. Ahmed)

İftirakınla efendim bende tâkat kalmadı
Pâre pâre oldu dil aşkda muhabbet kalmadı
Ol kadar ağlatdı ben bîçâreyi hükm–i kazâ
Giryeden hiç Hazret-i Yâkub'a nevbet kalmadı.

              Fâilâtün/Fâilâtün/Fâilâtün/Fâilün

**

Usûlü: eDüyek   *Beste:* Tanbûrî Selâhaddin Pınar
                 Güfte: Vecdi Bingöl

Ayrılık yarı ölmekmiş (tekrar)
O bir âlevden gömlekmiş (ah)
O âlevin bağrımda dili
Ben böyle sensiz olurum deli
Nerdesin ey sevgili (tekrar)
Hâtıralarda uyutmam seni (tekrar)
Seni unutmam, unutmam seni
Rûhumda ılık nefesin
Kulağımı okşar sesin
Benden uzak, benimlesin
Artık hayâl mi nesin
Ey sevgili nerdesin
Nerdesin ey sevgili (tekrar)

**

Usûlü: Müsemmen   *Beste:* Kanûnî Vecihe Daryal
                 Güfte: Hikmet Münir Ebcioğlu

Gül yüzün soldukça ömrümden siher her neş'eyi
Yıldıran hırçın felâket istiyor bilmem neyi
Ey kader kıskanma aşkım mı günâhımdır benim
Merhamet bekler gönül çokdan unutmuş sevmeyi

             Fâilâtün/Fâilâtün/Fâilâtün/Fâilün

**

NİŞÂBÛREK MAKAMI

Usûlü: Düyek   İsmail Hakkı Nebiloğlu
(Curcuna Değişmeli)

Lâzım değil artık bana can sevgilinindir
Sevdâzedeyim hasretimiz yâd ü enindir
Zehroldu hayat ondan eser pür-kederimdir
(Curcuna değ.) : Efgan ile hiç ağlamasın bülbül utansın
                Neyler susarak inlemeyi bana bıraksın
(Düyek) :   Sevdâzedeyim hasretimiz yâd ü enin

Mef'ûlü/Mefâîlü/Mefâîlü/Feûlün

** **

Usûlü: Düyek   Fehmi Tokay

Açıldı bahçede güller
Eder âvâze bülbüller
Beni mecnûn eden diller
Eder âvâze bülbüller

Mefâilün/Mefâilün

** **

Usûlü: Curcuna   Nuri Halil Poyraz

Sana vâsıl mı değil âh ü figânım meleğim
Sevgilim, rûh-ı hayatım, güzelim, göz bebeğim
Hasretinle ne kadar yaralı bilsen yüreğim
Sevgilim, rûh-ı hayatım, güzelim, göz bebeğim.

Feilâtün/Feilâtün/Feilâtün/Feilün

** **

NİŞÂBÛREK MAKAMI

Usûlü: Curcuna   *Beste:* Kemanî Emin Ongan
                                   Güfte: Betül Ersel

Titrer yüreğim ismini ansam kederinden
Dalsam gözünün rengine bir lâhza derinden
Sönmez ateşin geçse de yıllar üzerinden
Dalsam gözünün rengine bir lâhza derinden
                    Mef'ûlü/Mefâîlü/Mefâîlü/Feûlün

✸✸

Usûlü: Semâî   Neveser Kökdeş

Aşkı fısıldar sesin
Bülbül müsün ah nesin
Beni üzerek neden
Harâb edersin
Nakarat: Bırak kalbine gireyim
        Göz yaşlarımı dökeyim
        İç bu şarab olsun sana
        Yansın senin de yüreğin
            ✸✸✸
Sevmekden daha sevilmek güzel
Gönülde yaşar bu tatlı emel
(Nakarat)
                    ✸✸

Usûlü: Semâî   Neveser Kökdeş

Özleyişler, serzenişler, söyleyişler özden midir
Söyle bana bu bakışlar sevgiden mi kalpden midir
Nakarat: Dinler iken mest olurum, gam, kederi unuturum
        (tekrar)
        Hayat da sen, bahar da sen, pek güzelsin sevgilim sen
        (tekrar)
İnandım artık sana üzülme cânım sen âh buna
Sevdim seni âh yürekden, ayrılmaz seven sevgiliden
        (Nakarat)
                    ✸✸

NİŞÂBÛREK MAKAMI

Usûlü: Çifte Sofyan   Türkü

I —) Fincanı taşdan oyarlar (beyim aman aman) — (Tekrar)
İçine bâde koyarlar (Tekrar)
Güzeli candan severler (beyim aman aman) — (Tekrar)
Al bâde doldur şiyeyi (Tekrar)

***

II —) Fincanın kulbu pek ince (beyim aman aman) — (Tekrar)
Şaşırdım yârı görünce (Tekrar)
Sevdiğimle bir olunca (beyim aman aman) — (Tekrar)
Al bâde doldur şişeyi. (Tekrar)

***

III —) Elmanın bir yanı yeşil (beyim aman aman) — (Tekrar)
At koiun boynumdan aşır (Tekrar)
Serhoşum dilim dolaşır (beyim aman aman) — (Tekrar)
Al bâde doldur şişeyi. (Tekrar)

**

PENÇGÂH MAKAMI

Usûlü: Semâî   — KÂR —   Abdülkadir Merâgî

Ah te ne nen vah te ne nen tuh te ne nen
Ten ta na dir te ne dir bâşın için hasr
Tü kücü vü ilm-edvâr küca tuti be küca zağak ü küh
Havar küca men tutiyem men tutiyem tü zağak küh havari
Yel lel lel lel li te rel lel lel lel li
Te re lel lel lel lel lel lel lel lel li
Ya la ye le la li
Rüsvây küca vü seyr-i gülzâr küca
Ah te ne nen vah te ne nen tuh te ne nen
Ten ta na dir te ne dir bâşın için hasr

NOT: Bu Kâr'ın güftesi çeşitli şekillerde yazılmışdır. Bunun da sebebi
Farsça'yı iyi bilmemekden ileri gelmektedir. Araştırma ve soruş-
turmalarım sonucu güftenin bu şekilde olduğunu öğrendim ve
de yazdım. Ancak, yanlışlık var ise bunun düzeltilmesi için iyi
Farsça bilenlerin yardımı gerekmektedir. Hemen belirteyim ki,
bu eserin kitabımda yer alması sadece Abdülkadir Merâgî'nin is-
minden dolayıdır. Zira bu eseri bütün ömrüm boyunca ne dinle-
dim, ne de icrâ etdim. S.A.

✳✳

Usûlü: Çenber   — Beste —   *Beste:* Buhûrîzâde
                                              Mustafa İtrî Efendi
                                                       Güfte: Nâbî

Pây-i yâre düşmeye ağyârdan nevbet mi var
Sâyesinde nahl-i ümidin meğer râhat mı var
Gâh keman-ı hecr ü gâh dehr-i sitem gâh bâr-ı gam
Âşık-ı fersûde bâzû çekmeğe tâkat mı var
Ömrüm yâr ağyârdan nevbet mi var.

✳✳

-1087-

PENÇGÂH MAKAMI

Usûlü: Fer — Beste — *Beste:* Buhûrîzâde
Mustafa Itrî Efendi
Güfte: Şeyhülislâm
Zekeriyyâ Efendi-zâde
Şeyhülislâm Yahya Efendi

Hem sohbet-i dildâr ile mesrûr idik evvel
Bir baht-ı müsâit deyû meşhûr idik evvel
İşkeste sifâl ile mey içsek n'ola şimdi
Gayret fügen kâse-i fağfûr idik evvel
Terennüm: Ye lel lelel le le le le lel li
Mesrûr idik evvel.

İşkeste: Kırık, kırılmış. — *Sifâl:* Testi, saksı parçaları., Çanak,
çömlek - Orak - Fıstık, ceviz, bâdem kabuğu. — *Fügen:* Atıcı, yı-
kıcı, düşürücü.

＊＊

Usûlü: Aksak Semâî — Ağır Semâi — *Beste:* Abdülkadir Merâgî
Güfte: Hâfız Şirâzî

Bitü nefesi hoş nezedem hoş ne nişistem
Cây-i neşistem ki pür âteş ne neşistem
Ye lel la yel lel la tir la ha dost tir la ha yel lel li
Ey pâdişeh-i hûbân dad ez gam-ı tenhâyi (tekrar eder)
Dil bitü be can amed vakest ki baz ayi aman of (tekrar eder)
Yel lel la yel lel la yel lel la (tekrar eder)
Ye lel la tir yel yel lel li hey canım ye lel la
Tir yel lel li hey mirim ye lel la yel lel la tir la ha dost tir
La ha yel lel li
Mürid-i taat-ı rindanegân meşev Hâfız
Veli maaşır-ı rindân-ı parısa mi baş.

＊＊

PENÇGÂH MAKAMI

Usûlü: Yürük Semâî   Yürük Semâi   Acemler

Müştâk-ı lebed şeker-fürûşân
Men âşık-ı rind-i bâde-nûşem
Ah bu dani tü dani bu dani tü dani (tekrar eder)
Yâr-i men eğer tü zinde-bâşem (tekrar eder)
Bâd-ı seher-i şire-i mâşi
Men âşık-ı rind-i bâde-nâşem

⁕⁕

Usûlü: Aksak   Muallim İsmail
                                           Hakkı Bey

Gazûbâne nigâhın bi-amandır
Yamandır gözlerin cânâ, yamandır
O muharrik nazralar belki cihândır
Yamandır gözlerin cânâ, yamandır

NOT: Bestekâr aynı güfteyi Nikrîz-Aksak olarak da bestelemişdir.

Muharrik: Tahrik eden, yakan.
Nazra: Bakış (bir tek) mısra'ın : *O muharrik nazarlar* şeklinde olması daha doğrudur.

⁕⁕

Usûlü: Aksak   Selânikli Ahmed Efendi

Düşdü âteş firkatinle bu dil-i nalânıma
Nâlişimden uyku girmez tâ seher çeşmânıma
Âteş-i hicrin yakıp kâr etdi gayrı cânıma
Nâlişimden uyku girmez tâ seher çeşmânıma
        * * *
Bir tarafdan mihnet ü gam gönlümü bîmâr eder
Rûz ü şeb bülbül gibi aşkın beni pür–zâr eder
Hâsılı bunca vefâ candan beni bîzâr eder
Nâlişimden uyku girmez tâ seher çeşmânıma
        ⁕⁕

PENÇGÂH MAKAMI

Usûlü: Sengin Semâî   Muallim İsmail Hakkı Bey

Yâd eylerim ebrûlerini hançere düşdüm
Def etmek için mihnet-i dehr-i zamanın
Bir mû-beçeye âşık olup sagre düşdüm
Def etmek için mihnet-i dehr-i zamanın.

Sagr: Sınır - Düşman ağzı olan yer.

**

Isûlü: Düyek   Neyzen Rızâ Bey

Gönlümü aldı bir nihâl-i dil-nüvâz
Eyledi bülbül gibi kârın niyâz
Tavr u reftârı dilcû-hân niyâz
Böyle bir zinde şûh-i ser-efrâz

**

PESENDÎDE MAKAMI

Usûlü: Darb-ı Fetih   Beste   *Beste:* Hammamîzâde
İsmail Dede Efendi
Güfte: Vâsıf

Her ne dem şkıyla deryâlar gibi cûş eylerim
Âlemi bir âh-ı cangâhımla bîhûş eylerim
Vâsıfâ bir neş'e buldum ki şarâb-ı aşkda
Söylesem keyfiyyetim dünyayı serhoş eylerim
Terennüm: Yâr canım yel lel lel li ye lel le lel le lel le le le
le le lel li h h cûş eylerim gel gel be li şâh-ı men.

❋❋

Usûlü: Remel   Beste   Hâfız

Ey nâmdâr-ı fazl ü hüner şâh-ı nüktever
Tutdu sadây-ı âtıfetin dehri serteser
Her an budur duây-ı fakîr eyleyüp safâ
Dilhâhın üzre hem bulasın düşmana zafer
Terennüm: Ah ya le lel li ye le ye le lel li te re li ye le le
Le le le lel lel le le le ah ah be li şâh-ı men
❋❋

Usûlü: Hafif   Beste   *Beste:* Küçük Mehmed Ağa
Güfte: Vâsıf

Ne zaman ol gözü mestâne gelir hâtırıma
İptidâ içdiği peymâne gelir hâtırıma
Beni sevmez deyû bûhûde sitem eylemesin
Sevmem ol mehveşi de ya ne gelir hâtırıma
Terennüm: Ah ben seni ey bî-menendim cümleden a'lâ beğendim
Aman yâr yâr aman be li yâr yâr–i men.

NOT: Bu güfte Santurî Edhem Bey tarafından Hafif usûlünde Beste; Ali Selâhî Bey tarafından da Şedaraban- AğırAksak şarkı olarak bestelenmişdir. S.A.

❋❋

PESENDÎDE MAKAMI

Usûlü: Çenber   Beste   Sultan III. Selim

Her ne dem sâkî elinden sâgar-ı işret gelir
Gelmemek mümkin mi vuslat hâtıra elbet gelir
Âşıkam bir şûha ben kim kesret-i uşşâkdan
Bûs-i dâmân-ı niyâza yılda bir nevhet gelir
Terennüm: Mîrim, cânım aman bî-bedeldir, ince beldir
         Âşıka tulû-i emeldir aman aman aman sâgar-ı işret
         gelir.

✳✳

Usûlü: Ağır Aksak Semâî   Ağır Semâi   Sultan III. Selim

Zîver-i sîne edüp rûh-i revânım diyerek
Emsem ol gonca lebin lâ'lini cânım diyerek
Terennüm: Ey yüzü mâhım varsa günâhım
         Lûtfunla n'olur afveyle şâhım
         Gel gel hâlim yaman oldu
         Gel gel çok zaman oldu
         Şîveli yâr kalmadı karar
         Severim seni eylemem inkâr
         Bana ey mehveş sen eyle şefkat
         Gel gel ah aman diyerek
Meyan: Subha-dek arz-ı niyâz etdim o fettâna bu şeb
         Sevdiğim dilber-i mümtâz-ı cihânım diyerek.
                 Terennüm.
✳✳

Usûlü: Aksak Semâî   Ağır Semâi   Hâfız

Oldukça mevc-i hayretim dîde-i giryân
Müjgân-ı dem-alûdum olur pençe-i mercan
Akdan, karadan bahtım acep eder mi imdâd
Girdâb-ı ham-ı zülfe düşürdü beni devrân
Terennüm: Ye le la ya la ye le la li.
✳✳

PESENDÎDE MAKAMI

Usûlü: Yürük Semâî   Nakış Yürük   Hammâmîzâde
                Semâî   İsmail Dede Efendi

Ey âfet-i âşık-âzâr
Vey gamze-i şûhu gibi hunhâr
Zinhâr, zinhâr olma böyle ağyâr nevâz
Âşık-âzâr âh meded ey âşık-âzâr
Cânım ey sitemkâr gel gel hâl-i perîşânıma rahmeyle
Güzel bâşın için olma cefâ-cû her tavrı pesendîde efendim.

⁑

Usûlü: Yürük Semâî   Yürük   *Beste:* Hammâmîzâde
                 Semâî   İsmail Dede Efendi
                                      Güfte: Saîd

Terennüm: Yel lel li ye le la zîbây-ı men
           Yel lel li ye le la râ'nây-ı men
           Yel lel li ye le yel yel yel yel yel yel li
           Râ'nây-ı men vay (Tekrar eder)
           Ne gönül safâya mecbûr ne esîr-i dilrübâdır(*)
           Der şevketinde şâhım şeb ü rûz işim duâdır
                   Terennüm.
Meyan: Yine bu Saîd-i nâçar gam-ı dehre oldu dûçâr
         Yetiş ey şâh-ı keremkâr meded et dem-i atâdır
                 Terennüm.
(*) Dilberdir diye de görüldü.

⁑

Usûlü: Devr-i Revân   *Beste:* Hâfız Efendi
                                          Güfte: Nâil

Kudum-ı Yemen ikbâlin cihânı eyledi şâdân
Açılsın bahtın olsun hâtırın güller gibi handân
Benim ancak duây-ı devletindir hizmetim her an
Açılsın bahtın olsun hâtırın güller gibi handân

Ne mümkin olmıya rûyin gören ez-cân ü dil mesrûr
Edersin iltifatınla dil-i vîrânesin mâ'mûr
Adüvv-i devlet-i dîne olasın galib ü mansûr
Açılsın bahtın olsun hâtırın güller gibi handân

PESENDÎDE MAKAMI

Usûlü: Aksak   *Beste ve Güfte:* Hâfız Abdullah

Benim serv-i ser-efrâzım
Benim ey çeşm-i şahbâzım
Benim mahbûb-i mümtâzım
Efendim şâh-ı hûbânım

Esîr-i mihnet olmuşdum
Garîb-i firkat olmuşdum
Sana ben hasret olmuşdum
Efendim şâh-ı hûbânım

⁂

Usûlü: Aksak   Hâşim Bey

Ömrüm olmakdadır kütâh
Hep ümidim oldu tebâh
Yazık bunca etdiğim âh
Ne çirkinmiş yazım eyvâh

Yakdı elem tâ ciğerim
Âh ü zâr olmakdadır kârım
Hâl perîşân yok inkârım
Ne çirkinmiş yazım eyvâh.

⁂

Usûlü: Aksak   *Beste:* Usta Yani
                                         Güfte: Vâsıf

Serv-i bülendimsin benim
Zülf-i kemendimsin benim
Âlem pesendimsin benim
Nakarat: Sen sîne-bendimsin benim
          Kendi efendimsin benim

Câm lebindir ey perî
Bezm-i meyin zîb ü feri
Âgûşa alsam var yeri
                    Nakarat.

-1094-

PESENDÎDE MAKAMI

Usûlü: Aksak   Usta Yani

Ey benim âlî pesendin
Sağ ol heman bî-menendim
Safâ kesbeyle efendim
Nakarat: Hüsn-i melek bir perîdir
    Cümlesinin dilberidir
Kaddi mevzûn bir nevcivân
Mânendi yok serv-i revân
Anda iken bu hüsn ü ân
    Nakarat

✳✳

Usûlü: Düyek   *Beste:* Hâfız Efendi
                                        Güfte: İzzet

Etdi eser-i aşk cânıma
Var bir sözüm cânânıma
Nahfîce gelsen yânıma
Var bir sözüm cânânıma

Ben kimle gönlüm eyleyim
Sensiz cihânı n'eyleyim
Makbûl olursa söyleyim
Var birsözüm cânânıma

✳✳

Usûlü: Düyek   *Beste:* İsmet Ağa
                                        Güfte: Senîh

Buldu ferâh cümle ibâd   Lûtf eyleyip şâh-ı zaman
Oldu cihân mesrûr ü şâd   Dünyayı kıldı şâdümân
Şehinşâh-ı âlî nijâd   Mesrûr olup halk-ı cihân
Oldu cihân mesrûr ü şâd   Dünyayı kıldı şâdümân.

✳✳

PESENDÎDE MAKAMI

Usûlü: Düyek

Beste: Numan Ağa

Vâ'deyledin sen şitâda
Zevk edelim bu hevâda
Vakti geldi ol âmâde
Zevk edelim bu hevâda

Ey çeşm-i siyahı mahmûr
Lûtfeyle gel eyle mesrûr
Düşünüp hiç bulma mahzûr
Zevk edelim bu hevâda

**

Usûlü: Düyek

Beste: Rif'at Bey
Güfte: Vâsıf

Olalı endîşe-i zülfünle gönlüm serseri
Olmadım bir gün gam-ı endûh-i hicrinden beri
Gerçi duymuşdum vefâsız olduğun çokdan beri
Her ne hâl ise mürüvvetsiz imişsin ey peri
Şimdi bildim yokmuş aslâ sende insâfın yeri.

İş bu gayret ile yandı sabr ü sâmânım aman
Oldu kârım fikr–i gül rûyinle bülbül-veş figan
Böyle bilmezdim mukaddem ben seni ey nevcivân
Her ne hâl ise mürüvvetsiz imişsin ey peri
Şimdi bildim yokmuş aslâ sende insâfın yeri.

**

Usûlü: Curcuna

Beste: Numan Ağa
Güfte: İzzet

Ben sana bendim
Gel dinle pendim
Dil sana bende
Bil şimdi sen de
İzzet geçerken
Bilmez misin sen

Sensin efendim
Sensin efendim
Olmuş geçende
Sensin efendim
Haz etdi senden
Sensin efendim.

**

RAST MAKAMI

Usûlü: Devr-i Revân   Kâr-ı Muhteşem   Abdülkadir Meragî

Hey ki yâr yâr yâr ten ne nen nâ di ri nâ hey ki dost dost dost
Te ne nen na dir na a di rem la dir na a di rem la dir na
A di rem la dir dir ten nen ne de re dil li ney vay
Hey vay ye le le le lel le le lel la
Kavli muhteşem ah ki küned kavmi be yeften
Ah ha ah ha hey yâr ah ha ah ha hey dost
Ah ha ah ha hey yâr ded de re dil ler ler ti na dil le re dil ler
Ler ti na ter dil li ney vay
Ter dil li ney vay (4 kere okunur)
Ah ti na yen tir la yen tir ye le lel li nâzlım vay
Ah ti na yen ti ri la yen tir yel lel lel li yel yel le le lel
Le le lel la kavli muhteşem.
Ah nigâh me bad o berayed zi kemin
Dir di ri ten na til lil len na a di rem la di ri na a di rem
La dir na dir di ri ten na til lil len na a di rem
La di ri na bi he be resre inanestü ve im.

※※

Usûlü: Hafif   Nakış Beste   Abdülkadir Meragî

İmşeb ki ruhaş çerâğ-ı bezm-i men bûd ahha yâr-ı men
Çeşmim zi-bahâr-ı ârızeş rûşen bûd ahha yâr-ı men
Terennüm: Dir dir ten til lil len ah de re dil li
       Ten de re dil li ten na ahha yâr-ı men
       Ta dir ten til lil len de re dil li
       Ten te re dil li ten na ahha yâr-ı men
Hâne-i sanî:
Kâşâne-i men der ân zemân rûşen bûd ahha yâr-ı men
Tarîkî-i hâne cümle ez revzen bûd ahha yâr-ı men
       (Terennüm)
Açıklaması:
    Bu gece ki onun yanağı meclisimin çırası olur
    Gözüm yanağının baharı ile aydınlanır
    Konağım o zaman aydınlanır
    Evin karanlığı tamâmiyle pencereden olur.

                        RUBÂÎ — AHREB

RAST MAKAMI

Usûlü: Çenber   Beste   Hammâmîzâde İsmail
                                                          Dede Efendi

Nâvek-i gamzen ki her dem bağrımı pür-hûn eder
Bir tarafdan zülfün aklım dağıtıp mahzûn eder
Kâkülün bend eylemişken bu dil-i divâneyi
Dâimâ çeşmin niye bilmem niçün efzûn eder
Terennüm: Ömrüm canım aman bağrımı pür-hûn eder.

Fâilâtün/Fâilâtün/Fâilâtün/Fâilün

NÂVEK: Ok.

**

Usûlü: Çenber   Beste   *Beste:* Zaharya
                                                          Güfte: Nâfiz

Reng-i mevc-i âb-ı zümrütden boyandı câmesı
Serv-i sebz-endâma bâğ oldu çemen hengâmesi
Çâk-ı sînem gibi pâre pâre kılsam nâmesin
Nâfiz'in tahrîrden kat'â kesilmez hâmesi.
Terennüm: Ömrüm canım aman of
          Benim canım cânânım sultânım yâr
          Ye le le le le le lel le lel lel lel li

Fâilâtün/Fâilâtün/Fâilâtün/Fâilün

MEVC: Dalga.
ÂB: Su.
SERV-İ SEBZENDAM: Yeşiller giymiş servi boylu.
HENGÂME: Kalabalık meclis.
ÇÂK: Yırtmak.
PÂRE: Parça.
TAHRÎR: Yazmak.
KAT'Â: Aslâ.
HÂME: Kalem.

**

RAST MAKAMI

Usûlü: Zencir   Murabba Beste   Zekaî Dede

Cûylarla kûhsârda çağlardı Kûhken
Zannetme kendi kendine ağlardı Kûhken
Şîrînin acı sözlerini eyledikçe yâd
Zencîr-i eşke dağları bağlardı Kûhken
Terennüm: Yel le lel lel lel le le le le lel li
      Te re lel le lel le lel le lel lel lel lel lel li
      Yâr çağlardı Kûhken.

Rubâî-Ahreb. Fakat 3. mısraın vezni bozuk.

KÛHKEN: Dağ kazıcı, dağ kazan. Ferhad'ın sıfatı.

✳✳

Usûlü: Hafif   Beste   Tab'î Mustafa Efendi

Seyr eyle o billûr beden tâze firengi
Benzer kızıl elmaya o gül ruhları rengi
Mislin bulamazsın o büt-i işve-perestin
Gezsen yürüsen İsveç'ü Beçle Felemeng'i.
Terennüm: Ye le lel lel le le le le lel li
      Te re lel lel le le le le lel li
      Yen tir yel lel ye le lel lel le le lel li
      Hey canım hey ömrüm hey birim vay
      Hey te ne ta dir ney.

Mef'ûlü/Mefâîlü/Mefâîlü/Feûlün

NOT: Bu bestenin ikinci mısra'ı okunmaz. Bestenin okunuş şekli şöyledir:
1. mısra' ve terennüm
3. mısra: (meyan) terennüm
4. mısra' (yine başa döner) ve terennüm ile biter.

                                           S.A

✳✳

RAST MAKAMI

Usûlü: Muhammes   Beste   Karakızzâde

Mübtelâyım gerçi sana bî-vefâsın neyleyim
Gördüğün her yâr ile sen âşinâsın neyleyim
Bir tabîb-i cansın amma bî-devâsın sevdiğim
Çak merâmımca güzelsin pür-cefâsın neyleyim.
Bî-vefâsın neyleyim.

Fâilâtün/Fâilâtün/Fâilün

NOT: Karakızzâde hakkında hiçbir yerde bir bilgi bulunamadı. Bu ese-
rin güftesi elimizde olduğu halde notası maalesef yokdur. Şâyet
bir koleksiyonerde veya bir merkalıda notası var ise yeniden
Türk musikisi repertuarına kazandırılır. S.A.

**

Usûlü: Ağır Düyek   Kâr-ı Nev   Hammâmîzâde İsmail
                                          Dede Efendi
(Yürük Semâî Değişmeli)

Gözümde dâim hayâl-i cânâ (Ah Ah)
Gönülde her dem cemâl-i cânâ
Hey canım hey ömrüm hey, hey hey héy
Ah ey peri-rû dilber-i râ'nâ civân-ı nâzenin
Ah gam benim şâdi senin, hicrân benim, devrân senin
Yâr benim devrân senin.
Ey şâh-ı cihan ey dilde nihân
Senin gibi güzel efendim var
Var benim, yâr, yâr var benim.
(Yürük Semâî):
Gül yüzlü mâhım
Rahm eyle şâhım
Çeşm-i siyâhım
Âlemde birsin (Tekrar)

NOT: Eser, okunduğu gibi yazılmışdır. S.A.

**

RAST MAKAMI

Usûlü: Aksak Semâî · · · · · · Ağır Semâî · · · · · · Beste: Recep Çelebi
Güfte: Vecdî

Çekmiş yüzüne nikab-ı işve
Ey mazhar-ı âfitâb-ı işve
Kim karşı durur nigâh-ı meste
Gelmiş gözüne şarâb-ı işve
Terennüm: Ten ni ten ni dir dir ten te nen ni ta na te ne dir ney
Ye lel lâ yel lel lâ ye lel li
Ya lâ ya lâ ya lâ yel le lel li

Mef'ûlü/Mefâilün/Feûlün

İkinci mısra "Ey" yerine "Ol" ile başlarsa mânâya muvâfık olur.
NOT: 2. mısra: "Divânçe-i Vecdî"de: (Ey matla-ı âfitâb-ı işve) şeklinde-
dir. S.A.

✳✳

Usûlü: Aksak Semâi · · · · · · Ağır Semâî · · · · · · Bestekârı meçhûl

Hevây-ı aşkına şâhım düşürdü bu dil-i zârım
Terahhüm eyleyip mâhım, gel insâfa be hey zâlim
N'ola olsam da üftâde getirmezsin beni yâda
Kerem kıl bu nâşâda, olup müşkil benim halim

✳✳

Usûlü: Yürük Semâî · · · · · · Nakış Yürük Semâî · · · · · · Beste: Hâfız Post
Güfte: Veysî

Biz âlûde-i sâgar-ı bâdeyiz (yâr)
Anınçün leb-i yâre dildâdeyiz (yâr)
Aceb derdimiz var sorarsa bizi (yâr)
Rakîb ile her dem müdârâdayız (yâr)
Terennüm: Yel lel lel le lel lel le lel lel
Lel le le li yâr

Feûlün/Feûlün/Feûlün/Feûl

RAST MAKAMI

ÂLÛDE: Bulaşmış, bulaşık.
DİLDÂDE: Gönül vermiş, âşık.
MÜDÂRÂ: Yüze gülme, dost gibi görünme.

NOT: Bu çok meşhur yürük semâî (Rehâvî) makamında anılmakda ise
de biz (Rast) makamında kaydetmeyi uygun bulduk. Birçok ka-
yıtlarda da —Rast— diye yazılmışdır. Eserin okunuşunda her
mısra' sonunda terennüm vardır ve tekrar aynı mısra okunur.
S.A.

✲✲

Usûlü: Yürük Semâî   Yürük Semâî   Hâfız Post

Gelse o şûh meclise nâz u tegâfül eylese
Reng-i hicâbı gülşen-i meclisi gülgül eylese
Ta'n-ger-i riyâz-ı huld olur idi vücûh ile
Âşık-ı zârı gülşen-i vaslına bülbül eylese
Terennüm: Tir ye le lel le le le le le le le le le le lel li
           Canım ye le lel lel le le lel le le le lel li

tegafül – bilmemezliğe gelme
hicâb – perde
gülşen – gül bahçesi
riyaz – bahçeler
huld – sonu olmayan
vücuh – yüz

Müfteilün/Mefâilün/Müfteilün/Mefâilün

✲✲

Usûlü: Yürük Semâî   Nakış Yürük Semâî   Muallim İsmail
                                         Hakık Bey

Gülşende yine âh ü enîn eyledi bülbül
Bir nakş okuyup savt-ı hezâr eyledi bülbül

Terennüm: Ten nen ni ten nen ni ten nen ni te ne nen na te
         ne dir ney
Meyan: Olmaz dehen-i yâra müşâbih deyû gonca
        Gül mushâfını açdı yemîn eyledi bülbül
              (Terennüm)

✲✲

RAST MAKAMI

Usûlü: Ağır Aksak

Beste: ŞakirAğa
Güfte: Hasbî

Mûy-i jülidem olupdur serde ankâ lânesi
Düşmüşem bir dâma kim yokdur halâsın çâresi
Zahmıma ur merhemin onulmadı dil yaresi
Şem'-i aşka can atar pervâne-veş dîvânesi

* * *

Bezm-i aşka ney gibi efgân eder pür-gamlara
Şerhalensin sîneler canlar fedâ ol demlere
Pek sakın esrârı ifşâ itme nâ-mahremlere
Şem'-i aşka can atar pervâne-veş divânesi.

Fâilâtün/Fâilâtün/Fâilâtün/Fâilün

ANKA: Hayâli bir kuş.
MÛ: Kıl, saç.
VEŞ: Gibi.
ŞEM': Alev
DÂM: Tuzak
LÂNE: Yuva
JÜLİDE: Karmakarışık.

❋❋

Usûlü: Ağır Aksak

Bolâhenk Nuri Bey

Mâilem bir nazlı yâre
Derdime bulmaz mı çâre
Yandı dil aşkıyla nâre
Giyme cânım penbe hâre
Sinem oldu pâre pâre

Fâilâtün/Fâilâtün

MÂİL OLMAK: Eğilmek, temayül etmek.
HÂRE: Bir çeşit kumaş.

❋❋

RAST MAKAMI

Usûlü: Ağır Aksak

Beste: Kemanî Rıza Efendi
Güfte: Fehîm-i Cedîd
(Süleyman Efendi)

Zümre-i hûbân içinde pek beğendim ben seni
Cismime can ittihâz etdim efendim ben seni
Rûha teşbîh eyledim ey serv-bülendim ben seni
Cismime can ittihâz etdim efendim ben seni

***

Ârızındır gülistân-ı hüsnünün verdi-i teri
Kametindir sâye-i bağ-ı melâhat ar'arı
Cevher-i kân-ı letâfetdir vücûdun ey perî
Cismime can ittihaz etdim efendim ben seni

Fâilâtün/Fâilâtün/Fâilâtün/Fâilün

**

Usûlü: AğırAksak

Ûdî Arşak Çömlekciyan

Beni sevmez bilirim de yine sevsin dilerim
Ne açılmaz, ne uyanmaz, ne âlûde kederim
Yine gönlümü o vefâsız ile her dem üzerim
Sevip de sevilmemek kaderimdir kaderim.

**

Usûlü: Ağır Aksak

Ûdî Selânikli Ahmed Bey

Meyl-i sevdâ eylemez mi ey güzel cânın senin
Cânımı almak mı cânâ bilmem ihsânın senin
Ağladıkça ben gülersin yok mu vicdânın senin
Cânımı almak mı cânâ bilmem ihsânın senin.

Fâilâtün/Fâilâtün/Fâilâtün/Fâilün

**

RAST MAKAMI

Usûlü: Ağır Aksak   Kemanî Tatyos

Çeşm-i cellâdın ne kanlar dökdü Kâğıthane'de
Çağlayan fevvâre-i hûn-i ciğer dil-hânede
Bakma, kaç âhû-hırâmım tutmasın bu kan seni
Çağlayan fevvâre-i hûn-i ciğer dil-hânede
* * *
Dökdüğün kan elverir dünyâyı tûfân eyleme
Zevrâk-ı hûn-ı dili al kana pûyân eyleme
Bir daha vur hançer-i fettânını öldür beni
Çağlayan fevvâre-i hûn-i ciğer dil-hânede
                                     Fâilâtün/Fâilâtün/Fâilâtün/Fâilün
HÛN: Kan.
FEVVARE: Havuzdaki fıskiyeden fışkırıp yükselen su.
DİL-HÂNE: Gönül evi.
HIRÂM: Nazlı, salınarak yürüyüş.
PÛYÂN EYLEMEK: Boğmak.

❋❋

Usûlü: Ağır Aksak   Bimen Şen

Bir tesâdüfle nasılsa sevdi gönlüm pek seni
Mislini insanda görmem olsa da mutlak peri
Tatlı güftârınla yakdın kalbimi hem cismimi
Mislini insanda görmem olsa da mutlak peri.
                                     Fâilâtün/Fâilâtün/Fâilâtün/Fâilün

❋❋

Usûlü: Ağır Aksak   Kanûnî Nubar

Söyle ey şevk-i hayâtım hûrî-i cennet misin
Yoksa insan sûretinde ey perî afet misin
Vech-i pâkin nerde görsem kalbimi tenvîr eder
Söyle Allâh aşkına sen şûle-i ismet misin.
                                     Fâilâtün/Fâilâtün/Fâilâtün/Fâilün

❋❋

RAST MAKAMI

Usûlü: Ağır Aksak   *Beste:* Ûdî Şerif İçli
                                              Güfte: İbrahim Alaçam

Cevr olur imkân-ı vuslat vermeyen iymâların
Zûlm olur artık bu gûna nâz ü istiğnâların
Gün gelir elden gider elbet bahârı hüsnünün
Hangisi kalmış cihanda dem süren Leylâ'ların.

                    Fâilâtün/Fâilâtün/Fâilâtün/Fâilün

**

Usûlü: Ağır Aksak   Kanûnî Hacı Ârif Bey

Geçmiyor eyyâm-ı mihnet, gitmiyor benden melâl
Gönlümü şâd etmiyor bir lâhza ümmîd-i visâl
Neş'eyâb olmak telezzüz eylemek emr-i muhâl
Söndü cism ü cânımı tenvîr eden şevk-ı hayâl
Bir daha görmez miyim mahvoldu mu her ihtimal.

                    Fâilâtün/Fâilâtün/Fâilâtün/Fâilün

**

Usûlü: Yürük Aksak   Hacı Fâik Bey

Mükemmel neş'edârız meyle şimdi
Gönül eğlenmede her şeyle şimdi
Def ü ûd ü kemân ü neyle şimdi
Gönül eğlenmede her şeyle şimdi

                    Mefâîlün/Mefâîlün/Feûlün

**

Usûlü: Aksak   Şakir Ağa

Hiç bulunmaz böyle dilbâz   Pek küçükdür girmez ele
Neler etdi bana bu yaz   Bezme gelir güle güle
Âşıkına gayet kurnaz   Gönlümü pek üzdü hele
Neler etdi bana bu yaz   Neler etdi bana bu yaz

**

RAST MAKAMI

Usûlü: Aksak   Dellâlzâde İsmail Efendi

Seninle neş'eyâbım ben   Seni gördükde ey gül-fem
Safây-ı hâtırımsın sen   Gelir keyfim benim her dem
Mîzâcın lûtf u şefkatken   Alır aklım benim ol dem
Safây-ı hâtırımsın sen   Safây-ı hâtırımsın sen

Mefâîlün/Mefâîlün

NOT: Bazı kayıtlarda usûlü: Ağır Evfer. S.A.

※※

Usûlü: Aksak   *Beste ve Güfte:* Hacı Fâik Bey

Jâleler saçsın nesîm gülzâra dönsün cûybâr
Feyz-i nîsân ile pür olsun çemen, gelsin bahâr
Gülşeni renc-i hazân etdi yeter çün târ ü mâr
Feyz-i nîsân ile pür olsun çemen, gelsin bahâr
Gonca açsın gülbün, artık şâdgâm olsun hezâr.

Fâilâtün/Fâilâtün/Fâilâtün/Fâilün

NOT: Son mısra'daki (şâdgâm) kelimesi bazı kayıtlarda (Bermurâd)
     şeklinde de görülmüşdür.
            Bu şarkının ikinci kuplesi de vardır. ancak okunmamakda-
dır. Şiiriyet bakımından da yetersizdir. S.A.

※※

Usûlü: Aksak   Rif'at Bey

Feryâd ediyor âşık-ı hasretzede her ân
Gönlüm o kara gözleri süzdükçe perîşân
Sevdây-ı mahabbetle yanar bu dil-i sûzân
Sînemde nihân vermez aman nâvek-i müjgân
Nakarat: Başdan ayağa yare-i ebrûy-ı mahabbet
       Çâre dediler olsa olur hâsılı vuslat
Ben nâr-ı mahabbetle yanan âşıkım ey mâh
Âteş saçılır aşkın ile eyler isem âh
Yakdın ciğerim nâire-i vasl ile eyvâh
Hançer mi sokar gamzelerin sîneme her gâh
            (Nakarat)

Mef'ûlü/Mefâîlü/Mefâîlü/Feûlün

RAST MAKAMI

Usûlü: Aksak

Beste: Ahmed Ârifî Bey
Güfte: Sabrî

Bilse bir kerre o şûh hâl-i perişânımızı
Rahm edip yakmaz idi bu derece cânımızı
O ne hikmetdir aceb yarama te'sîr etmez
Kâfir insâfa gelir dinlese efgânımızı
Temelinden yıkılıp oldu harâb içre harâb
Nice tamir edelim bu dil-i virânımızı
Sabr ü sâmânımızı dîdelerin etdi harâb
Şimdi içmek mi diler gamzelerin kanımızı
Eder aşk ehli fedâ varını artık Sabrî
Varalım biz dahî takdîm edelim cânımızı

Feilâtün/Feilâtün/Feilâtün/Feilün

✳✳

Usûlü: Aksak

Beste ve Güfte: Hacı Fâik Bey

Yetiş imdâdıma ey serv-i bülendim
Sana meftûn olalı zülf-i kemendim
Yanıyor âşık-ı bîçârene rahm et
Sana bin cân ile âşıkdır efendim.

✳✳✳

Beni sen gayre kıyas etme civânım
Bana rahm eyle heman lûtfeyle cânım
Bu hakîr Fâik'e hiç yok mu mürüvvet
Sana bin cân ile âşıkdır efendim.

Feilâtün/Feilâtün/Feilâtün

✳✳

Usûlü: Aksak

Medenî Aziz Efendi

Sevdi gönlüm bir dilberi
Kıldım fedâ can ü seri
Kim görse olmaz müşterî
Nakarat: Böyle güzel mâh-peykeri
Sevdimse de vardır yeri.

Mehpâredir ol gül cemâl
Gözler elâ kaşı hilâl
Tarz-ı endâm hûrî misâl

(Nakarat)

RAST MAKAMI

NOT: Bu eser birçok şarkı mecmuasında Dede Efendi adına kayıtlıdır. Münir Nureddin Selçuk'a Şark Musiki Cemiyeti'nden gelen bu eser, Münir Bey'den Emin Ongan'a intikâl etmiş, 1951 yılında da ben bizzat Emin Ongan'dan meşk ettim. Şarkının bestekârı bize Medenî Aziz Efendi olarak bildirildi. S.A.

❋❋

Usûlü: Aksak   Enderûnî Hâfız Hüsnü Efendi

Düşmüş ammâ aşkı, izhâr etmiyor
Anladım beyhûde kim zâr etmiyor
Gelbu hâl-i ibtilâdan geç derim
Lezzet almış gönlüme kâr etmiyor
      * * *
Etmede her hâl-i şûha imtisâl
Eyliyor bîçâre ümmîd-i visâl
Fâriğ ol derlerse eyler infiâl
Lezzet almış gönlüme kâr etmiyor.

                       Fâilâtün/Fâilâtün/Fâilün

❋❋

Usûlü: Aksak   Beste: Hacı Ârif Bey
                          Güfte: Mehmed Sâ'dî Bey

Mükedder derd-i peyderpeyle şimdi
Gönül eğlenmiyor bir şeyle şimdi
Ne meyle, ne nevâ-yı ney'le şimdi
Gönül eğlenmiyor bir şeyle şimdi.
      * * *
Muhabbet vâsıl olmuşdu kemâle
Geçenler benzedi hâb-ı hayâle
Nihâyet yok mudur bilmem bu hâle
Gönül eğlenmiyor bir şeyle şimdi.

                       Mefâîlün/Mefâîlün/Feûlün

❋❋

RAST MAKAMI

Usûlü: Aksak (Yürükçe)   Tanbûrî Küçük Osman Bey

Bin can ile sevdim seni
Lûtf eyle şâd et bendeni
Sensin mürüvvet mâdeni
Lûtf eyle şâd et bendeni
* * *
Sen var iken ey mâh-rû
Bir şûha etmem serfürû
Hasretkeşim çokdan berü
Lûtf eyle şâd et bendeni.

Müstef'ilün/Müstef'ilün

NOT: Gıda-yı Rûh (Ûdî Galip Bey) Sh. 17-1'de şarkının usûlü (Curcuna) olarak kayıtlıdır. S.A

**

Usûlü: Aksak   *Beste:* Giriftzen Âsım Bey
                        Güfte: Mekkî Bey

Ser tâ kadem ey penbe ten
Mecbûrun oldum işte ben
Lûtf eyle gel ey gül-beden
Mecbûrun oldum işte ben
* * *
Başın içün ey mehlikâ
Etme bana cevr ü cefâ
Giryânınım subh u mesâ
Mecbûrun oldum işte ben.

Müstef'ilün/Müstef'ilün

NOT: Gıda-yı Rûh (Ûdî Galip Bey) bu eserin her iki kuplesinin son nakaratlarını (Virâne gönlüm eyle şen) mısra'ı ile yazmışdır. S.A.

**

RAST MAKAMI

Usûlü: Aksak   Muallim İsmail Hakkı Bey

Kıskanır her gece senden beni zülf-i tannâz
Saklıyor sîne-i üryânını benden yaramaz
Kokladıkça saçıyor rûhuma bir nükhet-i râz
Sen uyursun da niçin zülf-i perîşân uyumaz
Dağılır zülf-i terin göğsünün üstünde kalır
O ıtırnâk terini nükhet-i sînenden alır.

Feilâtün/Feilâtün/Feilâtün/Feilün

※※

Usûlü: Aksak   Lâvtacı Hristaki

Çalıma bak efede (Haydindi efede)
Nasıl durmuş tepede (Haydindi tepede)
Açık saçık bele de (Haydindi bele de)
Tırabulus fese de (Haydindi fese de)
   Başı göğe eriyor (Haydindi eriyor)
   Bulutlara giriyor (Haydindi giriyor)
        * * *
Efe delikanlıdır
Şanlıdır hem anlıdır
Gözleri dumanlıdır
Sanki dokuz canlıdır
   Feleğe taş atıyor
   Halka tafra satıyor.

NOT: Bu şarkının ikinci kuplesinde de her mısra' sonunda (Haydindi...) terennümü vardır. S.A.

※※

Usûlü: Aksak   Kemanî Tatyos

Beni dil–gîr ederken âh visâli
Kul olmuş kurban idim ben zavallı
O lezzetle hayâlimde hayâli
Husuf-ı nâza girdi meh cemâli
Görünmez idi ümmıdin hilâli.

Mefâîlün/Mefâîlün/Feûlün

DİL-GÎR: Gönül tutan, Gücenik, Kırgın, Kalbe sıkıntı veren.
HUSÛF: Ay tutulması.

RAST MAKAMI

Usûlü: Aksak   Kanûnî Garbis

Gönül kurtulmuyor derd ü elemden
Rehâyâb olmadı bir lâhza gamdan
Berî oldum safâdan câm-ı Cem'den
Rehâyâb olmadı bir lâhza gamdan.

Mefâîlün/Mefâîlün/Feûlün

**

Usûlü: Aksak (Yürük)   *Beste:* İsak Varon
                                          Güfte: Rûhi Vâmık Bey

Cân alan gözlerine yandı gönül
O yalan sözlerine kandı gönül
Seni bir ehl-i vefâ sandı gönül
O yalan sözlerine kandı gönül

Feilâtün/Feilâtün/Feilün

**

Usûlü: Aksak   Tanbûrî Refik Fersan

Bir alev yağmurudur gözlerinin her bakışı
Bir ateşden sel olur kalbime şimşek çakdırır
Kaşının ay yüzüne çizdiği sevdâ nakışı
Kara bahtımda açan bir kara sevdâ gibidir.

Feilâtün/Feilâtün/Feilâtün/Feilün

NOT: 2. mısrada vezin bozukdur.

**

Usûlü: Aksak   *Beste:* Mildan Niyazi Ayomak
                                      Güfte: Kemâl Şâkir Bey

Aşkı hüznümle yaratdım bu gece
Seni bestemde yaşatdım bu gece
Gözünün açdığı unmaz yaramı
Acı bir yaşla kanatdım bu gece.

Feilâtün/Feilâtün/Feilün

**

RAST MAKAMI

Usûlü: Aksak   Selânikli Ûdî Tevfik Kılıççı

Bu gün hâl-i firâk-ı yâr ile bî-tâb ü giryânım
Garibim derd-i hasretle aman çâk-i giribânım.
Çıkar eflâke her demde sadây-ı rikkat-efşânım.
Ki gâib oldu dîdemden o yâr-ı mihr-i tâbânım.
Nakarat:
       Aman sâkî, canım sâkî, anınçün pek perişânım
       Heman sun sâgarı bâri sen ol dâfî-i efkârım.
                     * * *
Ne müşkilmiş tahammül eylemek sevdâ vü hicrâna
Gidiş neş'em tamâmiyle tehavvül etdi efgâna
Hele geldikçe o mâhın hayâli ufk-ı çeşmâna
Ne mümkin kılmamak cânın fedâ ol demde cânâna.
                     (Nakarat)
              Mefâîlün/Mefâîlün/Mefâîlün/Mefâîlün
                     **
Usûlü: Aksak   *Beste:* Selâhaddin Pınar
                                  Güfte: Selim Aru
                     1959
Akşam oluşundan çözülür gönlüme derdin
Gitdin bırakıp aşkımı elden ele verdin
Yalnız benim ol, gel, beni öp, sev, emi derdin
Görsen beni bir şimdi gülerdin deli derdin.
NOT: Bu eserin notası öldüğü gece Selâhaddin Pınar'ın cebinden çıkdı.
     En son eseridir. Notayı cebinden bizzat ben çıkarmışdım. Beste
     tarihi: 6.11.1959. Fenerbahçe. S.A.
                     **
Usûlü: Aksak   *Beste:* Selâhaddin Pınar
                                  Güfte: Vecdi Bingöl
Söylemek istesem gönüldekini
Dilime dolanan ıztırâb olur
Yazsaydım derdimin ben bir tekini
Ciltlere sığmayan bir kitab olur
(Ah) Ne yaman çileli bir insanmışım
       Sunulan her zehri şifâ sanmışım
       Ah ne aldanmışım, ne aldanmışım
       Aldanan gönülde aşk serâb olur.

-1113-

RAST MAKAMI

Usûlü: Aksak   Nigâr Gâlib Hanım

Severim çehreni bir gül diye ben
Doyamam gözlerinin rengine ben
Çekerim hasreti çılgın gibi ben
Yanarım aşkına düşdüm diye ben

Feilâtün/Feilâtün/Feilün

❋❋

Usûlü: Aksak   Ûdî Şerif İçli

Gitdikçe güzel gözlerini nûru süzüldü
Öksüz gibi bakdı yüzüme boynu büküldü
Hep ağladı durdu o gece pek çok üzüldü
Öksüz gibi bakdı yüzüme boynu büküldü.

Mef'ûlü/Mefâîlü/Mefâîlü/Feûlün

❋❋

Usûlü: Aksak   Fehmi Tokay

Bir bakışla bağladın zülfüne şeydâ dili
Hüsnünün oldum esiri söyle şimdi neyleyim
Kesip zencirim sakın etme cânân red beni
Hüsnünün oldum esiri söyle şimdi neyleyim.

❋❋

Usûlü: Aksak   *Beste:* Melâhat Pars
                                      Güfte: Mahmud Nedim Güntel

Bin dertle yanan gönlüme bir zerre devâ yok
Gülsem bile ben, sûz-i ciğergehde nevâ yok
Zevk kalmadı artık bu virân hânede sensiz
Sevmek gibi dert, aşk gibi dünyada belâ yok.

❋❋

RAST MAKAMI

Usûlü: Aksak
Beste: Hammâmîzâde İsmail Dede Efendi
Güfte: Eyyûbî Miralay Bahâeddin Bey

Ağlatırlar, güldürürler
Çeşmim yaşı sildirirler
Bunlar adam öldürürler
Kimler kimler kara gözlüler
Ah şirin sözlüler
Gönül evine girerler
Âşıkın aklın alırlar
Yüze gülerler

**

Usûlü: Yürük Aksak
Beste: İsmail Bahâ Sürelsan
Güfte: M. Korman - H. Özgen

Ay gülsün ufukdan sana, sen bak ona gül de
Mehtâbı gezindir yine binlerce gönülde
Dön kıvrılarak dön güzelim ince belinle
Mehtâbı gezindir yine binlerce gönülde
* * *
Âteşli bakışlar yine bir kor gibi yaksın
Raksın coşarak rûhlara seller gibi aksın
Döndükçe güzel bir yeni devrân olacaksın
Mehtâbı gezindir yine binlerce gönülde
Mef'ûlü/Mefâîlü/Mefâîlü/Feûlün

**

Usûlü: Aksak
Beste ve Güfte: Sadi Hoşses

Elâ gözlüm sana bilmem can mı dayanır
Gül a canım gamzelerine yürek mi dayanır
Kirpiklerin aşk okudur, gözlerinde okunur
Süzme a canım o gözlere nazar dokunur.

**

RAST MAKAMI

Usûlü: Aksak   Dr. Alâeddin Yavaşça

Sundun bana aşk iksirini göz bebeğinden
Uçdun o ilâhî adada sanki teninden
Nûruyla güzel gözlerini görmeği her an
Allah, biliyor zevk duyarak istiyorum ben

Mef'ûlü/Mefâîlü/Mefâîlü/Feûlün

米米

Usûlü: Aksak   Bestekârı??

Sormayın âyâ ne oldum
İşte bin divâne oldum
Âleme bîgâne oldum
İşte ben divâne oldum.

Fâilâtün/Fâilâtün

NOT: Bu eserin bestekârı hakkında çeşitli kayıtlar vardır.
TRT Türk Sanat Musikisi Sözlü Eserler Repertuarı adlı kitabın 207. sayfasında Tarık Kip, Civan Ağa olarak kaydetmiş; Şarkı Güfteleri 1. ciltte (Muharrem Taşçı) sayfa 23'de Leon Hancıyan olarak belirlemiş, eserin usûlünü de (Aksak) olarak göstermiştir. Türk Musikisi Ansiklopedisi Cilt 1 Sayfa 249'da Yılmaz Öztuna, güftenin ilk mısra'ını: (Sorma pek âyâ ne oldum) diye kaydetmiş. Bestekârını Leon Hancıyan olarak, usûlünü ise (Aksak) olarak belirtmiştir. Hânende, Hacı Arif Bey Mecmuâsı, Cami ül Elhân, Hâşim Bey mecmuâsı ve diğer bazı şarkı mecmualarında bu eserin güftesinin bulunmaması da dikkate değer.

S.A.

米米

Usûlü: Aksak   *Beste ve Güfte:* Yük. Müh. Erdoğan Berker

II —) Kıskanırım kendimden
I —) Yüreğim alev alev   O güzel gözlerini
Yanıyor hasretinle   Sevginle doluyorum
Gözlerimde hâyâlin   Ne zaman görsem seni
Gitmiyor bir an bile   *(Nakarat)*
Nakarat: Aşk bu değil mi   III —) Bakınca gözlerine
Aşk bu değil mi   Mutluluk içiyorum
Söyle sevgilim söyle   Sevdâ bülbülü gibi
Aşk bu değil mi   Kendimden geçiyorum.
(Nakarat)

RAST MAKAMI

Usûlü: Aksak

Beste: Vecdi Seyhun
Güfte: Recâizâde Ekrem

I —) Hûban içinde ser-firâz
Sevdim yine bir işve-bâz
Hem nâzenin, hem dil-nüvâz
Sevdim yine bir mihrinâz

II —) Âyine-i ruhsârı nûr
Mestâne çeşmi pür gurûr
Reşk-i melek mahsûd-ı hûr
Sevdim yine bir işvebâz

III —) Nâziklerin en dilberi
Dilberlerin nâzik-teri
Nâz etse de vardır yeri
Sevdim yine bir mihrinâz.

Ser-firâz (Ser-efrâz): Benzerlerinden üstün olan. — *Reşk:* Kıskanma. — *Mahsûd:* Hased edilen, kıskanılan. — *Hûr:* Güneş, cennet kızları. — *Nâzik-ter:* Çok fazla nâzik olan.

❋❋

Usûlü: Aksak

Nihâl Erkutun

Maziyi nasıl taşlara çizmişse denizler
Aşkın ebedî tarihidir yüzdeki izler
Yıllar bile dünden bize bir hâtıra gizler
Aşkın ebedî tarihidir yüzdeki izler.

Mef'ûlü/Mefâîlü/Mefâîlü/Feûlün

❋❋

RAST MAKAMI

Usûlü: Aksak *Beste:* Gültekin Çeki
Güfte: Bekir Sıtkı Erdoğan

Karagözlüm efkârlanma gül gayrı
İbibikler öter ötmez ordayım
Mektubunda diyorsun ki gel gayrı
Sütler kaymak tutar tutmaz ordayım.

Dağlar taşlar bu hasretlik derdinde
Sabır sebât etmez gönül yurdunda
Akşam olur tepelerin ardında
Daha güneş batar batmaz ordayım.

Mor dağlara karargâhlar kurulur
Eteğinde bölük bölük durulur
On dakika istirahat verilir
Tüfekleri çatar çatmaz ordayım.

Bahar geldi, koyun kuzu koklaşdı
İki âşık dört senedir bekleşdi
Kara gözlüm, düğün dernek yaklaşdı
Vatan borcu biter bitmez ordayım.

⁂

Usûlü: Aksak *Beste:* Vecdi Seyhun
Güfte: Behçet Kemal Çağlar

1958

Gün gelmiş tellerine dökülmüşdür gözyaşım
Gel elli yıl bağrıma basdığım arkadaşım
Ben ki emellerimle tellerine sırdaşım
Gel elli yıl bağrıma basdığım arkadaşım.

⁂

Usûlü: Aksak *Beste:* Ziya Taşkent
Güfte: Orhan Ete

Bir gün geleceksin diyerek yollara düşdüm
Hasretle perîşan ne garip hâllere düşdüm
Bakdım da senin gelmen için başka ümit yok
Cânânla visâl vâ'd edilen fallara düşdüm.

⁂

RAST MAKAMI

Usûlü: Aksak   *Beste ve Güfte:* İsmet Çetinsel

Değil yüzünü görmek, sesini duymak için
Çekdiklerimi bir ben bir de Allah'ım bilir
Benden kaçışın niye, vefâsızlığın niçin
Etdiklerini bir ben bir de Allah'ım bilir.

✳✳

Usûlü: Aksak   *Güfte ve Beste:* Ümit Gürelman

Yılızların altında otur, sâhili seyr'et
hicrânımı kalbinde duyup, sevgimi yâd'et
Çık hâtıralardan yine gel, bendeni şâd'et
Rüyâda bir akşam bana son vuslatı vâd'et.

Mef'ûlü/Mefâîlü/Mefâîlü/Feûlün

✳✳

Usûlü: Aksak   *Beste:* Dr. Alâeddin Yavaşça
                                Güfte: Cemâleddin Yavaşça

Sevdim seni, aşkım da, hayâtım da senindir
Meftûnun olan gönlüme gir kendi evindir
Gel gör güzelim ordaki sevdâ ne derindir
Hicrinle yanan rûhumu vaslınla sevindir.

Mef'ûlü/Mefâîlü/Mefâîlü/Feûlün

✳✳

RAST MAKAMI

Usûlü: Devr-i Hindî

Beste: Hacı Ârif Bey
Güfte: Ziyâ Paşa

(Curcuna Değişmeli)

Ehl-i dil isen kendine zevk eyle cefâyı
Mihnetde bulur âşık olan zevk u safâyı
Sermest-i mey ol bir yana fikr-i sivâyı
Sermâye-i hâzz eyle hemen aşk u havâyı
Nakarat: (Curcuna)
    İç bâde güzel sev var ise akl ü şuûrun
    Dünya var imiş ya ki yok imiş ne umûrun
        * * *

(Devr-i Hindî):
Dehrin olamaz derdine âlâmına pâyân
Zirâ ne biter ne tükenir mihnet-i devrân
Pür-neş'e ol eğlen mey ü mahbûb ile her an
Ömrün geçirir zevk ile her sâhib-i irfân
(Nakarat)

Mef'ûlü/Mefâîlü/Mefâîlü/Feûlün

FİKR-İ SİVA: Beraber olma fikri
SİVA: Gayr, başka

**

Usûlü: Devr-i Hindî

Rif'at Bey

İltifatın eyledi ihyâ beni
Kem nazardan saklasın mevlâ seni
Zîyb-i bağ-ı nâz edip sen gülşeni
Kem nazardan saklasın mevlâ seni
      * * *
İntizâm-ı câmeden vârestesin
Nûra teşbîh eylesem şâyestesin
Verd-i nâzım nâzik ü gül-destesin
Kem nazardan saklasın mevlâ seni

Fâilâtün/Fâilâtün/Fâilün

ZÎYB: Süs.

RAST MAKAMI

Usûlü: Devr-i Hindî   Hacı Fâik Bey

Levm eder tâ haşre dek gönlüm bana
Ben bu cânı sana etmezsem fedâ (yazık bana)
Bilmiş olsun cümle yâr ü âşinâ
Âşıkım kayd-ı hayat ile sana (cânâ sana)
* * *
Bakma, kalb-i hâtırım virânedir
Hasret-i rûyınla dil dîvânedir
Bana halk aklım gibi bîgânedir
Âşıkım kayd-ı hayât ile sana (cânâ sana)

                                    Fâilâtün/Fâilâtün/Fâilün

2'nci kuple ilk mısra
(Yıkma kalb-i hatırım) şeklinde de görüldü. S.A.
**
Usûlü: Devr-i Hindî   Neyzen Şeyh Ali Rıza Efendi

Şem'i hüsnünün pervânesiyim
Hicr-i zülfünün divânesiyim
Çeşm-i mahmûrun mestânesiyim
Hicr-i zülfünün divânesiyim.
**
Usûlü: Devr-i Hindî   Kanûnî Âmâ Nâzım Bey

Sevdiğim çeşm-i siyahım niçin benden kaçarsın
Ağlatırsın, inletirsin, bana kaşın çatarsın
Âhû gözlüm, şirin sözlüm, neden baygın bakarsın
Ağlatırsın, inletirsin, bana kaşın çatarsın.
**
Usûlü: Devr-i Hindî   Kemençevî Aleko Bacanos

Câna tercih eylemişken şîvekârım ben seni
Üzdün, incitdin, harâb etdin, bitirdin sen beni
Yara açdın sîneme mahv eyledin cism ü teni
Üzdün, incitdin, harâb etdin, bitirdin sen beni.

                        Fâilâtün/Fâilâtün/Fâilâtün/Fâilün
**

RAST MAKAMI

Usûlü: Devr-i Hindî   Fehmi Tokay

Gönlümün ezhâr içinde gül gibi dildârı var
Neyleyim her sevgisinde bir yığın ağyârı var
Gül sevenler katlanır hârın dil-âzâr cevrine
Her gülün bir goncası, her goncanın bir hârı var

Fâilâtün/Fâilâtün/Fâilâtün/Fâilün

**

Usûlü: Devr-i Hindî   Kemanî Hüseyin Coşkuner

Senden ayrı yaşayamam çünki çok sevdim seni
Hasretine dayanamam sen de terketme beni
Ben bir bahtı karalıyım, yeter ağlatma beni
Hasretine dayanamam sen de terketme beni

**

Usûlü: Devr-i Hindî   Neveser Kökdeş

Ey gül-i râ'nâ seni bir gül diye sevdim
Kokladığım zülfünü sünbül diye sevdim
Dinlediğim nağmeni bülbül diye sevdim
Gel yüzü gül, saçı sünbül, nağmesi bülbül
Fasl-ı bahâr geldi sen de biraz gül.

**

Usûlü: Devr-i Hindî   (Bestekârı bilinmiyor)

Dönse âlem ser-te-ser gülzâra hep
Üstüne gül koklamam ey gonca-leb
Bu kadar cevre nedir bilmem sebep
Üstüne gül koklamam ey gonca-leb

* * *

Firtatin yakdı dil-i virânımı
Merhamet kıl gûş edip efgânımı
Tiğ-i aşkınla döküp al kanımı
Üstüne gül koklamam ey gonça-leb

Fâilâtün/Fâilâtün/Fâilün

RAST MAKAMI

Usûlü: Yürük Semâî   Hammâmîzâde İsmail Dede Efendi

Yüzündür cihânı münevver eden
Fedâdır yoluna bu can ü bu ten
Nakarat: Seninçün yandığım nedendir neden
    Senden midir, benden midir, dilden midir bilmem bu
    âh.

* * *

Niçin sen kıyarsın acep dostuna
Kapıldım elâ gözlerin mestine
Mâilim ol gonca gülün üstüne
          (Nakarat)

NOT: Bu eserin ikinci kuplesi okunmaz. Buna rağmen biz güftenin ta-
    mamını yazmayı uygun bulduk. S.A.

✳✳

Usûlü: Yürük Semâî   Rif'at Bey

Gözümden ey perî-rûyum
Niçin oldun nihân söyle
Bana rahmet helak oldum.
Nakarat: Gel üzme sen beni böyle
    Efendim gel aman söyle.

* * *

Beni cevrin nizâr etdi
Dü çeşmim eşk-bâr etdi
Sükûtun câna kâr etdi
(Nakarat)

Mefâîlün/Mefâîlün

NOT: Ankara Radyosu'ndaki bir notada eserin usûlü (Curcuna) olarak
    yazılmışdır. S.A.

✳✳

RAST MAKAMI

Usûlü: Yürük Semâî   *Beste:* Münir Nureddin Selçuk
       Güfte: Vecdi Bingöl

Erdi bahar sardı yine neş'e cihanı (a canım)
Eğlenelim, raksedelim lâle zamanı
Açdı bu dem nâz ile gül gonca dehânı
Dinleyelim bülbülü gel lâle zamanı
     * * *
Fasl-ı bahar seyrine çık sen bize gel de (a canım)
Gönlümüzü şâd edelim bezm-i emelde
Bağda bahar sînede yâr bâdeler elde (a canım)
Mey içelim, eğlenelim lâle zamanı
            Müfteilün/Müfteilün/Müfteilün/Fâ'
     ❋❋

Usûlü: Sengin Semâî   Hammâmîzâde İsmail Dede Efendi

Dil bir güzele meyl etdi hele
Fâş etme ele sevdim ben seni
Nakarat: Gel gel dil sevdi seni (Tekrar)
         Aman, rûyinde beni aman
         Ol sîm gerdeni yakdı bendeni.
     * * *
Samur gibi kaş, on altıdır yaş
Gel eyleme fâş sevdim ben seni
         (Nakarat)
     ❋❋

Usûlü: Sengin Semâî   Zekâî Dede

Durmaz işler tâ ciğerden hançerinin yaresi
Böyle câir olmasın hiç kimsenin mehpâresi
Bulsalar Ferhâd ile Şîrin bulurdu çâresin
Ehl-i aşkın ölmeden gayrı bulunmaz çâresi.
            Fâilâtün/Fâilâtün/Fâilâtün/Fâilün

CÂİR: (Ar. Sıfat. Cevr'den) Zûlm eden, eziyet eden, cevr eden.
     ❋

RAST MAKAMI

Usûlü: Sengin Semâî   Ûdî Selânikli Ahmed Efendi

Bilmem ki nedendir bana sen hor bakıyorsun
Yapma güzelim böyle yürekler yakıyorsun
N'oldun, neye gitdin, ne tarafda çakıyorsun
Yapma güzelim böyle yürekler yakıyorsun
Mef'ûlü/Mefâîlü/Mefâîlü/Feûlün

**

Usûlü: Sengin Semâî   *Beste:* Kemanî Tatyos
                               Güfte: Ahmed Râsim Bey

Bir gönlüme bir hâl-i perişânıma bakdım
Zâlim seni yâd eyleye âh eyleye çakdım
Sen yoksun, o yok, ben yalınız çıldıracakdım
Zâlim seni yâd eyleye, âh eyleye çakdım.
Mef'ûlü/Mefâîlü/Mefâîlü/Feûlün
**

Usûlü: Sengin Semâî   Lem'i Atlı

Bu zevk u safâ sahn-ı çemenzâra da kalmaz
Güller dökülür bülbül ölür hâra da kalmaz
Bu nâz ü edâ şûh-ı sitemkâra da kalmaz
Sabr eyle gönül vuslatı ağyâra da kalmaz
Güller dökülür, bülbül ölür, hâra da kalmaz
Mef'ûlü/Mefâîlü/Mefâîlü/Feûlün
**
Usûlü: Sengin Semâî   *Beste:* Yektâ Akıncı
                               Güfte: N. Hilmi Özeren

Ömrün bu hâzân mevsimi hep âh ile geçdi
Âlemde felek zûlm edecek bir beni seçdi
Rûhum bu hayâtın yalınız zehrini içdi
Âlemde felek zûlm edecek bir beni seçdi
Mef'ûlü/Mefâîlü/Mefâîlü/Feûlün
**

RAST MAKAMI

Usûlü: Sengin Semâî   Beste: Nureddin Cemil Sangan
                                       Güfte: Midhat Bey

Âteş saçıyor gözlerininşû'lesi dilber
Kâm aldı gönül, aşkıma oldun yine rehber
Ben aşka vedâ etmiş iken hayli zamandır
Kâm aldı gönül, aşkıma oldun yine rehber

Mef'ûlü/Mefâîlü/Mefâîlün/Feûlün

✳✳

Usûlü: Türk Aksağı   Beste: Hacı Ârif Bey
                                       Güfte: Keçecizâde Molla

Seyl-i âteşden emîn olmaz yapılmış hâneler
Rahat isterlerse mâ'mûr olmasın virâneler
Bir gelen bir dahi gelmez bak sana ey dehr–i dûn
Böyle tekdir eylemez mihmânı sâhib-hâneler
NOT: Bu eserin ilk kuplesinin son mısra'ı:
"Böyle mi ikrâm eder mihmâna sâhib-hâneler" şeklinde de gö-
rüldü. İkinci kuplesi ise güfte bakımından hiç de okunacak şekil-
de değildir. Bu sebeple yazmadık. S.A.

✳✳

Usûlü: Türk Aksağı   *Beste:* Hacı Ârif Bey
                                       Güfte: Nef'î

Esdi nesîm-i nev-bahâr, âçıldı güller subh-dem
Açsın bizim de gönlümüz, sâkî medet, sun câm-ı Cem
Erdi yine ürdibehişt, oldu havâ anber-sirişt
Âlem behişt-ender-behişt, her gûşe bir bağ-ı irem.

* * *

Gül devri, ayş eyyâmıdır, zevk u safâ hengâmıdır
Âşıkların bayramıdır, bu mevsim-i ferhunde-dem
Dönsün yine peymâneler, olsun tehî humhâneler
Raks eylesin mestâneler, mutribler etdikçe negam.

Müstef'ilün/Müstef'ilün/Müstef'ilün/Müstef'ilün

✳✳

RAST MAKAMI

Usûlü: Türk Aksağı · Hacı Ârif Bey

Ey gül-nihâl-i işve-bâz
Aşûb-ı cân ü şîve-sâz
Gönlüm sana eyler niyâz
(Nakarat): Sahrâlara azm edelim
Tenhâca bir bezm edelim

Sun nâz ile câm ü mülü
Mest eyle gel mahzûn dili
Bağ-ı safânın bülbülü
· (Nakarat)

Müstef'ilün/Müstef'ilün

**

Usûlü: Türk Aksağı · Hâfız Yusuf Efendi

Âsûde fikrim âvârelendi
Cânân elinden dil yarelendi
Derd ü elemden bîçârelendi
Cânân elinden dil yarelendi

Müstef'ilâtün/Müstef'ilâtün

**

Usûlü: Türk Aksağı · Tanbûrî Ali Efendi

Geldi eyyam-ı bahâr oldu safâlar âşikâr
Bezmi teşrîf eyle artık lûtf edip ey şîvekâr
Açdı güller eyliyor feryâd sahrâda hezâr
Bezmi teşrif eyle artık lûtf edip ey şîvekâr

Fâilâtün/Fâilâtün/Fâilâtün/Fâilün

NOT: Eserin üçüncü mısra'ı (Açdı güller eyliyor feryâdı bülbüller he-
zâr) şeklinde de görüldü. S.A.

**

RAST MAKAMI

Usûlü: Türk Aksağı

Beste: Giriftzen Âsım Bey
Güfte: Sâkıt

Hâbgâh-ı yâre girdim arz içün ahvâlimi
Bir perişân hâlini gördüm unutdum hâlimi
Sâkiten icrâ ederken dîde eşk-i âlimi
Leblerinde, sînesinde gizlenen âmâlimi
Leblerimle topladım tebrik edin ikbâlimi.

Fâilâtün/Fâilâtün/Fâilâtün/Fâilün

NOT: İkinci kuplesi de vardır. Ancak okunması hiç âdet olmamışdır.
Zâten eser bu şekliyle yeterli olduğundan, okunmayan ikinciyi
bir faydası olmayacağından yazmadık. S.A.

✳✳

Usûlü: Türk Aksağı

Lâvtacı Hristaki

Âyineyi al destine
Bak dîde-i sermestine
Görmek dilersen neş'eyi
Bak dîde-i sermestine
* * *
Aç sîne-i sîmin-beri
Saç üstüne zülf-i teri
Âyinede bu hâl ile
Bak dîde-i sermestine

Müstef'ilün/Müstef'ilün

✳✳

Usûlü: Türk Aksağı

Bimen Şen

Rast geldi gönül çeşm-i sitemkâr-ı nigâra
Ben derdine düşdüm ararım derime çâre
Lokman bulamaz çâre yazık kalb-i nizâra
Ben derdine düşdüm ararım derdime çâre

Mef'ûlü/Mefâîlü/Mefâîlü/Feûlün

✳✳

RAST MAKAMI

Usûlü: Türk Aksağı   Kemanî Tatyos

Mâvi atlaslar giyersin
Nazar değmez firûzesin
Ne nâzik reftâr edersin
Nazar değmez firûzesin

**

Usûlü: Türk Aksağı   Beste: İsak Varon
                                                          Güfte: Halit Bekir Sabarkan

Bir yaş gibi gözden süzülüp kalbime akdın
Yakdın beni ey sevgili yakdın da bırakdın
Yıldızları sönmüş ne derin çöllere atdın
Yakdın beni ey sevgili yakdın da bırakdın.

                                        Mef'ûlü/Mefâîlü/Mefâîlü/Feûlün

**

Usûlü: Türk Aksağı   Tanbûrî Refik Fersan
                              (SÜREYYÂ)
Yakdı cihanı âteşin
Bir tânesin yokdur eşin
Oldum senin hasret-keşin
Bir tânesin yokdur eşin

* * *

Âşıkların özler seni
Her ân için gözler seni
Gördükçe bu gözler seni
Bir tânesin yokdur eşin

                                        Müstef'ilün/Müstef'ilün

**

Usûlü: Türk Aksağı   İsmail Hakkı Nebiloğlu

Dehrin gülüşü sahte bu ezvâka inan yok
Zâlim feleğin taş gibi kalbinde îmân yok
Sevmek ve sevilmek, yaşamak sürse de bir an
Rûyâ gibi geçdi bu hayat en sonu nisyân

                                        Mef'ûlü/Mefâîlü/Mefâîlü/Feûlün

**

RAST MAKAMI

Usûlü: Türk Aksağı   Hammâmîzâde İsmail Dede Efendi

Üftâdenim ey bî-vefâ
Lâyık mıdır mbunca cefâ
Cürmüm nedir bildir bana
Lâyık mıdır bunca cefâ

İnkâr edersin sevdiğin
Ağyar ile hep gezdiğin
Bildim yalanlar düzdüğün
Lâyık mıdır bunca cefâ

✳✳

Usûlü: Düyek   Hammâmîzâde İsmail Dede Efendi

Bir hüsn ile sen dil-rübâ
Bir bî-bedel cânânesin
Tarife hâcet ne bana
Bilmez miyim cânânesin

Nakarat: Ey nâzenin, ey meh-cebin
        Bilmez miyim cânânesin

* * *

Leylâveşim izâz edip
Ağyârdan mümtâz edip
Sahrâya saldı nâz edip
Mecnûn gibi divânesin
      (Nakarat)

Müstef'ilün/Müstef'ilün

✳✳

Usûlü: Düyek   Hammâmîzâde İsmail Dede Efendi

Görsem seni doyunca
Doyunca seni görsem
Sevdim seni ben cânâ
Cânâ seni ben sevdim
   Gel gül yüzlü cânân
   Gel etme çeşmim giryân
   Seninle bir gece
   Olalım nihan
   Kaçma ey peri sen
   Söyle kiminsin
   Sen benim misin söyle (aman aman).

Mef'ûlü/Mefâilün

**

Usûlü: Düyek   Dellalzâde İsmail Efendi

Andelîb-i sahn-ı aşk-ı gülşenim
Ey nihâl-i nevber-i bağ-ı irem
Hâlimi ben kimlere şekvâ edem
Nakarat: Men tü ra ez cân ü dil üftâde-em(*)
   Bilmiş ol sevdim seni ey gonca-fem
Âşıkım ey meh sana dil âşina
Derd-i ruhsâr-ı tü giryân kerd merâ (**)
Var ise ben gibi uşşâkın salâ
Nakarat:

Açıklama: Ben senin cân ve gönülden düşkünün oldum. (*)
   Senin yanağının derdi beni ağlatdı. (**)

Fâilâtün/Fâilâtün/Fâilün

**

-1131-

RAST MAKAMI

Usûlü: Düyek   Şakir Ağa

I —) Her dilden ol meh çalmıyor
     Ben zârın âhın almıyor
     Ferdâya gerçi salmıyor
     Bende tahammül kalmıyor

II —) Verdim gönül reftârına
      Etmez cefâ ben zârına
      Kılsam nazar ruhsârına
      Bende tahammül kalmıyor

III —) Birden hemen hazzetdi can
       Gitdi irâde nâgehân
       Reftâr edince ol civan
       Bende tahammül kalmıyor

                                    Müstef'ilün/Müstef'ilün

※※

Usûlü: Düyek   Rifat

Nâr-ı aşkın yakdı beni
Değişmem cihana seni
Unutma gayrı bendeni
Değişmem cihana seni

Sanma beni sen bî-vefâ
Etme bana cevr ü cefâ
Dâim eyle zevk u safâ
Değişmem cihana seni

NOT: TRT Türk Sanat Musikisi Sözlü Eserler Repertuarı - adlı kitapda
     Sh. 205'de bu şarkının usûlü (Sofyan) kaydedilmişdir. (1979 bas-
     kısı). S.A.

※※

-1132-

RAST MAKAMI

Usûlü: Düyek   Rifat Bey

Almak dilersen bu dil-rübâyı
Seyr eyle yâhû çeşm-i elâyı
Takmış peşine bin mübtelâyı
Seyr eyle yâhu çeşm-i elâyı
* * *
Bin türlü sözler gûşuna girmez
Dâmân-ı vasla eller erişmez
Dâm-ı visâle kendini vermez
Seyr eyle yâhû çeşm-i elâyı

Müstef'ilâtün/Müstef'ilâtün

**

Usûlü: Düyek   Kemanî Ali Ağa

Düşdü gönlüm sana şimdi ey perî
Alıp aklım etdin ey mâh serseri
Yoluna versem sezâ cân ü seri
Sevdi can sen gibi yosma dilberi

Bakmış oldum bir kere gerdânına
Hâlimi fehm etdin aldınyanına
Âşıkın âteş bırakdın canına
Sevdi can sen gibi yosma dilberi   *Fâilâtün/Fhailâtün/Fâilün*

**

Usûlü: Düyek   Civan Ağa

Bir acaib hâb-i gaflete düşdüm
Ne uyutur beni ne uyandırır
Nihayetsiz gam-ı hicrâna düşdüm
Günden güne bana dert kazandırır.
* * *
Sana âşık olum diye ey peri
Bunca istiğnânın var mıdır yeri
Bilmez misin a sevdiğim ekseri
Aşıkı çok cevr ü nâz usandırır.

NOT: Bu şarkının usulü (TRT Türk Sanat Musikisi Sözlü Eserler Reper-
       tuvarı) adlı kitapta sh. 2C de (Sofyan) olarak kaydedilmişdir'
       (1979 baskısı) S.A.

**

RAST MAKAMI

Usûlü: Düyek   Basmacı Abdi Efendi

Senin aşkınla çâk oldum
Yeter gayrı helâk oldum
Gamınla çâk, çâk oldum
Yeter gayrı helâk oldum.

                                                  Mefâîlün/Mefâîlün
ÇÂK: Yırtılmak, yırtmak.
ÇÂK-ÇÂK: Parça parça olmak.

❋❋

Usûlü: Düyek   *Beste:* Leylâ Saz
                          Güfte: Recâîzâde Mahmut Ekrem Bey

Benzer mi mâha vech-i münîrin
Hasnâ perisin yokdur nazîrin
Olduysa çok mu gönlüm esîrin
Hasnâ perisin yokdur nazîrin.

                                                  Müstef'ilâtün/Müstef'ilâtün
HASNA: Güzel kadın.
                          ❋❋
Usûlü: Düyek   Balıkçı Hâfız Mehmed Efendi

Ey dilber-i âli-neseb
Kimlerle hem-demsin bu şeb
Fikrim budur ey meh aceb
Kimlerle hem-demsin bu şeb
                          ＊＊＊
Bunca niyâz etdim sana
Gûş etmiyorsun dilrübâ
Yalvarırım bildir bana
Kimlerle hem-demsin bu şeb

                                                  Müstef'ilün/Müstef'ilün
NOT: Bu şarkının usûlü (TRT Türk Sanat Musikisi Sözlü Eserler Reper-
      tuarı) adlı kitapta Sh. 202'de (Sofyan) olarak gösterilmiştir. (1979
      başkısı) S.A.

❋❋

-1134-

RAST MAKAMI

Usûlü: Düyek   Nâyî Mehmed Efendi

Bugün hiç bakmadın ey mâh yüzüme
Harâm oldu bu şeb uyku gözüme
Gelirsen bir gün olur da sözüme
Harâm oldu bu şeb uyku gözüme

* * *

Hayâl-i vaslını kurdum oturdum
Bu gece subh olunca öyle durdum
Yârın teşrîfini gayetle kurdum
Harâm oldu bu şeb uyku gözüme

NOT: Türk Musikisi Ansiklopedisi C.1'in II sinde Sh. 18'de Öztuna (Nâ-
yî-zâde) diye bestekârın ismini kaydediyor ve ayrıca eserin
usûlünü de (Sofyan) olarak belirtmiş bulunuyor. S.A.

**

Usûlü: Düyek   Lem'i Atlı

Yok mu cânâ âşıka hiç şefkatin
Va'd-i vuslatdı Hisar'da sohbetin
Şimdi bilmem kim harîm-i ülfetin
Yâdigârındır gönülde hasretin

**

Usûlü: Düyek   *Beste:* Sadeddin Kaynak
                                     Güfte: Mustafa Nâfiz Irmak
Benim olsan seni bir gül gibi koklar sararım
Yâsemen saçlarını her gece okşar tararım
Geleceksin diye her gün seni gözler ararım
Yâsemen saçlarını her gece okşar tararım

Feilâtün/Feilâtün/Feilâtün/Feilün

**

RAST MAKAMI

Usûlü: Düyek

Beste: Sadeddin Kaynak
Güfte: Mustafa Nafiz Irmak

O dudaklar yine yaz geldi de bülbülleşiyor
O yanaklar ne güzel de açılıp gülleşiyor
Gülüyorsun, sana bülbül bakarak imreniyor
O yanaklar ne güzel de açılıp gülleşiyor
Feilâtün/Feilâtün/Feilâtün/Feilün

**

Usûlü: Düyek

Beste ve Güfte: Sabri Sühâ Ansen

Bir hayâle bir ümide bağlandı kaldı gönül
Nîm tebessümle nigâha bakıp aldandı gönül
Yine hasret, yine firkat nârına yandı gönül
Bu kaçıncı yalvarışdır durmadan kandı gönül
Nîm tebessümle nigâha bakıp aldandı gönül
Yine hasret, yine firkat nârına yandı gönül

**

Usûlü: Düyek

İsmail Hakkı Nebiloğlu

Âlem-i bezm-i tarabda nağmekâr olmakdasın
Vecd içinde ehl-i aşka nağmekâr olmakdasın
Nây ü tanbûrda kemanda nağmekâr olmakdasın
İbtilâ-yı derd-i aşka bestekâr olmakdasın.
Fâilâtün/Fâilâtün/Fâilâtün/Fâilün

**

Usûlü: Düyek

Beste ve Güfte: Sabri Sühâ Ansen

Seninle düşdüm dile
Aşkın bana bir çile
Rakîb oldum bülbüle
Gönül verince güle

Gonca mısın gül müsün
Menekşe gözlü müsün
Manolya yüzlü müsün
Gönülden sözlü müsün

RAST MAKAMI

Usûlü: Düyek   Kemanî Haydar Tatlıyay

Sen bu sevdâ ile bir gün yanacaksın a gönül
Yeter artık ne zaman uslanacaksın a gönül
Çekdiğin bunca meşakkat daha elvermedi mi
Ne zaman derlenip toparlanacaksın a gönül.

Fâilâtün/Fâilâtün/Fâilâtün/Fâilün

NOT: Son mısrada vezin bozukdur. "derlenecek toplanacaksın" denirse
düzelir. Aslı da böyle olmalı. S.A.

⁕⁕

Usûlü: Düyek   *Beste:* Avni Anıl
                   Güfte: İsmail Hilmi Soykut

(Arzu)

Son akşam döküver örgüleri de
Dökülsün saçların fidan boyunca
Bir arzum kalmasın diye geride
Kapansın gözlerim sana doyunca

⁕⁕

Usûlü: Düyek   *Beste:* Dr. Alâeddin Yavaşça
                  Güfte: Abdullah Celkan

Boş yere ömrü tüketdim dem-be-dem âvâreyim
Kimse feryâdım işitmez bîkes ü bîçâreyim
Bir soran olmaz ki artık nâle vü efgânımı
Aşkı, meşki her şeyi terk eyledim âzâdeyim.

Fâilâtün/Fâilâtün/Fâilâtün/Fâilün

⁕⁕

Usûlü: Düyek   Beste ve Güfte: Dr. Alâeddin Yavaşça

Senden uzak günlerim zindân oluyor
Hasretin elemin kalbime doluyor
Gönül bahçemde yazık hayâl gülü soluyor
Hasretin elemin kalbime doluyor

⁕⁕

RAST MAKAMI

Usûlü: Düyek   *Beste ve Güfte:* Tanbûrî Sadun Aksüt

Senin için sevgilim boynum kıldan incedir
Sensiz yaşanan ömrüm çekilmez bir çiledir
Gönlümdeki hasretin tükenmez işkencedir
Sensiz yaşanan ömrüm çekilmez bir çiledir.

✳✳

Usûlü: Düyek   *Beste ve Güfte:* Ûdî Dramalı Hasan Güler

Baharın gülleri açdı, yine mahzundur bu gönlüm
Etrâfa neş'eler saçdı, beyhûde geçdi bu ömrüm
Âh gülemem, gülemem hiç gülemem
Öyle sırdır ah bu derdim, kimselere söyleyemem
Kime canım dedim, terkedip kaçdı
Üstelik başıma bin bir dert açdı
Âh gülemem, gülemem hiç gülemem
Öyle sırdır ah bu derdim kimselere söyleyemem

✳✳

Usûlü: Düyek   *Beste:* Dr. Alâeddin Yavaşça
                        Güfte: Fikri Akurgal

Bana nasıl vaz geç dersin, gönül senden vaz geçer mi
Güneşsiz bir gök altında kış geçer mi, yaz geçer mi
Okuduğum duâ sensin, kalb ağrıma devâ sensin
Kokladığım hava sensin, gönül senden vaz geçer mi

✳✳

Usûlü: Düyek   Nevzat Akay

Ararım seni her gün derdine yana yana
Geçmez oldu günlerim ismini ana ana
Bir gün olup boynuna sarılsam kana kana
Geçmez oldu günlerim ismini ana ana
✳✳

RAST MAKAMI

Usûlü: Düyek　　　　　　*Beste ve Güfte:* Ûdî Şekip Ayhan Özışık

Belki bir sabah geleceksin, lâkin vakit geçmiş olacak
Gönül hicrân şarabından yudum yudum içmiş olacak
Güzel de olsa inanmam artık senin gözlerine bahâr bitmiş
　　　　　　　　　　　　　　　　　　　　olacak
Gönül hicrân şarabından yudum yudum içmiş olacak

⁂

Usûlü: Düyek　　　　　　　　　　　　Ûdî Bakî Duyarlar

Ben küskünüm feleğe
Düşdüm bitmez çileye
Nerelere gideyim
Kara bahtım gülmeye
Nakarat: Ben küskünüm feleğe
　　　　 Düşdüm bitmez çileye
　　　　　 * * *
Ben ne etdim feleğe
Verdi bana bu derdi
Yıllardır hep ağlatdı
Kara bahtım gülmeye
　　　　　　　　(Nakarat)

⁂

Usûlü: Müsemmen　　　　　　　　　　　Rifat Bey

Yüz çevirse sevdiğim bu bende-i bî–çâreden
Olsa âlem bir yana vaz geçmem ol mehpâreden
Tığ-i hecriyle görünmez olsa sînem yaradan
Olsa âlem bir yana vaz geçmem ol mehpâreden
　　　　　　　　　　Fâilâtün/Fâilâtün/Fâilâtün/Fâilün

NOT: İkinci kuplesi de vardır. Ancak okunmayacak kadar düzensizdir.
　　　　　　　　　　　　　　　　　　　　　　　　S.A.

⁂

RAST MAKAMI

Usûlü: Müsemmen   Hacı Ârif Bey

Vuslatından gayrı el çekdim yeter ey bî-vefâ
Dil-fikâr etdin beni şimden-gerü eyle safâ
Hicr-i sûzânınla her ân eyledin cevr ü cefâ
Dil-fikâr etdin beni şimden-gerü eyle safâ

Fâilâtün/Fâilâtün/Fâilâtün/Fâilün

NOT: Bu şarkının ikinci kuplesi de vardır. Okunması âdet olmadığı gibi şiiriyeti de zayıfdır. bu sebeple buraya kaydetmedik. Hânende Mecmuası, sh. 43'de bu eserin usûlü (Süreyya) olarak kaydedilmiştir. S.A.

**

Usûlü: Sofyan   Kemânî Rıza Efendi

Reftârı nâzik bî-bedel
Akrâni içre bî-mesel
Her târ-ı giysû sırma tel
Bak kimde var bu ince bel
Gel andelib, gel, kaçma gel
Vasfın aceb bilmez mi el.

Müstef'ilün/Müstef'ilün

**

Usûlü: Sofyan   Rif at Bey

Karlı dağı aşdım geldim
Aşk oduna düşdüm geldim
Ben yâre kavuşdum geldim
Ben gönlümü aldırdım
Nakarat: Gül benzimi soldurdum
            Nazlıca yârdan ayrıldım
            Dağlara düşdüm geldim

* * *

Benim ol dîdesi pür-hûn   Bakın şu kaşları yaya
Zülfün gibi kaddin mevzûn   Cemâli benziyor aya
Ko desinler bana meftûn   Aşkıdır bana sermâye
Ben gönlümü aldırdım.   Ben gönlümü aldırdım.
      (Nakarat)   (Nakarat)

RAST MAKAMI

Usûlü: Sofyan   *Beste ve Güfte:* Ahmed Râsim Bey

Leb-i rengînine bir gül konsun (aman)
O gülün üstüne bülbül konsun (aman)
Zülfünün gerçi menendi olmaz (aman)
Adı ammâ yine sünbül olsun (aman)

Feilâtün/Feilâtün/Feilün

** **

Usûlü: Sofyan   *Beste:* Lem'i Atlı
                                        Güfte: Tévfik Sâmih Bey

Sâzın gibi sînem dahi bir nağme-zenîndir
Vur sîneme mızrâbın ile sîne senindir
Feryâdımı tasvîr edecek gül dehenindir
Vur sîneme mızrâbın ile sîne senindir.

Mef'ûlü/Mefâîlü/Mefâîlü/Feûlün

** **

Usûlü: Müsemmen   *Beste:* Ekrem Güyer
                                              Güfte: Nefî

Âşıka tâ'n etmek olmaz mübtelâdır neylesin
Âdeme mihr ü muhabbet bir belâdır neylesin
Zülfüne kalsa perişan eylemezdi dilleri
Anı da tahrîk eden bâd-ı sabâdır neylesin

Fâilâtün/Fâilâtün/Fhailâtün/Fâilün

** **

Usûlü: Nim Sofyan   Kemanî Haydar Tatlıyay

Mavi gözlerin, şirin, güzel sözlerin
Yakıyor beni ah şeker leblerin
Bakışın çaldı benim aklımı
Merhamet eyle bana gel ağuşuma

Gel benimle sen, kalbimde, sînemde sen
Ağlatma beni, sevdim ben seni
Haydi gel gidelim, üzme beni
Kalbim seviyor seni, incitme beni.

** **

RAST MAKAMI

Usûlü: Düyek   *Beste:* Selâhattin İnal
                                   Güfte: Yusuf Nalkesen

Yaklaşıyor gün-be-gün ömrümüz son mevsime
Kimi şen bu âlemde, kimi çekmede çile
Elvedâ diyeceğiz sonunda bile bile
Kimi şen bu âlemde, kimi çekmede çile.

**

Usûlü: Düyek   *Beste ve Güfte:* Selâhattin İnal

Göz göz oldu yüreğim o hicrân yarasından
Görmez oldu gözlerim bahtımın karasından
Gönlüm öksüz bir kuş ki ayrılmış yuvasından
Görmez oldu gözlerim bahtımın karasından.

**

Usûlü: Düyek   *Beste:* Erol Sayan
                                 Güfte: Mehmet Erbulan

İstanbul'u artık hiç sevmiyorum
Orda başladı aşkım, orda oldu ayrılık
Orda verdik el ele, yine orda bırakdık
İstanbul'u artık hiç sevmiyorum.

Seni orda tanımış, seni orda sevmişdim
Çünkü orda sana ben bin ümitle gelmişdim
İşte ihaneti ben, yine orda görmüşdüm
İstanbul'u artık hiç sevmiyorum.

**

Usûlü: Müsemmen   *Beste:* Refik Fersan
                              Güfte: Nahit Hilmi Özeren

Ey gönül döndün nihayet sen de bir virâneye
Ben nasıl âh eyleyip düşmem reh-i meyhâneye
Benzetir hâlin görenler şimdi bir divâneye
Ben nasıl âh eyleyip düşmem reh-i meyhâneye

                         Fâilâtün/Fâilâtün/Fâilâtün/Fâilün

**

RAST MAKAMI

Usûlü: Düyek
Beste: Şükrü Tunar
Güfte: Ahmet Kaçar

Unut beni kalbimdeki hicrânla yalnız kalayım
Kimsesiz bir yavru gibi kucağında ağlayayım
Bu kaçıncı söz verişin, söyle nasıl inanayım
Kimsesiz bir yavru gibi kucağında ağlayayım

⁂

Usûlü: Düyek
Beste: Selâhattin İnal
Güfte: Ali Sarcan

Gönül aşkınla gözyaşı dökmekden usandı artık
Zirâ gözde yaş kalmadı, sabrile uslandı artık
Ağlasan da faydası yok, sevsen de zamanı geçdi
Zirâ gözde yaş kalmadı, sabrile uslandı artık.

⁂

Usûlü: Düyek
Beste: Şekip Ayhan Özışık
Güfte: Erdoğan Ünver

Saçların tarûmâr, gözlerinde nem
Ateşe benzerdin, küle dönmüşsün
Hayâl mi gerçek mi, gördüğüm bilmem
Elden ele gezen güle dönmüşsün

Bir eser kalmamış eski hâlinden
Yazık geçmez akçe, pula dönmüşsün
Hayâl mi gerçek mi gördüğüm bilmem
Elden ele gezen güle dönmüşsün

⁂

Usûlü: Düyek
Beste: Selâhattin İnal
Güfte: Neclâ Gürer

Yemin etdim bir kere, dönmem geri bunu bil
Hâtırandan ismimi, hayâlinden beni sil
Çok ağlatdın beni sen, aşkım oyuncak değil
Hâtırandan ismimi, hayâlinden beni sil

RAST MAKAMI

Usûlü: Düyek   *Beste ve Güfte:* Ferit Sıdal

Hicrân olacaksa bu aşkın sonu
Bırak git kâlbimi delme boş yere
Maksadın nâz edip üzmekse beni
Gitdiğin yerde kal, gelme boş yere

**

Usûlü: Düyek   *Beste:* Şekip Ayhan Özışık
                                                    Güfte: Beki Bahar

O muydu yanımdan geçen
O muydu beni fark etmeyen
Nakarat: Endâmından eser kalmamış
         Saçlar ağarmış, omuzlar çökmüş
         O muydu yanımdan geçen
         O muydu beni farketmeyen, o muydu.

O muydu bir zamanlar
Beni bestekâr eyleyen
Şair edip, maniler söyleten
Gönlümde kurulup saltanat süren
O muydu, o muydu yanımdan geçen
O muydu beni fark etmeyen
O muydu yanımdan geçen
O muydu beni fark etmeyen, o muydu. Nakarat

**

Usûlü: Düyek   Dramalı Hasan Güler

I —) Gelmez oldu hiç sesin   II -) Güzelim güller açsın
     Söyle canım nerdesin   Elemler bizden kaçsın
     Uzaklara mı gitdin   Sevişip koklaşmamız
     Hangi gizli yerdesin   Etrâfa neş'e saçsın. (Nakarat)

Nakarat: Kalbim seni özler   III -) Gelmeden bahar sen gel
         Yollarını gözler   Kimse olmadan engel
         Nerde verdiğin sözler   bitsin artık bu hasret
         Niçin, neden gelmedin   Gurbet elde kalma gel (Nakarat)

RAST MAKAMI

Usûlü: Düyek   *Beste:* Bilge Özgen
                        Güfte: Mustafa Töngemen

Sen gitdin kalmadı gönlümde bahar
Güllere kar yağdı dallar kurudu
Ne gölgen duruyor, ne hâtıralar
Yeşiller al oldu, allar kurudu.

Nakarat: Sen gitdin yüreğim hâre hâredir
        Hâtıran bir dertdir bin bir yaredir
        Bir mektup, bir haber belki çâredir
        Güllere kar yağdı, dallar kurudu.

Bak seni anıyor şarkılar şimdi
Kimbilir nerdesin güzel yâr şimdi
Sen gitdin her mevsim sonbahar şimdi
Dikenler gül açdı, güller kurudu.

❋❋

Usûlü: Düyek   *Beste:* M. Reşat Aysu
                        Güfte: Şükrü Yetimoğlu

1990
"Elvedâ deme sakın"

I —) Elveda deme sakın   III —) Vedâ edip de gitme
    Bu aşka son verirsin   Bir defa daha düşün
    Ayılmak istiyorsan   Bırakma ellerimi
    Yine de sen bilirsin...   Bu aşka yok dönüşün.

II —) Son sözüm, seviyorum. IV —) Vedâ etme ne olur
    Gitmeden özlüyorum   Bu aşka yazık olur
    Seviyorsan birazcık   Sen sevmesen de canım
    Yine de kal diyorum.   Beni de seven olur.

NOT: Bestekârı tarafından çok seslendirilmişdir. S.A.

❋❋

RAST MAKAMI

Usûlü: Düyek   *Beste ve Güfte:* Fethi Karamahmutoğlu

İç iç bitiremezsin
Tasda mey yarım kalır
Çok sevdiğin bu fasıl
Tanbur, ney yarım kalır.
   Hayat zamana küskün
   Bir gün şen, bir gün üzgün
   Ömür de biter bir gün
   Ve her şey yarım kalır.

❋❋

Usûlü: Düyek   *Beste:* Ali Şenozan
Güfte: Rafet Kurşunlu
1982

I —) Öyle derin bir yara ki şifâ bulmaz yıllar geçse
    Öyle derin hâtıra ki unutulmaz yıllar geçse
    Sürer gider hasret çekiş ol girdabdan yokdur çıkış
    Tâ gönülden gelen bakış unutulmaz yıllar geçse.
           ✳ ✳ ✳
II —) Rüzgâr eser geçer amma tomurcuğu açar amma
    Maral elden kaçar amma unutulmaz yıllar geçse
    Gece camdan bakar yıldız, beni görür yapayalnız
    Mazideki sarışın kız unutulmaz yıllar geçse

❋❋

Usûlü: Düyek   *Beste:* Oğuz Şenler
Güfte: M. Turar Yarar

Bir diyârım ben ki ötmez bülbülüm, bitmez kışım
Saklayıp sevdâmı yanmış, anlatıp aldanmışım
Bir cehennemdir içim, bir karlı dünyadır dışım
Saklayıp sevdâmı yanmış, anlatıp aldanmışım.
        ❋❋

RAST MAKAMI

Usûlü: Düyek

Beste: Ertuğrul Ottekin
Güfte: Yalçın Benlican

I —) Saçları ipek gibi, gözler zeytin irisi
Benim minicik kızım has bahçeler perisi
Al yanağı bal gibi, çiçek açmış dal gibi
Yaz gecesi ay gibi, kızım dünya güzeli.

II —) Gölümün gül bahçesi, ömrümün şen çiçeği
Nazlı kızım ceylânım, canımın çekirdeği
Petek petek bal gibi, çiçek açmış dal gibi
Yaz gecesi ay gibi, kızım dünya güzeli.

**

Usûlü: Sofyan

Beste: Metin Everes
Güfte: Sadık Atay

I —) Yıllar yılı hep yalvarır dururum
Gelmiyorsun ne diyeyim sen sağ ol
Bir defacık şöyle bakıp yüzüme
Gülmüyorsun ne diyeyim sen sağ ol
Nakarat: Allah'ımdan başka bir şey dilemem
Bir sen varsın başkasını sevemem
Hatır nedir, gönül nedir bir tânem
Bilmiyorsun ne diyeyim, sen sağ ol.

II —) Bu eziyyet seven kalbe revâ mı
Acımadan zehir etdin dünyamı
Veriyorum sana Tanrı selâmı
Almıyorsun ne diyeyim sen sağ ol

**

Usûlü: Sofyan

Beste: Necdet Tokatlıoğlu
Güfte: İlkan San

Gitmesin gözlerinden pırıl pırıl arzular
Eksilmesin yüzünden o tebessüm o bahar
Tanrı seni korusun kem gözlerden saklasın
Ağartmasın saçını şu geçen zâlim yıllar
Nakarat: Sen güzel bir kelebek, sen nâdide bir çiçek
Sana olan bu aşkım inan hiç bitmeyecek.
Tutduğun altın olsun, gönlün neş'eyle dolsun
Kader hep gülsün sana mutluluk gölgen olsun
Lâyıksın övülmeye, lâyıksın sevilmeye
Seni üzüp ağlatan hasret kalsın gülmeye. (Nakarat)

RAST MAKAMI

Usûlü: Düyek-Semâî   *Beste:* Alâeddin Yavaşça
(Değişmeli)

Ben de tatdım aşk denilen şarâbı
İksîr midir, zehrâb mıdır, nedir o
Hem ümîd, hem keder saçar rebâbı
Neş'e midir, ıztırap mı, nedir o

Ben de gördüm aşk denilen rüyâyı
Renklerinde binbir çeşit iklim var
Mümkün müdür terketmek bu hülyâyı
Talih ister zebûn olsun, ister yâr.

**

Usûlü: Sofyan   *Beste ve Güfte:* Erol Sayan

"Aşk denilen ateşe yanalım mı"

Aşk denilen ateşe yanalım mı
El ele göz göze böylece kalalım mı
Rüyâ dolu bir geceydi
Mehtâb ve deniz,
Seni andık ikimiz.
Gökyüzünde yıldızları,
Yeryüzünde sevdâlıları biz sandık.
Mutluluk, şırıl şırıl çağlayan gecede
Gönlümüz pırıl pırıl neş'e dolardı.
Bizi yakansın, bize koşansın.
Söyleyim ismini:
Sen aşksın...

**

RAST MAKAMI

Usûlü: Nim Sofyan-Aydın   *Beste:* Selâhattin İçli
      (Değişmeli)   *Güfte:* Sedat Ergintuğ

"Bırak böyle kalalım"

Nim Sofyan: Bırak böyle kalalım   Meltem ile fırtına
      Bir dargın bir barışık   Gül dalında sarmaşık
      Nasıl olsa dünyada   Nasıl olsa dünyada
      Bütün işler karışık.   Bütün işler karışık.

Aydın: Mızrap sende tel bende   Elde sevâb yerine
      Bir dokun ah olayım   Sende günâh olayım
      Sevmiyorsan geceyi   Yıldız iste göklerden
      Emret sabah olayım.   Hemen gidip alayım.

Nim Sofyan: Paylaşalım seninle   Bırak böyle kalalım
      Aşkdan yana ne varsa   Bir dargın bir barışık
      Belki hayat çekilmez   Nasıl olsa dünyada
      Gül dikensiz olursa   Bütün işler karışık.

**

Usûlü: Nim Sofyan   *Beste:* Tanbûrî Sadun Aksüt
                            Güfte: Şâdî Kurtuluş

Bakma, bakma dayanılmaz
Gözlerinde öyle bir nâz
Neş'esi çok, sevgisi az
Sensiz geçer böyle her yaz.

Her gün başka bir çiçeksin
Baharımda yazımda sen
Göklerde sanki meleksin
Senden gönül ayrılamaz
      * * *
Bir gün bana gelmelisin
Beni candan sevmelisin
Ellerini vermelisin
Vefâsızlar mutlu olmaz.

**

RAST MAKAMI

Usûlü: Nim Sofyan   *Beste:* Metin Everes
                                                  Güfte: Seyhan Girgin

I-) Neler çekdi gönlüm senin elinden
   Hasret ateşini yakdın da gitdin
   Bin bir dertle doldum senin yüzünden
   Gözümde yaş oldun akdın da gitdin
II-) Ayrılık ne acı çok zor dayanmak
   Benim bütün suçum sana inanmak
   Kolay mı zannettin birden unutmak
   Şöyle bir yüzüme bakdın da gitdin
III-) Güzel söz duymadım bir gün dilinden
   Kalbimi bin parça yapdın da gitdin
   Güvendim kadere yandım derinden
   Aşkıma hicrânı katdın da gitdin.

✳✳

Usûlü: Curcuna   Rifat Bey

Gamdan âzâde heman dünyâda bir meyhânedir
Def-i gam etmek için âlet ise peymânedir
Neş'eyi, zevki, meyi tahkîr eden dîvânedir
Gam gelir, şâdî gider çün dil misâfirhânedir
Def-i gam etmek için âlet ise peymânedir.

Fâilâtün/Fâilâtün/Fâilâtün/Fâilün

✳✳

Usûlü: Curcuna   Hacı Ârif Bey

Hâtırımdan çıkmaz aslâ ahd ü peymânın senin
Bin yemîn etdin a zâlim yok mu insâfın senin
Gönlümü yıkdı temelden tîr-i müjgânın senin
Âşıkı mahv eylemek mi lûtf u ihsânın senin.

Fâilâtün/Fâilâtün/Fâilâtün/Fâilün

✳✳

RAST MAKAMI

Usûlü: Curcuna   *Beste:* Tanbûrî Ali Efendi
                                              Güfte: Mehmed Sâ'dî Bey

(Hey) Anlatayım hâlimi dildâra ben
      Derd-i firâka arayım çâre ben
      Sabredeyim nice bin âzâra ben
      Yaş dökeyim, yalvarayım yâra ben.

Müfteilün/Müfteilün/Fâilün

NOT: İkinci kuplesi de vardır. Okunması âdet olmadığı gibi, birinci
kupleye uymayışı bakımından biz de buraya kaydetmedik. S.A.

✱✱

Usûlü: Curcuna   Hacı Fâik Bey

Nihansın dîdeden ey mest-i nâzım
Bana sensiz cihanda can ne lâzım
Benim sensin felekde şâye-sâzım
Bana sensiz cihanda can ne lâzım
         ✱✱✱
Sezâdır mâtemin tutsa felekler
Sana insan değil ağlar melekler
Hebâya gitdi hep bunca emekler
Bana sensiz cihanda can ne lâzım.

Mefâîlün/Mefâîlün/Feûlün

✱✱

RAST MAKAMI

Usûlü: Curcuna   *Beste:* Hacı Ârif Bey
                                                   Güfte: Fuzûlî

Aşık oldur kim kılar cânın fedâ cânânına
Meyl-i cânân etmesin her kim ki kıymaz cânına
Cânını cânâna vermekdir kemâli âşıkın
Vermeyen can itiraf etmek gerek noksanına
* * *
Aşk resmin âşık öğrenmek gerek pervâneden
Kim yanar gördükde şem'in âteş-i sûzânına
Kimseler cânân için can vermeğe lâf etmesin
Kim gelipdir bu sıfat ancak Fuzûlî yanına.

                        Fâilâtün/Fâilâtün/Fâilâtün/Fâilün
OLDUR: Odur.
MEYL: Bir tarafa yönelmek.
KEMÂL: En yüksek derece.
RESM: Âdet, usûl, tavır, davranış. (Buradaki anlamı)
                        **
Usûlü: Curcuna   *Beste:* Şevki Bey
                                        Güfte: Mehmet Bey - Sâ'dî Bey

Nedendir bu dil-i zârın figânı   dil - gönül
Hayâl eyler gönül geçmiş zamânı   zar - bitkin
Geçen demler değer misl-i cihânı   figân - inlemek
Hayâl eyler gönül geçmiş zamânı.   misl - benzer es.

Ümid vermem ben artık ihtimâle   ehl - sahip olmak
Kemâl ehli iken erdim zevâle   zevâl - sona ermek
Belây-ı aşk beni koydu bu hâle   aşağılama
Hayâl eyler gönül geçmiş zamânı.

                        Mefâîlün/Mefâîlün/Feûlün
NOT: Hânende Mecmuası'nda sh. 46'da: (Revâdır bu dil-i zârın figânı)
    şeklinde görüldü. Yâdigâr-ı Şevk (Sh. 13)de aynı (Revâdır bu dil-
    i zârın...)
         Aynı güfte Şeyh Hacı Edhem Ef. tarafından Ferahnâk-Sofyan
    şarkı olarak ve iki kuple bestelenmişdir. S.A.
                        **

RAST MAKAMI

Usûlü: Curcuna   Udî Şekerci Hâfız Cemil Bey

Şebâbet gitdi de elden başımdan gitmiyor sevdâ
Tükendi tâkat u tâbım mahabbet bitmiyor hâlâ
Terakkî etmede sinnim tedennî etmiyor aslâ
Hayâtım mahvolup gitdi mahabbet bitmiyor hâlâ

* * *

Hayâl-i yârı çekmek hâriç ammâ iktidârımdan
Mahabbet hissi çıkmaz bir dakîka kalb-i zârımdan
Ölürsem de bu feryâdı işitsinler mezârımdan
Hayâtım mahvolup gitdi mahabbet bitmiyor hâlâ

Mefâîlün/Mefâîlün/Mefâîlün/Mefâîlün

**

Usûlü: Curcuna   Udî Şekerci Hâfız Cemil Bey

Açdım yüzünü tâl'at-ı dîdârına bakdım
Elceğzim ile kendimi âteşlere yakdım
Gönlüm bilerek dûzah-ı hicrâna bırakdım
Elceğzim ile kendimi âteşlere yakdım.

* * *

Sevdim o perî-peykeri evvel nazarımda
Yer tutdu siyah saçları sevdây-ı serimde
Geldi başıma çâre ne, varmış kaderimde
Elceğzim ile kendim âteşlere yakdım.

Mef'ûlü/Mefâîlü/Mefâîlü/Feûlün

TAL'AT: Güzellik.
DÎDÂR: Yüz, çehre.
DÛZAH: Cehennem, Tamu.

**

RAST MAKAMI

Usûlü: Curcuna   Melikzet (Mustafa Nuri)

Bir lâhza rehâ bulmadı âlâm-ı cihandan
Kurtulmadı bîçâre gönül âh ü figandan
Rencîde olur dem-be-dem evzâ-ı zamandan
Kurtulmadı bîçâre gönül âh ü figandan

* * *

Yıllarca esir etdi beni Leylî edâya
Ferhâd gibi ârâm-ı dili verdi havâya
Uğratdı felek başımı bin türlü belâya
Kurtulmadı bîçâre gönül âh ü figandan

Mef'ûlü/Mefâîlü/Mefâîlü/Feûlün

LEYLÎ: Leylâ
EVZA: Hâller, vaziyetler, tavırlar, duruşlar.

NOT: Bu şarkının bestekârı hakkında:
a) Hânende Mecmuası'nda Melikzet. (sh. 45)
b) Gıdâ-yı Rûh'da: Garbis Efendi (sh. 14)
c) Şarkı Güfteleri (Muharrem Taşçı): Garbis Efendi (Cilt 1, sh. 70)
d) TRT Türk Sanat Musikisi Sözlü Eserler Repertuarı: Mustafa Nûri
   (Melekzet) (1979 baskısı, sh. 201)
e) Türk Musikisi Ansiklopedisi (Yılmaz Öztuna): Garbis Efendi (Cilt 1.
   sh. 226)
f) İstanbul Radyosu Türk Musikisi Nota Kütüphanesinde: Melikzet ,
   kayıtları vardır.

S.A.

**

Usûlü: Curcuna   Kemanî Tatyos

Meyl-i lâ'linle dil mestâne olsun
Aman sâkî getir bir tâne olsun
Gönül kâşânesi meyhâne olsun
Aman sâkî getir bir tâne olsun.

Mefâîlün/Mefâîlün/Feûlün

**

RAST MAKAMI

Usûlü: Curcuna   Subhi Ziyâ Özbekkan

Aşkı muhabbet gibi sandı gönül
Seni sevdim diyene kandı gönül
Aşka düşdü âteşe yandı gönül
Amma zannetme ki uslandı gönül

❋❋

Usûlü: Curcuna   *Beste:* Tanbûrî Selâhaddin Pınar
                              Güfte: Mustafa Nafiz Irmak

Yalnız benim ol el yüzüne bakma sakın sen
Kıskan beni göğsünde uyut yan âteşimden
Aşkın o zehir hasreti rûhumda kanarken
Kıskan beni göğsünde uyut yan âteşimden.

Mef'ûlü/Mefâîlü/Mefâîlü/Feûlün

❋❋

Usûlü: Curcuna   *Beste:* Tanbûrî Selâhaddin Pınar
                                    Güfte: Burhan Bey

Aylar geçiyor sen bana hâlâ geleceksin
Yetmez mi bu hasret daha yıllarca mı sürsün
Hülyâlarımın menbaı bir tâze çiçeksin
Bekletme yazık sen de solar sen de çürürsün.

Mef'ûlü/Mefâîlü/Mefâîlü/Feûlün

❋❋

Usûlü: Curcuna   Fehmi Tokay

Sâgarda değil sâkî-i zîbâda gözüm yok
Gülşen ne demek kubbe-i mînâda gözüm yok
Bir hâlet-i diğerle gönül hastadır ammâ
Mecnûn bile olsam yine Leylâ'da gözüm yok.

Mef'ûlü/Mefâîlü/Mefâîlü/Feûlün

❋❋

RAST MAKAMI

Usûlü: Curcuna İsmail Hakkı Nebiloğlu

Sürsün mü bu tahassür a canım bunca zamandır
Hey hey diyerek etdiğimiz âh ü figândır
Lâle'm ve Gül'üm beklediğim nazlı civandır
Hey hey diyerek etdiğimiz âh ü figândır.

Mef'ûlü/Mefâîlü/Mefâîlü/Feûlün

✳✳

Usûlü: Curcuna Ûdî Marko Çolakoğlu

Evvelce benim hâlime bakdıkça acırdın
Bilmem ki neden kalbimi, ümmîdimi kırdın
Sen öyle niçin ellerini benden ayırdın
Bilmem ki neden kalbimi, ümmîdimi kırdın.

✳✳

Mef'ûlü/Mefâîlü/Mefâîlü/Feûlün

Usûlü: Curcuna Ûdî Şerif İçli

Gül de bülbül gibi ağlasın her yaz
Sensiz geçen ömre neş'e yaraşmaz .
Şâd olmayacakdır tâlî–i nâ-sâz
Sensiz geçen ömre neş'e yaraşmaz.

✳✳

Usûlü: Curcuna *Beste:* Dr. Alâeddin Yavaşça
Güfte: Mustafa Nâfiz Irmak

Yaksan bile sen gönlümü bir zerre gamım yok
Dünyâda benim hiç sana benzer elemim yok
Hülyâmı tutan cevrine dâir sitemim yok
Ammâ yine bir sen gibi de gonca femim yok

Mef'ûlü/Mefâîlü/Mefâîlü/Feûlün

✳✳

RAST MAKAMI

Usûlü: Curcuna   *Beste:* Klârnet Şükrü Tunar
                                                 Güfte: Selim Aru

Durgun suya mehtâb gecenin hüznüne ağlar
Yalnız gibi her şey beni hicrânına bağlar
Gökler dile gelse bana hüsrânını çağlar
Yalnız gibi her şey beni hicrânına bağlar.

Mef'ûlü/Mefâîlü/Mefâîlü/Feûlün

NOT: TRT Türk San. Mus. Söz. Es. Rep.Kitabı (1979) (sh. 202)'de beste-
kârı yanlış olarak Muzaffer İlkar gösterilmiş. S.A.

✳✳

Usûlü: Curcuna   *Beste:* Zeki Müren
                                                 Güfte: Turgut Bey

Yoksun bu gece sen yine zehr oldu şarâbım
Hasretle yanıp inleyecek kalb-i harâbım
Zindân olacak tâ-be–sabah bezm-i tarâbım
Hasretle yanıp inleyecek kalb-i harâbım

Mef'ûlü/Mefâîlü/Mefâîlü/Feûlün

✳✳

Usûlü: Curcuna   *Beste ve Güfte:* Rüştü Şardağ

Bağçende safâ hükmediyorken solayım
Gösterme yüzün, verme sözün, mahvolayım
Rûhumda azâb olmayacaksan n'olayım
Gösterme yüzün, verme sözün, mahvolayım.

Mef'ûlü/Mefâîlü/Mefâîlü/Feûl

RÛBÂÎ: Ahreb.

✳✳

Usûlü: Curcuna   Avni Anıl

Sordular Mecnûn'a Leylâ'nın saâdethânesin
Sîneden bir âh çekip gösterdi dil virânesin
Bir bakışla âşıkı meftûn eder çeşmânesi
Neyleyim dildâre müştâk kılmadı dil-hânesin.

Fâilâtün/Fâilâtün/Fâilâtün/Fâilün

✳✳

RAST MAKAMI

Usûlü: Curcuna Avni Anıl

Sevginin baharı mı derdinle geçen her dem
Bin elem doğuyor neye baksam, kimi sevsem
Yaralı kalbimi bir kerre avut seversen
Bin elem doğuyor neye baksam, kimi sevsem.

❋❋

Usûlü: Semâî Hammâmîzâde İsmail Dede

Yine bir gülnihâl aldı bu gönlümü
Sîm-ten, gonca-fem, bî-bedel ol güzel
Âteşîn ruhleri yakdı bu gönlümü
Pür edâ, pür cefâ, pek küçük, pek güzel.

❋ ❋ ❋

Görmedim kimsede böyle bir dilrübâ
Böyle kaş, böyle göz, böyle el, böyle yüz
Âşıkın bağrını üzmeğe göz süzer
El'aman,el'aman her zaman ol güzel.

Fâilâtün/Fâilâtün/Fâilâtün/Fâilün
NOT: İkinci kuplenin son mısra'ı bazen: El'aman, pek yaman, her zaman ol güzel, diye de okunmakdadır. S.A.

❋❋

Usûlü: Semâî Mahmud Celâleddin Paşa

Fitneler gizlemiş mahmur gözüne
Nâzlanır sevdiğim baksam yüzüne
Gönül aldanıyor tatlı sözüne
Nâzlanır sevdiğim baksam yüzüne

❋ ❋ ❋

Gözde durur iken dâim hayâli
Benden esirgiyor nûr-ı cemâli
Unutmuş sanırım va'd-i visâli
Nâzlanır sevdiğim baksam yüzüne.

❋❋

RAST MAKAMI

Usûlü: Semâî   Bimen Şen

Senin aşkınla nâlânım
Kerem kıl nâzlı cânânım
Bu âlâmım bu efgânım
Kerem kıl nâzlı cânânım
* * *
Değil misin benim cânım
Unutdun mu beni cânım
Mâteminle perişânım
Fedâ olsun sana cânım.

**

Usûlü: Semâî   Yesârî Âsım Arsoy

Perişân saçların aşkımın ağıdır
İncecik telleri kalbimin bağıdır
Gel gülüm kaçma gel sevişmek çağıdır
Zülfünün telleri kalbimin bağıdır
* * *
Bu mevsim geçmeden bu âlem bitmeden
Eğlenip zevke bak şebâbet gitmeden
En güzel demlere sen vedâ etmeden
Eğlenip zevke bak şebâbet gitmeden.

**

Usûlü: Semâî   *Beste ve Güfte:* Neveser Kökdeş

Artık mümkün müdür sana inanmak
Bilmem nasıl geçecek böylece ömrüm
Ne kadar mesutdu geçen her günüm
Sensin kalbimde yaşayan ah beyaz gülüm
Sevdim seni seveceğim her zaman
Unutmam, hastanım senin aman, ah aman

**

RAST MAKAMI

Usûlü: Semâî   *Beste ve Güfte:* Neveser Kökdeş

Hayâl ufkunda uçan bin bir renkler
Enginlerde efsâne güzellikler
Mehtâb hazin, denizde sis, meltemler
Bana aşk, şiir şarkısı söyler.
Rûhum coşar âh hülyâlara dalar
Unutulmaz o tatlı hâtıralar
Mehtâb hazin, denizde sis, meltemler
Bana aşk, şiir şarkısı söyler.

✳✳

Usûlü: Semâî   *Beste ve Güfte:* Abdülkadir Gökmen

Bir tatlı tebessüme aldandı, kandı gönül
Yıllardır hasretinle ağladı, yandı gönül
Sensiz hayat ıztırap artık inandı gönül
Yıllardır hasretinle ağladı, yandı gönül.

✳✳

REHÂVÎ MAKAMI

Usûlü: Remel   Beste   *Beste:* Kaptanzâde Ahmed Ef.

Güfte: Saîd

Seyr et izâr-ı yâri hattı-ı müşk-bâr ile
Hoşdur çemende mevsim-i gül nevbahâr ile
Dildâra bûs-i lâ'li için etdim arz-ı hâl
Kaydım, Sâid şimdi benim der-kenâr ile

Terennüm: Ten ti ril lel le le lel lel le le le le lel lel lel
     Le lel le lel li
     Te re le le le le le le le le le lel lel lel li
     Ye lel la yel lel la ten te rel lel le le lel lel li

NOT: Kapdanzâde Ahmed Efendi, III.cü Ahmed devrinin (1703-1730)
şöhretli musikişinaslarındandır. Yirmiden fazla eser bestelemişse
de zamanımıza bunlardan pek azı gelebilmişdir. (5 adet) Bu ese-
rin güftesi Taşçızâde Recep Çelebi (XVII.ci yüz yıllarda yaşamış-
tır.) tarafından Mâhûr makamında ve Lenk Fahte usûlünde bir
Beste, olarak bestelenmişdir. S.A.

✻✻

Usûlü: Remel   Beste   *Beste:* Hâfız Abdürrahim
Şeydâ Dede
Güfte: Nev'î

Zannetme benim gibi sana bende bulursun
Amma ki hakikat ararsan bende bulursun
Bülbül kadar üftâdelerin hâline rahm et
Ey şûh-perî-zâde sakın, sen de bulursun

Terennüm: Di de re lel li ten dir ten ter dil li ter dil li ten ten ten
     dir ten dir ten ten dir ten te ne nen dir te ne nen dir
     te ne ni ter na dir ni.

✻✻

REHÂVÎ MAKAMI

Usûlü: Muhammes   Beste   Hammamîzâde
                                      İsmail Dede Efendi

Ne edâdır bu ne kâküldür bu
Bu ne gonca bu ne sünbüldür bu
Fehm eder meylimi gûyâ bilmez
Ne tegafül ne tecâhüldür bu
Terennüm: Sevdiğim ey kaşı keman ah el aman.

Fehm: Anlayış, anlamak, **Tegafül:** Anlamamazlıkdan gelme.
Tecahül: Câhil gibi görünme, bilmemezlikden gelme.

✻✻

Usûlü: Muhammes   Beste   *Beste:* Buhurîzâde Mustafa
                                              Itrî Efendi
                                      Güfte: Enverî

Yine ey rûh-ı musavver kafes-i tende misin
Yoksa bir vuslat için dâmen-i dilberde misin
Vâ'dler etmiş idin âşıka rahmeylemeye
Enverî, sen dahi gör kendini defterde misin

✻✻

Usûlü: Freng-i Fer   Beste   Kaptanzâde
                                         Ahmed Efendi

Arz etmediğim yâre meğer yare mi kaldı
Yâ derd-i dile kılmadığım çâre mi kaldı
Bülbül ne acep terk-i vatan eyledi şimdi
İklim-i çemen yoksa yine hâre mi kaldı.
Terennüm: Ten na dir dir na ye le le lel lel lel lel le le le le li.

NOT: Aynı güfte: Melekzet (Mustafa Nuri) tarafından Karcığar şarkı
     Aksak Semâî usûlünde; Emin Ongan tarafından ise Hüseynî-
     Aksak usûlünde şarkı olarak da bestelenmişdir. S.A.

✻✻

REHÂVÎ MAKAMI

Usûlü: Muhammes   Beste   Dellalzâde
                                                İsmail Efendi

Sünbülî sünbülî sünbülî siyeh
Ber semen ber semen ber semen ber semen mezen vay
Be li yârim be li mîrim yâ habîb-el zaman (Tekrar edilir)
Ber semen ber semen ber semen ber semen mezen
Leşkeri, leşkeri leşkeri leşkeri Habeş vay
Ber huten ber huten ber huten ber huten mezen vay
Be li yârim be li mîrim yâ habîb-el zaman (Tekrar edilir)
Ber huten her huten ber huten ber huten mezen vay.

NOT: Osmanlı-Türk edebiyatında sanki güfte kalmamış gibi Dellalzâ-
     de'nin böyle bir güfteyi bestelemesini yadırgıyorum. Bu hatâya
     Dede Efendi, Zekâî Dede ve diğer pek çok bestekârımız da düş-
     müşlerdir. S.A.

✶✶

Usûlü: Muhammes   Beste   Corci

Nekadar dûr ise de ol meh-i behced-zâdım
Rûyine nazra-i hayret mi değil mu'tâdım
Görücek cilve-i yârı geçerim kendimden
Vardı bu vâdilere rütbe-i istidâdım
Terennüm: Cânım ya la yel lel lel li te re lel lel le le lel lel
          li vay, yâr cânım be li şâhım.

✶✶

Usûlü: Aksak Semâî   Ağır Semâî   *Beste:* Hâfız Post
                                                Güfte: Sırrî

Dile mâye-i safâdır hatt-ı rûy-i yâr derler
Kişinin komaz dilinde gamını bahâr derler
O nihâl-ı bağ-ı işve sana de eder temâyül
A gönül ne âh edersin buna rûz-i gâr derler
Terennüm: Ten dir dit de rel li ten ten ten dir ten ten ten
          Nenennennahey hey heyhey heyhey hatt-ırûy-iyârderler.

✶✶

REHÂVÎ MAKAMI

Usûlü: Ağır Sengin Semâî   Ağır Semâî   *Beste:* Tab'î
                                                  Mustafa Efendi

Portakal ü turunç iki memesi
Lebi şeftalûnun şekerlemesi
Sîneme geçdi süzen gamzesi
Hep freng-i pesenddir işlemesi.
Terennüm: Ye lel lel lel lel le le lel lel li âh iki memesi.

NOT: Tab'î gibi dâhî derecesine yaklaşmış bir bestekârın böylesine nite-
liksiz, hafif meşreb bir güfteyi nasıl olup da bestelediği akıl ala-
cak gibi değildir. S.A.

❉❉

Usûlü: Ağır Semâî   Ağır Semâî   Neyzen
                                                  Rıza Bey

Açılmaz gonca gülüm gül gibi seyr-i çemenlerde
Bahâr ü bâde hoşdur dilber-i nâzik bedenlerde
Mey, sâkî hele dursun yerinde başka lezzet var
Salınmak bağında şol serv-i kadd yasemenlerle
Terennüm: Be li yârim âh canım ye le lel ya le le lel li ya le
              lel li be li yârim vay.

❉❉

Usûlü: Yürük Semâî   Yürük Semâî   Itrî

Biz âlûde-i sâgar-ı bâdeyiz (yâr)
Anın-çün leb-i yâre dildâdeyiz (yâr)
Acep derdimiz var sorarsa bizi (yâr)
Rakîb ile her dem müdârâdayız (yâr)
Terennüm: Ye le lel le lel lel le lel lel le lel li yâr
          Biz âlûde-i sâgar-ı bâdeyiz (yâr)

❉❉

REHÂVÎ MAKAMI

Usûlü: Yürük Semâî   Yürük Semâî   Muallim
                                                        İsmail Hakkı Bey

Sabreyle gönül derdine dermân gelir elbet
Sen hastaya bil söyle ki lokman gelir elbet
Nalân olur âşık olan üftâde bu yolda
Âşık olanın gönlüne irfan gelir elbet
Terennüm: Ta dir te nen ni te ne nen na te ne dir ney (Tekrar)
          Dad ey dad ey dad ey dad be li mîrim
          Dad ey dad ey dad ey dad be li yârim.

⁂

Usûlü: Ağır Aksak   İstavri Usta

Bu kemâl-i hüsnünle ey mehlikâ
Ben değil âlem bütün meftûn sana
Misli yok bir dilrübâsın dilberâ
Ben değil âlem bütün meftûn sana

Şöhretin dünyayı tutdu ey perî
Sevmemiş var mı görüp sen dilberi
İftihâr etsek de cânım var yeri
Ben değil âlem bütün meftûn sana.

⁂

Usûlü: Aksak   Bolâhenk Nuri Bey

Hayli demdir hasretim ey meh sana
Firkat-i aşkın yakardı dâimâ
Kalmamışdı sabr ü sâmânım buna
İltifatın tâze can verdi bana

Dilrübâ oldu müyesser ülfetin
Bendeni mesrûr ü ihyâ eyledin
Ben unutmam haşre dek bu nîmetin
İltifatın tâze can verdi bana

⁂

REHÂVÎ MAKAMI

Usûlü: Aksak

İsmail Hakkı Bey

Cân ü dilden ey melek sevdim seni
Vuslatınla sen de dilşâd et beni
Yoluna vakf eylerim can ve teni
Vuslatınla sen de dilşâd et beni

⁂

Usûlü: Devr-i Hindî

Neyzen Ali
Rıza Bey

Aldı aklım nâz ile bir dilberin nezzâresi
Sihri efsûn-sâz imiş ol dîde-i mekkâresi
Mübtelâsı yalnız gönül değil o ülfetin
Sad-hezaran ben gibi vardır onun âvâresi

⁂

Usûlü: Düyek

Hammamîzâde İsmail
Dede Efendi

Ey bülend ahter şeh-i sâhib-kerem
Bin yaşa ömründe sen hiç çekme gam
Nâzım-ı âlem sana olmuş alem
Bin yaşa ömründe sen hiç çekme gam.

Avnî bâri rehberin olsun heman
Adl ü dâdınla rehâ bulsun cihân
Medhini etsin bütün kevn ü mekân
Bin yaşa ömründe sen hiç çekme gam.

⁂

REHÂVÎ MAKAMI

Usûlü: Düyek

İsmet Ağa

Nâr-ı aşkın yakdı beni
Değişmem cihâna seni
Unutma gayrı bendeni
Değişmem cihâna seni

Sanma beni sen bîvefâ
Etme bana cevr ü cefâ
Dâim eyle zevk ü safâ
Değişmem cihâna seni.

✳✳

SABÂ MAKAMI

Usûlü: Devr-i Kebîr   Beste   *Beste:* Zaharya
                                          Güfte: Nâfiz

Gülsitân-ı nakş-ı hüsnünden bahâristân yazar
(Terennüm): Ta dir te ne ten dir ten dir ten ta na dir
        Na dir ney. Hey canım.
Sünbül-i zülfün siyakat hattını reyhan yazar
(Meyan) Hâtem-i lâ'lin çıkardık nakşını bir bûseden
"Nâfizâ" aldık dehânından haber ihsan yazar.

                    Fâilâtün/Fâilâtün/Fâilâtün/Fâilün

NAKŞ: Resim.
SÜNBÜL: Bir çiçek, Güzellerin saçı.
SİYAKAT: Eski yazımızın daha ziyâde mâli kayıtlarda kullanı-
        lan bir çeşidi.
HATT: Çizgi, yazı.
REYHAN: Fesleğen.
HÂTEM: Mühür.
DEHÂN: Ağız.

                    **

Usûlü: Hafif   Beste   Dilhayat Kalfa

Yek-be-yek gerçi merâm-ı dili takrîr etdim
(Terennüm): Ah servinâzım, işvebâzım gel efendim
        Aman beli, şâh-ı men. Hey cânım.
Neyleyim âh o meh-peykeri dilgîr etdim
Eyleyip hâbda takbîl o nûr-ı basarı
Uyanıp hâhiş ile aynını tâbîr etdim
                    Feilâtün/Feilâtün/Feilâtün/Feilün

YEK-BE-YEK: Birer birer.
TAKRÎR: Anlatmak.
AYN: Ta kendisi, aynı.
TÂBÎR: Yorumlamak.
TAKBÎL: Öpmek.
NÛR-I BASAR: Göz nûru.

                    **

SABÂ MAKAMI

Usûlü: Darb-ı Fetih   Beste   Zekâî Dede

Bir lâhza nihân olsa o meh-rû nazarımdan
Yâr cânım ah nazarımdan
(Terennüm): Yel le lel le lel le le lel lel li
            Yen tir ye lel lel lel lel lel li mirim
            Ye le la li hey yâr hey dost
            Beli yârî men hey cânım, men hey cânım
Bîzar olurum hâsılı nûr-ı basarımdan
(Meyan) Ben tâir-i evc-i harem-i sûz u güdâzım
Âteş saçılırsa ne acep bâl-ü perimden.

                    Mef'ûlü/(Mefâîlü/Mefâîlü/Feûlün
                    ✳✳

Usûlü: Sakîl   Beste   *Beste:* Subhi Ziya Özbekkan
                               Güfte: Nef'i

Âşıka tan etmek olmaz mübtelâdır neylesin
(Terennüm): Dost ömrüm aman aman aman yâr dost hey
            Dost mübtelâdır neylesin
            Dost beli yârim, beli mirim dost
Âdeme mihr-i mahabbet bir belâdır n'eylesin
(Meyan): Zülfüne kalsa perîşan eylemezdi dilleri
Anı da tahrîk eden bâd-ı sabâdır neylesin.

                    Fâilâtün/Fâilâtün/Fâilâtün/Fâilün
                    ✳✳

Usûlü: Lenk Fâhte   Beste   Subhi Ziya Özbekkan

Sabâ, serîrin ol meh söyle gönülde kursun
Cânım yerine kaim dilde vedîa dursun
(Terennüm): Hey yâri men hey miri men cânânı men sultanı men
            Hey dost canı men kurbanı men. Dilde vedîa dursun.
Cânân yolunda bizler terk-i hüviyyet etdik
Mâdem esîri olduk zencîr-i zülfe vursun

                    Mef'ûlü/Fâilâtün/Mef'ûlü/Fâilâtün

SERÎR: Taht.
VEDÎA: Emanet.
NOT: Birinci mısra'da vezin bozukdur. S.A.

                    ✳✳
                    -1170-

SABÂ MAKAMI

Usûlü: Ağır Aksak Semâî   Ağır Semâî   *Beste ve Güfte:*
Tâhir Efendi
(Halîfezâde)

Bilindi bûseye yok yârin izni gül memeden
Garaz ne âşıka cevr etmeden öpülmemeden
Al câmeden akşam beli cânâne açılmış
Subh olmuş açılmış şafak ammâ ne açılmış
Düzd-i nigehi hançer ile belde gezerken
Şehr-i dil-i uşşâkına çok hâne açılmış
Bu Tâhir ana giriftâr iken ne bağlandım
Tereddüt eyleme ey düğme sen çözül memeden.

İlk ve son iki mısraların vezni
Mefâilün/Feilâtün/Mefâilün/Feilün
Aradaki kıt'anın vezni
Mef'ûlü/Mefâîlü/Mefâîlü/Feûlün

❋❋

Usûlü: Aksak Semâî   Ağır Semâî   Subhi Ziya Özbekkan

Ağlarım ağladığım yâre nümâyân olmaz
Âşıkın kalbi yanar dîdesi giryân olmaz
Bu büyük derde düşen mâil-i dermân olmaz
Zevk-i vaslınla ölen farik-i hicrân olmaz
Terennüm: Ta dir ten ne ne ten ne nen dir. Yâr aman
Dil pesendim bî-menendim
Ah efendim gel aman.
Feilâtün/Feilâtün/Feilâtün/Feilün

❋❋

Usûlü: Yürük Semâî   Yürük Semâî   Neyzen Rıza Bey
(Neyzen Hayri Tümer'den alınmıştır.)

Bezm-i gamını sahn-ı gülistâna değişmem
Terennüm: Canım ye le lel lel lel le
Lel lel le le la li (Of of... tâ na değişmem).
Ruhı gibi can verdi bize bâde-i lâ'li
(Terennüm)
Mef'ûlü/Mefâîlü/Mefâîlü/Feûlün

❋❋

SABÂ MAKAMI

Usûlü: Yürük Semâî   Yürük Semâî *Beste:* Subhi Ziya Özbekkan
Güfte: Kayserili Pesendî

Ey bâd-ı sabâ yâr iĺe vuslat ne zamandır
Bir kerre suâl eyle ki ruhsat ne zamandır
Dâğ olsa bile eylemez hecre tahammül
Taş olsa erir âteş-i hasret ne zamandır
Terennüm: Gel gel işvebâzım, gel gel dilnüvâzım
Yâr yâr gel serv-i nâzım dost dost gel çâre-sâzım.

Mef'ûlü/Mefâîlü/Mefâîlü/Feûlün

**

Usûlü: Aksak Semâî   Hacı Ârif Bey

Cihan gözümde yok hayli zamandır
Göremem sevdiğim gözden nihandır
Gece gündüz işim âh-ü figandır
Aman yetiş yârim hâlim yamandır
Bana gerçek bu söz sana yalandır.

NOT: Bu şarkı (Sabâ Zemzeme) olarak gösterilmektedir. S.A.

**

Usûlü: Ağır Aksak   Numan Ağa

Değilsem de sana lâyık efendim (a canım)
Ne çâre âşıkım âşık efendim
Beni kıl vaslına lâyık efendim (a canım)
Ne çâre âşıkım âşık efendim

Mefâîlün/Mefâîlün/Feûlün

**

SABÂ MAKAMI

Usûlü: Ağır Aksak   Şevki Bey

Mey içerken düşdü aksin câmıma
Şimdi girdin bir avuç hem kanıma
Can dahi olsun fedâ cânânıma
Şimdi girdin bir avuç hem kanıma

Beni mi buldun bu âlemde seçip
Bu perişan hâl ile candan geçip
İşte yandım zehr-i hicranın içip
Şimdi girdin bir avuç hem kanıma

Fâilâtün/Fâilâtün/Fâilün

❋❋

Usûlü: Ağır Aksak   Yorgaki

Fasl-ı güldür nev-bahâr eyyâmıdır (canım)
Goncasın ey nevcüvânım gel açıl
Bağa çık seyr-i kenâr eyyâmıdır
Goncasın ey nevcivânım gel açıl.

Fâilâtün/Fâilâtün/Fâilün

❋❋

Usûlü: Ağır Aksak   *Beste:* Bimen Şen
                                         Güfte: Mustafa Reşit Bey

Çamlar altında uzatdı dest-i nâzı bir perî
Korka korka kokladım öpdüm o nermîn elleri
Goncalar açdı feminde ibtisâm-ı dilberi
Korka korka kokladım öpdüm o nermîn elleri.

Fâilâtün/Fâilâtün/Fâilâtün/Fâilün

❋❋

-1173-

SABÂ MAKAMI

Usûlü: Aksak   Hrıstaki (Leon Hancıyan Kolleksiyonundan)

Bir tanesin şu alemde ey güzel (aman)
Âşık oldum sana candan ey güzel (aman)
Sakın etme beni mahzun ey güzel (aman)
Güzellerden güzelsin sen ey güzel (aman)

Hayli demdir ey meh seni göreli (ey güzel aman)
Az gün oldu sana gönül vereli (ey güzel aman)
N'eyleyim âh bilmedim tâ ezelî (ey güzel aman)
Güzellerden güzelsin sen ey güzel (ey güzel aman)

❋❋

Usûlü: Aksak   *Beste:* Zeki Ârif Ataergin
                                    Güfte: Fatine Talay

Bir nigâh et kahr ile sen bakma Allah aşkına
Sarı giyme bir daha gül takma Allah aşkına
Kimseyi gönlüm misâli yakma Allah aşkına
Sarı giyme bir daha gül takma Allah aşkına.

Fâilâtün/Fâilâtün/Fâilâtün/Fâilün

❋❋

Usûlü: Aksak   *Beste:* Subhi Ziya Özbekkan
                                    Güfte: Sâmi Paşa

Semt-i dildâra bu demler güzerin var mı sabâ
Dil-i hasretzedeye nev haberin var mı sabâ
Ben giriftâr-ı elem bülbül-i efgân-zedeyim
Verd-i bâğ-ı emelimden seferin var mı sabâ
Çin-i zülfünde o şûhun eserin var mı sabâ

Feilâtün/Feilâtün/Feilâtün/Feilün

DİLDAR: Sevgili.
GÜZER: Gidiş
SABÂ: Bahar rüzgârı.
GİRİFTÂR: Tutulmuş, yakalanmış, tutkun.
VERD: Gül.
ÇÎN: Büklüm.
ZÜLF: Yanağa düşen saç.

❋❋

SABÂ MAKAMI

Usûlü: Aksak   *Beste* ve *Güfte:* Mustafa Nâfiz Irmak

Gözlerim arıyor seni her yerde
Nerdesin sevgilim şimdi sen nerde
Gönlüm hıçkırırken gurbet ellerde
Gözüme inmeden o kara perde
Bir çâre buluver bu sönmez derde

**

Usûlü: Aksak   *Beste:* Fehmi Tokay
                                  Güfte: Nâci Sıral

Gün doğdu gönül beklemede cilve-i yârı
Ey bâd-ı sabâ git de uyandır o nigârı
Okşa saçını öp yüzünü zülfünü kokla
Ey bâd-ı sabâ git de uyandır o nigârı.
                    Mef'ûlü/Mefâîlü/Mefâîlü/Feûlün

**

Usûlü: Aksak   *Beste:* Kemanî Emin Ongan
                                  Güfte: Fuzûlî

Can verme gam-ı aşka sen aşk âfet-i candır
Aşk âfet-i can olduğu meşhûr-i cihandır
Aşk içre azâp olduğun andan bilirim kim
Aşk âfet-i can olduğu meşhûr-i cihandır.
                    Mef'ûlü/Mefâîlü/Mefâîlü/Feûlün

**

Usûlü: Aksak   *Beste* ve *Güfte:* Sabri Sühâ Ansen

Bahçenizde boynu bükük lâleyim
Dem çeken bülbül gibi bir nâleyim
Bir onulmaz derde oldum mübtelâ
Âşıkım mecnûn-misâl âvâreyim
Dem çeken bülbül gibi bir nâleyim.

                    Fâilâtün/Fâilâtün/Fâilün

**

SABÂ MAKAMI

Usûlü: Aksak

Beste: Erol Sayan
Güfte: Zahirettin Erkılıç

Yine özlem dolu kalbimde birikmiş acılar
Ne kadehlerde tesellî, ne şarabın tadı var
İçerim böyle her akşam, zehir olmuş elemi
Ne kadehlerde tesellî, ne şarabın tadı var.

✱✱

Usûlü: Devr-i Hindî

Hacı Ârif Bey

Nigâh-ı mestine canlar dayanmaz
Uyanmaz uykudan cânân uyanmaz
Bu nâz ü işveden aslâ usanmaz
Sabâh olduğuna gûyâ inanmaz
Uyanmaz uykudan cânân uyanmaz

Mefâîlün/Mefâîlün/Feûlün

✱✱

Usûlü: Devr-i Hindî

Kemençevî Aleko Bacanos

Öyle bir âfet-i yektâ-yı emelsin meleğim
Bakamam gözlerine çünki erir göz bebeğim
Akıtan göz yaşını pâyine bir secde-berim
Bakamam gözlerine çünki erir göz bebeğim

Feilâtün/Feilâtün/Feilâtün/Feilün

✱✱

Usûlü: Yürük Semâî

Subhi Ziya Özbekkan

Sabâ yolun düşerse git o tıfl-ı dil-sitâna sor
Bilir mi iftirâk-ı yâr sevenleri ne hâle kor
Eğer güler de nâz ile o derse bilmedim henüz
Git o şûha anlat ey sabâ severken ayrılış ne zor.

Mefâilün/Mefâilün/Mefâilün/Mefâilün

NOT: Bu şarkı (Sabâ Zemzeme) makamındadır. S.A.

✱✱

SABÂ MAKAMI

Usûlü: Sengin Semâî   *Beste* ve *Güfte:* Mustafa Nâfiz Irmak

Sâhilde sabâ rüzgârı ağlarken uyan sen
Kalbinde derin bir sızı duy aşkımı an sen
Hicrinle nasıl söndüğümü gör de inan sen
Kalbinde derin bir sızı duy aşkımı an sen.

Mef'ûlü/Mefâîlü/Mefâîlü/Feûlün

❈❈

Usûlü: Sengin Semâî   *Beste:* Ûdî Şerif İçli
Güfte: Dr. Rahmi Duman

Neydin güzelim sen güzelim dün gece neydin
Âteş gibi âfet gibi bir korkulu şeydin
Tâkat komadın sen beni bir ay gibi eğdin
Neydin güzelim sen güzelim dün gece neydin.

Mef'ûlü/Mefâîlü/Mefâîlü/Feûlün

❈❈

Usûlü: Türk Aksağı   *Beste:* Şerif İçli
Güfte: Hüseyin Rıfat Işıl

Düş ben gibi bir aşka sadâkat ne imiş gör
Vuslat demi beklerken o firkat ne imiş gör   *firkat - ayrılık*
Yok yok güzelim düşme sakın öyle belâya
Gel kalbime gir orda felâket ne imiş gör.

Mef'ûlü/Mefâîlü/Mefâîlü/Feûlün

❈❈

Usûlü: Türk Aksağı   *Beste:* Kemanî Eyyubî Mustafa Sunar
Güfte: Melâhat Altındal

Sevdim de inandım sana hem cânımı verdim
Kalbimde yanan âteş-i aşk gönlünü yaksın
Cânânım için ben yanarak kalbimi verdim
İster mi gönül âh nasıl hicrânına yansın.

❈❈

SABÂ MAKAMI

Usûlü: Ağır Düyek

Hammâmîzâde İsmail Dede Efendi

Gûş eyle gel bülbülleri
Ruhsâre saç sünbülleri
Kapladı sahrâyı çemen
Sor zevki bu esnâda sen
Üftâdeler eyler figan
Ey lebleri gonca dehan

Nûş eyle câm-ı mülleri
Açsın kudumün gülleri
Bağı dolandı yâsemen
Açsın kudumün gülleri
Ey dîdesi nergis heman
Açsın kudumün gülleri

Müstef'ilün/Müstef'ilün

**

Usûlü: Düyek

Sultan III. Selim

Bu dil üftâde ol kâkül-i yâra
Taramış zülfünü dökmüş ruhsâra
Giyinmiş kuşanmış al yeşil hâre
Nakarat: Dil ana meftun kaameti mevzûn
　　　Âşıkım ne çâre ben de o yâra
Siyah zülfün gibi aklım perişan
Mehtâb-ı hüsnünü görenler hayrân
Henüz nevrestedir ol şûh-i cihan
　　　　(Nakarat)
**

Usûlü: Sofyan

Rif'at Bey

Müptelây-ı aşk ile âfetzede bîçâreyim
Zülfüne düşdüm o şûhun şimdi baht karayım
Kalmadı sabr ü sükûnum ben kime yalvarayım
Aşkına düşdüm o şûhun şimdi bahtı karayım.

Girye eyler dîde-i hasret-zede haylî zaman
Eylesen çok mu gönül her dem figân-ender-figân
Bende artık kalmadı rahm etmiyor tâb ü tüvân
Aşkına düşdüm o şûhun şimdi bahtı karayım.

Fâilâtün/Fâilâtün/Fâilâtün/Fâilün

NOT: Bazı notalarda bu şarkının nakarat başlangıcı (Derdine...) diye de
　　görüldü. S.A.

**

SABÂ MAKAMI

Usûlü: Düyek   *Beste veGüfte:* Yesârî Âsım Arsoy

Seni herkesden kıskanıyorum
Kalbimi yakdın ah yanıyorum
Yüz bin âşıkın var sanıyorum
Kalbimi yakdın ah yanıyorum

⁂

Usûlü: Sofyan   *Beste veGüfte:* Kanunî Necdet Varol

Gecelerin ucunda ararım seni
Düşe hayâl katıp da sararım seni
Anıların ardınca umarım seni
Seher yıldızından hep sorarım seni

Görmediğim yıllardır güzelim seni
Sarmadığım nic'oldu dilerim seni
Dünyalara değişmem severim seni
Olamam sensiz inan gel üzme beni.

Senelere umutlar takılı kaldı
Kaderimiz ne çâre feleğe kaldı
Gurbet elde hasretin bağrım dağladı
Gönül sende gözlerim yollarda kaldı

Yazı güze ekledim bahar olmadı
Gecelere eş oldum sabah olmadı
İçerim yanıyor ah bilen olmadı
İnan olsun hayatın tadı kalmadı

⁂

SABÂ MAKAMI

Usûlü: Düyek   *Beste:* Dr. Ümit Mutlu
Güfte: Mustafa Nâfiz Irmak

Ey gonca neden gül yüzünün rengi sararmış
Kirpiklerinin hâlesi bilmem niye nemli
Sevdâlı bir akşam güneşi rûhunu sarmış
Yorgun sesinin şarkısı hüznümden elemli

Mef'ûlü/Mefâîlü/Mefâîlü/Feûlün

✸✸

Usûlü: Nim Sofyan   *Beste:* Zekâî Tunca
Güfte: Kayahan Açar

I-) Her seferinde hep böyle
    Koşdum sevgiye sevgiyle
    Gerçek aşkı buldum diye
    Pek çok yanıldım güzelim.

    Nakarat: Sen ilk değil son değilsin
           Son yalancı sen değilsin
           Yaşayamam sanma sensiz
           Solmayan gülşen değilsin.

II-) Yarın belki başka biri
    Az çok güzel senin gibi
    Birazcık sevse de beni
    Artık usandım güzelim
    Nakarat

III-) Her zaman hep böyleyim ben
    Az sevilip çok üzülen
    Tam sevmişken terkedilen
    Artık uslandım güzelim.
    Nakarat

✸✸

SABÂ MAKAMI

Usûlü: Müsemmen   *Beste:* Erdinç Çelikkol
                                      Güfte: Reşat Özpirinççi

Vurdu aksin ey kamer yüz ben içerken bâdeye
Ayrılık bir ıztırapdır ben gibi pervâneye
Gözlerimden yaşlar akdı içdiğim peymâneye
Ayrılık bir ıztırapdır ben gibi pervâneye

✳✳

Usûlü: Düyek   *Beste* ve *Güfte:* Tanbûrî Erol Sayan

Güle sorma o bilmez aşkı sevdâyı, neş'eyi
Lâleye sor, çiğdeme sor, mor menekşeye sor
Neş'eli ol kara gözlüm, şirin sözlüm
Gel bana dâima gül, şarkı söyle, oyna

Nakarat: Ne güzel de oynarsın, fıkır fıkır kaynarsın
         Şen şakrak, hem güzelsin, ateşine yakarsın

Gülüşünle sen aşkım oldun ey dilber sevgilim
Oyna artık, dön güzelim tüller omzunda
Gül dudaklım, kara gözlüm, şirin sözlüm
Gel bana dâima gül, şarkı söyle, oyna.

(Nakarat)

✳✳

SABÂ MAKAMI

Usûlü: Curcuna

Beste: Rifat Bey
Güfte: Yusuf Ken'an Bey

Hayâl-i yâre değme girye, dursun
Kurulsun sahn-ı çeşmimde otursun
Sipâh-ı aşk-ı cânân cân ilinde
Dağılsın kol kol olsun ordu kursun

çeşm — göz

Haberdâr et sabâ ol gül-izârı
Bizim semtin erişdi nevbahârı
Eğer isterse seyr-i lâlezârı
Açıkdır sînemin bâğı buyursun

sabâ — hafif rüzgar
gülizar — gül yanaklı
lâlezar — lâle bahçesi

Mefâîlün/Mefâîlün/Feûlün

GİRYE: Gözyaşı.
SAHN: Ön taraf.
SİPÂH: Asker.
NOT: Bu şarkı (Sabâ Zemzeme) makamındadır.
Notasında dahi (Sipâh-ı aşk cânâ cân elinden) diye yazılı olan
mısra yanlışdır. Bizim yazdığımız gibi olmalıdır. S.A.

✳✳

Usûlü: Curcuna

Bülbülî Sâlih Efendi

Nihâyet gelmiyor feryâd u âha
Felek yâr olmuyor baht-ı siyâha
Şikâyet eylemem artık o mâha
Felek yâr olmuyor baht-ı siyâha

Mefâîlün/Mefâîlün/Feûlün

✳✳

Usûlü: Curcuna

Beste: Kemanî Cevdet Çağla
Güfte: Dr. Alâeddin Yavaşça

Süzdükçe güzél gözlerini kalbimi yakdın
Bilmem ki nasıl bir lâhzada gönlüme akdın
Sardın meleğim rûhumu bîçâre bırakdın
Bilmem ki nasıl bir lâhzada gönlüme akdın

✳✳

SABÂ MAKAMI

Usûlü: Curcuna

Beste: Dr. Selâhaddin İçli
Güfte: İlhamî Karayalçın

Dün ellerle oynamışsın gülmüşsün
Yanağında güller açmış bana mı
Gözlerini kimler için süzmüşsün
Bu yapdığın düşmana mı bana mı

Kimselere hatır sormaz değilsin
Acı diller dostluğa mı cana mı
Bir gün olsun ağlatmadan etmezsin
Senin kasdın aşkıma mı bana mı

**

Usûlü: Semâî

Şâkir Ağa

Gelmiş değil böyle perî
Hiç görmedim çokdan beri
Olsam ne var ben müşterî
Hiç görmedim çokdan beri
Nakarat: Tavşanların işvegeri
           İzmirlidir en dilberi
Semmur gibi zülfün teli
Seyr eyleyen olur deli
Değmiş midir ağyâr eli
Hiç görmedim çokdan beri

Müstef'ilün/Müstef'ilün

NOT: Hânende mecmuası (Sh. 236) Suyolcuzâde Salih Efendi'ye kayıtlı.
2. kuplesi 3. mısra' "Değmişdir ağyârın eli" diye yazılmışdır. S.A.

**

SEGÂH MAKAMI

Usûlü: Zencir   Beste   Küçük Mehmed Ağa

Böyle ruhsatda iken gamze-i fettânesine
Âşıkın varmı tesellî dil-i dîvânesine
Heves-i vuslat-ı dildâr ile yanar tutuşur
Dem-i aşkın nazar et şem'ine pervânesine

Feilâtün/Feilâtün/Feilâtün/Feilün

**

Usûlü: Muhammes   Beste   *Beste:* Enfî Hasan Ağa
                                          Güfte: Fasîh

Bezm-i meyde mutrıbâ bir nağme-i dil-cû kopar
Şevk-bahş ol meclise gir bir sadâ-yı hû kopar
Zülfün okşa lâ'lin öp bağ-ı cemâlinden Fasîh
Gâh sünbül-çîn-i şevk ol tâze şeftâlû kopar

Fâilâtün/Fâilâtün/Fâilâtün/Fâilün

**

Usûlü: Ağır Çenber   Beste   *Beste:* Zaharya
                                         Güfte: Koca Râgıb Paşa

Çeşm-i meygûnun ki bezm-i meyde cânân döndürür
Sakî-i gül-çehre guyâ, câm-ı rahşân döndürür
Berg-i ruhsârı, arakrîz-i gülâb-ı şerm olur
Ol gül endâmı ki, âgûşunda yârân döndürür

Fâilâtün/Fâilâtün/Fâilâtün/Fâilün

**

SEGÂH MAKAMI

Usûlü: Ağır Sengin Semâî   Ağır Semâî   Buhûrîzâde Mustafa
Itrî Efendi

Der mevc-i perişânı-i mâ fâsıla nist
Terennüm: Canım yel le le lel lel lel lel lel li
Mirim ye le la li canım yel lel lel
Lel lel lel lel lel lel lel lel lel lel
Le lel lel lel li ya la yel le la li
Aman fâsılaı nist
Bûy-i gül ü bâd-ı seherî ber ser-i râhend
Terennüm

✳✳

Usûlü: Yürük Semâî   Yürük Semâî   *Beste:* Buhûrîzâde
Mustafa Itrî Efendi
Güfte: Nef'î

(Ah) Tûtî-i mu'cize-gûyem ne desem lâf değil
Beli yârim beli dost, beli mîrim beli dost
Beli ömrüm beli dost
(Ah) Çerh ile söyleşemem âyinesi sâf değil
Beli yârim beli dost, beli mîrim beli dost
Beli ömrüm beli dost
(Ah) Ehl-i dildir diyemem sînesi sâf olmayana
(Ah) Beli yârim beli dost, beli mirim beli dost
Beli ömrüm beli dost
Ehl-i dil bir birini bilmemek insâf değil

Feilâtün/Feilâtün/Feilâtün/Feilün

✳✳

Usûlü: Yürük Semâî   Yürük Semâî   Ebûbekir Ağa

Etdi o güzel ahde vefâ müjdeler olsun
Ey âşık-ı şûride sana müjdeler olsun
Tir yel li yel li ye le li ah müjdeler olsun
Vâ'd eyledi bir gice nihânî gelecekdir
Tir yel li yel li ye le li ah yâr gelecekdir
Ben kuluna ey mâh-likâ müjdeler olsun
Tir yel li yel li ye le li ah müjdeler olsun

Mef'ûlü/Mefâîlü/Mefâîlü/Feûlün

✳✳

SEGÂH MAKAMI

Usûlü: Aksak Semâî   Ağır Semâî   Koca Osman

Şâhım avdan gelmez hayli zamandır
Meğer yağmur yağar yollar dumandır
Dikerim yaramı, zahmım onulmaz
Açarım sînemi dopdolu kandır

Bu sevdâdan benim hâlim yamandır
İki gözlerimin yaşı revândır
Kaşının yayına karşı durulmaz
Müjen oklarına sînem nişandır

※※

Usûlü: Ağır Aksak Semâî   Kazasker Mustafa
                                             İzzet Efendi

Doldur getir ey sakî-i gül-çehre piyâle
Sâgar yetişir bu gecelik def-i melâle
Aks eyleye tâ bâde o rûhsâre-i âle
Bu vech ile ver zevk u safâ bezm-i visâle

Mef'ûlü/Mefâîlü/Mefâîlü/Feûlün

※※

Usûlü: Ağır Aksak   Kazasker Mustafa İzzet Efendi

Çekdiğim bilmem nedendir derd-i gerdûndan benim
Ağla çeşmim ağla ki baht-ı şebâbım karadır
Sâhil-i deryâ-yı aşkda kaldı yurdum meskenim
Ağla çeşmim ağla ki baht-ı şebâbım karadır.

Fâilâtün/Fâilâtün/Fâilâtün/Fâilün

※※

-1187-

SEGÂH MAKAMI

Usûlü: Ağır Aksak   Selânikli Ahmed Bey

Zevk olur giryelerim kalb-i safâ mestinize
Hiç vefâ uğramamış mı güzelim semtinize
Her düşen böyle perîşan mı olur destinize
Hiç vefâ uğramamış mı güzelim semtinize

Feilâtün/Feilâtün/Feilâtün/Feilün

**

Usûlü: Ağır Aksak   *Beste:* Kazasker Mustafa
                                        İzzet Efendi
                                        Güfte: Âkif Paşa

Şeb midir bu ya sevâd-ı âh-ı pinhânım mıdır
Şem-i meclis şûle-i dağ-ı nümâyânım mıdır
Bilmez oldum sâkiyâ derd-i firâk-ı yâr ile
Mey midir bu ya sirişk-i çeşm-i giryânım mıdır.

Sevâd: Karanlık, siyahlık.-Pihhân: Gizli.-
Şu'le alev, ateş alevi.- Dağ: Yanık yarası, insan veya hay-
van vücuduna kızgın demirle vurulan işaret.- Nümâ-
yân: Görünen, meydanda.- Sirişk: Gözyaşı.

Fâilâtün/Fâilâtün/Fâilâtün/Fâilün

**

Usûlü: Ağır Aksak   *Beste:* Bimen Şen
                                        Güfte: Enderûnî Vâsıf

Bensiz ey gül gülşen-i âlemde mey nûş eyleme
Andelîb-i aşkınım hasretle hâmûş eyleme
Gönlümü sahbây-ı hicrânınla serhoş eyleme
Her ne cevr eylersen et ahdi ferâmuş eyleme

Fâilâtün/Fâilâtün/Fâilâtün/Fâilün

**

SEGÂH MAKAMI

Usûlü: Ağır Aksak   *Beste:* Bimen Şen
Güfte: Ahmed Refik Altınay

Sun da içsin yâr elinden âşıkın peymâneyi
Bir kadehle mest ü bîtâb et dil-i vîrâneyi
Sîne-i gül-rengini aç da utandır lâleyi
Bir kadehle mest ü bîtâb et dil-i vîrâneyi
Fâilâtün/Fâilâtün/Fâilâtün/Fâilün

**

Usûlü: Ağır Aksak   *Beste:* Zeki Arif Ataergin
Güfte: Sadık Acar

Hâksâr etdin beni çok firkatinle nâzenîn
Hasretin çün câna yetdi bitmiyor âh ü enîn
Târümâr oldukça gönlüm titriyor sandım zemin
Hasretin çün câna yetdi bitmiyor âh ü enin.
Fâilâtün/Fâilâtün/Fâilâtün/Fâilün

**

Usûlü: Ağır Aksak   Zeki Arif Ataergin

Kendi gönlümdür tehiyye eyleyen berbâdımı
Anlamaz kimse benim ma'nâ-yı istidadımı
İnleyen, âh eyleyen, Allah diyen, feryâdımı
Anlamaz kimse benim ma'nâ-yı istidâdımı
Fâilâtün/Fâilâtün/Fâilâtün/Fâilün

**

Usûlü: Orta Aksak   Selânikli Ahmed Bey

Diyemem ben elem-i dehr ile dilgîr olsun
Beni pîr etdi cuvânım, dilerim pîr olsun
O da bir dilbere dildâde-i teshîr olsun
Beni pîr etdi cuvânım, dilerim pîr olsun
Feilâtün/Feilâtün/Feilâtün/Feilün

**

SEGÂH MAKAMI

Usûlü: Ağır Aksak
Beste: Şerif İçli
Güfte: Hikmet Münir Ebcioğlu

Her nefes ömrümde binbir hasretin, âhın tüter
Şefkatin, sevgin, visâlin bence zûlmünden beter
Bir zehir vermekle, sanma, yıpranan ömrüm biter
Kahr olup ölmekse maksat bir seni sevmek yeter.

Feilâtün/Feilâtün/Feilâtün/Feilün

**

Usûlü: Aksak
Hacı Ârif Bey

Feryâdımı gördükçe benim ey gül-i ra'nâ
Gûş etmedin aslâ
Hâk-i rehine düşse n'ola âşık-ı şeydâ
Ek kamet-i bâlâ
Mahfice efendim bu gece eyledik işret
Pek cânıma minnet
Kâdir değilim hâlimi arz etmeye ammâ
Yakdın beni cânâ

Mef'ûlü/Mefâilü/Mefâilü/Feûlün

**

Usûlü: Aksak
Beste: Hacı Ârif Bey
Güfte: İzzet Molla

Bülbül yetişir bağrımı hûn etdi figânın
Zapt eyle dehânın
Hançer gibi deldi ciğerim tiğ-i zebânın
Te sîr-i lisânın
Ben uğramışım zannım odur illet-i aşka
Hîç eyleme şüphe
Bir fâidesi olmadı zîrâ hukemânın
Tedbîr-i devânın

Mef'ûlü/Mefâîlü/Mefâilü/Feûlün
Mef'ûlü/Feûlün

**

SEGÂH MAKAMI

Usûlü: Ağır Aksak

Bimen Şen

(Of...) Dilde sevdâ sinede dağ-ı firak (Of)
Başıma derd oldu derdin, derde bak (Of)
Cânımı yakdı benim bu iştiyak (Of)
Başıma derd oldu derdin, derde bak (Of)

iştiyak= özleme

Fâilâtün/Fâilâtün/Fâilün

**

Usûlü: Aksak

Lâvtacı Hristaki

Sûy-i Kâğıthânede mecnûn-misâl
Bekledim râhın efendim bî-mecâl
Anladım teşrîfine yok ihtimâl
Çağlayanlarla beraber çağladım
Tâli-i nâ-sâza küsdüm ağladım.

Fâilâtün/Fâilâtün/Fâilün

**

Usûlü: Aksak

Ahmed Rasim Bey

Gelmiyorsun mâni'in var sevdiğim çokdan beri
Bir nasılsın yok mu ammâ âşık-ı bîçâreye
Şunda bunda kal yine eğlen geçir bu demleri
Bir nasılsın yok mu amma âşık-ı bîçâreye.

Fâilâtün/Fâilâtün/Fâilâtün/Fâilün

**

Usûlü: Aksak

Dellalzâde İsmail Efendi

Şem'a-i maksudu yak
Yan gel otur zevke bak
Lûtfeyle bir iki çak
Yan gel otur zevke bak

**

SEGÂH MAKAMI

Usûlü: Aksak   *Beste* ve *Güfte:* Hacı Fâik Bey

Zencîr-i aşkın dil-bestesiyim
Divânen oldum bilmez misin sen
Şem-i cemâlin âşüftesiyim
Pervânen oldum bilmez misin sen.

Fa'lün/Feûlün/Fa'lün/Feûlün

**

Usûlü: Aksak   Ûdî Sâmi Bey

Firâkın, cevr-i hicrânın usandım ıztırâbından
Günâh-ı aşkımın kurtulmak isterdim azâbından
Recây-ı vuslat etdikçe gönül mecbûr-i hasretdir
Teşekkî eylemek beyhûdedir bahtın nisâbından.

Mefâîlün/Mefâîlün/Mefâîlün/Mefâîlün

**

Usûlü: Aksak   Fehmi Tokay

Kırdın ümmîdimi, yıkdın şu gönül lânesini
Dil unutmaz ölür ammâ yine bir dânesini
Günler, aylar geçecek anmayacaksın adımı
Dil unutmaz ölür ammâ yine bir dânesini.

Feilâtün/Feilâtün/Feilâtün/Feilün

**

Usûlü: Aksak   *Beste:* Fehmi Tokay
                                        Güfte: Halid Bekir Sabarkan

Kaç kerre dolaşdıkdı kuş uçmaz gecelerde
Sesler duyulur gerçi konuşmaz gecelerde
Kalsak ne olur subha kavuşmaz gecelerde
Mehtâb, ikimiz, hâtıralar yan yana Leylâ

Mef'ûlü/Mefâîlü/Mefâilü/Feûlün

**

SEGÂH MAKAMI

Usûlü: Aksak

Beste: Vecdi Seyhun
Güfte: M.Nedim Güntel

Akşam yine rûhumdaki hicrân ile yandım
Bahtın bana çok gördüğü rüyâları andım
Tâ kalbe dolan bir acının zevkına kandım
Bahtın bana çok gördüğü rüyâları andım

Mef'ûlü/Mefâîlü/Mefâîlü/Feûlün

**

Usûlü: Raks Aksağı

Beste: Refik Fersan
Güfte: Bâki Sûha Ediboğlu

Herkes gitdi yalnız kaldım meyhânede
Göz yaşlarımı içdim son peymânede
Bu kalp durdu dün gece vîranhânede
Göz yaşlarımı içdim son peymânede

**

Usûlü: Aksak

Mildan Niyazi Ayomak

Şitâ geldi yine sulh ü salâh yok
Ümîdim yok, necâtım yok, felâh yok
Ne çâre ki imdâde bir silâh yok
Ümîdim yok, necâtım yok, felâh yok

**

Usûlü: Aksak

Beste: Melâhat Pars
Güfte: Mahmud Nedim Güntel

Yine hicrân ile gün bitdi, güneş batdı gönül
Yazık, ümmîd seni bir gün daha aldatdı gönül
Bekledim gözlerimin nûru solup titreyerek
Eyvâh, ümmîd seni bir gün daha aldatdı gönül

Feilâtün/Feilâtün/Feilâtün/Feilün

**

SEGÂH MAKAMI

Usûlü: Aksak (Yürükçe)   İsmet Nedim

Sevgilim inan bana göz yaşıma baksana
Göz yaşıma baksana yalan söylenmiş sana
İki damla gözyaşı kalbimin duygusudur
En ince sızıdır
Işık saçan yüzünden, bin nâz veren sesinden
Yaşama zevki aldım
Beni sevmişdi sandım, o sözüne aldandım
Ne çabuk da aldandım

❋❋

Usûlü: Yürük Aksak   *Beste:* Erdinç Çelikkol
                                       Güfte: Reşat Özpirinççi

I
O beyazlar ne yaraşmış geline
Ata binmiş gidiyor dost eline
Ne sevinç bu, içi sığmaz içine
Nakarat:Başı taçlı saçı telli Emine
         Ne şirindir şu giden köy güzeli
         İyi günler dileyip öv güzeli
II
O ne endâm o ne şâhâne hüsün
Neye baksa ediyor sanki füsun
Taşıyor neş'esi gül penbe yüzün
III
Ne güzeldir saçına gül takışı
Hele âhû gibi süzgün bakışı
Ya o kirpikleri, Rabbin nakışı,
IV
Bu köyün en güzeliydi, gidiyor
Bu köyün şen güzeliydi, gidiyor.
Bu köyün can güzeliydi, gidiyor

NOT: Her kupleden sonra nakarat okunur.

Feilâtün/Feilâtün/Feilün

❋❋

SEGÂH MAKAMI

Usûlü: Aksak   Ahmed Rasim Bey

Benim sen nemsin ey dilber
Deli gönlüm seni ister
Zannederler etmiş ezber
Seni söyler seni ister

Bir çiçeksin gül dehensin
El sürülmez penbe tensin
Varsa sensin yoksa sensin
Deli gönlüm seni ister

**

Usûlü: Aksak   Tanburî Cemil Bey

Gel ey sâkî bana sun bir piyâle
Erişdi mevsim-i gül, fasl-ı lâle
Hezâr-ı nevbahâr erdi visâle
Gönül hasretle girdi bak ne hâle

NOT: Aksak usûlü bu eserde çok değişik, enteresan bir şekilde kullanıl-
mıştır. Bu konuda araştırma yapanlara özellikle incelemelerini
öneririz. S.A.

**

SEGÂH MAKAMI

Usûlü: Ağır Aksak

Beste: Suphi İdrisoğlu
Güfte: İrfan Türkoğuz

I-) Şu yüreğim can evimde vurdukça
Unutmadım, unutamam ben seni
Hâtıralar yüreğini burdukça
Ayda, yılda bir kez olsun an beni

II-) Sevenlere umut veren düş gibi
Selâmlarla uçup giden kuş gibi
Yücelere erken gelen kış gibi
Ayda, yılda bir kez olsun an beni

III-) Yıllar geçdi, neredesin bilemem
Rüzgârlarla, selâmlarla gelemem
Yollar uzak, unut gitsin, diyemem
Ayda, yılda bir kez olsun an beni

NOT: Aynı güfte Yılmaz Pakalınlar tarafından Hicaz makamında ve Düyek usûlünde bestelenmişdir. S.A.

**

Usûlü: Aksak

Beste ve *Güfte:* Ümit Gürelman

Arttık o hayâl bahçemizin gülleri soldu,
Rûhum keder akşamlarının körfezi oldu.
Aylar, seneler hepsi de bir gün gibi geçdi
İlk aşkını gönlüm, yine son sevgili seçdi.

Mef'ûlü/Mefâîlü/Mefâîlü/Feûlün

NOT: Bestekâr'ın ilk şarkısıdır. Beste tarihi 19 Ocak 1969

**

SEGÂH MAKAMI

Usûlü: Yürük Aksak   Ûdî Mısırlı İbrahim Efendi

Seni her dem anıyorum
Sözlerine kanıyorum
Rahm edecek sanıyorum
Hicrine katlanıyorum

Ne füsünkâr yakışın var
Ne de mahmur bakışın var
Hele bir kaş çatışın var
Ona ben aldanıyorum

Gözümün kanlı yaşına
Merhamet et akışına
Gidelim bir su başına
Sana ben yalvarıyorum

                                    Feilâtün/Feilâtün
                    **

Usûlü: Devr-i Hindî   Hacı Ârif Bey

Bakıp ahvâl-i perişânına âr eyle gönül
Terk-i yâr eyle veya terk-i diyâr eyle gönül
Beni dinlersen eğer, durma firâr eyle gönül
Terk-i yâr eyle veya terk-i diyâr eyle gönül
                    Feilâtün/Feilâtün/Feilâtün/Feilün

NOT: Bu şarkı bazı kayıtlarda Abdi Efendi, adına; bazı kayıtlarda Sâdık
        Emre, adına görüldü. Radyo yayınlarında (Hacı Arif Bey)e ait
        şarkı olarak anons edilir.   S.A.
                    **
Usûlü: Devr-i Hindî   Kemençevî Aleko Bacanos

Aşk-ı mes'ûdumuzu Hâlik-ı yektâ korusun
Bir dakîka seni benden ayıran el kurusun
Kalsın ağzımda lebin, hep o güzel elde elim
Bir dakîka seni benden ayıran el kurusun
                    Feilâtün/Feilâtün/Feilâtün/Feilün
NOT: Hâlik-i sevdâ korusun Ankara radyosu ile basılan notalarında
                                                S.A.
                    **

-1197-

SEGÂH MAKAMI

Usûlü: Devr-i Hindî

Beste: Tanbûrî Ali Efendi
Güfte: Enderûnî Vâsıf

Dil harâb-ı aşkınım sensin sebep berbâdıma
Bir tesilli ver gelip bâri dil-i nâşâdıma
Taş mıdır bağrın ki gelmezsin benim imdâdıma
Dini ayrı kâfir olsa rahm-eder feryâdıma

❋❋

Usûlü: Devr-i Hindî

Beste: Ûdî Fahri Kopuz
Güfte: Ömer Ferid Kam

Nâz ile meclûb kıldın kendine dünyâyı sen
Doğru söyle kimden öğrendin bu istiğnâyı sen
Saklanıp durma bugün incâz-ı vuslat vaktidir
Yârına sakla civânım va'de-i ferdâyı sen

Fâilâtün/Fâilâtün/Fâilâtün/Fâilün

❋❋

Usûlü: Sengin Semâî

Ekrem Güyer

Ol gözleri ahû ile sohbet ne güzel şey
Birlikde bir akşam muhabbet ne güzel şey
Bezminde bile ben ona hasret ne güzel şey
Birlikde bir akşam muhabbet ne güzel şey

❋❋

Usûlü: Sengin Semâî

Rakım Elkutlu

(Curcuna değişmeli)
Aşkınla yanıp ağladığım günleri an sen
Giysûna gönül bağladığım günleri an sen
Bin bir yaralı kalbimi bir âh-ı derûnla
Sen şûha bakıp dağladığım günleri an sen
(Curcuna) Geçdi modası artık o arzûy-ı visâlin
　　　Benden de beter oldu diyorlar senin hâlin
(Sengin Semâî) Etdiklerine nâdim olup şimdi utan sen

Fâilâtün/Fâilâtün/Fâilâtün/Fâilün

❋❋

SEGÂH MAKAMI

Usûlü: Sengin Semâî

Beste: Sadi Işılay
Güfte: Mustafa Nâfiz Irmak

Rûhunda ölen nağmede sevdâ sesi var mı
Anlat bana ey sevgili aşkın bu kadar mı
Kumral saçının telleri hicrânı sarar mı
Anlat bana ey sevgili aşkın bu kadar mı

Mef'ûlü/Mefâîlü/Mefâîlü/Feûlün

**

Usûlü: Yürük Semâî

Nuri Halil Poyraz

Ah o gönül hırsızı
Verir içime sızı
Yakdı beni kül etdi
Ah o gönül hırsızı
   Gel balam, gel balam
   Bu canım sana kurban
Yüzüme bakdın balam
Gönlüme akdın balam
Ateşli gözlerinle
Gönlümü yakdın balam
   Gel balam, gel balam
   Bu canım sana kurban

**

Usûlü: Yürük Semâî   *Beste* ve *Güfte:* Tanbûrî Sadun Aksüt

Senin gibi ceylâna nasıl yanmayım
Bizim ilin meralı ateş gibi yâr
   Hey hey, canım balam hey
   Gözleri kara kara kalem kaşlı yâr
   Güzellerin içinden bir sevdiğim yâr
Gözlerinden süzülen yaş ben olaydım
Kemer diye beline ben dolanaydım
   Hey hey, canım balam hey
   Gözleri kara kara kalem kaşlı yâr
   Güzelerin içinden bir seçdiğim yâr
Senin kurbanın olam ateş gibi yâr.

**

SEGÂH MAKAMI

Usûlü: Türk Aksağı   *Beste* ve *Güfte:* Zeki Müren

Rûhumda yine aşk bestesi var
Kalbimde her an sevdâ sesi var
Biçâre gönlüm, bilmem nesi var
Kalbimde her an sevdâ sesi var

Müstef'ilâtün/Müstef'ilâtün

**

Usûlü: Türk Aksağı   Yesârî Âsım Arsoy

Sevdâ yaratan gözlerini her zaman öpsem
Doymam güzelim haşre kadar hep seni sevsem
Rûhumda o saf duyguların nûru yanarken
Doymam güzelim haşre kadar hep seni sevsem

Mef'ûlü/Mefâîlü/Mefâîlü/Feûlün

**

Usûlü: Türk Aksağı   Dr. Alâeddin Yavaşça

Doğdun yine sen gönlüme bir nûr gibi şimdi
Çehren güzelim bil ki benim aşk meleğimdi
Sen solma sakın ilhâmı kalmaz bu cihânın
Sen sev ki benim kalbim açılsın sana şimdi

Mef'ûlü/Mefâîlü/Mefâîlü/Feûlün

**

Usûlü: Ağır Düyek   Zeki Ârif Ataergin

Ağladım, ümmidlerim ağyâra kurbân oldu hep
Gönlümün sevdâları rûhumda hicrân oldu hep
Bahtı yokmuş sevgimin encâmı hüsrân oldu hep
Çiğneyip, yıpranmadan kalbim perişân oldu hep

Fâilâtün/Fâilâtün/Fâilâtün/Fâilün

**

SEGÂH MAKAMI

Usûlü: Müsemmen

Hammâmîzâde
İsmail Dede Efendi

Güldü dilber âşık-ı gamhârına
Pek yaraşdı hande gül ruhsârına
Görse gül eyler hased didârına
Pek yaraşdı hande gül ruhsârına

Fâilâtün/Fâilâtün/Fâilün

⁂

Usûlü: Düyek

Beste: Kemanî Cevdet Çağla
Güfte: Selâhaddin Bey

Aşk cefâ tahtını gönlüme kurdu
Hicrânımı tanbur inledi durdu
Gül ağlar, besteyi bülbül okurdu
Hicrânımı tanbur inledi durdu

⁂

Usûlu: Düyek

Hacı Ârif Bey

Düşdü dildâr ile firkat araya
Dağ açıldı sine-i sad-pâreye
Nâz eder zahm-ı derûnum çâreye
Çâre ağlar bu dil-i âvâreye

Bu gam-ı firkat beni eyler helâk
Çâresizlikle bu çeşm-i giryenâk
Ye's-ü aman eyledi ümmidi çâk
Çâre ağlar bu dil-i âvareye

⁂

SEGÂH MAKAMI

Usûlü: Düyek (Semâî Değişmeli)   Sadeddin Kaynak

Bir rüzgârdır gelir geçer sanmışdım
Meğer başımda esen kasırgaymış sevgilim
    Gönül oyunudur bunun izi kalmaz demişdim
    Meğer içimde yanan bir volkanmış sevgilim
Bir gün olur unutursun demişdin sevgilim
Hicrânını uyutursun demişdin sevgilim
Unutmadım, unutmadım, unutmadım
Aşka hasret, sana hasret, bekliyorum sevgilim
    Gönül oyunudur bunun izi kalmaz demişdim
    Meğer içimde yanan bir volkanmış sevgilim

✳✳

Usûlü: Düyek   *Beste:* Sadeddin Kaynak
                        Güfte: Vecdi Bingöl

Aşk yolunda bağrı yanık yolcular varmadan bir kaynağa
Gün soldu ufukda, karardı sular, değdi serâb dudağa
Mecnûn Leylâ otağında
Leylâ ölüm yatağında
Gördüğü sitemler rûhunu sardı
O bir gonca idi, soldu sarardı
Âşıkları ta'n edecek ne vardı
Mecnûn'a elvedâ gidiyor Leylâ

NOT: TRT Rep.kitabında -Hüzzam- kayıtlı

✳✳

Usûlü: Düyek   *Beste:* Sadeddin Kaynak
                        Güfte: Vecdi Bingöl

Derman kâr eylemez, ferman dinlemez
Dertli gönül, deli gönül,
Derdinden ölse de, yine inlemez
Yaralı, bereli, gönül.
O bir göz yaşıdır çağlar derinden
Ses vermez bir lâhza bin kederinden
Kırılmış gibidir ince yerinden
Hep sevdi seveli gönül.
Nasibi hicrânmış, bahtı âvâre
Neylesin derdini desin de yâre
Yazılmış alnına böyle ne çâre
Ezelden çileli gönül

✳✳

SEGÂH MAKAMI

Usûlü: Düyek

Yesârî Âsım Arsoy

Bir gül bulamam kokladığım gül gibi koksun
Sînemde bugün gonca gülüm sen niye yoksun
Sevdim diye her kalbe giren kanlı bir oksun
Sînemde bugün gonca gülüm sen niye yoksun

Mef'ûlü/Mefâîlü/Mefâîlü/Feûlün

NOT: TRT. Rep. kitabında -Hüzzam- kayıtlı

**

Usûlü: Düyek

Beste ve *Güfte:* Dr. Alâeddin Yavaşça

Gitdi artık soldu yaprağı gülü
Sustu san'at bahçemizin bülbülü
Onsuz olmaz mes'ud artık gönlümüz
Sustu san'at bahçemizin bülbülü

Fâilâtün/Fâilâtün/Fâilün

NOT: Bestekâr bu eserini üstâd Mes'ud Cemil Bey'in vefatı sebebiyle
yazmış ve bestelemişdir. S.A.

**

Usûlü: Düyek

Beste: Sadeddin Kaynak
Güfte: Vecdi Bingöl

Ayrılık yaman kelime
Benzetmek azdır ölüme
Kim uğrarsa bu zûlüme
Gündüzü olurmuş gece
　Tatmadan aşkın tadını
　Duydum acı feryâdını
　Dilimin zevki adını
　Sayıklarım hece hece
　　Soldu mu neş'en hevesin
　　Seslenirim gelmez sesin
　　Dudaklarımda nefesin
　　Özlerim seni delice...

**

SEGÂH MAKAMI

Usûlü: Müsemmen

Beste: Dr. Şükrü Şenozan
Güfte: Hasan Ali Yücel

Gözlerinden içdi gönlüm neş'eyi
Senden öğrendim gönülden sevmeyi
Sildi aşkın gözlerimden her şeyi
Senden öğrendim gönülden sevmeyi

Sen ışıksın ben senin pervânenim
Mestinim, meftûnunum, dîvânenim
Ben senin gölgen değil de yâ nenim
Senden öğrendim gönülden sevmeyi

Fâilâtün/Fâilâtün/Fâilün

**

Usûlü: Sofyan

Beste: Refik Fersan
Güfte: Necmi Nureddin Güngörmüş

Düşdü enginlere bir ince hüzün
Soldu güller gibi sevdâlı yüzün
Nerde mehtâbı hazîn gönlümüzün
Soldu güller gibi sevdâlı yüzün

Feilâtün/Feilâtün/Feilün

**

Usûlü: Sofyan

Beste: Kaptanzhade Ali Rıza Bey
Güfte: Ömer Bedreddin Uşaklı

I-) Gel gitme kalmasın gözüm yollarda
    Her taraf bu akşam sel fidan boylum
    Çılgınca dağları saran bu karda
    Geçilmez o Çamlıbel fidan boylum

II-) Bu akşam ben gibi sen de mahmursun
     İlişme kollarım boynunda dursun
     Karanlık geceme yıldız olursun
     Gel gitme bu akşam, gel fidan boylum

**

SEGÂH MAKAMI

Usûlü: Düyek   *Beste* ve *Güfte:* Erol Sayan

I-) Aşkın o sihirli elini hisseder gibiyim
   Kederli olamam ben artık gülerim, neş'eliyim
(Nakarat) (Ah) Dünya ne güzel, sevmek ne güzel
        Sevilmek ne güzel, ne tatlı şey yaşamak
II-) Artık beni de anlayacak çok seven biri var
   Onunla doludur bu gönlüm seveni sevmeliyim
        (Nakarat)

**

Usûlü: Düyek   *Beste:* Ali Ulvi Baradan
                                                  Güfte: Can Çetindoğan

Yeşil gözlü gül kokulu gül Ayşem
Hayat sende, neş'e sende, meşk sende
Yeter artık çekdiklerim gel Ayşem
Sabır bende, sükût bende, aşk bende

Gözüm yaşı dinmez oldu sil Ayşem
Bahar sende, gonca sende, yaz sende
Seni candan bekliyorum gel Ayşem
Elem bende, niyaz bende, saz bende

**

Usûlü: Düyek   Kemanî Sadi Işılay

Peteğe bal veren arılar gibi
Gergefler işledim, şallar dokudum
Pınar başlarında türkü okudum
     Ağladım senin için
     Sızladım senin için
     Güldüm senin için

**

SEGÂH MAKAMI

Usûlü: Düyek

Gündoğdu Duran

Ben miyim gizlice yanan sana
Ben gibi sen de böyle yansana
Yalvaran gözlere inansana
Sözlerim belki aldatır seni
Gözlerim söylemez yalan sana
   Aşkını aşkıma sarayım
   Git seni ellere sorayım
   Gelme sen bana kendin sakın
   Gel diye sana yalvarayım
İlkbahar sensiz gelince
Elvedâ artık sevince
Ağlatırsın hasretinle beni gizlice
   Aşkını aşkıma sarayım
   Git seni ellere sorayım
   Gelme sen bana kendin sakın
   Gel diye sana yalvarayım

❈❈

Usûlü: Değişmeli
(Serbest-Düyek-Nim Sofyan)

Beste: Sadeddin Kaynak
Güfte: Vecdi Bingöl

Dertliyim rûhuma hicrânımı sardım da yine
İnlerim şimdi uzaklarda solan gün gibiyim
Gecenin rengini katdım içimin mâtemine
Sönen ümmid ile günden güne ölgün gibiyim.
Bahtımın yıldızı sanmışdım seni
Sensiz karanlıkdır her günüm Leylâ,
Ayrılık Mecnûn'a döndürdü beni
Dertliyim, yürekden, üzgünüm Leylâ.

Sevdâ yaman bir çile   Gülüm, yaprağım soldu.
Çekenler düşer dile   Gönlüme hazân doldu
Ayrılık ölüm gibi   Bir ömür harâb oldu
Giden gelmiyor, Leylâ.   Onu bilmiyor Leylâ.

NOT: Bu eserin Segâh makamı ile başlayıp, Nihavend makamı ile bit-
mesi, ayrıca usûl yönünden de mükemmel bir zenginlik taşıması,
melodik yapısındaki mükemmellikle Türk Musikisi neo-klâsik
repertuarında çok ayrıcalıklı bir yeri vardır. S.A.

❈❈

SEGÂH MAKAMI

Usûlü: Düyek   Sadeddin Kaynak

Aşkın beni durmaz yakar
Ey sevgili sen nerdesin
Yaşlı gözüm durmaz akar
Ey sevgili sen nerdesin
  Düğün dernek zevk u safâ
  Bana oldu cevr ü cefâ
  Kimseden yok hiç bir vefâ
  Ey sevgili sen nerdesin
Ah bu kafesden kurtulamam
Bu mihnete dayanamam
Artık bana gülmek haram
Ey sevgili sen nerdesin

NOT: TRT. Rep. kitabında -Hüzzam- kayıtlı

✳✳

Usûlü: Düyek   *Beste:* Sadeddin Kaynak
                                        Güfte: Vecdi Bingöl

Leylâ bir özge candır
Kara gözlü ceylândır
Doyulmaz hüsn ü ândır
Kanılmaz bir içim su
Leylâ, Leylâ, ah Leylâ
  Dillerde sözlenen o
  Yollarda gözlenen o
  Yürekden özlenen o
  Her gönülde o arzu
  Leylâ, Leylâ ah Leylâ
Aşıklar levend olsa
Sevdâlar kemend olsa
Birbirine bend olsa
Ele geçmez o ahû
Leylâ, Leylâ, ah Leylâ

NOT: 2.ci kuplenin ilk mısra'ı yanlış olarak:
  "Dillerde söylenen o" diye okunmakdadır.

                                        S.A.

✳✳

SEGÂH MAKAMI

Usûlü: Düyek

Beste: Şerif İçli
Güfte: Vecdi Bingöl

Nazlı ipek yumağım
Beşik sana kucağım
Yat uyu kuzucağım

Ninni yavrum diyeyim gel de uyu
Bakarak gözlerime gül de uyu
Şu yanan sîneme serpil de uyu
Uyu ey sevgilinin sevgilisi

Ömrümün varı ninni
Sevdâ baharı ninni
Dost yadigârı ninni
Ah sevenler sevgilisi

※※

Usûlü: Curcuna

Beste: Hacı Ârif Bey
Güfte: Mehmed Nâmık Kemâl

Olmaz ilâç sîne-i sad-pâreme
Çâre bulunmaz bilirim yâreme
Baksa tabîban-ı cihan çâreme
Çâre bulunmaz bilirim yâreme

Kastediyor tîr-i müjen cânıma
Gözleri en son girecek kanıma
Şerh edemem hâlimi cânânıma
Çâre bulunmaz bilirim yâreme

sine - göğüs, iç, yürek
sad - 100
pâre - parça

kirpiğin oku
tîr - ok
müje - kirmik
şerh - açıklama

Müfteilün/Müfteilün/Fâilün

※※

SEGÂH MAKAMI

Usûlü: Düyek

Beste: Münir Nureddin Selçuk
Güfte: Yahya Kemâl Beyatlı

Dönülmez akşamın ufkundayız, vakit çok geç
Bu son fasıldır ey ömrüm nasıl geçersen geç
Cihâna bir daha gelmek hayâl edilse bile
Avunmak istemeyiz böyle bir teselli ile
Geniş kanatları boşlukda simsiyah açılan
Ve arkasında güneş doğmayan büyük kapıdan
Geçince başlayacak bitmeyen sükûnlu gece
Gurûba karşı bu son bahçelerde keyfince
Ya aşk içinde harâb ol, ya şevk içinde gönül
Ya lâle açmalıdır göğsümüzde, yâhut gül

Mefâilün/Feilâtün/Mefâîlün/Feilün

**

Usûlü: Düyek

Beste: Hüseyin Erbay
Güfte: Özdemir Kiper

I-) Her falcıdan seni sordu
Her rüyâyı hayra yordu
Uçan kuşdan medet umdu
Öyle saf ki deli gönlüm...

Nakarat: Belki bir gün arar diye
Birkaç satır yazar diye
Bekler yine sarar diye
Öyle saf ki deli gönlüm...

II-) Her şarkıda bir şey buldu
Esdi rüzgâr seni duydu
Özlediği sanki buydu
Öyle saf ki deli gönlüm..

**

SEGÂH MAKAMI

Usûlü: Curcuna   *Beste:* Kaptanzâde Ali Rıza Bey
                       Güfte: Mustafa Nâfiz Irmak

Hasta kalbimde yanan derdi niçin anlamadın
Seni Leylâ diye sevdimdi siyah gözlü kadın
Hıçkıran gönlüme, hüsrânıma hîç ağlamadın
Seni Leylâ diye sevdimdi siyah gözlü kadın
                     Feilâtün/Feilâtün/Feilâtün/Feilün

**

Usûlü: Curcuna   *Beste:* Sadeddin Kaynak
                       Güfte: Karacaoğlan

I-) İncecikden bir kar yağar
     Tozar Elif Elif diye
     Deli gönül hayran olmuş
     Gezer Elif Elif diye

Nakarat: Yâr sana hayran
         Can sana kurban
         Derdime derman bulamam
         Aşkdan el'aman, aşkdan el'aman

II-) Elif kaşlarını çatar
     Gamzesi sîneme batar
     Ak elleri kalem tutar
     Yazar Elif Elif diye
         Nakarat

III-) Karacaoğlan eğmelerin
     Gönül sevmez değmelerin
     İliklenmiş düğmelerin
     Çözer Elif Elif diye
         Nakarat

**

SEGÂH MAKAMI

Usûlü: Curcuna   *Beste* ve *Güfte:* Ümit Gürelman

Dinlediğin bu şarkı, ikimizindir
Gel bir akşam söyle de, beni sevindir
İçimdeki özlemi, sesinle dindir
Şarkımızı söyle de, beni sevindir

⁂

Usûlü: Nim Sofyan   *Beste* ve *Güfte:*
Tanbûrî Erol Sayan

I-) Açılır gonca gül yâr
    Seni sevse bülbül yâr
    Seni Mecnûn görseydi
    Düşüp ölmezmiydi yâr

(Nakarat) Kaşların, gözlerin, sözlerin ne güzel

II-) Gelişin ceylân gibi
     Boylusun fidan gibi
     Küçücükdün büyüdün
     Dillere destân gibi

Nakarat

III-) Seni kırda görmüşler
      Saçına tel örmüşler
      Yedi gün düşünmüşler
      Bana lâyık görmüşler

Nakarat

⁂

SEGÂH MAKAMI

Usûlü: Yürük Semâî   Türkü-Azerî

Güzelim yâr güzelim
Bir sözüm var güzelim
Bu yanık yârine her dem
Bir nazar sal güzelim
Sal güzelim

Âşık oldum sana ben
Kılmadın lûtf-u kerem
Bu yanık yârine her dem
Bir nazar sal güzelim
Sal güzelim

⁕⁕

Usûlü: Semâî   Türkü-Azerî

I-) Ay kız adın amandır
    Hoş bakışın yamandır
    Düner gece söz verdi (balam)
    Bu gececik tamamdır

(Nakarat) Kaşın gözün, şirin sözün (İki kere okunur)
          Aldı benim canımı
          Yâr sana kurban, can sana kurban
          Ah hanım, hanım, sen benim canım
          Ben seni alım, sîneme sarım
          Bu gece...

II-) Taze gelin tâzedir
     Çiçek gibi güzeldir
     Bugüne kurban olayım (balam)
     Bizim evde gezedir.
          (Nakarat)

⁕⁕

SEGÂH MAKAMI

Usûlü: Nim Sofyan   Türkü

I-) Köprüler yaptırdım gelip geçmeye
   Çeşmeler yaptırdım suyun içmeye (Karam)
   Kavli karar etdim alıp kaçmaya
   Boşa kostaklanma kostak değilsin (Karam)
   Değilsin karam aman aman değilsin vay
II-) Armudu dalında pazar eyledim
   Kaşına gözüne nazar eyledim (Karam)
   Seksen şeftaliye pazar eyledim
   Yanılmış da yüz almışım bilemem (Karam)
   Bilemem karam aman aman bilememvay
III-) Çıkma pencereye zülfün tellenir
   Beyaz giyme eteklerin kirlenir (Karam)
   Gitme meyhâneye adın dillenir
   Boşa kostaklanma kostak değilsin (Karam)
   Değilsin karam aman aman değilsin vay
NOT: Kuple sonlarındaki vay - hey- diye de okunabilir.

※※

Usûlü: Curcuna   *Beste* ve *Güfte:* Neveser Kökdeş

Gönlümün baharı bir gün açacak mı acep
Elemlerim için bir aşk doğacak mı acep
Yalnız rûhuma neş'e saçacak mı acep
Sevgili sesinle rûhum ah mest olacak mı acep
Elemlerim için bir aşk doğacak mı acep
Yalnız rûhuma neş'e saçacak mı acep

※※

Usûlü: Curcuna   *Beste* ve *Güfte:* Neveser Kökdeş

Bir emele bin ah çeksem
Zevk duyarım her dem dâd etsem
(Nakarat) Sevmek teselli bu boş âlemde
          Neş'e vardır aşkın her eleminde
Gönlümde açsın bahar bu kış gününde
Şiir dolu penbe akşam güneşinde
          (Nakarat)

※※

SEGÂH MAKAMI

Usûlü: Semâî

Beste: Hayri Yenigün
Güfte: Orhan Seyfi Orhon

Ölürsem yazıkdır sana kanmadan
Kollarım boynunda halkalanmadan
Bir günüm geçmiyor seni anmadan
Derdine katlandım hiç usanmadan
Diyorlar kül olmaz ateş yanmadan
Denizler durulmaz dalgalanmadan

Bazı kayıtlarda (Hüzzam) olarak görülür.

✸✸

Usûlü: Semâî

Beste ve *Güfte:* Yesârî Âsım Arsoy

Gülşen-i aşkın hazâna ermiş artık gülleri
Gamla uçmuş âşiyânından safâ bülbülleri
Bir yegâne bağ-ı vuslatgâh iken ehl-i dile
Ah o cây-ı nüzhetin vîrâne olmuş her yeri

Fâilâtün/Fâilâtün/Fâilâtün/Fâilün

✸✸

Usûlü: Semâî

Beste ve *Güfte:* Neveser Kökdeş

Kuş olup uçsam sevgilimin diyârına
Saçından bir tel alsam ah koysam canıma
Söylesem sevgimi kalbimi açsam ona
Aşkımın çiçeğini taksam başına
Sözleri ah sitemkâr, kıskanır beni yakar
Nazlanır, yalvarır, ah bu güzel yâr, ah...
Söylesem sevgimi kalbimi açsam ona
Aşkımın çiçeğini taksam başına

✸✸

SEGÂH MAKAMI

Usûlü: Curcuna

Türkü

I-) Bala kekliğinem avla beni
Bala sahralara salma beni
Bala geceleri al yanına
Bala gündüz bukağla beni

Ah yâr kölen olam, bala gündüz bukağla beni

II-) Bala kekliğim bir bağ içinde
Bala kavruldum ben yağ içinde
Bala eller hep seyrana çıkmış
Bala benim yârim yok içinde

Ah yâr kölen olam, bala benim yârim yok içinde

**

Usûlü: Semâî
(Nakaratı Düyek Değişmeli)

Beste: Âmir Ateş
Güfte: İlhâm Behlül Pektaş

Ben seni unutmak için sevmedim
Gülmen ayrılık demekmiş bilmedim
Bekledim sabah akşam yollarını
Ölmek istedim, bir türlü ölmedim

(Nakarat) Aşk bu mu, sevdâ bu mu, hayat bu mu
Kalp acı, dünya hüzün, göz yaş dolu

Şimdi sen kimbilir nerelerdesin
Gelir gecelerden koşarak sesin
Bana en acı haber kiminlesin
Adını içimden hâlâ silmedim
(Nakarat)

**

SEGÂH MAKAMI

Usûlü: Semâî   *Beste* ve *Güfte:* Necdet Tokatlıoğlu

I-) Hayat benzer bir sele
   Üzme canın boş yere
   Tutuşalım el ele
   Gezelim güle güle
      (Nakarat) Gel gel sevgilim gel
              Gel gel meleğim gel
              Tutuşalım el ele
              Gezelim güle güle
II-) Sevgi dolu gönlümüz
   Boş geçmesin günümüz
   Geçmeden şu ömrümüz
   Gezelim güle güle
      (Nakarat)

✸✸

Usûlü: Semâî   *Beste:* Mustafa Seyran
                                 Güfte: Mehmed Erbulan

Kapat gözlerini kimse görmesin
Yalnız benim için bak yeşil yeşil
Gözlerin kimseye ümit vermesin
Yalnız benim için bak yeşil yeşil

Seni öyle sevdim ölürcesine
Tanrı'nın yazdığı şiircesine
İçimden geçeni bilircesine
Yalnız benim için bak yeşil yeşil

✸✸

Usûlü: Semâî   *Beste:* Abdullah Özman
                                 Güfte: Esen Özbek

Susma söyle gecenin sihrine kanmadık mı
El ele sevişerek âteşde yanmadık mı
Bıraktık da cihânı sislerin arkasında
Kendimizi cennetde buluşmuş sanmadık mı

✸✸

SEGÂH MAKAMI

Usûlü: Semâî   *Beste* ve *Güfte:* Rüştü Şardağ

I-) Sana nasıl susamışım
   Anlatamam hasretimi
   Meğer ben ne yalnızmışım
   Unutdurdun bana beni

(Nakarat) Bil geceden kormuyorum
         Gölgen ateşim oldukça
         İnan sana doymuyorum
         Seni canımda buldukça

II-) Gözlerinin sığınmışın
    Yeşil renkli körfezine
    Meğer ben ne muhtaçmışım
    Yıllar yılı ellerine
                    (Nakarat)

**

Usûlü: Semâî   Necip Mirkelâmoğlu

I-) Ben bir küçük cezveyim
   Elden ele gezmeyim
   Verin benim yârimi
   Boynu bükük gezmeyim

(Nakarat) Gülen az, gülen az
         Ağlayan çok, gülen az

II-) Ben âşık alma beni
    Dertlere salma beni
    Götür sarrafa göster
    İstersen alma beni

                    (Nakarat)

**

SEGÂH MAKAMI

Usûlü: Devr-i Hindî   *Beste* ve *Güfte:* Dr. Selâhaddin İçli

I-) Siyah gözde bin keder
    Pınarlarda inciler
    Solan dudak ah eder
    Elem dolu geceler
II-) Siyah gözler gülmeli
    Aşıka sır vermeli
    Sevmeli ah sevmeli
    Bûse dolu geceler
III-) Aşkı tek bilensin sen
    Sînede alevsin sen
    Bilinmez kiminsin sen
    Şüphe dolu geceler

                    **

Usûlü: Semâî   *Beste:* Kemanî Emin Ongan
                                 Güfte: İ.Hilmi Soykut

Baharı okşuyor ellerim
Meltemler burcu burcu sevgi
Sularda hülyâlar boncuk boncuk
Mercan gibi

(Nakarat) Akşamı yudum yudum içiyorum
          Şu var ki:
            Gönlümde sensizliğe benzer bir hâl
            Gönlümde sensizliğe benzer bir hâl
            Hicrân gibi
Çılgınca sevmek istiyorum
Benim olsun diyorum
                    (Nakarat)

                    **

SEGÂH MAKAMI

Usûlü: İkiz Aksak   *Güfte:* Ahmed Cevad Ohunzâde

Çırpınırdın Karadeniz bakıp Türk'ün bayrağına
Âh ölmeden bir görseydim, düşebilsem ayağına
Sırmalar saç sağ soluna, iniciler dizin yoluna
Fırtınalar dursun yana, yol ver Türk'ün bayrağına.
NOT: Bestekârı bilinmiyor.

❋❋

Usûlü: Sofyan (12/6)   *Beste* ve *Güfte:* Kanûnî Necdet Varol

I-) Gül güle gülmek gerek
    Bülbüle sevmek gerek
    Bülbülün olanda yâr
    Can sana kurban gerek
(Nakarat) Aman yâr, canım yâr
          Bülbülünem gülüm yâr
          Şu canım sana kurban
          Sen kime yâr zâlim yâr
II-) Sev gönüle aşk gerek
    Goncaya diken gerek
    Bir dalına konanda
    Can sana kurban gerek
          (Nakarat)

❋❋

Usûlü: Düyek   *Beste:* Tanbûrî Sadun Aksüt
                                   Güfte: Turan Oflazoğlu

Bu göz, bu el, bu ayak sensin buram-buram
Bu gezindiğim sokak sensin buram-buram
Sensin bu çığlığımla yankılanan gece
Bu kopup gelen şafak sensin buram-buram

❋❋

SEGÂH MAKAMI

Usûlü: Curcuna   *Beste* ve *Güfte:* Sadeddin Kaynak

Meğer çok sevilenler bir gün unutulurmuş
Gözden ırak olanlar gönülden de olurmuş
Vefâsızlık edenler vefâsızlık bulurmuş
Gözden ırak olanlar gönülden de olurmuş
NOT: TRT. Rep. kitabında -Hüzzam- kayıtlı

**

Usûlü: Curcuna   *Beste:* Muzaffer İlkar
                                          Güfte: Ersan Merkacı

I-) Seher vakti esen rüzgâr
   Söyle bana hazân nerde
   İnce, zarif beyaz telden
   Güzel şarkı yazan nerde
   Ara ara bul o yâri
   Güzel şarkı yazıp gelsin

II-) Dolunayla Küçüksu'yun
   Öpüşdüğü bizim koyda
   Şarap yoksa yine gamsız
   Gülüp, sarhoş olan nerde

   Ara ara bul o yâri
   Gülüp, sarhoş olup gelsin

**

SEGÂH MAKAMI

Usûlü: Nim Sofyan

Beste: Vecdi Seyhun
Güfte: Hüseyin Çolak

(Semâî ve Curcyuna Değişmeli)
FANTEZİ

Yine dargın kapatdın pencereleri
Kirpiklerinde dünya mı asılı
Neden böyle üzgünsün
Görmek istemiyorsun beni

Yanmak ister âvâre kalbim
Aynanın içinde ışık misâli
Nekadar üzülsek yeridir yavrum
Bu ayrılık bize hasta kuş hâli

(Curcuna) Keşke dokuz yaşında çoban olsaydım
Türkü söyleseydim mavi dağlarda
Cam perdeler ve tüller yerine
Kuzulara baksaydım

(Semâî 6/8) Unutmadım işte hâlâ içimdesin
Sen en güzel hâtıralarımda
Dalga gibi gelir, gider
Gelir, gidersin...

✳✳

SÂZKÂR MAKAMI

Usûlü: Zencir   Beste   *Beste ve Güfte:*
                                   Tab'î Mustafa Efendi

(Yâr) Hemîşe dilde sühan elde sâz kârımdır
   Terâne-senc-i nev-âğâz-ı gam-güsârımdır
   Makâm-ı Rast'dan ifrâz-ı ehl-i sevdâya
   Benim bu beste-i zencir bergüzârımdır

Terennüm:
   Şehvelendim, dilpesendim, gel efendim aman aman aman
   Ah elde sâz kârımdır hey canım.
                    Mefâilün/Feilâtün/Mefâilün/Feilün

HEMÎŞE: Daima.
SÜHAN: Söz, şiir.
TERÂNE: Makam.
SENC: Tartan,
AĞAZ: Başlamak.
GAMGÜSÂR: Gam dağıtan.
İFRÂZ: Çıkarmak
BERGÜZÂR: Unutulmamak için verilen hediye.

NOT: Bestenin güftesinin özellikle son mısra'nın anlamı da gösteriyor
   ki bu sözler Tab'î Mustafa Efendi'ye aittir. S.A.
                    **
Usûlü: Remel   Beste   İlya

Bir dil olıcak ol şeh-i hüsnün divânesi
Her dem doludur hûn-i ciğerde peymânesi
Hiç rahm edemez âşık-ı meftûnuna ol meh
Bitmez anın hiç leyl ü neharda bahânesi
Terennüm: Canım ya lel lel ya lel li ya le lel li
        Te re lel li ye le lel li
        Ah ye le lel le lel le lel li
        Yâr divânesi
NOT: Meyandan sonra okunan terennümün sonu:
   (Yâr ol meh hey canım) sözleriyle biter. S.A.
                    **

SÂZKÂR MAKAMI

Usûlü: Aksak Semâî   Ağır Semâî   İlya

(Ah) Nice bir bülbül-i nâlân gibi feryâd edeyim
Nice pervâne gibi şem'-i ruhµn yâd edeyim
Sen bana etmeyecek rahm ü terahhümler edip
Senden ey şûh-i cefâ-pîşe, kime dâd edeyim.

Terennüm: Canım yel le le lel lel le lel lel lel li
Ömrüm te re lel lel lel lel lel li
Ya la yel lel li hey
Yâr yâr gibi feryâd edeyim.

Feilâtün/Feilâtün/Feilâtün/Feilün

RUH: Yanak.
TERAHHÜM: Merhamet etmek.
PÎŞE: San'at.
DÂD: Şikâyet, tazallum.

❊❊

SÂZKÂR MAKAMI

Usûlü: Yürük Semâî   Nakış Yürük Semâî   Buhûrîzâde
Mustafa Itri Ef.

Biyâ ki kadd-i tü der bâğ-ı can nihâl-i menest
Meh-i cemâl-i tü hurşîd-i bî-zevâl-i menest
Be-bâğ-ı aşk-ı tü ey serv-kad men an murgam
Ki kâinât serâser be-zîr-i bâl-i menest

Terennüm:
    Ter dil li ter dil li ter dil li
    Te nen te nen ta dir ney
    Ter dil li ter dil li ter dil li ter dil li ter dil li
    Te nen te nen ta dir ney
    Kurbanım olam dost, hayranın olan dost
    Men bende-i fermânın olam gel gel gel
    Gel işvebâzım gel gel
    Gel çâresâzım, gel dilnüvâzım
    Ye le la la ye lel la li.

BİYÂ: Gel, getir.
HURŞÎD: Güneş.
BÎZEVAL: Zevâlsiz.
MURG: Kuş.
ZÎR: Alt.
BÂL: Kanat.

NOT: Bu eserin anlamını da yazmayı uygun buldum.
    Gel sevgilim can bahçesinde senin endâmın benim bir fidanım-
    dır. Senin güzel yüzünün parlaklığı benîm gurub etméyen güne-
    şimdir. Ey servi boylu, senin aşk bahçende ben öyle bir kuşum ki
    kâinat baştan başa benim kanadımın altındadır.

    Bu eser uzun yıllar İlya'nın olarak bilinmiş, bazı kişiler ise sâhip-
    siz olduğunu iddia etmişlerdir. Fakat neticede Itrî'nin olduğu an-
    laşılmışdır.
    Hâşim bey mecmuası Sh. 18 (İlya) adına kayıtlı. S.A.

✳✳

SÂZKÂR MAKAMI

Usûlü: Müsemmen *Beste:* Kemençevî Halûk Recâî
  Güfte: Nâmık Kemâl

Sensiz geçen günlerim cennet de olsa gönlüm
Eğlendi zannedersen billâhi aldanırsın
Dîdemde eşk-i hasret, sînemde âteş-i aşk
Bir gün bu hâli görsen kan ağlıyor sanırsın.

Mef'ûlü/Fâilâtün/Mef'ûlü/Fâilâtün

NOT: İlk mısrâda vezin bozuktur.

❋❋

SULTÂNÎ YEGÂH MAKAMI

Usûlü: Zencir Murabba Hammâmîzâde
İsmail Dede Efendi

Misâlini ne zemîn ü zamân görmüşdür
Nazîrini ne mekîn ü mekân görmüşdür
O mihr-i burc-i adâletsin ey şeh-i devrân
Ne bir adîlini çeşm-i cihân görmüşdür.
Terennüm: Canım ye le lel li ye le lel lel le le lel li
Yel le lel lel le le lel lel li
Mefâilün/Feilâtün/Mefâilün/Feilün

NOT: Sonunda (Berefşan) usûlü olmayan Zencir usûllerine, dört
usûlden oluşdukları için (Murabba) denir. S.A.

ÂDİL: Eş, denk.
MEKÎN: (Mekân'dan) Yer tutup yerleşmiş, iktidar ve vekar sa-
hibi.

✳✳

Usûlü: Hafif Beste Hammâmîzâde
İsmail Dede Efendi

Cân u dilimiz lûtf-i şehenşâh ile mâ'mûr
Güftâr-ı şükûr-handı eder âlemi mecbûr
Emsâlini göz görmedi gûş etmedi âlem
Dâim ede Hak kalb-i hümâyûnunu mesrûr
Terennüm: Ya le le lel le lel le lel le li ten te re lel
Lel lel le lel le lele lel li ya la ya la yel lel lel
Lel li be li şâh-ı men.
Mef'ûlü/Mefâîlü/Mefâîlü/Feûlün

GÜFTAR: Söz
GÛŞ ETMEK: Dinlemek, işitmek.
MESRÛR: Sevinmiş, meramına ermiş.
HAND: Gülüş, sürekli gülüş.

✳✳

SULTÂNÎ YEGÂH MAKAMI

Usûlü: Aksak Semâî   Ağır Semâî   Hammâmîzâde İsmail
Dede Efendi

Nihan etdim seni sînemde ey mehpâre cânımsın
Benim can ü cenânım sevdiğim vird-i zebânımsın
Gönül sende gözüm hâk-i derinde ey meh-i devrân
Benim râz-ı derûnum sevdiğim rûh-i revânımsan
Terennüm: Canım ye le lel le lel le lel lel li
         Mirim te re lel le lel le lel lel li
         Aman aman aman aman be li şâhım.

Mefâîlün/Mefâîlün/Mefâîlün/Mefâîlün

NİHAN ETMEK: Saklamak, gizlemek
VİRD-İ ZEBÂN: Her zaman tekrar edilen, ağızdan düşmeyen
RÂZ: Sır, gizlenen şey.
RÂZ-I DERÛN: İçteki gizli şey, (Benim gönlümün sırr'ı) burda-
         ki anlamıdır.

✳✳

Usûlü: Yürük Semâî   Nakış Yürük Semâî   Hammâmîzâde
İsmail Dede Ef.

Şâd eyledi can u dilimi şâh-ı cihânım
Kurban edeyim râhına nakd-i dil ü cânım
Terennüm: Dir ten ni ten te ne ni te ne ni te ne nen
         Te ne ni te ne ni te ne nen na te ne dir ney (Tekrar)
Dil sende gözüm sende ne var sende efendim
Ah, ah dil sana bende
Kurbân edeyim râhına nakd-i dil ü cânım
         Bend-i sânî (İkinci Bend)
İhsân-ı hümâyûnuna mümkin mi teşekkür
Tâdâd edemez serde hezâr olsa zebânım.
         (Terennüm)

NOT: Dede'nin bu dört eseri Sultan II. Mahmud'a medhiyyedir. S.A.

Mef'ûlü/Mefâîlü/Mefâîlü/Feûlün

✳✳

SULTÂNÎ YEGÂH MAKAMI

Usûlü: Ağır Aksak   Kanûnî Hacı Ârif Bey

Hayli demler ıztırâb-ı aşkını çekmiş iken
İltifâtınla rehâ buldu gönül ey gül-beden
Serv-i nâzım rûyını her rûz u şeb gördükçe ben
İltifâtınla rehâ buldu gönül ey gül-beden

Fâilâtün/Fâilâtün/Fâilâtün/Fâilün

⁂

Usûlü: Ağır Aksak   Santûrî Edhem Bey

Güller açmış bülbül olmuş bî-karâr
Geç açıl gülşende ey reşk-i bahâr
Câna te sîr etdi ye's-intizâr
Gel açıl gülşende ey reşk-i bahâr

Fâilâtün/Fâilâtün/Fâilün

NOT: Şarkı iki kupledir. İkinci kuplesi okunmaz.   S.A.

⁂

Usûlü: Ağır Aksak   *Beste* ve *Güfte:* Leylâ Saz Hanım

Dilberim terk-i sebâta her zamân âmâdedir
Dostluğa bîgâne, hercâyiliğe üftâdedir.
Hoş gelir âvârelik ol hâline dildâdedir.
Sevdiğim kayd-ı vefâdan dâimâ âzâdedir.

Fâilâtün/Fâilâtün/Fâilâtün/Fâilün

NOT: Şarkı iki kupledir, ikinci kuplesi okunmaz.   S.A.

⁂

SULTÂNÎ YEGÂH MAKAMI

Usûlü: Ağır Aksak   Ûdî Arşak Çömlekçiyan

Bir kırık sâgar elimde ağlıyordum bir gece
Geldi âgûşa o mâh-i işve girdi hâleye
Çeşm-i mestin bâdeme bir katra katdı gizlice
Jâle düştü bâğ-ı ümmîdimde solmuş lâleye.

Fâilâtün/Fâilâtün/Fâilâtün/Fâilün

※※

Usûlü: Ağır Aksak   Ûdî Selânikli Ahmet Bey

Yaradan öyle yaratmış ki güzellikde seni
Görmemiş çeşm-i felek (ey) güzelim böylesini
Bakışın yok mu senin öldürüyor işte beni
Süzme, Allâh için olsun o güzel gözlerini.

Feilâtün/Feilâtün/Feilâtün/Feilün

※※

Usûlü: Ağır Aksak   Bimen Şen

Gel şu tayyâre ile hâk-i kederden kaçalım
Uçalım, kuşlara, yıldızlara güller saçalım
Gezelim her tarafı kutb-ı safâyı bulalım
Yeni bir zevk u tarâb âlemine yol açalım.

Feilâtün/Feilâtün/Feilâtün/Feilün

NOT: Şarkı iki kupledir, ikinci kuplesi okunmaz.   S.A.

※※

Usûlü: Aksak   Ûdî Sami Bey

Hâbîde olan tâli-i nâsâzım uyandı
Etdiklerine şûh-ı sitemkârım utandı
Atdı kolunu boynuma mestâne uzandı
Dil vuslatına, dîde temâşâsına kandı

Mef'ûlü/Mefâîlü/Mefâîlü/Feûlün

※※

SULTÂNÎ YEGÂH MAKAMI

Usûlü: Aksak

Beste: Münir Nureddin Selçuk
Güfte: Faruk Nafiz Çamlıbel

Saçının telleri göğsünde perîşân yaraşır
Öyle sünbüllere bir böyle gülistan yaraşır
Tâc olur ayla güneş alnına her ân yaraşır
Gönlümün tahtına bir sen gibi sultân yaraşır.

Feilâtün/Feilâtün/Feilâtün/Feilün

✳✳

Usûlü: Aksak (Yürük)

Beste: Dr. Alâeddin Yavaşça
Güfte: Cenap Şahabeddin

Geldi kuşlarla yeşil dallara yaz
Varsa rûhunda çiçek şi'ri biraz
Yere güller dizerek penbe, beyaz
Sevdiğin gonca-femin ismini yaz.

Feilâtün/Feilâtün/Feilün

✳✳

Usûlü: Aksak

Beste: Ûdî Fahri Kopuz
Güfte: Nedim Servet Tör

Mavi gözlü, sarışın bir gül-i râ'nâ tanırım
Nerde görsem o güzel gözleri ben aldanırım
Yed-i hilkatle takılmış o semâvî hüsne
Mavi boncukla müzeyyen bir nazarlık sanırım
Nerde görsem o güzel gözleri ben aldanırım.

✳✳

Usûlü: Aksak

Beste ve *Güfte:* Yesârî Âsım Arsoy

Biz Heybeli'de her gece mehtâba çıkardık
Sandallarımız neş'e dolar zevke kanardık
Saz seslerinin sâhile aks etdiği demler
Etrâfı bütün şarkı gazellerle yakardık
Zevke kanardık.

Mef'ûlü/Mefâîlü/Mefâîlü/Feûlün

✳✳

SULTÂNÎ YEGÂH MAKAMI

Usûlü: Aksak   Kemanî, Eyyûbî Mustafa Sunar

I-) Aşkın karanlık yolunda kaç yıldır yalnız kaldım
Bir ışık yok, bir yolcu yok, her tarafdan bunaldım
Gurbet yolu pek uzunmuş varamadım, yoruldum
Ömrün sabahsız şebinde yıldızlardan sorardım

II-) Sordun onu gecelerin parlak yıldızlarından
Son baharın çiçeğinden, akşam rüzgârlarından
Bir gören yok, bir bilen yok çöllerin kızlarından
Issız karanlık gönlümde sevdâlımı arardım.

✳✳

Usûlü: Aksak   *Beste:* Dr. Selâhaddin İçli
                              Güfte: Orhan Arıtan

Ne vardı koşacak goncadan güle
Gönül de benimle uslansaydı ya
Biterdi çekilen şu bütün çile
Gönül de benimle yaşlansaydı ya

İnandı her söze, göze, güzele
Teselli aradı aldansa bile
Söyledim o kadar ben bu gönüle
Biraz da sözüme inansaydı ya
Gönül de benimle uslansaydı ya

Ne vardı girecek gül bahçesine
Goncaya düşdü o, ben dikenine
Ömrümüz tükendi bıkmadı yine
Dinleyip beni ah uslansaydı ya

Gönül de benimle yaşlansaydı ya
Gönül de benimle uslansaydı ya.

✳✳

SULTÂNÎ YEGÂH MAKAMI

Usûlü: Sofyan   Lem'i Atlı

Andıkça geçen günleri hasretle derinden
Vîrân oluyor gönlüm İlâhî, kederinden
Bak yareledin kalbimi en gizli yerinden
Vîrân oluyor gönlüm ilâhî kederinden

Mef'ûlü/Mefâîlü/Mefâîlü/Feûlün

⁂

Usûlü: Düyek   *Beste:* Kemanî Cevdet Çağla
                                        Güfte: Hikmet Münir Ebcioğlu

Kaçıncı fasl-ı bahar bu solar gider emelim
Tadılmadan nice yıllar geçer budur hâlim
Çiçeklerim sana dal dal uzansa değmez elim
Ben işte böyle bir aşkın esîriyim güzelim.

Mefâilün/Feilâtün/Mefâîlün/Feilün

⁂

Usûlü: Düyek   Sadeddin Kaynak

Yeşiller umman kadar derin olurmuş meğer
Onların karşısında eriyormuş kederler
Mavi gözler saflığın, yakınlığın timsâli
Aşkı hayat verirmiş, onların her bir hâli
Elâ gözler severmiş insanı tâ yürekden
Âlemde en güzel tip onlarda imiş zaten
Siyah gözler sevdânın bir ilâhi kâbesi
Bin renge bedel imiş onların bir tanesi
Ne elâ istiyorum, ne siyah, ne de yeşil (Söz olarak ağır ağır..)
O istediğim gözün önünde sen de eğil (Söz olarak ağır ağır..)
Şu kuş gibi rûhuma sevgiden kafes örsün
Nasıl olursa olsun, baksın kalbimi görsün.

⁂

SULTÂNÎ YEGÂH MAKAMI

Usûlü: Düyek   Münir Nureddin Selçuk

Bu hülyâlar diyârında gizli bir zevk düğünü var
Hayâlimde gülşen oldu gölgelendi mâvi sular
Şimdi ne kadar mes'ûdum sanki müjdeler geliyor
Ürperiyor bütün duygum tatlı bir ses yükseliyor
Sevdâlı bir kanat sesi çırpınıyor kuytularda
İçli bir gönül bestesi titreşiyor şen sularda
İçimde şen arzular var hislerime dolsun bahar

**

Usûlü: Düyek   Münir Nureddin Selçuk

Hayat gençlik boyunca bir aşkın rüyâsıdır
Gönülde açan gonca âşıkın duâsıdır
Sevenler bahtiyâr olur, gönüllerde bahar olur
Bir göz kalbe girince, yaş döker ince ince
Dil murâda erince, bu aşkın gıdasıdır
Sevenler bahtiyâr olur, gönüllerde bahar olur.
(Serbest okunur) İpek saçdan nem dökülür, gül dudakdan
                    Kahkahalar
            Nâz edene diz çökülür, aşk içinde neş'eler var.
Sevenler bahtiyâr olur, gönüllerde bahar olur.

**

Usûlü: Nîm Sofyan   *Beste* ve *Güfte:* Kanûnî Necdet Varol

Bir içim su gibi süzülüp akışın
Dudağımdaki tuz o alev yanışın
Hele bir bakışın, nâz edip kaçışın
Süzülüp akışın bir içim su gibi.

Bir içim su gibi doluver gönüle
Şu yanan gönüle bir içim su gibi
O bahar gelişin, girişin düşüme
Doluver gönüle bir içim su gibi.

**

SULTÂNÎ YEGÂH MAKAMI

Usûlü: Sofyan   *Beste:* Prof.Dr. Selâhattin İçli
Güfte: Hüceste Aksavrın

"Çek bir İstanbul'lu nefes"

Çek bir İstanbul'lu nefes dolsun sana rüyâ
Çek bir İstanbul'lu nefes sarsın seni sevdâ

Bu akşam erguvan sular durgun
İstanbul'u görüyor açık pencerem
Mayıs'ın bilmem hangi günü
Gemiler nereden nereye
Bir sis hafif tülümsü
Kuşlar kimbilir ne söylüyor

Çek bir İstanbul'lu nefes dolsun sana rüyâ
Çek bir İstanbul'lu nefes dolsun sana rüyâ

Sırlara karışıyor bugün de
Gördüğüm her şey eriyor
Akşam bir günün külüdür
Sulara serpiliyor
Teselli sanırım yıldızlar
Sevdâ gece şehri sanıyor

Çek bir İstanbul'lu nefes sarsın seni sevdâ
Çek bir İstanbul'lu nefes sarsın seni sevdâ

Bu akşam erguvan sular durgun
İstanbul'u görüyor açık percerem

Çek bir İstanbul'lu nefes...
Çek bir İstanbul'lu nefes...

✳✳

SULTÂNÎ YEGÂH MAKAMI

Usûlü: Düyek (Semâî Değişmeli) -Fantezi-   *Beste ve Güfte:*
Kanûnî Necdet Varol

Andım yine derinden seni sevgilerinden
Hayâl hayâl gelişin gönül oynar yerinden
Goncalardan tâzesin, baharlara neş'esin
Düğün bayramsın bana gönülde şakrar sesin
Hayâl hâyâl gelişin cihanda yok bir eşin
Hayâl hâyâl gelişin inan sen bir tanesin.

⁕⁕

Usûlü: Yürük Semâî   Ûdî Selânikli Ahmed Bey

Müjgân-ı çeşmim cânâna sâkî
Yandım elinden yandım a zâlim (Tekrar edilir)
Ahvâlin oldu her ferde zâhir
Yandım elinden yandım a zâlim (Tekrar edilir)
Müstef'ilâtün/Müstef'ilâtün

⁕⁕

Usûlü: Sengin Semâî   Bimen Şen

Al sazını sen sevdiceğim şen hevesinle
Çal, söyle benim şarkımı sevdâlı sesinle
Ben dinleyeyim, ağlayayım gizlice böyle
Çal, söyle benim şarkımı sevdâlı sesinle.
Mef'ûlü/Mefâîlü/Mefâîlü/Feûlün

NOT: Şarkı iki kupledir, ikinci kuple okunmaz. S.A.

⁕⁕

Usûlü: Sengin Semâî   *Beste ve Güfte:* Ümit Gürelman

Hasretle dün akşam yine ben hep seni andım
Ömrümdeki sensiz yaşanan yıllara yandım
Canlandı bütün hâtıralar tekrar içemde:
Ben aşka elâ gözlü kadın, sende inandım.
Mef'ûlü/Mefâîlü/Mefâîlü/Feûlün

⁕⁕

SULTÂNÎ YEGÂH MAKAMI

Usûlü: Türk Aksağı   Kemanî Cevdet Çağla

Gördüm seni sevdâya inandım
Ben gözlerinin nûruna yandım
Seni sevdim ah aşkınla kandım
Ben gözlerinin nûruna yandım.

❋❋

Usûlü: Türk Aksağı   Lem'i Atlı

Gönlüm sevdi şimdi bir yâr
Endâmı hoş bir şivekâr
    Gâyetle de sâhib-vekar
    Bir göz süzüp de yan bakar
Canlar yakar, canlar yakar.
Rindâne bir hâlde yaşar
Gözlerinden nûrlar saçar
Âşıkına işler açar
    Bir göz süzüp de yan bakar
    Canlar yakar, canlar yakar.

❋❋

Usûlü: Türk Aksağı   Ûdî Sâmi Bey

Seni sevdim seveli güzelim mecnûn gibiyim
Bilmem gökde mi ya yerde miyim, ben nerdeyim
İster isen geleyim pâyini bûs eyliyeyim
Vech-i hüsnünde çöküp eşk-i çeşmimi dökeyim.

❋❋

Usûlü: Türk Aksağı   Dr. Neş'et Halil Öztan

Herkesden uzak biz ikimiz başbaşa kalsal
Hep başbaşa, hep diz dize, hep biz bize kalsak
Aşkın o derin şevkini biz vecd ile tatsak
Hep başbaşa, hep diz dize, hep biz bize kalsak
        Mef'ûlü/Mefâîlü/Mefâîlü/Feûlün

❋❋

SULTÂNÎ YEGÂH MAKAMI

Usûlü: Curcuna   Santûrî Edhem Bey

Bu gülzârın yine bir nevbahârı
Rehini intizâr etdi hezârı
Dem-i teşrîf-i yâr-ı gül-izârı
Rehini intizâr etdi hezârı

Tedârik üzre gördüm gülistânı
Tekarrüb eylemiş vakt-i zemânı
Haberdâr eyledim ben de nihanı
Bu müjdem pür-mesâr etdi hezârı.

Mefâîlün/Mefâîlün/Feûlün

HEZÂR: Bin, pek çok.
HEZÂR: Bülbül
TAKARRÜB: Birbirine yakın gelme, yaklaşma.
REH, RÂH: Yol

✳✳

Usûlü: Curcuna   Kemanî Eyyûbî Mustafa Sunar

Felek aldı elimden âh seni gurbet eline
Kaldım hasret gül yüzüne, saçlarının teline
Bakmaz oldun çağlayan gözyaşlarımın seline
Kaldım hasret gül yüzüne, saçlarının teline

✳✳

Usûlü: Curcuna   Ârif Sami Toker

Sevildim sanma, coşup aldanma
Kadına kanma, o bir yalandır
(Nakarat) Sever aldatır, güler atlatır
         Tanımaz hâtır, o ne yamandır
Çiçekdir adsız kuşdur kanatsız
Uzakda yıldız kalpde volkandır
         (Nakarat)
Bir içim sudur, sinsi pusudur
Aşk uykusudur, öp de uyandır
         (Nakarat)

✳✳

SULTÂNÎ YEGÂH MAKAMI

Usûlü: Semâî
Beste: Yesârî Âsım Arsoy
Güfte: Hâmid Refik Bey

Hülyâya dalar sonra perîşân uyanırdım
Gördükçe seni aşkıma gün doğdu sanırdım
Bir an bile sensiz yaşamakdan usanırdım
Gördükçe seni aşkıma gün doğdu sanırdım.

Mef'ûlü/Mefâîlü/Mefâîlü/Feûlün

⁂

Usûlü: Semâî
Beste ve Güfte: Neveser Kökdeş

Söyleyemem sırrımı sana açamam
Kalbim yıpransa harâb olsa bile
(Nakarat) İnanmam kanmam güzel gözlerine
Gönlümü avutur yoluna saçmam
Gönül hep hicrânı söyler sana
Sen de artık bir hayâl oldun bana
(Nakarat)

⁂

Usûlü: Semâî
Beste ve Güfte: Necip Mirkelâmoğlu

O siyah gözlerinin bakışını özledim
Özledim, özledim, ah özledim
(Nakarat) Dön bana sevgilim, gel bana meleğim
Seni çok özledim, özledim, ah özledim.
Dudağında güllerin nakışını özledim
Özledim, ah özledim, ah özledim.
(Nakarat)

⁂

SÛZİDİLÂRÂ MAKAMI

Usûlü: Darbeyn   Beste   Sultan III. Selim

Keman-ı aşkını çekmek o şûhun hayli müşkilmiş
Ki evvel menzil-i tîr-i cefâsı pûte-i dilmiş
Nizâm üzre fusûlün âmed ü reftinden anlandı
Kişi matlûba ermek sabr ile her gâh kabilmiş
Terennüm: Ah canım ya la ye le lel lel lel lel lel lel lel li vay
              O şûhun hayli müşkilmiş.

                          Mefâîlün/Mefâîlün/Mefâîlün/Mefâîlün

PÛTE: Pota
FUSÛL: Fasıllar, mevsimler
ÂMED Ü REFT: Gelip gitme

※※

Usûlü: Hafif   Beste   *Beste:* Sultan III. Selim
                                        Güfte: Zâik

Çîn-i giysûsuna zencîr-i teselsül dediler
Döndüler sonra hatâdır diyü kâkül dediler
Gonca-i lâ'l-i şeker-handesine gül der iken
Yanılıp Zâika-sencân-ı heves mül dediler
Terennüm: Beli yârım, beli mîrim, beli şâh-ı men
              Aman aman aman ah dediler.

                          Feilâtün/Feilâtün/Feilâtün/Feilün

ÇÎN: Kıvrım, büklüm
LÂ'L: Kırmızı dudak
ŞEKER-HANDE: Tatlı gülüşlü
SENCÂN: Seçilmiş, zevk zahibleri
MÜL: Şarab

NOT: Güfte: Mâbeyinci Nâşid İbrahim Bey, kayıtlı. Etem Üngör'ün
      Güfteler kitabı II. cilt sh. (1079)da.

※※

SÛZİDİLÂRÂ MAKAMI

Usûlü: Aksak Semâî   Ağır Semâî   Sultan III. Selim

A gönül cür'a mıyız kâ'r-ı penâh eyleyelim
Yüze çık şunda habâbâne şinâh eyleyelim.
Sîneye bâri hayâlin çekelim dildârın
Kurs-ı âyînemizi hâle-i mâh eyleyelim
Terennüm: Ta na dir te nen ni te nen ni te nen te ne nen
Te ne nen te ne nen dir dir te nen ah aman
Ah eyleyelim

Feilâtün/Feilâtün/Feilâtün/Feilün

CÜR'A: Şarab tortusu, tortu
KA'R: Dip
HABABÂNE: Habbeler, kabarcıklar gibi
ŞİNAH EYLEMEK: Yüzmek
KURS: Çerçeve

❋❋

Usûlü: Yürük Semâî   Yürük Semâî   Sultan III. Selim

(Ah) Ab ü tâb ile bu şeb hâneme cânân geliyor (Vay)
Halvet-i ülfete bir şem-i şebistân geliyor (Vay)
Perçemi zîver-i dûş u nigehi âfet-i hûş (Vay)
Dil-i sevdâzedeye silsile cünbân geliyor (Vay)
Terennüm: Ah el'aman ey yüzü mâhım
Söyle nedir benim günâhım
Erişmişdir göklere âhım (Tekrar)
Feryâd ederim, şekvâ ederim (Tekrar)
Senden bâlâya
Aman aman aman aman
Ah geliyor vay.

Feilâtün/Feilâtün/Feilâtün/Feilün

HALVET-İ ÜLFET: Tenhâca bir arada bulunma yeri
ŞEM'-İ ŞEBİSTÂN: Yatak odası mumu
ZÎVER-İ DÛŞ: Omuz süsü
ÂFET-İ HÛŞ: Akıl belâsı, akla ziyan veren
SİLSİLE-CÜNBÂN: Zencir oynatan, deliliği azdıran

❋❋

SÛZİDİLÂRÂ MAKAMI

Usûlü: Aksak Semâî   *Beste:* Sultan III. Selim
Güfte: Pertev Paşa

Gülşende yine meclis-i rindâne donansın (âh cânân ey)
Gül devridir elde mey-i gülgûn dolansın
Biz zevk edelim câm-ı cemin ağzı sulansın
Ol gonca-i sermest sabâh oldu uyansın
Âyine-i mül gül yüzünü görsün utansın

Nergis nigeh-i çeşm-i siyeh-mestine hayrân (âh cânân ey)
Sünbül şiken-i perçem-i serbestine hayrân
Şâh-ı gül-i ter sâgar-ı der destine hayrân
Ol gonca-i sermest sabâh oldu uyansın
Âyine-i mül gül yüzünü görsün utansın

Mef'ûlü/Mefâîlü/Mefâîlü/Feûlün

NOT: Yukarıda yazılı olan güfte, Hacı Ârif Bey Mecmuası Hâşim Bey
Mecmuası, Gıdâ-yı Rûh (Ûdî Galip Bey) gibi güfte mecmualarında
da bulunmamakdadır. Hânende Mecmuası Sh. 63/2'de kayıtlı-
dır. Ayrıca İstanbul Radyosu Türk Mus. Nota Kütüphânesinde
ve (Sûz-i dilârâ) makamındaki dosyasında ikinci kuplesi değişik
olarak görülmüşdür. Bu değişik şekli de aşağıya kaydediyoruz:

Olduk bu gece biz bize ney, mey ile dem-sâz
Mey derdime mahrem idi, ney âhıma hem-sâz
Pertev edelim bülbül ile nağmeye ağâz
Ol gonca-i sermest sabâh oldu uyansın
Âyine-i mül gül yüzünü görsün utansın

S.A.

✳✳

SÛZİDİLÂRÂ MAKAMI

Usûlü: Aksak   Hâfız Efendi (Mehmed) (Balıkçı Mevlevî)

Sen beni terk eyleyelden ey melek
İftirâkın cânıma kâr etdi pek
Bûse haddim mi benim etmek dilek
Nim nigâha kail oldum şimdicek

Câm-ı aşkın şevk ile nûş eyledim
Zevk-i dünyâyı ferâmûş eyledim
Şimdi deryâlar gibi cûş eyledim
İftirâkın cânıma kâr etdi pek.

Fâilâtün/Fâilâtün/Fâilün

✳✳

Usûlü: Aksak   Sultan III. Selim

Nihâl-i kametin bir gül fidândır
Senin üftâdegânın bülbülûndür
Nigâhın âfet-i cân ü cihândır
Yamandır şöhret-i hüsnün yamandır

Seninle ülfete gönlüm ulaşdı
Visâlin bezmine gerçi çalışdı
Civânım nâzik endâmın gelişdi
Yamandır şöhret-i hüsnün yamandır.

Mefâilün/Mefâilün/Feûlün

✳✳

Usûlü: Sofyan   Manuk

Ey nevbahâr-ı arz u nâz
Sevdim seni ey serfirâz
Gül goncasın açıl biraz
Zevk edelim canım bu yaz

Aşkınla yanmışken özüm
Giryan görüp iki gözüm
Gel efendim dinle sözüm
Zevk edelim canım bu yaz.

✳✳

SÛZİDİLÂRÂ MAKAMI

Usûlü: Düyek

Beste: Numan Ağa
Güfte: Sermed

Ey pâdişâhım şevketin
Adlî'le tutdu şöhretin
Dünyâya hüsn-i himmetin
Çokdur bu lûtf u nimetin

Döndükçe bu çarh-ı felek
Eltâfını vasf eylemek
Bilmez mi şarkı söylemek
(Sermed) kulun bu rif'atin

Müstef'ilün/Müstef'ilün

NOT: Şarkı Sultan II. Mahmud'a medhiyyedir.   S.A.

**

Usûlü: Düyek

Kemanî Rıza Efendi

Seyr et oyuncu ol şûh gül femi
Râm eder perendesiyle âlemi
Nalân lepiska perçemi
Koklasam öpsem o şûh perçemi

Pek civan terdir hele gonca misâl
Gül açılmış ruhlerinde al al
Sünbülistan perçemi, kaşı hilâl
Koklasam öpsem o şûh perçemi.

**

SÛZ-İ DİL MAKAMI

Usûlü: Darbeyn   Beste   Abdülhalîm Ağa

Hırâmân ol çemenlerde gel ey servi revânım gel
Nedir bu nâz-ü istiğna
Gözüm yollarda kaldı gel açıl gonca dehânım gel
Gören sansın gül-i zîbâ
Helâk-i hasret-i dîdârın oldum fikr-i vaslınla
Mürüvvet yok mudur dilber
Hayat-ı tâze ver bu hasta-i hicrâna canım gel
Edip vaslın ile ihyâ
Terennüm: Canım ya la ye le lel lel le le lel li
Ömrüm te re lel le le gel
Le le lel le le le le lel li yâr yâr
Rûh-i revânım gel aman
Nedir bu nâz-ü istiğna

Hırâmân: Nâz ve edâ ile salınarak yürümek.

Mefâilün/Mefâilün/Mefâilün/Mefâilün/Mefâilün/Mefâilün

**

Usûlü: Çenber   Beste   Vardakosta Seyyid
                                        Ahmet Ağa

Nağme-i dilsûz ile yakdın beni mutrıb keman
Şîve-i sâzın cihanda olmasın mutrıb keman
Dağdârî-i derûn düşdü benim de hisseme
Sûz-i aşkı çünki taksim eyledi sîne keman
Terennüm: Ömrüm canım aman yâr
          Beni mutrıb keman

Fâilâtün/Fâilâtün/Fâilâtün/Fâilün

NOT: Bazı kayıtlarda birinci mısra'ın sonu: (Heman) diye görüldü. S.A.

**

-1247-

SÛZ-İ DİL MAKAMI

Usûlü: Zencir   Beste   Tanbûrî Ali Efendi

Yıkıldı darb-ı sitemle harâb olan gönlüm
Tutuşdu şûle-i gamla kebâb olan gönlüm
Cünûn belâsına düşdüm hevâ-yı perçemle
Esîr-i keşmekeş-i pîç ü tâb olan gönlüm
Terennüm: Ye le lel ye le lel le le le le lel li
          Te re li ye le li ye lel le le le lel
          Le le le lel lel lel le li yâr yâr
          Hevây-ı perçemle

                   Mefâilün/Feilâtün/Mefâilün/Feilün

NOT: Tanbûrî Ali Efendi'nin bu bestesi (Hânende) mecmuasının 694. sayfasında sütun 1'de şöyle yazılıdır:

     Yapıldı lûtfun ile bu harâb olan gönlüm
     Tutuştu şûle-i gamdan kebâb olan gönlüm
     Bu aşk belâsına düşdü hevâ-yı perçemle
     Esîr-i keşmekeş-i pîç ü tâb olan gönlüm.

CÜNÛN: Delirme, deli olma, zaman zaman tutan delilik.
KEŞMEKEŞ: Çekişme, kavga, kararsızlık.
PÎÇ: Büklüm, kıvrım, dolaşık (Pîç-ü tâb, sıkıntı, ıztırap.) S.A.

                 ✳✳

Usûlü: Devr-i Kebîr   Beste   Tanbûrî Ali Efendi

Bilmedik yâri ki bizden bu kadar gâfil imiş
Cân hayâl eylediğim bûsesi bî-kâbil imiş
Çekdiğim nâz ü cefâlar yoluna bîhûde
Etdiğim cûşiş-i sevdâ ana bî-hâsıl imiş.

                  Feilâtün/Feilâtün/Feilâtün/Feilün

GAFİL: Bilmezlik
BÛSE: Öpücük
CUŞİŞ: Coşkunluk
BÎ-HÂSIL: Hâsıl olmayan, meydana gelmeyen.

NOT: Çekdiğim cevr ü cefâlar diye okunuyor.)   S.A.

                 ✳✳

SÛZ-İ DİL MAKAMI

Usûlü: Çenber   Beste   Ali Rıfat Çağatay

Verdim âteş dillere sûz-i dil-i âvâreden
Eyledim îcâd bin yangın bir âteş pâreden
Çâresâzım gitme kim rûz-i firâkın derdine
Kat'-ı ümmîd ettiğim gündür hulûs-i çâreden
Terennüm: Ömrüm canım a canım aman
Sûz-i dil-i âvâreden vay.

Fâilâtün/Fâilâtün/Fâilâtün/Fâilün

HULÛS: Hâlislik, saflık.

**

Usûlü: Hafif   Beste   Dr. Subhi Ezgi

Turra-i şeb-reng-i dilber hâbgâhımdır benim
Terennüm: Nev-civânım mu-miyânım gel a canım gel hâbgâ-
          hımdır benim
Gûşe-i ebrûy-ı dilber dil-penâhımdır benim
Terennüm: Nev-civânım mu-miyânım gel a canım gel hâbgâ-
          hımdır benim
Hiç değildir yine bu baht-ı siyâhımdır benim
Terennüm: Nev-civânım mu-miyânım gel a canım gel hâbgâ-
          hımdır benim

Fâilâtün/Fâilâtün/Fâilâtün/Fâilün

**

Usûlü: Aksak Semâî   Ağır Semâî   Hacı Sadullah Ağa

Beni ey gonca-fem bülbül sıfat nâlân eden sensin
Hemîşe hem-dem-i sad nâle vü efgân eden sensin
N'ola senden edersem hûn-ı nâ-hak-geştemi dâvâ
Dem-â-dem bağrımı hasretle zîrâ kan eden sensin
Terennüm: Canım ya la ye lel lel li te re lel le le lel le le
          Lel le le lel lel lel li
          Te re li yel lel li ye le le le lel le lel lel li
          Ah bîçârenem ey yâr.

Mefâîlün/Mefâîlün/Mefâîlün/Mefâîlün

**

SÛZ-İ DİL MAKAMI

Usûlü: Aksak Semâî   Nakış Ağır Semâî   Tanbûrî Ali Efendi

Kanı yâd-ı lebinle hûn-i dil nûş ettiğim demler
Hezârân bülbülü nâlemle hâmûş etiğim demler
(Terennüm) Visâlin hep hayâl oldu, aceb bilmem ne hâl oldu
    Seni sevmek bile cânâ bana emr-i muhâl oldu
    Alıp etrâfımı sevdâ cihânda eyledim hayret
    Harâb-ender-harâb oldum, yeter gayrı yeter
    hasret
Herzârân bülbülü nâlemle hâmûş ettiğim demler
Visâlin hep hayâl oldu aceb bilmem ne hâl oldu
Seni sevmek bile cânâ bana emr-i muhâl oldu
Alıp etrafımı sevdâ cihânda eyledim hayret
Harâb-ender-harâb oldum, yeter gayri yeter hasret
Hezârân bülbülü nâlemle hâmûş ettiğim demler
Yanar âteşlere ârâm ü sabrım yâdâ geldikçe
Seni mest eyleyip ey gül der-âgûş ettiğim demler.
    (Terennüm)
        Mefâîlün/Mefâîlün/Mefâîlün/Mefâîlün

NOT: Ali Efendi'nin bu nakış ağır semâisinin bugün okunan şekildeki
güftesi de arka sahifeye yazılmıştır. Buradaki şekil Ahmed Avni
Bey'in yazdığı şekildir. (Hânende Sh. 694/2).

                                 S.A.

           ✳✳
Usûlü: Yürük Semâî Nakış Yürük Semâî   Abdülhalîm Ağa

Ne ol perî gibi bir dil-rübâ görülmüşdür
Ne ana bencileyin mübtela görülmüşdür.
(Terennüm):
    Mûmiyânım ince fidanım tâze civânım aman aman
    Aman gamından eyle âzâd bîdâd elinden, feryâd elinden
    Düşdü gönül o yâre olmuşum âvâre sabredeyim ne çâre
    Hâlimi bilse aman merhamet etse.
    (Bend-i sani)
Olur mu safha-i rûy-i hat-âverine nazar
Hezâr nusha-i ibret-nümâ görülmüşdür.
    (Terennüm)
        Mefâîlün/Feilâtün/Mefâilün/Feilün
        ✳✳

SÛZ-İ DİL MAKAMI

Usûlü: Aksak Semâî   Nakış Ağır Semâî   Tanbûrî Ali Efendi

Kanı yâd-i lebinle hûn-ı dil-nûş etdiğim demler
Hezâran bülbülü nâlemle hamûş etdiğim demler
Terennüm: Âh o demler hep hayâl oldu
      Aceb bilmem ne hâl oldu
      Yüzün görmek bile hattâ
      Bana emr-i muhâl oldu
      Alıp etrâfımı hayret
      Cihândan eyledim nefret
      Hârâb-ender harâb oldum
      Yeter gayrı yeter hasret
Meyan: Yanar âteşlere ârâm ü sabrım yâda geldikçe
     Seni mest eyleyip ey gül der-âgûş etdiğim demler
       (Terennüm)
        **

Usûlü: Yürük Semâî   Yürük Semâî   Tanbûrî Ali Efendi

Ceyhûn arayan dîde-i giryânımı görsün
Seylâb arayan hüzn ile tûfânımı görsün
Sevdâ-zedelik bilmeye meyyâl ise her kim
Yâ zülfünü yâ hâl-i perîşânımı görsün
(Terennüm): Canım ye le lel le le le le lel lel le lel lel li
     Mirim te re lel le lel le lel lel le le lel li
Ey zâlim-ü gaddar ey şûh-i sitemkâr hiç merhametin yok
Cevr-ü sitemin çok, senden kime şekvâ etsin dil-i şeydâ
Ah ah ettin beni berbâd vah vah hiç eylemedin yâd.
          Mef'ûlü/Mefâîlü/Mefâîlü/Feûlün
NOT: Hânende mecmuasının 694. sayfasında ve ikinci sütunda bu eserin terennüm kısmı şu şekilde yazılmıştır:
Ah ey dilber-i gülzâr ey şûh-i sitemkâr hiç merhametin yok
Nâz-ü sitemin çok, bilmem kime şekvâ etsin dil-i şeydâ
Ah ah etdin beni meftûn vah vah hiç eylemedin yâd.
    Bu terennümü buraya yazışımızın sebeplerinden biri, ilk yazılan terennüm güftesine göre bunun daha bir zarif oluşu. (Tabii kanaatimizce.) İkinci bir sebebi ise Ahmet Avni Bey'in büyük bir titizlikle hazırladığı (Hânende) mecmuasının pek az yanlışlı olduğudur. Kaldı ki, bu eseri ile Ahmet Avni bey, geçmiş ile aramızda bir köprü kurmuştur. S.A.
CEYHÛN: Hazar denizine dökülen bir Nehir; Akar su.
GİRYÂN: Ağlayan
SEYLÂB: Sel
TÛFÂN: Büyük sel

        **

SÛZ-İ DİL MAKAMI

Usûlü: Ağır Aksak   Hâşim Bey

Ey şehenşâh-ı cihan dâd eyledin
Lûtf ile ehl-i dili yâd eyledin
Kayd-ı gamdan bende âzâd eyledin
Pâdişâhım âlemi şâd eyledin

Cûy-i adlinden senin bâğ-ı cihân
Sû-be-sû olmakda reşk-i gülsitân
Bu kulun Leylâ'ya bu vird-i zebân
Pâdişâhım âlemi şâd eyledin.

Fâilâtün/Fâilâtün/Fâilün

NOT: Her iki kuplenin son mısra'larının ilk kelimeleri (Padişahım) diye
     değil, çoğu kere (nevcuvânım) diye okunmakdadır. Oysa ki bu
     eser Sultan II. Mahmud'a medhiye olarak bestelenmişdir. S.A.

SU-BE-SU: Taraf taraf. Hertarafa, her yana
VİRD: Belli zamanlarda okunması âdet olan Kur'ân cüzleri.
VİRD-İ ZEBÂN: Diline dolanma.

⁂

Usûlü: Ağır Aksak   İsmet Ağa

Ülfetin geçdi efendim arası
Bir gün olur gelir elbet sırası
Söylenilmez şimdi artık orası
Bir gün olur gelir elbet sırası

Ey cefâ-cû güzelim bî-bedelim
Bûs-i payindi efendim emelim
Vuslata ermez ise şimdi elim
Bir gün olur gelir elbet sırası.

⁂

SÛZ-İ DİL MAKAMI

Usûlü: Ağır Aksak *Beste:* Nikoğos Ağa
Güfte: Mehmed Kâmil Çelebi

Bir nigâh ile beni ey dil-rübâ
Zülfüne etdin esîr ü mübtelâ
Yok imiş sende meğer bûy-i vefâ
Nakarat: Goncasın ama açılmazsın sen bana
Neyledim ey gülbeden n'etdim sana

Şîve-i reftârına bel bağladım
Aldanıp aşkınla sînem dağladım
Rûz u şeb bülbül gibi kan ağladım
(Nakarat)

Fâilâtün/Fâilâtün/Fâilün

NİGÂH: Bakış
DİLRÜBÂ: Gönül kapan
BÛY: Koku
GÜLBEDEN: Gül renkli tenli
REFTÂR: Salınarak, edâlı yürüme
ŞİVE: Ağız, tarz, üslüp

**

Usûlü: Ağır Aksak Bimen Şen

Bir sevâb et bu gece nâzı bırak gel güzelim
Firkatin derdini vuslatda perîşân edelim
Gülü mest eyleyelim, bülbülü hayrân edelim
Firkatin derdini vuslatda perîşân edelim

Feilâtün/Feilâtün/Feilâtün/Feilün

**

SÛZ-İ DİL MAKAMI

Usûlü: Ağır Aksak   *Beste:* Ûdî Şerif İçli
                                       Güfte: Besim Bey

Hasretim çok eskidir bir gün değil, bir an değil
Geçdi ardından ne yıllar yanmamak mümkün değil
Haylî demdir üzgünüm ben ayrılıkdan, dün değil
Geçdi ardından ne yıllar yanmamak mümkün değil

Fâilâtün/Fâilâtün/Fâilâtün/Fâilün

NOT: Bu şarkının güftesi iki kupledir, fakat ikinci kuple okunmaz. S.A.

✳✳

Usûlü: Ağır Aksak   *Beste:* Fethi Karamahmutoğlu
                                       Güfte: Ümit Gürelman

Sûzidil bir şarkı yazdım, yâd'edin dostlar beni
Yâr elinden yârelendim, şâd'edin dostlar beni
Siz vefâsız olmayın, â'bâd edin dostlar beni
Yâr elinden yârelendim, şâd'edin dostlar beni.

Fâilâtün/Fâilâtün/Fâilâtün/Fâilün

✳✳

Usûlü: Aksak   Hammâmîzâde İsmail Dede Efendi

Cânâ gönül verdim sana
Nafile yalvarma bana
İnsaf kıl n'etdim sana
Rahm eyle gel ey bîvefâ

Yandım senin aşkınla ben
Rahm etmedin ey gül-beden
Titrer seninçün cân ü ten
Rahm eyle gel ey bîvefâ

Müstef'ilün/Müstef'ilün

✳✳

SÛZ-İ DİL MAKAMI

Usûlü: Aksak   Kemanî Rıza Efendi

Seni görmeyeli hayli zamandır
Gece gündüz işim âh ü figandır
Seni sevmem desem cânâ yalandır
Meded aşkın ile hâlim yamandır

Nedir bu sendeki nâz ü edâlar
Bana, ağyâra karşı bu cefâlar
Yetişdi canıma bunca ezâlar
Meded aşkın ile hâlim yamandır.

Mefâîlün/Mefâîlün/Feûlün

**

Usûlü: Aksak   Rif'at Bey

Bulur revnâk yüzünden âşıkânın
Cemâlin mâh u mihridir cihânın
Ne hâcet vasfın etmek hüsn ü ânın
Cemâlin mâh u mihridir cihânın

Ruh-ı pür-tâbının nâriyle cânâ
Dil-i sad-pârecik yandı ser-â-pâ
Yanar uşşâk hep pervâne-âsâ
Cemâlin mâh u mihridir cihânın.

REVNAK: Parlaklık, güzellik, tâzelik.
MÂH: Ay
MİHR: Güneş
RUH: Yanak (farsça isim Hı ile yazılır.)
RUH-I PÜRTÂB: Fevkâlâde parlayan yanak, etrafı aydınlatan
yanak.

**

SÛZ-İ DİL MAKAMI

Usûlü: Aksak

Hâşim Bey

Mesken oldu bize dağlar
Gül için bülbül ağlar
Çeşmim yaşı su gibi çağlar
Gül için bülbül ağlar.

Geçdi bahar firak ile
Yâr geliyor güle güle
Elindeki deste güle
Gül için bülbül ağlar

NOT: Bu eser (Hânende) mecmuası Sh. 700, süt. 2 de (Sofyan) kayıtlıdır. S.A.

**

Usûlü: Aksak

Hacı Ârif Bey

Geldi zamân-ı geşt-i bâğ
Dilde uyandı bin çerâğ
Oldu derûnum dâğ dâğ
Mümkün değil senden ferâğ

Ey nâzkâr-ı dilfirîb
Oldum gamınla nâ-şekîb
Alsam da vaslından nasîb
Mümkün değil senden ferâğ

Müstef'ilün/Müstef'ilün

FERAĞ: Vaz geçme
DİLFİRÎB: Gönül avlayan, gönül eğlendiren.
NÂŞEKÎB: Sabırsız.

**

-1256-

SÛZ-İ DİL MAKAMI

Usûlü: Aksak

Hacı Ârif Bey

I-) Dil veren sen dilrübâya
Sabr eder cevr-ü cefâya
Meyl edip semt-i vefâya
İltifât et müptelâya
Nakarat: Salınıp karşımda gezme
Gezersen de çeşmin süzme
Sabr edemem firkatine
Meclise gel beni üzme
II-) Perçem şikenc-i dildâr
Tarümâr oldukça her bâr
Kılsın âşıkı haberdâr
Söylesem bâd-ı sabâya
(Nakarat)

✳✳

Usûlü: Evfer

Tanbûrî Ali Efendi

Yandıkça oldu sûzân kalb-i şerer-feşânım
Oldu yine alevhîz dâğ-ı nihânım
Nâr-ı lehîb-i aşkın suzânıyım anınçün
Mahsûl-i sûz-i dildir, sûzişlidir figânım.

Müstef'ilün/Feulün/Müstef'ilün/Feulün

ŞERER-FEŞÂN: Kıvılcım saçan.
ALEVHÎZ: Parlayan, alevlenen.
LEHÎB: Alev, ateşin sıcaklığı
SÛZİŞ: Yanma, yakma
SÛZİŞLİ: Yanan, yakılan.

NOT: Bu eser (Mustafa Servet Bey) adına da görülmüştür. (50 Yıllık
Türk Musikisi. Mustafa Rona)

✳✳

SÛZ-İ DİL MAKAMI

Usûlü: Aksak

Tanbûrî Ali Efendi

Her bir bakışında neş'e buldum
Ben gözlerinin esîri oldum
Tîr-i nigehinle ah vuruldum
Ben gözlerinin esîri oldum

Çeşmim sana bakdı kaldı nâgâh
Dil ağladı ben de eyledim âh
Gördüm de seni nasılsa ey mâh
Ben gözlerinin esîri oldum.

Mef'ûlü/Mefâilün/Feûlün

NÂGÂH: Ansızın, vakitsiz.

⁕⁕

Usûlü: Çifte Sofyan

Suyolcuzâde Salih Efendi

Sevmişim bir kadd-i mevzûn
Çeşmim yaşı oldu ceyhun
Sen bir Leylâ, ben bir Mecnûn
Gel seninle barışalım.

Nakarat: Beni üzersin, nisbet edersin
        Kaçıp gidersin, gel barışalım.

Sen bir gülsün ben bir bülbül
Kâküllerin katmer sünbül
Rûz u şeb ağlarım ey gül
Gel seninle barışalım.
        (Nakarat)

⁕⁕

SÛZ-İ DİL MAKAMI

Usûlü: Sengin Semâî   Şemseddin Ziya Bey

Ey gonca açıl zevkini sür fasl-ı bahârın
Ben bülbülüyüm sen gülüsün bağ-ı mesârın
Gûş eyle nevâ-yı dilini gamlı hezârın
Ben bülbülüyüm sen gülüsün bağ-ı mesârın

Pek çok sürecek sanma sakın zevki cihânın
Ömrü kısadır güldeki bülbüldeki çâğın
Aç aç da safâsın sürelim bu kısa ânın
Ben bülbülüyüm sen gülüsün bağ-ı mesârın
                        Mef'ûlü/Mefâîlü/Mefâîlü/Feûlün
                **

Usûlü: Sengin Semâî   Şemseddin Ziya Bey

Aşkın mütekâbil olanı ömre bedeldir
Sevmek de güzel, bence sevilmek de güzeldir
Tercîh edivermek birini nâ-be-mahâldir
Sevmek de güzel, bence sevilmek de güzeldir.
                        Mef'ûlü/Mefâîlü/Mefâîlü/Feûlün

NÂ-BE-MAHÂL: Yerinde ve uygun olmayan, yolsuz.
                **

Usûlü: Sengin Semâî   Lem'i Atlı

Yâdigâr olsun zamana hâlet-i mestânemiz
Armağân olsun cihâna bir yudum peymânemiz
Sâkiyâ mest-i müdâmız bu harâb-âbadda
Âlem-i ûlvîde bir mevkîde kâin hânemiz.
                        Fâilâtün/Fâilâtün/Fâilâtün/Fâilün

MEST-İ MÜDÂM: Sürekli sarhoşluk.
MÜDÂM: (Devam'dan) Arapça sıfat.
MÜDÂM: (Arapça isim) Şarap.
MEST-İ MÜDÂM: Şarap serhoşu.
KÂİN: Bulunan, var olan.
                **

-1259-

SÛZ-İ DİL MAKAMI

Usûlü: Sengin Semâî

Beste: Bimen Şen
Güfte: Rifat Ahmed Moralı

Çamlarda dolaşsak yine hülyâlara dalsak
Her şeyden uzak gâilesiz biz bize kalsak
Mehtâbda uzak enginlere bin kahkaha salsak
Hep yan yana, hep baş başa, hep diz dize kalsak.

**

Usûlü: Sengin Semâî

Nuri Halil Poyraz

Sûz-i dilimden yandı ciğerim sen gelmedin hâlâ
Gitdin gideli yanmakda gönül sen bilmedin hâlâ
Çağlar bu gönül hicrinle senin rahmeylemedin sen
Gitdin gideli yanmakda gönül sen bilmedin hâlâ

**

Usûlü: Türk Aksağı

Nuri Halil Poyraz

Sevdâ elinin bülbülü susmuş gülü solgun
Her bir izi hasret dolu bir kalb gibi yorgun
Şeydâları yok neş'eli ırmakları durgun
Her bir izi hasret dolu bir kalb gibi yorgun.

Mef'ûlü/Mefâîlü/Mefâîlü/Feûlün

**

Usûlü: Türk Aksağı

Kemençevî Hasan Fehmi Mutel

Sevmişdi gönlüm bir nev-nihâli
Gitmez gözümden bir dem hayâli
Bir mâh-peyker, bir şûh-i âfet
Gelmez cihana artık misâli.

Müstef'ilâtün/Müstef'ilâtün

MÂH-PEYKER: Yüzü ay gibi güzel, nurlu, parlak.

**

SÛZ-İ DİL MAKAMI

Usûlü: Türk Aksağı

Hüseyin Mayadağ

Bülbül yine feryâd ediyor gülde şifâ yok
Niçin bu güzel yerde aceb dosta vefâ yok
Bezminde ne de özlediğim eski safâ yok
Niçin bu güzel yerde aceb dosta vefâ yok.

**

Usûlü: Düyek

Dellalzâde İsmail Efendi

Gücenmiş o gül-i gülzâr
Dil oldu muztarib nâçâr
Bu rütbe var iken efkâr
Küçüksu'da ne işim var.

Darılma ey gül-i zîba
Senin aşkın ile zîrâ
Görünmezken banâ dünyâ
Küçüksu'da ne işim var.

Mefâîlün/Mefâîlün

**

Usûlü: Sengin Semâî

Markar Ağa

Küçüksu'da senin ey yâr (a canım)
Sarılmış boynuna ağyâr
Sakın etme kuzum inkâr
Geçen hafta görenler var.

Mefâîlün/Mefâîlün

**

SÛZ-İ DİL MAKAMI

Usûlü: Düyek   *Beste:* Sadun Aksüt
                                          Güfte: Ümit Yaşar Oğuzcan

Yokluğun her dakika ölüm demek gitme, kal
Hasretin daha yüz yıl dinmeyecek gitme, kal
Yetişir senden uzak yıllaradır kahrolduğum
Ayrılma hiç yanımdan mahşere dek gitme, kal.

✳✳

Usûlü: Sofyan   *Beste:* Prof.Dr. Alâeddin Yavaşça
                                          Güfte: Bekir Sıtkı Erdoğan

Artık ne o dün var, ne o rüyâdan eser
Pek deşme bu yangın yeri deşdikçe tüter
Hâlâ anılardan o sıcak rüzgâr eser
Pek deşme bu yangın yeri deşdikçe tüter

Günler o kadar boş, geceler öyle harâb
Ses vermez o demler nice dil dökse rebâb
Bir bir soru sorsan da cevâb aynı cevâb
Pek deşme bu yangın yeri deşdikçe tüter.

Rubaî Vezni: Mef'ûlü/Mefâîlü/Mefâîlü/Feûl

✳✳

Usûlü: Düyek   *Beste:* Avni Anıl
                                          Güfte: Ümit Yaşar Oğuzcan

Gül biraz, bunca keder, bunca göz yaşı bitsin
Gül biraz, şu gök kubbe kahkahanı işitsin
Her gidenin ardından koşmaya değmez hayat
Gelecekleri bekle, gidecek varsın gitsin.

✳✳

SÛZ-İ DİL MAKAMI

Usûlü: Düyek   Todoraki

Serbeste oldum zülf-i nigâra
Bîçârelik var serde ne çâre
Sevdâm sarıldı ol şîvekâra
Bîçârelik var serde ne çâre

Müstef'ilâtün/Müstef'ilâtün

SERBESTE: Başı bağlı veya örtülü-Gizli.
Bu eserde birinci mısra'ın anlamı: Saçları çok güzel
olan sevgiliye bağlandım.

**

Usûlü: Sofyan   *Beste* ve *Güfte:* Yesârî Âsım Arsoy

Yüz yıl o güzel gözlere baksam yine kanmam
Devr olsa bu âlem yine aşkından usanmam
Bir başka gülün, goncanın efsûnuna yanmam
Devr olsa bu âlem yine aşkından usanmam

**

Usûlü: Curcuna   Leon Hancıyan

Cânâ gam-ı aşkınla perîşan gezer oldum
Bir yerde karâr eyleyemez derbeder oldum
Pervâne gibi aşk ile yandım heder oldum
Bir yerde karâr eyleyemez derbeder oldum

Mef'ûlü/Mefâîlü/Mefâîlü/Feûlün

**

Usûlü: Curcuna   Fehmi Tokay

Peymânelere sûz-i dilin zehri bulaşdı
Sensiz bu gece bezmimizin neş'esi kaçdı
Uşşâka safâlar getiren zevkini sandık
Sensiz bu gece bezmimizin neş'esi kaçdı.

Mef'ûlü/Mefâîlü/Mefâîlü/Feûlün

**

SÛZ-İ DİL MAKAMI

Usûlü: Curcuna

Beste: Bekir Sıtkı Sezgin
Güfte: Ümit Gürelman

Senin cevrin, benim âhım, bugün bunlar birer rüyâ
Gönül verdim, sabır derdin, bugün bunlar hayâl, hülyâ.
Sitem etsem, aman derdin, yarınlar hep bizim derdin
Senin tavrın, benim hâlim, bütün bunlar ömür gûyâ..

Mefâîlün/Mefâîlün/Mefâîlün/Mefâîlün

**

Usûlü: Semâî

Beste: Hayri Yenigün
Güfte: Hasan Âli Yücel

Zûlmetle dolan kalbimi aydınlatacakdın
İlhâm arayan gözlere bir penbe şafakdın
Kalbim yanıyorken bile sen benden uzakdın
İlhâm arayan gözlere bir penme şafakdın

Mef'ûlü/Mefâîlü/Mefâîlü/Feûlün

**

Usûlü: Semâî

Beste: Avni Anıl
Güfte: Tekin Gönenç

Unutamıyorum, unutamıyorum
Gecem yok artık, gündüzüm yok
Tek sen varsın
Senin saçların var, dalgın, ıslak gözlerin var
Güneş seninle doğuyor her gün
Her yerde seni arıyorum
Her şeyde seni arıyorum
Bırakma ellerimi, bırakma
Unutamıyorum.

**

SÛZ-NÂK MAKAMI

Usûlü: Darbeyn Murabbâ Hammâmîzâde İsmail
Dede Efendi

Müştâk-ı cemâlin gece gündüz dil-i şeydâ
Etdi nigeh-i âtıfetin bendeni ihyâ
Mesrûr ede Hak dem-i humâyûnunu dâim
Ediyye-i hayrın dil ü canımda hüveydâ
Terennüm: Ya la ya le lel lel
          Le le lel le le lel le le lel le le lel le le lel
          Lel lel lel lel lel lel lel lel li yâr
          İşvebâz, dilnüvâz, ah be li şâh-ı men
                              Mef'ûlü/Mefâîlü/Feûlün
MÜŞTÂK: Hasret dolu
ŞEYDÂ: Çılgın
ÂTIFET: Teveccüh
MEŞRÛR: Neş'eli.
EDİYYE: Duâlar.
HÜVEYDÂ: Aşikâr, açık, belirli.

NOT: Bu güftenin üçüncü mısra'ı yukarıda kaydetdiğimiz şekilden baş-
ka: İst. Belediye Konservatuarı Türk Musikisi Klâsikleri No:
121'de: "Mesrûr ede Hak zât-ı keremkârını dâim" olarak yazılı-
dır. Hânende Mecmuası Sh. 115'de ise: "Mesrûr ede Hak kalb-i
humâyûnunu dâim" şeklinde kaydedilmişdir.   S.A.

✳✳

Usûlü: Derv-i Kebîr Murabbâ *Beste:* Dellalzâde
İsmail Efendi
Güfte: Nedîm

Sînede bir lâhza ârâm eyle gel cânım gibi
Geçme ey rûh-ı revân ömr-i şitâbânım gibi
Cüstü-cû etdim yine cânâ (Nedîmâ) bendene
Bir efendi bulmadım devletli sultânım gibi
Terennüm: Ta dir te ni til lil le ne nen
          Di ri ta na ye le lel lel le le lel le li vay
          Eyle gel cânım gibi vay.
                Fâilâtün/Fâilâtün/Fâilâtün/Fâilün(Feilün)
CÜŞTÜ-CÛ: Arıştırma, arayıp sorma.
ŞİTÂBÂN: Acele eden.

✳✳

SÛZ-NÂK MAKAMI

Usûlü: Muhammes   Murabbâ   *Beste:* Küçük Mehmet Ağa
                                   Güfte: Enderûnî Fâzıl

Rûz ü şeb âh eylemekden çâk-çâk oldum yeter
Gayrı insâf eyle zâlim ben helâk oldum yeter
El'aman (Fâzıl) o şûha söyle rahm etsin bana
Âteş-i aşkıyla yandım sûz-nâk oldum yeter
Terennüm: Aman aman şehlevendim dilpesendim gel efendim
        Gel aman yâr cânım be li şâh-ı men
            Fâilâtün/Fâilâtün/Fâilâtün/Fâilün(Fa'lün)

ÇÂK-ÇÂK: Çok yırtık, parça parça.
HELÂK OLMAK: Mahvolmak, çok yorulmak.
SÛZ-NÂK: Yakın, yakıcı dokunaklı. Türk Musikisinde bir makam.

**

Usûlü: Çenber   Murabbâ   *Beste:* Vardakosta Seyyid
                      Beste   Ahmed Ağa
                                   Güfte: Enderûnî Fâzıl

Bezm-i ağyâre varıp zevk u safâ niyetine
Bize geldikde gelir cevr ü cefâ niyetine
Tiğ-i âhın çekeli saff-ı rakîbâna gönül
Giderim leşker-i a'dâya gazâ niyetine
Terennüm: Ömrüm cânım aman zevk u safâ niyetine
              Feilâtün/Feilâtün/Feilâtün/Feilün

NOT: Bu Beste'nin güftesinin üçüncü mısra'ı Hânende Mecmuası'nda;
    yukarıda kaydetdiğimiz gibidir. İstanbul Belediye Konservatuarı
    neşriyatı olan Türk Musikisi Klâsikleri No: 124'de ise:
        "Gidelim leşker-i küffâre gazâ niyetine"
    diye kayıtlıdır.
    Millî Eğitim Bakanlığı Türk Musikisi Klâsikleri Sûz-nâk Faslı
    (Hazırlayan Cüneyd Orhon) aynen Belediye Konservatuarı ya-
    yınlarındaki gibi yazmışdır. S.A.

Gazâ: Din uğruna savaş.
Leşker: Asker-A'dâ: Düşman

**

SÛZ-NÂK MAKAMI

Usûlü: Aksak Semâî   Ağır Semâî   Hammâmîzâde İsmail
Dede Efendi

Nesin sen a güzel nesin
Hûri mi ya melek misin
İki gözümün nûrusun
Hem gönlümün sürûrusun
Terennüm: Aman a canım, aman a gülüm
Nedir bu edâ, nedir bu cefâ
Gel eyle vefâ, aman efendim.
Meyan: Saçın sünbül yüzün güldür
Lebin uşşâkına müldür
Gönül şevkinle bülbüldür
Beni ağlatma gel güldür.
(Terennüm)

✳✳

Usûlü: Yürük Semâî   Yürük Semâî   Hammâmîzâde İsmail
Dede Efendi

Cânâ firak-ı aşkın ile sûz-nâkinem (vay)
Hasret-fezây-ı gamzen ile sîne-çâkinem (vay)
Yâr, yâr şâh-ı cihanım, dost, dost, dilde nihânım
(Ter dil li ter dil li ter dil li te ne nen te ne ni te nen
Na te ne dir ney) (Tekrar edilir)
Ah gel ruhleri âl'im gel arz-ı cemâl et
Hasret-fezây-ı gamzen ile sîne-çâkinem (vay)
-Bend-i sânî-
Tâkey tegâfül ey şeh-i eşheb-süvâr-ı nâz
Ümmîd-i pâyimâlin eder râh-ı hâkinem

Mef'ûlü/Fâilâtü/Mefâîlü/Fâilün

NOT: Bend-i Sânı'nin okunması âdet olmamışdır. S.A.

✳✳

SÛZ-NÂK MAKAMI

Usûlü: Aksak Semâî   Ağır Semâî   *Beste:* Küçük Mehmed Ağa
                                              Güfte: Enderûnî Fâzıl
Kapılır her gören ol şûh-ı cihân-âşûbî (yâr ey cânım)
Nâz ile şîveler etdikçe o çeşm-i hûbi (yâr ey cânım)
Çâk kıl perde-i nâmusunu Fâzıl gibi ol (cânım)
Nâil olmaz o mehin vuslatın mahcûbi
Terennüm: Bî-kararım sabr edemem, âşıkam ol mâh yüzüne
              Âhû gözüne, şîrin sözüne yâr ey
NOT: Her mısra'dan sonra terennüm okunur.
                    Feilâtün/Feilâtün/Feilâtün/Feilün

✻✻

Usûlü: Yürük Semâî   Yürük Semâî *Beste:* Küçük Mehmed Ağa
                                              Güfte: Enderûnî Fâzıl

Ey dil heves-i vuslat-ı cânân sana düşmez
Üftâdesin ol sâye-i hûbân sana düşmez
Gerçi o güzel cevr ü cefâ-pîşedir ammâ
Fâzıl bu kadar nâliş ü efgân sana düşmez
Terennüm: Yâr yâr yâr sana düşmez
            Gel gel gel serv-i nâzım
            Gel gel gel işve-bâzım
            Bendene eyle gel vefâ
            Ah bu cefâ yâr sana düşmez
                Mef'ûlü/Mefâîlü/Mefâîlü/Feûlün
CEFÂ-PÎŞE: Cefâyı sanat edinen
NÂLİŞ: İnleme
HÛBAN: Güzeller.
ÜFTÂDE: Düşkün
EFGAN: Figanlar.

✻✻

Usûlü: Zencir   Murabbâ Beste   Zekâî Dede

Gözüme külhan olur sahn-ı gülsitân sensiz
Cihânı neyleyim ey şûh-ı dil-sitân sensiz
Bu tâb-ı hüsn ile revnâk-fezây-ı âlemsin
Hemîşe olmasın ey mâh bu cihân sensiz
Terennüm: Serv-i nâzım, çâre-sâzım dil-nüvâzım sahn-ı gül. si-
tan sensiz.
                Mefâilün/Feilâtün/Mefâilün/Feilün
                            ✻✻

SÛZ-NÂK MAKAMI

Usûlü: Hafif   Kâr-i Şevk-i Leb   *Beste:* Zekâî Dede
                                            Güfte: Hâfız

Ten ten tâ dir ten te ne ni tâ dir dir ten te ne ni tâ til lil
Lil le ne tâ dir ten (Tekrar edilir)
Dir dir ten til lil len te ne ni tâ dir dir ten
Te ne ni ta til lil le ne ta dir ten Dil şevk-i lebet müdâm dâred
hey

Hey hey râ'nâ-yı men Yâ Rab zi lebet çi kâm dâred hey hey hey
Râ'nâ-yı men ten ten ten dir dir dir ten til lil lil lil lil len
ta nata na dir dir dir dir dir ten ta na ta na dir dir dir til lil len
Yâ Râb zi lebed çikâmi dared hey hey hey râ'nâ-yı men
Meyan hâne

Sevdây-ı zülf-i yâr dâim hey hey hey râ'nây-ı men Der dam-ı
belâ' makâm dâred hey hey hey râ'nây-ı men ten dir ten dir ten-
Dir dir dir ten til lil lil lil lil lil lil len ter dil la na dir dir
Ten a dir la na dir dir ten te ne ni ta til lil le ne ta dir ten
Hâne-i Zeyl

Hâfız çi dem-i hoşest meclis hey hey hey râ'nây-ı men
K'esbâb-ı tarab temâm dâred hey hey hey râ'nây-ı men
Mülâzime

Ten ten ten dir dir dir ten til lil lil lil lil len ta na ta na dir dir dir
Dir dir ten ta na ta na dir dir til lil len
K'esbâb-ı tarab temâm dâred hey hey hey râ'nâ-yı men.

Mef'ûlü/Mefâîlün/Feûlün

Açıklaması:
Gönül dâima dudağını arzu etmekde ve Rabbi dudağından ne
istiyor.
Sevgilinin saçının sevdâsına tutulan dâimâ belâ tuzağında yer
edinmişdir.
Hâfız o ne güzel andır ki içki meclisi için gerekli olan her şey
hazırdır.

❈❈

SÛZ-NÂK MAKAMI

Usûlü: Lenk Fahte Nakış Beste Zekâî Dede

Serde hevây-ı kâkül dilde hayâl-i cânâ
Sînemde dağ-ı firkat çeşmim hemîşe giryân
Terennüm: İşve-bâzı men dil-nüvâz-ı men çâre-sâz-ı men
  A zîbây-ı men çeşmim hemîşe giryân
  Te ne nen ni te ne nen ni dir dir ta na
  Te ne nen ni te ne nen ni gel a canım
  Rûy-i mâhım, hâlime rahm eyle şâhım
  Be li be li be li ömrüm
  Be li be li be li mîrim
  Ah ha hey hey ah ha hey ah ha hey hey
  Ah ha yâr-ı men
  Çeşmim hemîşe giryân

Mef'ûlü/Fâilâtün/Mef'ûlü/Fâilâtün

NOT: Bend-i sânî güftesi de vardır, bestelenmediği için kaydetmedik.
S.A.

⁂

Usûlü: Yürük Semâî Yürük Semâî *Beste:* Zekâî Dede
  Güfte: Hâfız

Biya sâkîyan mey ki hâl-âvered (hey)
Meserret fezâyed kemâl âvered (hey)
Biya sâkı an âteş-i tâbnâk (hey)
Ki ber leşker-i gam zevâl âvered (hey)
Terennüm: Ye lel lel le lel lel le lel lel le lel li

Feûlün/Feûlün/Feûlün/Feûl

Açıklaması:
Getir sâkî içene velilere mahsus hâl veren o şarabı sun ki,
neş'eyi artırır, olgunluk verir.
Getir sâkî o yakıcı ateşe benzeyen şarabı ki, gam askerini bozar.

⁂

SÛZ-NÂK MAKAMI

Usûlü: Yürük Semâî   Yürük Semâî

Beste ve Güfte:
Hacı Fâik Bey

Bak hâl-i perişânıma ey serv-i bülendim
Aşkınla senin çekmedeyim cevr ü cefâyı
Bir kerecik olsun dil-i sûzânımı şâd et
Fâik sana çokdan beri âşıkdır efendim
Terennüm: Yâr yâr zülf-i kemendim
Ben seni gayetle beğendim
Bendene rahm efendim
Ah be li yâr-ı men

Mef'ûlü/Mefâîlü/Mefâîlü/Feûlün

✻✻

Usûlü: Ağır Aksak Semâî

Beste: Rif'at Bey
Güfte: Mehmed Sâ'dî Bey

Âram-ı dili koymadı mestâne nigâhın
Dağılsa revâ âhım ile zülf-i siyâhın
Vechin açılıp kara çıka çehresi mâhın
Dağılsa revâ âhım ile zülf-i siyâhın.

Nîlüferini aç ki gönül bâğı donansın
Gafletse yeter süzme gözün bahtım uyansın
Sünbül bu perîşânlığı görsün de utansın
Dağılsa revâ âhım ile zülf-i siyâhın

Mef'ûlü/Mefâîlü/Mefâîlü/Feûlün

✻✻

SÛZ-NÂK MAKAMI

Usûlü: Ağır Aksak   *Beste:* Zekâî Dede
Güfte: Hüseyin Avnî (Yenişehirli)

Vakf-ı râh-ı aşkın etmişken bütün cân ü teni
Bir nigâh-ı lûtfa lâyık görmedin ey meh beni
Âh a zâlim kimlere şekvâ edem bilmem seni
Bir tarafdan olmasa bârî gam-ı çerh-i denî

Etmedi te'sîr sûz-ı hasretim cânânıma
Uyku girmez ağlamakdan dîde-i giryânıma
Ağlamazken bu kadar hâl-i dil-i nâlânıma
Bir tarafdan olmasa bâri gam-ı çerh-i denî

Fâilâtün/Fâilâtün/Fâilâtün/Fâilün

**

Usûlü: Ağır Aksak   Suloycuzâde Salih Efendi

Nâz ü reftâr ile gülzâra buyur
Nev-bahâr oldu çemenzâra buyur
Gül gibi nergisi nezzâre buyur
Nev-bahâr oldu çemenzâre buyur

Birleşip de bir kaç ahbab gidelim
Vaktidir Göksuda bir zevk edelim
Gayrı tenhâ oturup da n'idelim
Nev-bahâr oldu çemenzâre buyur.

Feilâtün/Feilâtün/Feilün

NOT: İkinci kıt'anın ilk mısrâ'ında vezin bozukdur.

**

SÛZ-NÂK MAKAMI

Usûlü: Ağır Aksak

Hacı Fâik Bey

İltifâtın eyledi ihyâ beni
Gayrı terk etmem efendim ben seni
Bende etdin kendine bu bendeni
Gayrı terk etmem efendim ben seni

Rûz u şeb dil vaslını eyler dilek
Bildir aslın hûrî mi âyâ melek
Görmemiş emsâlini çeşm-i felek
Gayrı terk etmem efendim ben seni

Fâilâtün/Fâilâtün/Fâilün

**

Usûlü: Ağır Aksak

Beste: Tanbûrî Ali Efendi
Güfte: Mehmed Sâ'dî Bey

Âşık oldum sana ey gonca dehen
Sönmez âteşlere yakdın beni sen
Görmeyeydim ne olaydı seni ben
Sönmez âteşlere yakdın beni sen

Değilim gerçi sana ben lâyık
İhtiyârsız sevip oldum âşık
Merhamet kıl bana oldu yazık
Sönmez âteşlere yakdın beni sen

Feilâtün/Feilâtün/Feilün

**

SÛZ-NÂK MAKAMI

Usûlü: Ağır Aksak

Hacı Ârif Bey

Sûznâk etme beni ey mehveşim
Aşk ile zâten mücesem âteşim
Derd ocağıdır dil-i mihnetkeşim
Aşk ile zâten mücessem âteşim

Arşa peyveste derûn âvâzesi
Var ciğerde dağ-ı hicrân yarası
Âh-ı cângâhım anın yelpâzesi
Aşk ile zâten mücessem âteşim.

Fâilâtün/Fâilâtün/Fâilün

**

Usûlü: Ağır Aksak

Nikoğos Ağa

Sûznâk-i âteş-i aşkım yetiş feryâda gel
El'aman itfây-ı nâr-ı kalb gam-mû'tâda gel
Zahmet olmazsa sana semt-i harâb-âbâda gel
Merhamet kıl dâda gel, insafâ gel, imdâda gel.

Ben harâb-ı sadme-i hicrânınım ey mehveşim
Pek yanıkdır iştiyâkınla dil-i mihnetkeşim
Cûybâr-ı iltifâtın ile söndür âteşim
Merhamet kıl dâda gel, insâfa gel, imdâda gel

Fâilâtün/Fâilâtün/Fâilâtün/Fâilün

**

Usûlü: Ağır Aksak

Beste: Şevki Bey
Güfte: Reşad Paşa

Câm-ı aşkın içdim oldum derdnâk
Arz için geldim huzûra sîne-çâk
Merhamet kıl dil kebâb-ı sûznâk
Arz için geldim huzûra sîne-çâk

Tîr-i hecrin hâlimi gör neyledi
Deldi bağrım sîne-sûzân eyledi
Merhem olmazmış tabîbân söyledi
Arz için geldim huzûra sîne-çâk

Fâilâtün/Fâilâtün/Fâilün

**

SÛZ-NÂK MAKAMI

Usûlü: Ağır Aksak   *Beste:* Kemanî Ali Ağa
                                          Güfte: İzzet

Bezme buyur ey mâh-ı münevver hele bir şeb
Yüz sürse ayağın tozuna bendelerin hep
Nâzın beni öldürdü nedir sende bu meşreb
Ver bezme halâvet gelip ey şûh-ı şeker-leb

Tâ cânıma kâr etdi benim dünki o sözler
Gayrıya nazar eyleme mümkin mi bu sözler
İzzet de senin hâsılı teşrîfini özler
Ver bezme halâvet gelip ey şûh-ı şeker-leb
                       Mef'ûlü/Mefâîlü/Mefâîlü/Feûlün

**

Usûlü: Orta Aksak   Hâfız Mehmet Efendi
                                   (Balıkçı-Mevlevî)

Bezm-i uşşâka niçün gelmezsin
Âşıka rûyini göstermezsin
Âh ü efgânı da gûş etmezsin
Sevdiğim resm-i vefâ bilmezsin

Beste-i zülf-i siyâhındır dil
Hüsn-i cansûzuna olmuş mâil
Doğrusu işte kuzum velhâsıl
Sevdiğim resm-i vefâ bilmezsin
                     Feilâtün/Feilâtün/Feilün

**

Usûlü: Ağır Aksak (Curcuna Değişmeli)   Civan Ağa

Dâğdâr-ı hasret etdin hecr ile cân ü teni
Sönmez ateşlere yakdın bî-vefâ şimdi beni
Lâlezârı neyleyim varken bu sînem gülşeni
Dârü'l-ahzân-ı vücûdümken bu gönlüm meskeni
(Curcuna): Görmemek yeğdir görüp dîvâne olmakdan seni
            Sevdiğim kim kurtarır zencîr-i zülfünden beni
(Ağır Aksak): Sevdiğim kim kurtarır zencîr-i zülfünden beni
              Fâilâtün/Fâilâtün/Fâilâtün/Fâilün
NOT: Curcuna değişmeden sonra tekrar ağır aksak usûlüne girilirken
iki dörtlük (es) beklenilmez.   S.A.

**

SÛZ-NÂK MAKAMI

Usûlü: Ağır Aksak   Ûdî Selânikli Ahmed Bey

Bir günâh etdimse cânâ sûz-nâk oldum yeter
Sağ iken öldüm, harâb oldum, helâk oldum yeter
Pây-i ağyâre serildim sanki hâk oldum yeter
Sağ iken öldüm, harâb oldum, helâk oldum yeter.

Fâilâtün/Fâilâtün/Fâilâtün/Fâilün

❋❋

Usûlü: Ağır Aksak   Ûdî Selânikli Ahmed Bey

Etmiyor hiç merhamet cânân benim efgânıma
Arz eder yok mu aceb ahvâlimi cânânıma
Kalmadı dilde tehammül tâ dayandı cânıma
Arz eder yok mu aceb ahvâlimi cânânıma

Fâilâtün/Fâilâtün/Fâilâtün/Fâilün

NOT: İlk mısra'daki (cânân) kelimesi -cânâ- ikinci mısra'daki (Arz eder)
kelimeleri -Arz eden-; üçüncü mısra'daki (Dilde) kelimesi -
Tende- şekillerinde görülmüşdür. Ancak doğru olan sözler yuka-
rıda kaydetdiğimiz sözlerdir. Yanlış olan notalardaki güftelerin
düzeltilebilmesini sağlamak bakımından bu notu yazmakda fay-
da gördük.
Güftelerin yanlış görüldüğü yerlere misâl: ankara Radyosu Nota
Kütüphanesi No: 133. İstanbul Radyosu Nota Kütüphanesi Sûz-
nâk Makamı No: 40.   S.A.

❋❋

Usûlü: Ağır Aksak·   Klârnet İbrahim Efendi

Vâsıl-ı sem'in değil mi âh ü feryâdım benim
Hep senin aşk-ı visâlinle yanar yâdım benim
Tâ-be-mahşer ağlasın mı kalb-i nâşâdım benim
Olma nazlım âkibet bir kanlı cellâdım benim
Fâilâtün/Fâilâtün/Fâilâtün/Fâilün
❋❋

SÛZ-NÂK MAKAMI

Usûlü: Ağır Aksak   Ûdî Selânikli Ahmed Bey

Gördüğüm yerde seni büht ile ey gonca-dehen
Allah, Allah, diye ruhsârını seyreyler iken
Bu gazûbâne nigâhın aceb esbâbı neden
Allah, Allah, diye ruhsârını seyreyler iken

Feilâtün/Feilâtün/Feilâtün/Feilün

NOT: Hânende Mecmuası'nda (Aksak usûlünde) kayıtlıdır.
Ankara Radyosu Nota Küt. No: 522/1613-Ağır Aksak, İstanbul
Radyosu Nota Küt. No: 53 Ağır Aksak, TRT Türk Sanat Musikisi
Sözlü Eserler Repertuarı (Tarık Kip) Sahife: 103-Ağır Aksak.
Türk Musikisi Ansiklopedisi (Yılmaz Öztuna) 1. cilt Sh: 20'de
"Gördüğüm yerde seni baht ile ey gonca- dehen"
Diye birinci mısra' kayıtlıdır. Usûlü ise -Aksak- olarak belirtil-
mişdir.   S.A.

**

Usûlü: Ağır Aksak   Ûdî Selânikli Ahmed Bey

Mehd içinde eşk-i mihnetle açılmış gözlerim
Gülmedim hiç bir tarafdan ağlamaz da neylerim
Hâlet-i nez'e gelirsem belki hande eylerim
Gülmedim hiç bir tarafdan ağlamaz da neylerim

Fâilâtün/Fâilâtün/Fâilâtün/Fâilün

HÂLET-İ NEZ: Can çekişme.

NOT: Bu şarkının bestekârı olarak bazı yerlerde (Perukâr Hakkı Bey)
diye kayıt vardır. Oysa bu isimde bir bestekârın bir başka eserine
hiç rastlamadım. Ayrıca biyografisi hakkında da herhangi bir ka-
yıt bilmiyorum.   S.A.

**

SÛZ-NÂK MAKAMI

Usûlü: Ağır Aksak   Beste: Kemânî Tatyos
                           Güfte: Ahmed Râsim Paşa (Vezir)

Sûz-nâk-i fasl-ı aşkı söyleyim dinle yeter
Çille-i aşkı çekenler böylece feryâd eder
Dilberânın ahdi câlîdir uyup çekme keder
Hisseyâb-ı zevk-i vuslat olmak istersen eğer
Ehl-i dil bezminde sevmekden sevilmekdir hüner

Fâilâtün/Fâilâtün/Fâilâtün/Fâilün

NOT: Şamlı İskender Faslı'nda (Dilberânın ahdı...) diye başlıyan mısra'
yokdur.

❋❋

Usûlü: Ağır Aksak   Beste ve Güfte: Ahmed Rasim Bey

Gel seninle yeni bir aşka giriftâr olalım
Yine sünbüllere, kâküllere berdâr olalım
Gece gündüz yanalım, âh edelim, zâr olalım
Bu mudur istediğin âhir-i ömrümde gönül

Feilâtün/Feilâtün/Feilâtün/Feilün

❋❋

Usûlü: Ağır Aksak   Beste ve Güfte: Mustafa Nâfiz Irmak

Sonbahar goncası mı göğsünün üstündeki gül
Gel biraz rûhumu yak, kalbime hicrânla dökül
Acı bir hande ile aşkımın âlâmına gül
Gel biraz rûhumu yak, kalbime hicrânla dökül

Feilâtün/Feilâtün/Feilâtün/Feilün

❋❋

SÛZ-NÂK MAKAMI

Usûlü: Aksak   Tanbûrî Zeki Mehmed Ağa

Bî-mürüvvet pür–cefâsın
Neyleyim pek bî-vefâsın
Nazîrin yok dilrübâsın
Neyleyim pek bî-vefâsın

Meylin senin hep ağyâra
Ben bîhûde yanmam nâra
Rahmın yok uşşâk-ı zâra
Neyleyim pek bî-vefâsın

⁂⁂

Usûlü: Aksak   Tanbûrî Zeki Mehmed Ağa

Hiç eşin yok nevcivânsın
Buna nasıl can dayansın
Güzelsin pek mû-miyansın
Buna nasıl can dayansın

Tavr-ı tarzın başka hâlet
Yosmasın var hem zarâfet
Sana mahsus bu kıyafet
Buna nasıl can dayansın

NOT: Bu şarkının makamı, Türk Musikisi Ansiklopedisi (Yılmaz Öztu-
na) Sh. 409'da-Hicazkâr- usûlü: Yürük Aksak, olarak kayıtlıdır.
TRT Türk Sanat Musikisi Sözlü Eserler Repertuarı (Tarık Kip) Sh.
120'de -Hicazkâr- usûlü: Evfer. kayıtlıdır
Hânende Mecmuası Sh. 122'de ise Sûz-nâk- Aksak kayıtlıdır.
                                                S.A.

⁂⁂

SÛZ-NÂK MAKAMI

Usûlü: Aksak   Şâkir Ağa

Eski hâli hiç göremem
Sana n'oldu ben bilemem
Bu firkate sabr edemem
Sana n'oldu ben bilemem

Hayli çekdim bunca emek
Lâyık mıdır terk eylemek
Rahm eyle bârî şimdicek
Sana n'oldu ben bilemem

NOT: Bu şarkının bestekârı -Hacı Ârif Bey Mecmuası-nda Sh. 53'de -
Hacı Ârif Bey- olarak kayıtlıdır. Böyle bir yanlışlığın nasıl yapıl-
dığına şaşmamak elde değildir.   S.A.

✻✻

Usûlü: Aksak   Dellâlzâde İsmail Efendi

Dedim ey gönül sultânı
Aman ey cânımın cânı
Unutma ahd ü peymânı
Aman ey cânımın cânı

Sînem senin yatağındır (Tekrar)
Gönlüm senin durağındır (Tekrar)
Teşrîf eyle otağındır
Aman ey cânımın cânı

✻✻

SÛZ-NÂK MAKAMI

Usûlü: Aksak

Nikoğos Ağa

Bir güzele ben de gönül bağladım
Aşk ü mahabbet ne imiş anladım
Vaslı için hayli zaman ağladım
Aşk ü mahabbet ne imiş anladım

Çâresi yok oldu gönül mübtelâ
Can ü tenim yoluna olsun fedâ
N'oldu ise oldu bu hâlet bana
Aşk ü mahabbet ne imiş anladım

Müfteilün/Müfteilün/Fâilün

NOT: Bu şarkının usûlü: -Türk Musikisi Ansiklopedisi- (Yılmaz Öztu-
na) C. II Sh. 83'de Ağır Aksak; Hânende Mecmuası Sh. 121'de
Aksak; Hacı Ârif Bey Mecmuası'nda ise bestekârı ve usûlü hak-
kında hiç kayıt olmadan (Sh. 42) kayıtlıdır. S.A.

** **

Usûlü: Aksak

Tanbûrî Ali Efendi

Dil-i mahzûnumu şâd eyle bir gün
N'olur cânım beni yâd eyle bir gün
Yıkılmış kalbi âbâd eyle bir gün
N'olur cânım beni yâd eyle bir gün

Benim uşşâk içinde yok nazîrim
Der-i lûtfunda bir abd-i hakîrim
Sana bunca zamandır ki esîrim
N'olur cânım beni yâd eyle bir gün.

Mefâîlün/Mefâîlün/Feûlün

NOT: Nakaratlardaki -cânım- kelimesi bazı yerlerde- Zâlim-olarak da
görüldü. S.A.

** **

SÛZ-NÂK MAKAMI

Usûlü: Aksak   Hacı Ârif Bey

Yine mürg-i seher âvâzelendi
Bahâr oldu gülistân tâzelendi
Kitâb-ı goncalar şirâzelendi
Bahâr oldu gülistân tâzelendi

Gönül cânâ zamân-ı vaslın andı
Tutuşdu âteş-i hasretle yandı
Fezây-ı sîne dağ ile donandı
Bahâr oldu gülistân tâzelendi.

Mefâîlün/Mefâîlün/Feûlün

※※

Usûlü: Aksak   Hacı Ârif Bey

Uslanmadı hâlâ emeli bitmedi gönlüm
Pîr oldu, cuvân sevmeyi terk etmedi gönlüm
Derbend olarak silsile-i aşk u hevâya
Pîr oldu, cuvân sevmeyi terk etmedi gönlüm.

Mef'ûlü/Mefâîlü/Mefâîlü/Feûlün

NOT: İkinci kuplesi de vardır, fakat hiç okunmaz. S.A.

※※

Usûlü: Aksak   *Beste:* Hacı Ârif Bey
                                            Güfte: Mehmed Sâ'dî Bey

Edemem kimseye hâlim hikâyet
Gönül senden kime etsem şikâyet
Neler çekdim elinden bî-nihayet
Gönül senden kime etsem şikâyet

Mefâîlün/Mefâîlün/Feûlün

NOT: Hacı Ârif Bey Mecmuası'nda bu şarkının ikinci ve üçüncü kuple-
leri de kayıtlıdır. Ancak bunların okunması âdet olmamışdır.

S.A.

※※

SÛZ-NÂK MAKAMI

Usûlü: Aksak

Hacı Ârif Bey

(Of) Beni bîzâr ederken serzenişler (Of..)
Yürekde şimdi tîr-i hecrin işler (Of..)
Değil bîhûde bu feryâd edişler (Of..)
Yürekde şimdi tîr-i hecrin işler (Of..)

Mefâîlün/Mefâîlün/Feûlün

NOT: Şarkının ikinci kuplesi de vardır. Okunması âdet olmadığı gibi lisan olarak da bir hayli ağırdır ve birinci kupleye uymamakdadır. Bu sebeple de buraya yazmadık.   S.A.

✳✳

Usûlü: Aksak

Beste: Hacı Ârif Bey
Güfte: Mehmed Sâ'dî Bey

Çekme elem-i derdini bu dehr-i fenânın
Var destini bûs eyle hemân pîr-i mugânın
Sunsun sana bir bâde ki râhat bula cânın
Anlarsın o demde nicedir zevkı cihânın
Zevk ister isen mey ile meyhânede vardır
Her ne var ise hâlet-i mestânede vardır

Mef'ûlü/Mefâîlü/Mefâîlü/Feûlün

✳✳

Usûlü: Aksak

Beste ve *Güfte:* Rahmi Bey

Bir sihr-i tarâb nağme-i sâzındaki te'sîr
Hep yareli seslerle eder rûhumu teshîr
Hicrânzede sevdâları eyler bana tasvîr
Hep yareli seslerle eder rûhumu teshîr

Mef'ûlü/Mefâîlü/Mefâîlü/Feûlün

✳✳

SÛZ-NÂK MAKAMI

Usûlü: Aksak (Türk Aksağı Değişmeli)

Hristaki
(Lâvtacı Hristo)

Ey nice dağlar başında böyle efgân eyleyim
Yok ki bir yâr-ı şefikim hâl-i zârı söyleyim
Olsa da şimden gerû gönlüm yıkıldı neyleyim
Bu harâb-âbâde-i gamda ne varki peyleyim
(Türk Aksağı) Nâle ney, eşkim şarâb, dil-dârım olsun câm-ı mey
İstemem bezmimde âh-ı sûz-nâkden başka şey
(Aksak) İstemem bezmimde âh-ı sûz-nâkden başka şey.

Fâilâtün/Fâilâtün/Fâilâtün/Fâilün

NOT: İkinci kuplesi de vardır, okunmaz.

S.A.

❋❋

Usûlü: Aksak
(Curcuna Değişmeli)

Hristaki
(Lâvtacı Hristo)

Görünce gerdeninde çifte hâli
Gönül sevdi hemân ol gül nihâli
Figân eyler iken bülbül misâli
Cefâya kalmadı gönlün mecâli
(Curcuna): Silindi sîneden tasvir-i hâli
          Gözümden çıkdı sevdây-ı hayâli
(Aksak) : Gözümen çıkdı sevdây-ı hayâli

Mefâîlün/Mefâîlün/Feûlün

❋❋

Usûlü: Aksak

Hâfız Yusuf Efendi

Kış gidip eyyâm-ı gam döndü mesâra şimdicek
Goncalar arz-ı cemâl eyler hezâra şimdicek
Gül-izârım sen de çık seyr-i bahâra şimdicek
Goncalar arz-ı cemâl eyler hezâra şimdicek

Fâilâtün/Fâilâtün/Fâilâtün/Fâilün

•

NOT: İkinci kuplesi de vardır. Birinci kuple ile uyuşmaması ve mâ'nâ bakımından zayıf oluşu sebebiyle buraya yazmadık. S.A.

❋❋

SÛZ-NÂK MAKAMI

Usûlü: Aksak   *Beste:* Ûdî Selânikli Ahmed Bey
                            Güfte: Mehmed Sâ'dî Bey

Soldum bu küçük yaşda yazık gül soldum
Düşdüm merak-ı aşka yazık ben verem oldum
Geldim bu fenâ âleme de sanki ne buldum
Düşdüm merak-ı aşka yazık ben verem oldum
                  Mef'ûlü/Mefâîlü/Mefâîlü/Feûlün

**

Usûlü: Aksak   Ûdî Selânikli Ahmed Bey

Cânım dediğim kasd ediyor cânıma eyvâh
Allâh acısın hâl-i perîşânıma Allâh,
Te'sîr mi eder yârıma bu âh-ı sehergâh
Allâh, acısın hâl-i perîşânıma Allâh
                  Mef'ûlü/Mefâîlü/Mefâîlü/Feûlün

NOT: Bazı kayıtlarda 1. mısra'ın sonu (Vallah) S.A.

**

Usûlü: Aksak (Yürük)   *Beste:* Neyzen Rızâ Bey
                            Güfte: İsmail Safâ Bey

Çaldırıp çalgıyı rakkâseleri oynatalım
Okuyup şarkı gazeller sözü saza katalım
Dehre cennet diyelim kendimizi aldatalım
Çekelim şîşeyi endîşeyi başdan atalım
Gülelim, eğlenelim bezmimizi parlatalım.
                  Feilâtün/Feilâtün/Feilâtün/Feilün

**

Usûlü: Aksak   Kemanî Tatyos

Güzelim gözlüğünü çeşmine tak
Eser-i hecrin olan yarama bak
Fikrini söyle def olsun şu merak
Ya beni vasla sezâ kıl, ya bırak
                  Feilâtün/Feilâtün/Feilün

**

SÛZ-NÂK MAKAMI

Usûlü: Aksak

Beste: Ûdî İzzet Bey
Güfte: Recâîzâde
Mahmud Ekrem Bey

I-) Saklayıp kalb-i mükedderde seni
Anarım âh ile her yerde sine
Bulurum neş've-i sâgarda seni
Anarım âh ile her yerde seni

II-) Her fidanda görürüm hey'etini
Her çiçekde duyarım nükhetini
Söylerim cûlara keyfiyetini
Anarım âh ile her yerde seni

II-) Mıtrıbı ağlamadan gûş edemem
Zâr olan gönlümü hâmuş edemem
Seni bir lâhza ferâmûş edemem
Anarım ah ile her yerde seni.

NOT: Aynı güfte -Uşşak- Aksak şarkı Şevki Bey

Feilâtün/Feilâtün/Feilün

GÛŞ: İşitme, dinleme
HÂMÛŞ: Susmuş, sessiz
FERÂMÛŞ: Unutma, hatırdan çıkma.

**

Usûlü: Aksak

Mûsâ Süreyyâ Bey

Gönlümde müebed yaşayan tatlı emelsin
Gökten de, denizden de, çiçekden de güzelsin
Sen böylece bir şâheser sîm-i ezelsin
Gökden de, denizden de, çiçekden de güzelsin

Mef'ûlü/Mefâîlü/Mefâîlü/Feûlün

**

SÛZ-NÂK MAKAMI

Usûlü: Aksak

Dürrî Bey

Meylin niçin elden yana
N'oldu be hey dilber sana
Bîgâne oldun pek bana
N'oldu be hey dilber sana

Derd-i derûnum dem-be-dem
Artmakdadır ey gonca-fem
Olmaz mı hiç senden kerem
N'oldu be hey dilber sana.

Müstef'ilün/Müstef'ilün

**

Usûlü: Aksak

Hünkâr Müezzini Hâlid Bey

(Yâr..) Boş değildir sevdiğim nâz etdiğim
(Yâr..) Bir zamanlar vardı benim sevdiğim
　　　Neyleyim şimdi sana meyl etdi dil
(Yâr..) Geç geçenden varsa aklın sevdiğim

Fâilâtün/Fâilâtün/Fâilün

**

Usûlü: Aksak

Bestekârı Meçhûl

Âlem-i mehtâba çıksak bir şeb, ey âlî-cenâb
Bir gümüş âyineye dönmüş efendim rûy-i âb
Sabr ü sâmânım gibi zülfün dağıt etme hicâb
Âfitâb-ı hüsnünü görsün utansın mâhitâb

Fâilâtün/Fâilâtün/Fâilâtün/Fâilün

**

-1287-

SÛZ-NÂK MAKAMI

Usûlü: Aksak   Lem'i Atlı

Yeter hicrânlı sözler geçdim ümmîd-i visâlinden
Yeter nûr alsın ancak gözlerim mihr-i cemâlinden
Lebimden al dilersen verdiğin gül-bûse-i lâ'li
Bugün ben râzıyım bir handeye ruhsâr-ı âlinden

Mefâîlün/Mefâîlün/Mefâîlün/Mefâîlün

✻✻

Usûlü: Aksak   *Beste:* Ûdî Fahri Kopuz
                                        Güfte: Saffet Kurt

Günler oluyor görmeyeli rûyını mâhın
Sarmış sanırım şûlesini ebr-i siyeh-fâm
Son darbesi bu olsa gerek ömr-i tebâhın
Sarmış sanırım şûlesini ebr-i siyeh-fâm

Mef'ûlü/Mefâîlü/Mefâîlü/Feûlün

✻✻

Usûlü: Aksak   *Beste:* Selâhattin Pınar
                                        Güfte: Râbiâ Hâtun

Bir kâsedir gönlüm alev dolu yana yana
Ben tâ senin yanında dahi hasretim sana
Yaşlar dökende söndüremez âteşimi su
Sunsan elinle kanımı içsem kana kana

NOT: Bu güfte Fahri Kopuz'un Sultânîyegâh -Sofyan şarkısı, Dürrî Tu-
ran'ın Nevâ- Semâî şarkısı, M. Kâmil Dürüst'ün ise Kürdilihicaz-
kâr Sengin Semâî şarkısı olarak da bestelidir. S.A.

✻✻

SÛZ-NÂK MAKAMI

Usûlü: Aksak

Bestakârı Meçhûl

Hâb-gâhınken efendim gülşenim
Yâr ü ağyâr hâlime ağlar benim
Şimdi dârü'l-ahzen oldu meskenim
Yâr ü ağyar hâlime ağlar benim

Ben senin meftûnunum ey dilfikâr
Sâye-i lûtfunda etmişken karâr
Hâlime bak olma gel hande-nisâr
Yâr ü ağyar hâlime ağlar benim

Fâilâtün/Fâilâtün/Fâilün

**

Usûlü: Aksak

Denizoğlu Ali Bey

Etdin bana cevr ü cefâ
Kıldın visâlinden cüdâ
Ağyâre oldun âşinâ
Nakarat: Lûtfet suçum bildir bana
Ey bî-vefâ n'etdim sana
Vâ'd eylemişken vuslatın
Yakdı derûnum firkatin
Yok mu a cânım şefkatin
(Nakarat)

Müstef'ilün/Müstef'ilün

**

Usûlü: Aksak

Beste: Kemanî Cevdet Çağla
Güfte: Mustafa Nâfiz Irmak

Sâzın gibi al sînene vur kalbimi inlet
Mehtâbda bu akşam bana son şarkını dinlet
Her nağmede mâzîdeki hicrânları yâd et
Mehtâbda bu akşam bana son şarkını dinlet

Mef'ûlü/Mefâîlü/Mefâîlü/Feûlün

**

SÛZ-NÂK MAKAMI

Usûlü: Aksak   Neyzen Gavsi Baykara

Bir gülle bahâr etmedesin hayli zamandır
Aldanma gönül her güzelin zûlmü yamandır
Bülbül gibi efgâna tahammül edeceksin
Bir goncaya bağlan da gönül kendini kandır.
NOT: Aynı güfte Emin Ongan, Muhayyer Kürdi şarkı.

Mef'ûlü/Mefâîlü/Mefâîlü/Feûlün

✳✳

Usûlü: Aksak   *Beste:* Kemanî Emin Ongan
                                        Güfte: İ. Hilmi Soykut

Hasretle yanan kalbime yetmez gibi derdim
Bir ömrü senin uğruna rûyâ gibi verdim
Aşk olmasa gönlümde tahammül mü ederdim
Bir ömrü senin uğruna rûyâ gibi verdim

Mef'ûlü/Mefâîlü/Mefâîlü/Feûlün

✳✳

Usûlü: Aksak   Tanburacı Osman Pehlivan

I-) A benim mor çiçeğim
    Sen doldur ben içeyim
    Ahd etdim yemin etdim
    Uğruna öleceğim

II-) Güzelim görmeyeli
     Hayli zamandır seni
     Cânım fedâ yoluna
     Üzme artık bendeni

III-) Elmanın alına bak
      Dön de bir dalına bak
      Yakdın beni kül etdin
      İnsafsız hâlime bak

✳✳

SÛZ-NÂK MAKAMI

Usûlü: Aksak   *Beste:* Hacı Arif Bey

I-) Meclis bezendi sun bâde sâkî
    Çıksın gönülden dehrin meşakî
    Bir câm-ı ahmer, bir câm-ı âkî
    Nakarat: Doldur sâkî, doldur sâkî
    Def eyleyelim dilden merakı.

II-) Yandı vücudum aşk âteşinden
    Çokdan cüdâdır gönlüm eşinden
    Câm-ı neşâtı bir bir peşinden
    Nakarat

✳✳

Usûlü: Aksak   *Beste:* Sadun Aksüt
                      Güfte: Mustafa Nâfiz Irmak

Her gün seni beklerdim o yollarda ümitsiz
Artık ne sesin var, ne hayâlin ne de bir iz
Yok şimdi melâlimde düşüp ağladığım diz
Artık ne sesin var, ne hayâlin, ne de bir iz.

Mef'ûlü/Mefâîlü/Mefâîlü/Feûlün

✳✳

Usûlü: Aksak   *Beste:* Kâni Karaca
                      Güfte: Ümit Gürelman

Bir anda, bütün her şeyi yık gel, diyemem ki,
Geçmişle kopar bağları, çık gel, diyemem ki
Ben aşka elâ gözlü kadın, sende inandım:
Hasretle geçen ömre yazık, gel, diyemem ki.

Mef'ûlü/Mefâîlü/Mefâîlü/Feûlün

✳✳

SÛZ-NÂK MAKAMI

Usûlü: Türk Aksağı

Beste: Kâni Karaca
Güfte: Ümit Gürelman

Bahçemde açan goncaların hepsi dökülsün
Sen kal bana yalnız, yine kalbimdeki gülsün
Varsın güzelim, her çiçeğin boynu bükülsün
Sen kal bana yalnız, yine kalbimdeki gülsün

Mef'ûlü/Mefâîlü/Mefâîlü/Feûlün

**

Usûlü: Devr-i Hindî

Beste: Rif'at Bey
Güfte: Mekkî

Mâvi gözlüm nekadar dilber imiş
Gerdenü lâ'l-i lebi şekker imiş
Kıyamam öpmeğe nâzik ter imiş
Sarı saçlım ne perî-peyker imiş

Meclise neş'e verir irfânı
Toplayıp başına hep erkânı
Lûtf ile bendeleri yâd eyler
Mekki-i zârı da dilşâd eder.

Feilâtün/Feilâtün/Feilün

NOT: Bu şarkının ikinci kuplesi (Hânende Mecmuası Sh. 129) da: "Meclise neş'e verir irfânı
Bezm-i işretde kurup dîvânı
Toplayıp başına hep erkânı"
Sarı saçlım ne perî-peyker imiş
şeklindedir.
Türk Musikisi Ansiklopedisi (Yılmaz Öztuna) C. II. II. kısım Sh.
181'de bu şarkının usûlü: Sengin Semâî olarak kaydedilmiştir.
S.A.

**

SÛZ-NÂK MAKAMI

Usûlü: Devr-i Hindî   *Beste:* Hacı Ârif Bey
(Curcuna Değişmeli)   *Güfte:* Mehmed Sâ'dî Bey

Bir dil ki esîr-i gam olur neş'e-ver olmaz
Bin câm-ı safâ sunsan ana kârger olmaz
Bu âlem-i imkândır efendim neler olmaz
Sînem gibi peykân-ı belâya siper olmaz
(Curcuna) Her ehl-i dilin çekdiği ahkâm-ı kaderdir
        Her fikre bu evzâ-ı kader gerçi hünerdir
(Devri hindi) Her fikre bu evzâ-ı kader gerçi hünerdir

Mef'ûlü/Mefâîlü/Mefâîlü/Feûlün

** **

Usûlü: Devr-i Hindî   *Beste:* Hâfız Yûsuf Efendi
                         Güfte: Tevfik Fikret Bey

Neş'eyâb etmekde hüzn-i kalb-i nâşâdım seni
Sen benim gerçek adüvv-i kalb-i nâşâdım mısın
Mâil-i hâb eyliyor dil-sûz-ı feryâdım seni
Söyle Allah aşkına mahzûz-ı feryâdım mısın

Fâilâtün/Fâilâtün/Fâilâtün/Fâilün

** **

Usûlü: Devr-i Hindî   *Beste:* Münir Nureddin Selçuk
                         Güfte: Fâzıl Ahmed Aykaç

Durmadan aylar geçer yıllar geçer gelmez sesin
Hasretin gönlümde lâkin kimbilir sen nerdesin
Sızlayan kalbim benim ister misin her dem desin
Hasretin gönlümde lâkin kimbilir sen nerdesin

Fâilâtün/Fâilâtün/Fâilâtün/Fâilün

** **

SÛZ-NÂK MAKAMI

Usûlü: Devr-i Hindî

Dr. Şükrü Şenozan

Mübtelây-ı derd olan diller devâdan geçdiler
Neş'eden âteşlenen neyler nevâdan geçdiler
Yâsemenler, lâleler, güller, çemenler, jâleler
Handeler, demler, terennümler sabâdan geçdiler

Fâilâtün/Fâilâtün/Fâilâtün/Fâilün

**

Usûlü: Devr-i Hindî

Mustafa Nâfiz Irmak

İnleyen kalbim benim artık emellerden uzak
İnlesin, yansın, harâb olsun yeter bahtım bırak
Sevgiden el çekdi çokdan, derdi yalnız ağlamak
İnlesin, yansın, harâb olsun yeter bahtım bırak

Fâilâtün/Fâilâtün/Fâilâtün/Fâilün

**

Usûlü: Devr-i Hindî

Kemanî Emin Ongan

Hicrân olsa da yoldaş her seferinde
Sevdâ eline yine revân bu gönül
Zâhirî hâle bakıp köhnedi sanma
Eller diline yine düşdü bu gönül

**

Usûlü: Devr-i Hindî

Neyzen Burhaneddin Ökte

Hayli demdir ki cüdây-ı rûy-i yâr oldun gönül
Baht-ı nâ-sâzın elinden zâr zâr oldun gönül
Kaldı mı zevk-ı hayâtım, tarümâr oldun gönül
Baht-ı nâ-sâzın elinden zâr zâr oldun gönül

Fâilâtün/Fâilâtün/Fâilâtün/Fâilün

NOT: Bu güfte bazı değişikliklerle S.Ziya Özbekkan, Bayatî-Düyek ve
A. Mükerrem Akıncı, Hicazkâr-D.Hindî bestelidir. S.A.

**

SÛZ-NÂK MAKAMI

Usûlü: Yürük Semâî

Beste: Hacı Ârif Bey
Güfte: Mehmed Sâ'dî Bey

Hüsn âlemini tutdu senin şöhret ü şânın
Sultânısın ey rûh-ı revân kişver-i ânın
Dillerde gamın sîneler üstünde nişânın
Sultânısın ey rûh-i revân kişver-i ânın
            Mef'ûlü/Mefâîlü/Mefâîlü/Feûlün
KİŞVER: İklim, kıt'a.

**

Usûlü: Yürük Semâî

Beste: Hâfız Yusuf Efendi
Güfte: Recâîzâde Mahmud Ekrem Bey

Nedir bu cevr ü tegâfül zaman zaman güzelim
Kaçıncıdır bu eziyyetli imtihan güzelim
Tükendi sabr ü tahammül üzüldü can güzelim
Kaçıncıdır bu eziyyetli imtihan güzelim
            Mefâilün/Feilâtün/Mefâilün/Feilün
**

Usûlü: Yürük Semâî

Beste: Kanûnî Artaki Candan
Güfte: Sinan Bey

Şen gözlerinin şi'rine ben kalbimi verdim
Eller neme lâzım seni çılgınca severdim
Sevdâma senin hörmetin var der de giderdim
Sevseydin eğer sevgini ömrümle öderdim.
            Mef'ûlü/Mefâîlü/Mefâîlü/Feûlün
NOT: Bestekâr aynı güfteyi Hicazkâr-Semâî olarak da bestelemişdir. S.A.

**

Usûlü: Yürük Semâî

Kemanî Emin Ongan

Nihâl-i gülşen-i hüsn-i ezelsin
Açılmış gonca-i bağ-ı emelsin
Güzelsin sevdiğim sen pek güzelsin
Ümîd-i rahm-ı lûtfundur penâhım
Seni incitmesin hâr-ı nigâhım
Güzelsin sevdiğim sen pek güzelsin
            Mefâilün/Mefâilün/Mefâilün/Feûlün
NOT: Aynı güfte Sûzidilarâ Aksak şarkı Sultan II. Mahmud.

**

SÛZ-NÂK MAKAMI

Usûlü: Sengin Semâî   *Beste:* Ûdî Şekerci Hâfız Cemil Bey
                             Güfte: Mehmed Sâdî Bey

Hâl-i dilimi şerh edemem kimseye eyvâh
Bir ben bilirim çekdiğimi bir dahi Allâh
Vuslat sözünü yâd ederim dem-be-dem eyvâh
Bir ben bilirim çekdiğimi bir dahi Allâh
                    Mef'ûlü/Mefâîlü/Mefâîlü/Feûlün

⁂

Usûlü: Sengin Semâî   *Beste:* Ali Rif'at Çağatay
                                   Güfte: Mehmet Sâ'dî Bey

Kâr etmedi zâlim sana bu âh ü enînim
Allâh diye feryâd ediyor kalb-i hazînim
Cevrinle senin şâm ü seher nâle-güzînim
Allâh diye feryâd ediyor kalb-i hazînim
                    Mef'ûlü/Mefâîlü/Mefâîlü/Feûlün

NOT: Türk Musikisi Ansiklopedisi C.II; I₁. kısım sh. 181'de (Yılmaz Öz-
tuna) bu şarkının bestekârını -Rif'at Bey- olarak göstermişdir.
Oysa şarkı -Ali Rif'at Bey'indir.   S.A.

⁂

Usûlü: Sengin Semâî   Hâfız Mehmed Eşref Efendi

Günden güne efzûn oluyor kahr ü azâbın
Ey ömr-i mükedder yürü azdır bu şitâbın
Mihnet çekecek hâli mi var kalb-i harâbın
Ey ömr-i mükedder yürü azdır bu şitâbın.

                    Mef'ûlü/Mefâîlü/Mefâîlü/Feûlün

ŞİTÂB: Acele ile gitmek.

⁂

SÛZ-NÂK MAKAMI

Usûlü: Sengin Semâî   Kemanî Tatyos

Atfetme sakın hançer-i müjgânını nâgâh
İncitme yazık hasta-i hicrânını ey mâh
Koymaz yanına etdiğini Hâzret-i Allâh
Nakarat: Bir nâr-ı ciğer-sûza ki yakdın beni eyvâh
           Yaksın seni de ben gibi âteşlere Allâh

Evvelce sen etdin ona tahsîs ile rağbet
Müştâk-ı nigâh oldu o bî-çâre de elbet
Ağlar sana âh eyler o mazlûm-ı mahabbet
           (Nakarat)

Mef'ûlü/Mefâîlü/Mefâîlü/Feûlün

※ ※

Usûlü: Sengin Semâî   *Beste:* Manyasîzâde Refik Bey
                                           Güfte: Mehmed Nâmık Kemâl

Zevkin ne ise söyle hicâb eyleme benden
Zannım seni yâ bâde yâ mutrîbdir eden şen
Çokdan beri mu'tâdın iken sohbet-i gülşen
Hiç de bu kadar arz-ı neşât eylemedin sen
Gel bir daha gül handene kurbân olayım ben

Mef'ûlü/Mefâîlü/Mefâîlü/Feûlün

NOT: İkinci kuplesi de vardır, fakat okunmaz.   S.A.

※ ※

Usûlü: Sengin Semâî   Musâ Süreyyâ Bey

Sensiz geceler geçdi hayâlât ile bî-hâb
Göster bana gül çehreni ey sevgili mehtâb
Sevdâna düşen olmayacak bil ki şifâyâb
Göster bana gül çehreni ey sevgili mehtâb

Mef'ûlü/Mefâîlü/Mefâîlü/Feûlün

※ ※

SÛZ-NÂK MAKAMI

Usûlü: Sengin Semâî   Neyzen Şevki Sevgin

Bak şimdi de gönlüm seni andı, sana yandı
Kalbimde ölen aşkına hicrânı uyandı
Feryâda gelen bülbülü gör inledi susdu
Kalbimde ölen aşkına hicrânı uyandı

Mef'ûlü/Mefâîlü/Mefâîlü/Feûlün

**

Usûlü: Sengin Semâî   Kemanî Emin Ongan

Feryâd ederim hâlime imdâd edecek yok
Virâne-dilim gönlümü âbâd edecek yok
Hicrân eleminden beni âzâd edecek yok
Virâne-dilim gönlümü âbâd edecek yok

Mef'ûlü/Mefâîlü/Mefâîlü/Feûlün

**

Usûlü: Dört Darblı Sofyan   Rif'at Bey

Visâl için o cuvâna recâlar eylendi
Terahhüm etmedi aslâ neler ki söylendi
Temayül eyledi gönlüm nigâh-ı işvesine
O rütbe fart ile âhım semâda dinlendi

Ferâgat etmedi gamdan görünce ağyârı
Sorun o şûha cefâdan aceb ne öğrendi
Kalır mı yanına bilmem ki bu nice feryâdım
Sirişk-i çeşmim ile tâ cihanda söylendi.

Mefâilün/Feilâtün/Mefâilün/Feilün

NOT: Rif'at Bey'in Kürdilihicazkâr makamında ve Düyek usûlünde:
"Bu şeb recâ-yı dil ol dil-rübâya söylendi"
mısra'ı ile başlayan bir şarkısı vardır. Güftesi de Nahifi'ye âitdir.
Yukarıya kaydetdiğimiz şarkı ise Hânende mecmuası Sh. 131'de
kayıtlı olup, usûlü (Dört darblı Sofyan) olarak belirtilmişdir.
Rif'at Bey'in, biraz değişik şekildeki güfte ile Sûz-nâk makamın-
dan da bu şarkıyı bestelemiş olması ihtimâl dahilindedir. Ancak
notasını hiç görmedim, hiç icrâ etmedim inceleme ve araştırma
yapılması bakımından kayda değer gördüm.   S.A.

**

SÛZ-NÂK MAKAMI

Usûlü: Devr-i Hindî   Numan Ağa

I-) Düşmem ben senin üstüne
   Benim zevkim derd üstüne
   Hiç lâzım değil üstüne
   Benim zevkim derd üstüne

II-) Zannetme beni sever
    Kendine bul başka sever
    Ben eylemem aslâ keder
    Benim zekvim derd üstüne

**

Usûlü: Düyek   Hacı Fâik Bey

Kuzucağım ne kaçarsın benden (aman aman)
Ayrılır mı bu gönül hiç senden (aman)
Ne çıkar böyle tegâfüllerden (aman)
Ayrılır mı bu gönül hiç senden (aman)

Çekerim çille-i hicrin böyle (aman aman)
Çekilir çille midir gel söyle (aman)
Üzme bîhûde beni sen öyle (aman)
Ayrılır mı bu gönül hiç senden (aman)

                              Feilâtün/Feilâtün/Feilün

**

Usûlü: Düyek   Lâtif Efendi

Firkatinle beni mahzûn etdin
Gam-ı hecrinde bırakdın gitdin
Neyleyim gönlümü pek incitdin
Gam-ı hecrinde bırakdın gitdin

Vâd-i vuslatla beni aldatdın
Sonra âgûş-i cefâda yatdın
Çeşmimin yaşını kana katdın
Gam-ı hecrinde bırakdın gitdin

                              Feilâtün/Feilâtün/Feilün

**

SÛZ-NÂK MAKAMI

Usûlü: Düyek   Nikoğos Ağa

Hayâlin dîdede âteşler bırakdı cânıma
Gelmez oldun ey meh–rû sen de benim yanıma
Hâsılı kâr etdi gamzen bu dil-i sûzânıma
Nakarat: Vechi var yansam yakılsam sultânıma
      Saklarım esrâr-ı aşkı sînede cânım gibi

N'ola ben ağlayıp âh eyler isem leyl ü nehâr
Hasretinle dâima etmekdeyim âh ile zâr
Dinlese bir dem nevây-ı nâlemi bülbül yanar

(Nakarat)

**

Usûlü: Müsemmen   *Beste:* Şeyh Edhem Efendi
                                  Güfte: Rıza Bey

Elverir artık cefâ ey dil-şiken
Dil-harâbım tîşe-i firkatle ben
Vuslat ümmidiyle her dem şâd iken
Dil-harâbım tîşe-i firkatle ben

Derd-i hasret cismi nizâr eyliyor
Çeşmime hiç hâb-ı rahat girmiyor
Eşk-i hasret dîdeden eksilmiyor
Dil-harâbım tîşe-i firkatle ben

Fâilâtün/Fâilâtün/Fâilün

TÎŞE: Balta, kesecek, nacak, külünk, keser.

NOT: İkinci kıt'anın ilk mısraında vezin bozukdur. S.A.

**

SÛZ-NÂK MAKAMI

Usûlü: Düyek   Şerbetçi İbrahim Efendi

Bir melek sîmâ (ey) nâzenîn
Şemse benzer gül cemâlin
Sırma tellidir kâkülün
Nakarat: Güzelsin yokdur bahâne
    Gelmemiş misin cihâna
    Sevdim seni yakma beni gel gel aman (Tekrar)

Uzun boylu ince miyân
Kaşlar keman hokka dehân
Yandım elinden el'aman
    (Nakarat)

**

Usûlü: Düyek   Enderûnî Ali Bey
                    (Kadıköylü, Hânende, Kel)

Aşk ile yanmakdadır cânâ tenim
Bir semender-hânedir gönlüm benim
Tâ ezelden sevdiğim efkendenim
Bir semender-hânedir gönlüm benim

Tîr-i gamzen sîne-i üryânıma
Yara açdı işledi tâ cânıma
Merhamet eyle dil-i suzânıma
Bir semender-hânedir gönlüm benim
                    Fâilâtün/Fâilâtün/Fâilün

**

Usûlü: Düyek   Balıkçı Hâfız Mehmed Efendi

Gel ey tavrı melek-âde
Mükemmel meclis âmâde
Niyâz eyler bu üftâde
Bana bir bâde var sâde

                    Mefâîlün/Mefâîlün

MELEK-ÂDE: Melek âdetli

**

SÛZ-NÂK MAKAMI

Usûlü: Düyek   Hâfız Mehmed Eşref Efendi

Vâ'd eylemişdin ve perî
Bir bûseni çokdan beri
Var mı bunun şimdi yeri
Üzdün beni çokdan beri

Aşkınla bak döndüm neye
Her derdi çekdim sîneye
Söz geçmedi bir bûseye
Üzdün beni çokdan beri

Müstef'ilün/Müstef'ilün

NOT: Son nakaratlar Hânende Mecmuası Sh. 125-126'da:
"Üzdün beni dünden beri"
şeklinde kayıtlıdır.   S.A.

✳✳

Usûlü: Müsemmen   Kemanî Tatyos

I-) Gel elâ gözlüm efendim yanıma
    Hasretin kâr etdi artık cânıma
    Tesliyet-sâz ol dil-i nâlânıma
    Hasretin kâr etdi artık cânıma

II-) Gel beni kurtar bu mihnethâneden
     Bıkdım artık ülfet-i bigâneden
     Pek üzüldüm sabr-ı me'yûsâneden
     Hasretin kâr etdi artık cânıma

III-) Eyledi senden beni ağyâr dûr
      Baht göstermez bana rûy-i sürûr
      Ağlamakdan kalmadı çeşmimde nûr
      Hasretin kâr etdi artık cânıma

Fâilâtün/Fâilâtün/Fâilün

✳✳

SÛZ-NÂK MAKAMI

Usûlü: Sofyan   *Beste:* Klârnet İbrahim Efendi
                                   Güfte: Avukat Hüseyin Kâzım Bey

Geçdi âlâm-ı firâkın cânıma
Gel benim âhû bakışlım yanıma
Bâis olma nâle-i efgânıma
Gel benim âhû bakışlım yanıma

Fâilâtün/Fâilâtün/Fâilün

NOT: Bu şarkı Hânende Hâmid Dikses'in defterinden yazılmıştır. Bazı
    kayıtlarda ise usûlü (Düyek) olarak görüldü. S.A.

**

Usûlü: Müsemmen   *Beste:* Ûdî Şerif Muhiddin Targan
                                    Güfte: Behçed Kemal Çağlar

Ömrümün son şevkı sensin başka bir yâr istemem
Her şeyim sensin benim nûr istemem, nâr istemem
Gün gelir ben vuslat istersem de âzâr istemem
Her şeyim sensin benim nûr istemem, nâr istemem

Fâilâtün/Fâilâtün/Fâilâtün/Fâilün

**

Usûlü: Düyek   *Beste:* Ûdî Fahri Kopuz
                                    Güfte: Muhyîddin Râif Yengin

"Elem geçer" dedik amma hakikat öyle değil
Zevâli yok gam-ı aşkın bu mihnet öyle değil
Hudûdsuz düvel olmaz fakat senin hüsnün
Hudûda sığmıyor aslâ bu devlet öyle değil
Olur mu hiç gîrân ser piyâle-nûş-ı cemâl
Humârı olmaz o câmın o işret öyle değil
Kopunca bir teli bağlansa da düğümlü kalır
Dokunma gönlüme şart-ı mahabbet öyle değil
Zaman gelir bıkılır mâhlardan ey Muhyî
Fakat o mihre doyulmaz o âfet öyle değil

Mefâilün/Feilâtün/Mefâilün/Feilün

**

SÛZ-NÂK MAKAMI

Usûlü: Düyek   Neyzen Gavsi Baykara

Dokunma kalbime zîrâ çok incedir kırılır
O tıpkı mâbede benzer ki orda hıçkırılır
Gülersen aşkıma gönlüm harâb olur yıkılır
O tıpkı mâbede benzer ki orda hıçkırılır

Mefâilün/Feilâtün/Mefâilün/Feilün

**

Usûlü: Müsemmen   *Beste ve Güfte:*
                                          Kemençevî Halûk Recâî

Şimdi her zerremdesin, gönülde cânımdasın
Gözlerimde yaş oldun kor gibi kanımdasın
Öyle bir dert ki derdin, unutdum her derdimi
Gözlerimde yaş oldun kor gibi kanımdasın

**

Usûlü: Müsemmen   *Beste ve Güfte:*
                                          Kemençevî Halûk Recâî

Serde mihnet, dilde feryâd, sîne pejmürde harâb
Elde sâgar, dîde pür-nem, hem-demimdir ıztırâb
Çeşm-i sehhârında buldum ben safây-ı vuslatı
Rûh-ı giryânımda, eflâkimde hep aynı "Serâb"

Fâilâtün/Fâilâtün/Fâilâtün/Fâilün

**

Usûlü: Türk Aksağı   Hacı Arif Bey

Yandım o güzel gözlere ben şûh-ı sitemkâr
Aşkındır eden cânımı bu âteşe dûçâr
Gönlüm yanıyor âteş-i hicrân ile her bâr
Cânım alacak sanki benim gamze-i hunhâr
Nakarat: Taş mı yüreğin merhametin yok mu güzel âh
         Yandıkça yanar âteş-i aşkın ile ey mâh.

Mef'ûlü/Mefâîlü/Mefâîlü/Feûlün

NOT: İkinci kuplesi de vardır. Şarkı uzun olduğu için okunmamıştır.

                                                      S.A.

**

SÛZ-NÂK MAKAMI

Usûlü: Türk Aksağı   Şâir Serkis

Efendim nev-cuvânsın sen
Yeni bir gül fidansın sen
Serâpâ hüsn ü ânsın sen
Nakarat: Derûnumda nihânsın sen
    Bana bir tâze cansın sen

Sözüm budur lûtfkârım
Senden başka yok efkârım
Gel benim gül yüzlü yârım
(Nakarat)

✻✻

Usûlü: Türk Aksağı   *Beste* ve *Güfte:*
                                       Mustafa Nâfiz Irmak

Sensiz bu sabah bir acı rüyâla uyandım
Duydum bütün âlâmımı hicrânıma yandım
Kalbimden akan yaşların ezvâkına kandım
Duydum bütün âlâmımı hicrânıma yandım

                    Mef'ûlü/Mefâîlü/Mefâîlü/Feûlün

✻✻

Usûlü: Türk Aksağı   *Beste:* Kemanî Cevdet Çağla
                              Güfte: Sâhire Diker
Bir gamlı hayâl kaldı da yıllarca emekden
Kâm almadı gönlüm yine bir lâhza felekden
Güldür o güzel gür saçının rengine sar da
Gel bâri biraz göğsüme ayrıl da Bebek'den
Kâm almadı gönlüm yine bir lâhza felekden

                    Mef'ûlü/Mefâîlü/Mefâîlü/Feûlün

✻✻

SÛZ-NÂK MAKAMI

Usûlü: Curcuna   Rif'at Bey

Ol gül-i nevres beni cevr ile nâlân eder
Bendesine rahmı yok hecr ile sûzân eder
Yareleyip sînemi dîdemi giryân eder
Bendesine rahmı yok hecr ile sûzân eder

Nâr-ı gam-ı cevr ile cismimi püryân eder
Bir nigehi cânımı bin kere kurbân eder
Nâz ile reftârı kim cânıma hem kâr eder
Ârızını görse gül hüsnüne bin hâr eder
Rûz ü şeb ağyâr ile âşıkını zâr eder

Müfteilün/Fâilün/Müfteilün/Fâilün

NOT: Üçüncü kuplesi dahi vardır. ancak şarkının esasen uzun oluşu se-
bebiyle buraya III. kupleyi yazmadık.   S.A.

**

Usûlü: Curcuna   Hacı Fâik Bey

Dün gezerken hüzn ile bir hâl-i mahzûnânede
Bir perî gördüm oturmuş gûşe-i meyhânede
Şarkı söyler mey içer pek sûret-i rindânede
Gözlerim rûyında kaldı ellerim peymânede

Âşıkâne mushâf-ı hüsnünden açmış bir varak
Ehl-i meclis ihtimam ile okurlardı sebak
Penbelik dersin taallüm eylemekdeyken şafak
Gözlerim rûyında kaldı, ellerim peymânede.

Fâilâtün/Fâilâtün/Fâilâtün/Fâilün

**

-1306-

SÛZ-NÂK MAKAMI

Usûlü: Curcuna

Lâtif Ağa

Benim yaram gibi yara bulunmaz
Bulunmaz derdime çâre bulunmaz
Ne merhem kâr eder ne de teselli
Bulunmaz derdime çâre bulunmaz

Mefâîlün/Mefâîlün/Feûlün

NOT: Bugüne kadar büyük Türk şarkı bestekârı (Lâtif Ağa) bu eserin
sahibi olarak bilinmektedir. Ancak Yılmaz Öztuna, (Türk Musiki-
si Ansiklopedisi) C.I. Sh. 363'de, bestekâr olarak (Lâtif Efendi)yi
göstermektedir. Elimizdeki bütün kayıtlar şarkının (Lâtif Ağa)ya
ait olduğunu belirlemekdedirler. Buna göre fazla bir iddiada bu-
lunmadan gerçeği araştırmacılara bırakıyoruz.   S.A.

✴✴

Usûlü: Curcuna

Hacı Ârif Bey

Alınca gönlümü mihr-i cemâli
Göründü iyd-i ümmidin hilâli (Tekrar)
Kadeh meyle, dilim şevk ile mâli
Değil gönlüm gibi bir lâübâli
Melekler imrenir görse bu hâli (Tekrar)

Mefâîlün/Mefâîlün/Feûlün

✴✴

Usûlü: Curcuna

Hacı Ârif Bey

Gözümden gitmiyor bir dem hayâlin
Meleksin ey güzel yokdur misâlin
Beni ağlatdırır derd-i visâlin
Meleksin ey güzel yokdur misâlin

Mefâîlün/Mefâîlün/Feûlün

✴✴

SÛZ-NÂK MAKAMI

Usûlü: Curcuna

Beste: Hacı Ârif Bey
Güfte: Muallim Ahmed Feyzî

Pâbusuna ermek üzre ey yâr
Hâk oldu rehinde âşık-ı zâr
Ey âşıka hasm olan cefâkâr
Maksûduna nâil olmadın mı
Ey çille-i aşk dolmadın mı

Dehrin gam ü derdi hep banadır
Âlem bana mahbes-i belâdır
Gündüz de gecem gibi karadır
Maksûduna nâil olmadın mı
Ey çille-i aşk dolmadın mı

Mef'ûlü/Mefâilün/Feûlün

NOT: Bu eserin notasında her iki kuplenin son mısra'larında fazlalık
olarak (Sen) hecesi vardır. (Ey çille-i aşk sen dolmadın mı)
Bir notada ikinci kuplenin son iki mısra'ını yer değiştirmiş olarak
gördüm. S.A.

*

Usûlü: Curcuna

Enderûnî Hâfız Hüsnü Efendi

Güzeldir sevdiğim emsâli nâdir
Letâfetde eşi yok bî-bahâdır
Yakar gönlüm hele muhrik-nevâdır
Letâfetde eşi yok bî-bahâdır

Mefâîlün/Mefâîlün/Feûlün

*

SÛZ-NÂK MAKAMI

Usûlü: Curcuna   Ahmed Avni Konuk

Gönül Ferhâd gibi efkâre daldı
Yine bir kâküle bağlandı kaldı
Beni sevdâ ile sahrâya saldı
Yine bir kâküle bağlandı kaldı

Mürüvvet etse olmaz mı vefâsız
Geçirsem ömrümü bir gün cefâsız
Dil-i bîçâre kaldı pek safâsız
Yine bir kâküle bağlandı kaldı

Mefâîlün/Mefâîlün/Feûlün

**

Usûlü: Curcuna   Santurî Edhem Bey

Şimdi gönlüm düşdü bir nevres güle
Döndü feryâdım nevây-ı bülbüle
Her ne dem ol gonca-i zîbâ güle
Gösterir bülbül güle gül sünbüle

Söz yok ol mû-beçenin bu çağına
Mest olup eğmiş fesi sağ yanına
Varsa bu perçemle sünbül bağına
Gösterir bülbül güle gül sünbüle

Fâilâtün/Fâilâtün/Fâilün

**

Usûlü: Curcuna   Leon Hancıyan

Şem'a-i dildârâ yakdı gönlümü sad âh ile
Hasb-i hâl etdim bu şeb ben nâle-i cangâh ile
Âşıkın vakti geçermiş her zaman eyvâh ile
Hasb-ı hâl etdim bu şeb ben nâle-i cangâh ile

Subha dek tâ hem-dem oldu âh ü efgânım bana
Rahm eder mi söylesem bu hâli cânânım bana
Yâd eder her lâhza yârı kalb-i nâlânım bana
Hasb-ı hâl etdim bu şeb ben nâle-i cangâh ile

Fâilâtün/Fâilâtün/Fâilâtün/Fâilün

**

SÛZ-NÂK MAKAMI

Usûlü: Curcuna

Ûdî Gâlib Bey
(Ali Gâlib Türkkan)

Her lâhza seni görmek için âh ederim ben
Gördükçe de nutkum tutulur vâh ederim ben
Bu hâle nasıl sabr edeyim sevdiceğim ben
Gördükçe de nutkum tutulur vâh ederim ben

Mef'ûlü/Mefâîlü/Mefâîlü/Feûlün

**

Usûlü: Curcuna

Beste ve Güfte:
Ahmet Râsim Bey

Yâra te'sîr eylemiş hâlim ki olmuş girye-nhak
İstemiş bir güfte benden, beste benden sûz-nâk
Emri var olsun fedâdır uğruna cân ü tenim
İşte yapdım güfte benden, beste benden sûz-nâk

Fâilâtün/Fâilâtün/Fâilâtün/Fâilün

**

Usûlü: Curcuna

Beste ve Güfte: Ahmed Râsim Bey

Pek revâdır sevdiğim etdiklerin
Âşıkı günlerce bekletdiklerin
Gelmeyip ağyâr ile gitdiklerin
Gez görüş eğlen sıkılma zevke bak
Bir gelir insan cihana durma çak

Gül gibi ruhsâr-ı hüsnün solmadan
Nev-cuvân kalbinde gam yer bulmadan
Ben gibi meyûs-i devrân olmadan
Gez görüş eğlen sıkılma zevke bak
Bir gelir insan cihana durma çak

Fâilâtün/Fâilâtün/Fâilün

**

SÛZ-NÂK MAKAMI

Usûlü: Curcuna   Subhi Ziyâ Özbekkan

Dağıt âleme peymâneyi sun zehri bana
Yaraşır tâzelemek derdimi elbet de sana
Acıma hâlime aslâ acı sevdiklerime
Edemem çünki tahammül senin etdiklerine
              Feilâtün/Feilâtün/Feilâtün/Feilün

**

Usûlü: Curcuna   Asdikzâde Boğos

Bir nigâhınla kapıldım gönlümü verdim sana
Eyledi te'sîr aşkın rabt-ı kalb etdim sana
Ben nasıl etmem perestiş söyle ey mâhım sana
Eyledi te'sîr aşkın rabt-ı kalb etdim sana
           Fâilâtün/Fâilâtün/Fâilâtün/Fâilün
**

Usûlü: Curcuna   Yesârî Âsım Arsoy

Ayrı düşdüm sevgilimden dünya bana dar oldu
Gurbet elde kimsesizim buna sebep yâr oldu
O yâr ile hoşça geçen demler bana kâr oldu
Gurbet elde kimsesizim buna sebep yâr oldu
**
Usûlü: Curcuna   *Beste* ve *Güfte:* Hasan Âli Yücel

Sen bezmimize geldiğin akşam seher olmaz
Ser-mest ediyorken beni aşkın keder olmaz
Ölsem de senin uğruna cânım heder olmaz
Sen saçlarını çözdüğün akşam neler olmaz.
              Mef'ûlü/Mefâîlü/Mefâîlü/Feûlün

NOT: Bu güfte evvelce daha değişik şekillerde bilinmekde idi. Ancak
     çok değişik şekillerde okunmakdan kurtarmak için şair ve beste-
     kâr Mustafa Nâfiz Irmak, tarafından yukarıda kaydetdiğimiz şe-
     kilde tashih edilmişdir.   S.A.

**

SÛZ-NÂK MAKAMI

Usûlü: Curcuna   Ûdî Selânikli Ahmed Bey

Takıldı kaldı gönlüm zülf-i yâra
Aman doktor bu derde yok mu çâre
İlhaç ölmek midir bu dil-fikâra
Aman doktor bu derde yok mu çâre

                          Mefâîlün/Mefâîlün/Feûlün

❋❋

Usûlü: Curcuna   Ûdî Sedat Öztoprak

Ne çok çekdim hasretini bilsen "Ahsen"
Nerde kaldın gelmez oldun sevdiğim sen
Yanıyor senin aşkınla bu can bu ten
Nerde kaldın gelmez oldun sevdiğim sen

❋❋

Usûlü: Curcuna   *Beste:* Mustafa Nâfiz Irmak
                               Güfte: İbrahim Sâ'di Bey

Ümidsiz bir sevişle zülfüne dil bağlayanlar var
Seninçün çehrelerde göz yaşından çağlayanlar var
Bir âfet oldu ismin söylenince ağlayanlar var
Seninçün çehrelerde göz yaşından çağlayanlar var

                Mefâîlün/Mefâîlün/Mefâîlün/Mefâîlün

❋❋

Usûlü: Curcuna   *Beste:* Sadun Aksüt
                               Güfte: Ümit Yaşar Oğuzcan

Gökyüzüm olsan seni dağ gibi sevsem
Her ânını yeni bir çağ gibi sevsem
Sevenler için bu dünyada ölüm yok
Ölsem de seni bin yıl sağ gibi sevsem

❋❋

SÛZ-NÂK MAKAMI

Usûlü: Curcuna   Kemanî Sâdî Işılay

Ne gönül bir aşk arar ne de sevilmek ister
Kalbimdeki cehennem bana ömrümce yeter
Zehir gözlüm bekleme sanma bu aşkım biter
Kalbimdeki cehennem bana ömrümce yeter

❋❋

Usûlü: Curcuna(Semâî Değişmeli)   Kemanî Sâdi Işılay

Ne bülbülde o figan ne gülde sitem kaldı
Ne meyhânede o zevk ne sâgarda dem kaldı
Yel gibi geçdi ömür hüzünlü bir dem kaldı
(Semâî): Kırılmış bir gönülden gayrı benim nem kaldı
Bana ondan yâdigâr gözlerimde nem kaldı

❋❋

Usûlü: Curcuna   *Beste:* Rüştü Eriç
                                             Güfte: Ümit Gürelman

Bütün sözler yarım kalmış, tebessüm yok dudaklarda
Bahâr bitmiş, ömür geçmiş, hayâller hep uzaklarda
Vefâ bulmak ne zor şeymiş, muhabbetsiz kucaklarda
Bahâr bitmiş, ömür geçmiş, hayâller hep uzaklarda
                    Mefâîlün/Mefâîlün/Mefâîlün/Mefâîlün

❋❋

Usûlü: Curcuna   *Beste:* Ümit Gürelman
                                             Güfte: O. Seyfi Orhon

O çapkın, büsbütün yaramaz oldu
Beni hiç düşünmez, aramaz oldu
Bu kış da hasretle geçdi, yaz oldu
Beni hiç düşünmez, aramaz oldu.

❋❋

SÛZ-NÂK MAKAMI

Usûlü: Curcuna   *Beste* ve *Güfte:* Neveser Kökdeş

Pek özledim o demleri
Seninle bu yerleri
Gezerdik çemenlerle
Bezenmiş tepeleri
Nakarat: Yalnız aşkım ve sen vardın
         Bu tatlı rüyâdan bilmem
         Sonra nasıl uyandım.
Ne kadar hoş âlemdî
O cihâna bedeldi
Zevkine doyulmaz
Penbe bir gülşendi
Nakarat:

✳✳

Usûlü: Curcuna   *Beste* ve *Güfte:* Neveser Kökdeş

Artık duy sesimi rûhumu yakma
El sözüne kanma gel, bir hayâl olma
Bir gün olsun yaşat
Rûhum pek bîtâb
Gül gülistân olsun hayat
Sen, ben ve mehtâb
Bitmesin bu ebedî olsun
Elemli günler neş'eyle dolsun
Bir gün olsun yaşat
Rûhum pek bîtâb
Gül gülistân olsun hayat
Sen, ben ve mehtâb.

✳✳

Usûlü: Curcuna   *Beste:* Zeki Ârif Ataergin
                                   Güfte: Şeyh Kerâmeddin Efendi

Sevdim seveli sen güzeli gitdi şuurum
Bir meh-veş idin yandı tenim bitdi gurûrum
Firkat-zedeyim nerde benim eski sürûrum
Feryâd ederim var mı benim bunda kusûrum.

✳✳

SÛZ-NÂK MAKAMI

Usûlü: Semâî

Beste: Kemanî Cevdet Çağla
Güfte: Mustafa Nâfiz Irmak

Gönlüm kuru bir gül gibi titrerken adında
Kalb ağrısı duydum o siyah gözlü kadında
Rûhum uçuyor aşkın ilâhî kanadında
Kalb ağrısı duydum o siyah gözlü kadında

Mef'ûlü/Mefâîlü/Mefâîlü/Feûlün

✳✳

Usûlü: Semâî

Faiz Kapancı

Unutma a canım sonbahar olunca
Bahçeniz dökülmüş gülle dolunca
Unutma hevesden rengin solunca
Hummâlı gözlerin yaşla dolunca
Unutma a canım unutma beni
Unutma aldığım sıcak bûseni
Bilirsin ne içli sevdim âh seni
Unutma beni âh unutmam seni

✳✳

ŞEDARABAN MAKAMI

Usûlü: Zencir   Beste   *Beste:* Hacı Sadullah Ağa
                                                  Güfte: Dâniş

Ne dem ki sînesi o gül-ruhın güşâde olur
Gönülde şevk u mahabbet dahâ ziyâde olur
O mâh-ruya dedim mihri gösterip Dâniş
Murâdım üzre güzel işte bu edâda olur

Terennüm: Ah yel le lel lel lel le le le le lel li
          Te re le lel le le le le le le lel le
          Lel lel lel lel lel li...

Mefâilün/Feilâtün/Mefâilün/Feilün

**

Usûlü: Hafif   Beste   *Beste:* Tanbûrî İsak
                                                  Güfte: Bâkî

Ey safây-ı ârızından çeşme-i hurşîd âb
Şûle-i şem'i cemâlin nûru imiş âfıtâb
Sanma şebnemdir düşen mihr-i ruhından subh-dem
Kubbe-i gerdun çıkardı tâb-ı âhımdan gülâb

Terennüm: Ah ye le lha lel lel le lâ ye le le le lel
          Le le le lel li vay...

Fâilâtün/Fâilâtün/Fâilâtün/Fâilün

ÂRIZ: Yanak.
HURŞÎD: Güneş
GERDUN: Dünya
GÜLÂB: Gül suyu.
ŞÛLE: Alev.
SUBH-DEM: Sabah vakti.

**

ŞEDARABAN MAKAMI

Usûlü: Aksak Semâî   Ağır Semâî   Hacı Sadullah Ağa

Nedir merâm-ı dil-i kûy-i yârı biz biliriz
Senin felek dediğin yâdigârı biz biliriz
Hep öyle dilde olur tîr-i nâz mürde-i hûn
Visâl için dolanır rûz-gârı biz biliriz.

Terennüm: Ye lel li yâr yel le le le lel lel lel lel li

Mefâilün/Feilâtün/Mefâilün/Feilün

NOT: 1. mısra' bugün okunurken (Nedir murâd-ı dil-i...) diye okun-
maktadır. (İst. Radyosu T.M. Nota Küt. Şedaraban No: 32 de ka-
yıtlı).   S.A.

※※

Usûlü: Yürük Semâî   Nakış Yürük Semâî   Tanbûrî İsak

Pîr olmada gerçi gönül ammâ civân ister
Nevreste-nihâl tıfl beğim nev-civân ister
Terennüm: Kurbanın olam yâr hayrânın olam yâr
            Dost men bende-i fermânın olam yâr
            Eyle mürüvvet tenimde cânım
            Kaynadı kanım tıfl-ı cenânım
            Ten teni ister gonca-dehânım, rûh-ı revânım
            Gel gel serv-i nâzım, hayli zamandır hâlim yamandır
            Ten ni ten ni ten ten teni ister...
Dem-be-dem çün aşk-ı derûn olmada efzûn
Câme-i hâba azm eylemeği ol nihân ister.

NEV-RESTE: Yeni yetişmiş, yeni meydana gelmiş.
TIFL: Küçük çocuk.
CÂME: Elbise, çamaşır.

※※

ŞEDARABAN MAKAMI

Usûlü: Yürük Semâî Nakış Yürük Semâî Muallim İsmail
Hakkı Bey

Ruhsârına giysûları döktün taramazsın
Bir can alıcı fitnesin ammâ yaramazsın
Ben gam yemem öldürdüğüne, sen aramazsın
Müşkil bu ki mahşerde yakan kurtaramazsın

Mef'ûlü/Mefâîlü/Mefâîlü/Feûlün

❋❋

Usûlü: Ağır Aksak Hâşim Bey

Mihr-i lûtfundan idüb baht-ı siyâhım ahz-ı nûr
Mazhar-ı afv oldu hamd olsun bu şeb cürm ü kusûr
Kalmamışken dilde hicrânınla gönlümde huzûr
Mazhar-ı afv oldu hamd olsun bu şeb cürm ü kusûr

Fâilâtün/Fâilâtün/Fâilâtün/Fâilün

❋❋

Usûlü: Ağır Aksak Hâşim Bey

Âteş-i aşkınla ey şûh-i şenim
Misl-i Ferhâd oldu dağlar meskenim
Çâre ne sevdim efendim suç benim
Ölme var, ayrılma yokdur bendenim

Fâilâtün/Fâilâtün/Fâilün

❋❋

Usûlü: Ağır Aksak *Beste:* Muallim Kâzım Bey
Güfte: Yaşar Sâdi

Gam seni terk eylemez, sen eyle terk-i gam biraz
Gel kapanma seyre çık güller açıldı geldi yaz
Sen açılmazsan açılmaz gönlümüz ey verd-i nâz
Gel kapanma seyre çık güller açıldı geldi yaz

Fâilâtün/Fâilâtün/Fâilâtün/Fâilün

❋❋

ŞEDARABAN MAKAMI

Usûlü: Ağır Aksak

Bimen Şen

Bûy-i zerrin tütüyor kâkül-i zer-târında
Yâsemenler kokuyor efser-i nûr-bârında
Bir bahar hâleti var şûle-i dîdârında
Yâsemenler kokuyor efser-i nûr-bârında

Feilâtün/Feilâtün/Feilâtün/Feilün

❋❋

Usûlü: Ağır Aksak

Ûdî Selânikli Ahmed Bey

Kanlı yaş döksem dem-â-dem dîdeden
Sönmüyor bu nâr-ı hicrân giryeden
Çünki mahrûmum ölünce handeden
Gülmüyor bahtım bana bilmem neden

Fâilâtün/Fâilâtün/Fâilün

❋❋

Usûlü: Ağır Aksak

Nubar Tekyay (Kemanî)

Derd-i aşkınla dem-â-dem meskenim meyhânedir
Gördüğün ma'mûr dil şimdi tehî virânedir
Hangi dil tâkat getirmişdir ki aşkın zahmına
Çünki ol ahkâm-ı aşkın pençesi şirânedir.

Fâilâtün/Fâilâtün/Fâilâtün/Fâilün

❋❋

Usûlü: Ağır Aksak

Beste: Lem'i Atlı
Güfte: Avram Naum

İydini tebrik için ey gül-izâr
Pâ'yına yüz sürdü sultân-ı bahâr
Ağzını öpsün hezâr-ı nağmekâr
Şenlen ömrün böyle olsun pâyidâr

Fâilâtün/Fâilâtün/Fâilün

❋❋

ŞEDARABAN MAKAMI

Usûlü: Ağır Aksak   Hâşim Bey

Es uyandır yârim ey bâd-ı sabâ
Uykusun aldı yeter ol meh-likâ
Savt-ı bülbülden uyansın dil-rübâ
Uykusun aldı yeter ol meh-likâ

Fâilâtün/Fâilâtün/Fâilün

✳✳

Usûlü: Orta Aksak   *Beste:* Ali Selâhî Bey
                                             Güfte: Enderûnî Vâsıf

Ne zaman ol gözü mestâne gelir hâtırıma
İptida içtiği peyâmene gelir hâtırıma
Beni sevmez diye bîhûde sitem eylemesin
Sevmem ol mehveşi de yâ ne gelir hâtırıma

Feilâtün/Feilâtün/Feilâtün/Feilün

✳✳

Usûlü: Ağır Evfer   *Beste:* Kanûnî Amâ Nâzım Bey
                                             Güfte: Fuzûlî

Aşiyân-ı mürg-i dil zülf-i perişânındadır
Kande olsan ey peri gönlüm senin yanındadır
Çekme dâmen nâz edip üftâdelerden kıl hazer
Göklere açılmasın eller ki dâmânındadır.

Fâilâtün/Fâilâtün/Fâilâtün/Fâilün

✳✳

Usûlü: Aksak   Şemseddin Ziya Bey

Düşünür hep seni rûhum düşünür bî-pâyân
Buna hâil olamaz başka düşünce bir ân
Dâimâ aks-i cemâlin duruyor dîdemde
Buna hâil olamaz başka düşünce bir ân

Feilâtün/Feilâtün/Feilâtün/Feilün

✳✳

ŞEDARABAN MAKAMI

Usûlü: Aksak   Sadeddin Kaynak

Gecemiz kapkara sâkî sun elin nûr olsun
Çileler dolmayacak bâri kadehler dolsun
Avunur belki hayâliyle sabâhın, geceler
Çileler dolmayacak bâri kadehler dolsun

Feilâtün/Feilâtün/Feilâtün/Feilün

**

Usûlü: Evfer   Ahmet Mükerrem Akıncı

Hicrân yine gurbetde benim gönlüme doğdu
Artık o siyâh örtülü kız beklemez oldu
Gün batdı ufuklarda bütün manzara soldu
Artık o siyâh örtülü kız beklemez oldu

Mef'ûlü/Mefâîlü/Mefâîlü/Feûlün

**

Usûlü: Evfer   Ahmet Mükerrem Akıncı

Akşam yine sarmışdı bütün gökleri erken
Öpdüm o ipek saçları çamlıkda gezerken
Aşkınla yanan kalbimi kahrınla ezerken
Öpdüm o ipek saçları çamlıkda gezerken

Mef'ûlü/Mefâîlü/Mefâîlü/Feûlün

**

Usûlü: Aksak   Zeki Ârif Ataergin

Kız vücûdun gül kokan bir yâsemen olmuş senin
Her yanın bir nağmedir ürpermesinden bûsenin
Kalmasın bir gizli gonca, öpmedik, koklamadık
Her yanın bir nağmedir ürpermesinden bûsenin

**

ŞEDARABAN MAKAMI

Usûlü: Aksak   Tanbûrî Refik Fersan

Kız gözlerin ne güzel, bakışların ne derin
Bin bir ay ışığıyla işlenmiş çehren senin
Güllere renk veriyor o güzel penbe tenin
Bin bir ay ışığıyla işlenmiş penbe tenin

**

Usûlü: Aksak   Hâfız Tanbûrî Kemal Batanay

Dem olur hayâlin gitmez gözümden
Seni sevmek isterim hep özümden
Bana zindan olur dünya, yüzünden
Seni sevmek isterim hep özümden

**

Usûlü: Aksak   Fehmi Tokay

Sevmek de uzun sürmese, bir mevsim dolsa
Vuslat ne olur aşkıma son merhale olsa
Gönlüm de vücudum gibi yıpransa, yorulsa
Vuslat ne olur aşkıma son merhale olsa
                              Mef'ûlü/Mefâîlü/Mefâîlü/Feûlün

**

Usûlü: Aksak   *Beste:* Gevherî Osmanoğlu
                                          Güfte: Behçet Kemal Çağlar

O sensiz saatlerim nasıl geçer bana sor
Gel ki her zerrem ayrı ayrı seni bekliyor
Hasretine katlanmak ölüme gitmekden zor
Gel ki her zerrem ayrı ayrı seni bekliyor

**

ŞEDARABAN MAKAMI

Usûlü: Yürük Aksak

Beste: Ûdî Fahri Kopuz
Güfte: Semih Bey

Kordon boyunun yosması diller çalan uğru
Al cepkeni giymiş yürüyor bağlara doğru
Yalvardım emellerle bırakdım da gururu
Al cepkeni giymiş yürüyor bağlara doğru

Mef'ûlü/Mefâîlü/Mefâîlü/Feûlün

✳✳

Usûlü: Devr-i Hindî

Beste: Tanbûrî Faize Ergin
Güfte: Abdülbâkî Baykara

Bâde-i vuslat içilsin kâse-i fağfûrdan
Bir ilâhî neş'e doğsun nağme-i tanbûrdan
Cuyler feryâd ederken bahre durâdurdan
İnlesin tanbûr âgûş-i visâl-i yârdan

Fâilâtün/Fâilâtün/Fâilâtün/Fâilün

✳✳

Usûlü: Sengin Semâî

Beste: Ali Selâhî Bey
Güfte: Sultan II. Mahmud

Pek hâhişi var gönlümün ey serv-i bülendim
Yarın gidelim Çamlıca'ya cânım efendim
Redd etme sakın bu sözümü şâh-ı levendim
Yarım gidelim Çamlıca'ya cânım efendim

Mef'ûlü/Mefâîlü/Mefâîlü/Feûlün

✳✳

Usûlü: Sengin Semâî

Kanûnî Âmâ Nazım Bey

Kan ağlar iken celb-i terahhüm emeliyle
Göz yaşlarımı silmedi bir kerre eliyle
Öldürdü beni âh en güzel işveleriyle
Billâhi onun âşıkı ölmez eceliyle

✳✳

ŞEDARABAN MAKAMI

Usûlü: Yürük Semâî

Beste: Lem'i Atlı
Güfte: Hâfız Raif Bey

Âmâde iken bâde ile dop dolu bir câm
Berrak sesini mey yerine içdim o akşam
İçdikçe hayâlen alarak bûse-i gül-fâm
Bir kış gecesi zevkini sürdükdü baharın
Canlanmış idi sanki o dem şevkı hezârın

✻✻

Usûlü: Yürük Semâî

Beste: Kemanî Hayri Yenigün
Güfte: Orhan Rahmi Gökçe

Sana bakdıkça düşer kalplere bir ince sızı
Ey füsûn meşherinin gözleri hülyâlı kızı
Hasretin ok gibi delmekde bugün bağrımızı
Ey füsûn meşherinin gözleri hülyâlı kızı
Feilâtün/Feilâtün/Feilâtün/Feilün

✻✻

Usûlü: Sengin Semâî

Hüseyin Mayadağ

Sensiz geceler âleme bir bak ne ışıksız
Mehtâb diyebilmek sana, billâh yakışıksız
Ey şimdi yeşil gözleri bin kalbi yakan kız
Mehtâb diyebilmek sana, billâh yakışıksız
Mef'ûlü/Mefâîlü/Mefâîlü/Feûlün

✻✻

Usûlü: Sengin Semâî

Yesârî Âsım Arsoy

Mehcûr-i cemâlin olalı bir sene oldu
Rûhum elem-i derd-i firâkın ile soldu
Hicrinle senin kalbime hep göz yaşı doldu
Ahvâl-i hazîzim yine dünyâya duyuldu
Mef'ûlü/Mefâîlü/Mefâîlü/Feûlün

HAZÎZ: Eski harflerle yazılışına göre (ze veya dad-zı ile) Mes'ud, mut-
lu, hisse ve nasîbi olan; anlamlarına geldiği gibi, En aşağı, dağ
eteği anlamlarına da gelir. S.A.

✻✻

ŞEDARABAN MAKAMI

Usûlü: Düyek

Beste: Vecdi Seyhun
Güfte: Muallim Naci Bey

Uğradım ketmânı güç bir hâle ben
Âh esîr oldum o zülf-i hâle ben
Rûz u şeb etsem aceb mi nâle ben
Hasret-i kaddinle döndüm nâle ben

Fâilâtün/Fâilâtün/Fâilün

**

Usûlü: Müsemmen

Kemanî Cevdet Çağla

Gönlümü mest eyledin ettin beni mecnûn-ı zâr
Ben seni sevdikçe, benden daima etdin firar
Anladım ki aşkına yokmuş senin hiç bir karar
Ben seni sevdikçe benden dâimâ etdin firar

Fâilâtün/Fâilâtün/Fâilâtün/Fâilün

**

Usûlü: Türk Aksağı

Ali Selâhî Bey

Gönlümde vardır bir yeni sevdâ
Aklımı aldı o çeşm-i elâ
Sînemde ateş sönmüyor hâlâ
Yokdur ilâcı bu derdin aslâ
Lokman bulamaz bir çâre hayfâ

**

Usûlü: Türk Aksağı

Hüseyin Mayadağ

Ömrüm, ne garip cilvedir, ağyâr ile geçdi
Bir gonca için âh ederek hâr ile geçdi
Lûtf etdi felek, bir gececik yâr ile geçdi
Bir gonca için âh ederek hâr ile geçdi

Mef'ûlü/Mefâîlü/Mefâîlü/Feûlün

**

ŞEDARABAN MAKAMI

Usûlü: Düyek　　　　　　　Hammâmîzâde İsmail Dede Efendi

Gözümden gönlümden hayâli gitmez
Yıllar geçer haber gelir yâr gelmez
Çok zaman sabretdim hicrân tükenmez
Yıllar geçer haber gelir yâr gelmez

✳✳

Usûlü: Düyek　　　　　　　　Kemençevî Hasan Fehmi Mutel

İstekle midir içdiğimiz bâde efendim
Dehr âteşini zehr ile söndürmek içindir
Mey neş'eye de zevke de mahsûs değildir
Erbâb-ı gamı belki tez öldürmek içindir

Mef'ûlü/Mefâîlü/Mefâîlü/Feûlün

✳✳

Usûlü: Sofyan　　　　　　　　　　Ûdî Fahri Kopuz
(Sengin Semâî değişmeli)
Çekdim de senin aşkını yıllarca derinden
Derdim taşıyor kalbimin en gizli yerinden
Bıkdım bu hayâtın sonu gelmez kederinden
Derdim taşıyor kalbimin en gizli yerinden

✳✳

Usûlü: Curcuna　　　　　　　　　Leylâ Hanım (Saz)

Ben sana hasr eylemişdim ömrümü âmâlimi
Hâkisâr ettim yolunda kalbimi ikbâlimi
Şöyle lâ-kaydâne geçdin sormadın ahvâlimi
Sen harâb etdin elinle hâl ü istikbâlimi

Fâilâtün/Fâilâtün/Fâilâtün/Fâilün

✳✳

ŞEDARABAN MAKAMI

Usûlü: Curcuna   Osman Nihat Akın

Sensin gözümün nûru, bahârı, güneşi
Âşüfte siyah gözlerinin yokdur eşi
Bin dertle yanan sîneme sardın ateşi
Âşüfte siyah gözlerinin yokdur eşi
                    Rubâî: *Mef'ûlü/Mefâilü/Mefâilü/Feûl*

✶✶

Usûlü: Curcuna   Şemseddin Ziya Bey

Oldu şeb mahmûr-ı zevkin neşr-i feyz eyler seher
Bezm-i âlem-tâbına arz-ı vedâ eder kamer
Âfikâbı nağmelerle karşılar hânendeler
İntihay-ı vuslatındır sevdiğim bir bâde ver
                    Fâilâtün/Fâilâtün/Fâilâtün/Fâilün

✶✶

Usûlü: Curcuna   İsmail Hakkı Bey

Aşkımın mehdi o hoş sâhil-i deryâda melek
Seni bekler dururum dalgalara yaş dökerek
Gün batar, gamlar içinde çıkar ecrâm-ı felek
Seni bekler dururum dalgalara yaş dökerek

✶✶

Usûlü: Semâî   *Beste* ve *Güfte:* Rahmi Bey

Nevbahâr-ı hüsnüne ermez hâzan
Tâzedir, terdir cuvânım her zaman
Dâimâ parlar yüzünde reng-i ân
Tâzedir, terdir cuvânım her zaman

                    Fâilâtün/Fâilâtün/Fâilün

✶✶

ŞEDARABAN MAKAMI

Usûlü: Semâî   İsmail Hakkı Bey

Görülmemiş devr-i Yusuf'dan beri hiç böyle güzel
Kendi güzel, sesi güzel, raksı güzel, ah o güzel
Kendi yanar ateşine yakdı beni ah o güzel
Tavrı güzel, sesi güzel raksı güzel, ah o güzel

⁕⁕

Usûlü: Semâî   Yesârî Âsım Arsoy

Su çiçeği, su çiçeği, suların nazlı çiçeği
Gel bu akşam sen bize, oturalım diz dize
Bakışalım yüz yüze, öpüşelim göz göze
Piyano, keman, santurum var
Def, ud, keman, tanbûrum var
Hem çalarız, eğleniriz
Aşkı sezer kalplerimiz
Sevmez misin eğlenceyi

⁕⁕

Usûlü: Yürük Semâî   Denizoğlu Ali Bey

I-) Bahçelerde aşlama
      Aşlamayı taşlama
      El sîneye varmadan
      Ağlamaya başlama
Nakarat: Haydindi haydindi
              Durma şurdan gidindi
              O yâre giden olursa
              Benden selâm edindi
II-) Aydın'ın ovasında
      Mum yanar sofasında
      Benim bir sevdiğim var
      Gönlümün ortasında
      Nakarat

⁕⁕

ŞEHNÂZ MAKAMI

Usûlü: Ağır Çenber   Beste   Seyyid Nuh

Bezm-i meyde sâkîyâ devr eylesin mül gül gibi
Bülbül etsin sad-hezâran nağmesin gulgul gibi
Ber-taraf kıl ruhlarından turra-i müşkînini
Gülsitânda olmaya rağbetde sünbül gül gibi
Terennüm: Dâd ey dâd ey dâd ey dâd ey devreylesin mül gül gibi

Fâilâtün/Fâilâtün/Fâilâtün/Fâilün

✳✳

Usûlü: Zencir   Beste   Hammâmîzâde İsmail
Dede Efendi

Açıldı lâle-i zârın ciğerde dâğ-ı derûn
Misâl-i şebnem akıtdım gamınla girye-i hûn
Gönül ki beste-i zencîr-i zülfün ey şehnâz
Kalırsa başda bu sevdâ eder mi terk hümûm
Terennüm: Âh sîne sûzân, dîde giryân, ciğerde dâğ-ı derûn

Mefâilün/Feilâtün/Mefâilün/Feilün

HÜMÛM: Gamlar, kederler

✳✳

Usûlü: Muhammes   Beste   Hammâmîzâde İsmail
İsmail Dede Efendi

Ne dehendir bu, ne kâküldür bu
Bu ne gonca, bu ne sünbüldür bu
Fehm edip meylimi iğmâz eyler
Sevdiğim (ey) çeşm-i siyâh, ey yüzü mâh

Feilâtün/Feilâtün/Feilün

İĞMAZ: Göz yumma, görmemezliğe gelmek.

✳✳

ŞEHNÂZ MAKAMI

Usûlü: Hafif   Beste   Küçük Mehmed Ağa

Sanma kim leyle-i zülfün elemi bâd-ı havâ
Beni Mecnûn gibi başdan çıkarır bu sevdâ
Dâr-ı zülfünde dil-i zârımı der-zencîr et
Gezmesin râh-ı mahabbetde meded bî-ser ü pâ
Terennüm: Aman aman ey yüzü gül saçı sünbül
Dili bülbül aman yâr yâr sana can fedâ

Feilâtün/Feilâtün/Feilâtün/Feilün

NOT: Hânende (Sh. 438)'de ikinci mısradaki "Mecnûn" kelimesi "Meftûn" şeklindedir. Doğrusu "Mecnûn" olmalıdır. S.A.

❋❋

Usûlü: Devri Kebir   Beste   Râkım Elkutlu

Sâkî piyâle sun ki bu gün gül havâsıdır
Eyyham-ı gülde neş'e-i mey gül havâsıdır
Terennüm: Canım ya la ye le lel lel lel le lel lel
Ye le le le le le li vay gül havâsıdır.

Mef'ûlü/Fâilâtü/Mefâîlü/Feûlün

❋❋

Usûlü: Sengin Semâî   Ağır Semâî   *Beste* ve *Güfte:* Nazîm

Dîdem yüzüne nâzır   Nâzır yüzüne dîdem
Kıblem olalı kaşın   Kaşın olalı kıblem
                (Meyan)
Gamzen ciğerim deldi   Deldi ciğerim gamzen
Bilmem n'icolur hâlim   Hâlim n'icolur bilmem
              (Bend-i sanî)
Zahmım göricek cânâ   Cânâ göricek zahmım
Merhem sarasın ey gül   Ey gül sarasın merhem
                (Meyan)
Olsun ko Nazîm ey gül   Ey gül ko Nazîm olsun
Her dem yoluna kurban   Kurban yoluna her dem

Mef'ûlü/Mefâîlün/Mef'ûlü/Mefâîlün

❋❋

ŞEHNÂZ MAKAMI

Usûlü: Aksak Semâî   Nakış Ağır Semâî

Beste ve *Güfte:*
Hâfız Tanbûrî
Kemal Batanay

Bir handene bin nağme-i şehnâz edelim gel
Hey hey diyerek şevk ile âvâz edelim gel
Gül devri bu gün seyr-i gülistâna çıkıp da
Bülbüller ile nâleye âğâz edelim gel
Terennüm: Gel nazlı civânım gel, gel kaşı kemanım gel
　　　　Gel gonca dehânım gel gel gel aman aman
　　　　Ten nen ni te ne nen (3 kere okunur)
　　　　Na te ne dir ney vay
　　　　Yel lel li ye le lel (3 kere okunur)
　　　　Yel le le la li vay dâd ey dâd ey dâd ey dâd ey
　　　　Yâr-ı ey (4 kere)
　　　　Hey hey diyerek şevk ile âvâz edelim gel
　　　　Bülbüller ile nâleye âğâz edelim gel
　　　　　　　　Mef'ûlü/Mefâîlü/Mefâîlü/Feûlün

✻✻

Usûlü: Aksak Semâî   Ağır Semâî   Ebû Bekir Ağa

Yârin biliriz bezmimize rağbeti vardır
Amma ki zamanın gözedir sâati vardır
Bîmar ise de her ne kadar çeşm-i siyâhı
Uşşâkı perîşân edecek kudreti vardır
Terennüm: Ömrüm aman canım rağbeti vardır
　　　　　　Mef'ûlü/Mefâîlü/Mefâîlü/Feûlün

✻✻

Usûlü: Ağır Aksak Semâî   Hâfız, Balıkçı Mehmed Efendi

Hiç yok mu meylin ey perî
Var ise lûtf et gel beri
İş mi fedâ etmek ser'i
Üzdün beni dünden beri
Kılsam şikâyet var yeri

　　　　　　　　Müstef'ilün/Müstef'ilün

✻✻

ŞEHNÂZ MAKAMI

Usûlü: Ağır Aksak   Rif'at Bey

Zülfüne bakdıkça ey şûh-ı cihan
Eylerim baht-ı siyâhımdan figân
Nâle vü feryâddır kârım heman
Eylerim baht-ı siyâhımdan figân

Sormadın hâl-i dil-i nâşâdımı
Lûtf edip gûş eyle sen feryâdımı
Yakmada hasretle âteş-zârımı
Eylerim baht-ı siyâhımdan figân

Fâilâtün/Fâilâtün/Fâilün

NOT: Hânende Mecmuası'nda Sh. 444'de bu eserin usûlü (Devri Hindî)
     olarak kaydedilmişdir. Oysa ki eserin usûlü belirtdiğimiz gibi
     (Ağır Aksak)dır.   S.A.

※※

Usûlü: Yürük Semâî   Yürük Semâî   Kara İsmail Ağa

Dem-i visâl o şûha itâbı neylersin
Nukud-ı aşkı nisâr et hisâbı neylersin
Felekde bir gün ise görmek ey gönül kasdın
O mâh-pâreyi gör âfitâbı neylersin

Terennüm: Âh âh canım ter dil li ter dil li ter dil li
          Te nen te nen te nen tae dir ney.

NOT: Terennümün başında bulunan iki tane (âh âh) bazı notalarda
     (Yâr yâr) olarak da görüldü. (TRT İst. Rda. Türk Mus. Nota küt.
     Şehnâz No: 6) S.A.

※※

ŞEHNÂZ MAKAMI

Usûlü: Yürük Semâî Nakış Yürük Semâî   Hammâmîzâde
                                          İsmail Dede Efendi

Terennüm:
Yel lel li ye le la râ'nâ-yı men
Te re lel li ye le la zîbâ-yı men
Yel lel li ye le lel lel lel lel lel lel lel li râ'nâ-yı men
Te re lel li ye le lel lel lel lel lel lel li zıbâ-yı men
Sevdi bu gönül seni yaman eylemedi (vay)
Çekdi sitemin bunca figân eylemedi
                    (Terennüm)
Bîçâre zaifi imtihân etmek için
İzhâr-ı mahabbet etdi kan eylemedi (vay) (Tekrar edilir)
                    (Terennüm)
                                          Rubâî-Ahreb

⁂

Usûlü: Evsat   (Dağî Şarkı)   Seyyid Nuh

Nice sevmiyeyim dostlar bir acaib dili var
Yanağında gül açılmış etrâfında alı var

Bu gün bana cevr eder yarın Hak dîvânı var
İçdim aşkın dolusunu yâr meclisde ben

⁂

Usûlü: Ağır Düyek   Hammâmîzâde İsmail Dede Efendi

Sana ey cânımın canı efendim
Kırıldım, küsdüm, incindim, gücendim
Benim nevreste-i bağ-ı bülendim
Kırıldım, küsdüm, incindim, gücendim

Severdin sen beni cevr eylemezdin
Rakîbe vaslını va'd eylemezdin
Beni ifşâ edip pendim demezdin
Kırıldım, küsdüm, incindim, gücendim.

                    Mefâîlün/Mefâîlün/Feûlün

⁂

ŞEHNÂZ MAKAMI

Usûlü: Aksak Semâî   Hammâmîzâde İsmail Dede Efendi

Ey verd-i râ'nâ şûh-ı melek-veş
Hüsn-i cemâlin gâyetle dilkeş
Mümkin değildir bulmak sana eş
Yakdı derûnum mânend-i âteş

Müstef'ilâtün/Müstef'ilâtün

NOT: Her mısra iki kere okunur.   S.A.

✳✳

Usûlü: Orta Aksak   Lâtif Ağa

Yine hasret-keş-i dildâr oldum
Acınır hâle giriftâr oldum
Bâis-i hande-i ağyâr oldum
Acınır hâle giriftâr oldum

Hangi bir yerde o şûhu görsem
Yüreğim oynamağa başlar o dem
Bakarak herkese sersem sersem
Acınır hâle giriftâr oldum.

Feilâtün/Feilâtün/Feilün

✳✳

Usûlü: Yürük Aksak   Hammâmîzâde İsmail Dede Efendi

Gönül durmaz su gibi çağlar
Nâr-ı hasret ciğerim dağlar
Aramızda karlı dağlar (yâr yâr) gözlerim ağlar
Sînemdeki yareleri yâr gelir bağlar

NOT: Son mısra'daki (yâr gelir bağlar) bazı yerlerde:
      (Kim gelir bağlar) şeklinde görüldüğü gibi, böyle okunduğu da
      vardır.   S.A.

✳✳

ŞEHNÂZ MAKAMI

Usûlü: Aksak

Numan Ağa

Gidersen ey sâbâ yâra
Kuzum mahsus selâm eyle
Unutma ol cefâkâra
Kuzum mahsus selâm eyle

Bilirim hoşlanır senden
Gidersen yarın erkenden
İşin yok ara bul, benden
Kuzum mahsus selham eyle

**

Usûlü: Aksak

Beste: Sultan III. Selim
Güfte: Enderûnî Vâsıf

Bir nev-civâna dil mübtelâdır
Hem-vâre kârı cevr ü cefâdır
Versem yoluna canım sezâdır
Nâzik-tabiat bir dil-rübâdır
(Nakarat): Gel gel gel âh âh âh âh bir dil-rübâdır

Serv-i sehîdir reftârı gûyâ
Reng-i izârı şermende zîbâ
Bir gonca güldür yok misli hâlâ
Nâzik-tabîat bir dil-rübâdır
        (Nakarat)

Müstef'ilâtün/Müstef'ilâtün

NOT: Eserin birinci kuplesinin üçüncü mısra'ının son kelimesi (fedâ-
dır), Hânende Mecmuası Sh. 440'da (Sezâdır) diye kayıtlıdır.
Doğrusu da bu olduğu için aynen yazdık.   S.A.

**

ŞEHNÂZ MAKAMI

Usûlü: Evfer

Beste: Kemanî Rıza Efendi
Güfte: Sermed Efendi

Merâmı andelîbin vasl-ı güldür
Gönüldür bu, gönüldür bu, gönüldür
N'olur sen de beni bir kerre güldür
Gönüldür bu, gönüldür bu, gönüldür

Dil olmuşken dahi sad pâre yara-yara
Terahhum etmedin uşşâk-ı zâra
Gücensen de seni sevdim ne çâre
Gönüldür bu, gönüldür bu, gönüldür

Mefâîlün/Mefâîlün/Feûlün

NOT: 2. kıt'anın ilk mısraındaki "yara" kelimesi Hanende'de "Pâre" şeklindedir ki yanlıştır. S.A.

**

Usûlü: Aksak

Kemanî Rıza Efendi

Âşıkın zâr etme bülbüller gibi
Gel açıl ey gonca-fem güller gibi
Neş'e-i lâlin sunup müller gibi
Gel açıl ey gonca-fem güller gibi

Mevsim-i gül nevbahâr eyyâmıdır
Bezm-i mül ayş u tarâb hengâmıdır
Bülbül-i zârın dahi ibrâmıdır
Gel açıl ey gonca-fem güller gibi

Fâilâtün/Fâilâtün/Fâilün

İBRÂM: Can çıkacak derecede ısrar etme, üstüne düşme, zorlama.

**

ŞEHNÂZ MAKAMI

Usûlü: Aksak   *Beste* ve *Güfte:* Tanbûrî Mustafa Çavuş

Meclis-ârâ mû-peçenin
Âşıkı çok perçeminin
Tahrîk eder aşkı elbet
Hûb sadâsın işidenin
Nakarat: Sevilmez mi sarılmaz mı
      Hoş reftârın vardır senin

Hûb sadâya kim kapılmaz
Bir işiden kurtulamaz
Mahbûb ile hûb sadâya
Taklid olmaz hem satılmaz
    (Nakarat)
Aşkına dolu içenin
Başından sevdâ gecenin
Yıkma gönül hazer eyle
Ver mezesin mey içenin
    (Nakarat)

✳✳

Usûlü: Aksak   Hacı Ârif Bey

Dilden hayâlin bir zaman
Gitmezdi ey kaşı keman
Yokken ümidim nâgehân
Vaslınla oldu şâdümân

Yıllarca çekdim hasreti
Efzûn idi aşk mihneti
Bitdi firâkın müddeti
Vaslınla oldum şâdümân

                      Müstef'ilün/Müstef'ilün

NOT: Üçüncü kuplesi de vardır. S.A.

✳✳

ŞEHNÂZ MAKAMI

Usûlü: Aksak

Hacı Ârif Bey

Gül cemâlinde o hâtt-ı müşk-i nâb
Dillere vermekdedir bin pîç ü tâb
Reşk ederse vechi vardır mâhitâb
Nakarat: Hüsnüne vermiş tarâvet başka tâb
       Sanki kurtulmuş bulutdan mâhitâb

Tâkatım yandı görüp reftârını
Üzme insâf et Ziyây-ı zârını
Koklayım bir kerrecik ruhsârını
(Nakarat)

Fâilâtün/Fâilâtün/Fâilün

NOT: Şarkı dört kupledir. Ancak buraya ilk ve son kupleleri yazdık. Diğerleri okunacak gibi değildir.

S.A.

❊❊

Usûlü: Yürük Aksak

Hacı Ârif Bey

Rübûde oldu sîm-tene gönlüm
Koyuldu nâle vü efgana gönlüm
Eğer mahz olsa yane gönlüm
Koyuldu nâle vü efgana gönlüm

❊❊

Usûlü: Aksak (Yürük)

Beste ve *Güfte:* Rahmi Bey

Ey dilber-i işvebâz
Nedir bu sendeki nâz
Yeter etdiğim niyâz
İşte hâzır ince saz
Nakarat: Oynasana dil-nüvâz
       Gönül eğlensin biraz

Bir kaç kadeh atalım
Zevkimize bakalım
Engeli atlatalım
Sohbeti kaynatalım
(Nakarat)

❊❊

ŞEHNÂZ MAKAMI

Usûlü: Aksak   *Beste* ve *Güfte:* Tanbûrî Mustafa Çavuş

Fırsat bulsam yâre varsam
Biraz derdim ona yansam
Yâr elinden, halk dilinden
Kurtulamam ah ne yapsam

Nakarat: Yâr yâr aman aman yanıma gel
          Sensin benim gönlüm alan
          Kimden kime şekvâ edem

Esrârımı söyleyemem
Aslâ gönül eyleyemem
Hûb meşrebli şîvekârsın
Benim deyu peyleyemem

     (Nakarat)

Bir kerrecik belin sarsam
Korkarım ki darıldırsam
Tanbûrî'nin iki yüzden
Gider aklı duyulursam

     (Nakarat)

✳✳

Usûlü: Aksak   *Beste:* Zeki Ârif Ataergin
                                  Güfte: Mesut Kaçaralp

Can mısın, cânân mısın sen, söyle Allâh aşkına
Dilde son îmân mısın sen, söyle Allâh aşkına
Fikr ü kalb etmez ihâta vüs'at-i aşkın senin
Katrede ummân mısın sen, söyle Allâh aşkına

                    Fâilâtün/Fâilâtün/Fâilâtün/Fâilün

✳✳

ŞEHNÂZ MAKAMI

Usûlü: Yürük Aksak   Bimen Şen

Ey gamlı dağların siyah gülleri
Gözlerim karardı çok günden beri
Ağlaya ağlaya gezdim her yeri
Yârımı bulmadım nerde o perî

Ey bizi altında saklamış güller
Nerde saklıdır şimdi o gül-i ter
Gülgûn lebi hangi dudakda titrer
Bu düşünce beni öldürse yeri

**

Usûlü: Aksak   *Beste* ve *Güfte:*
                                                        Şemseddin Ziyâ Bey

Ey hâb-ı nâza kanmayan
Nergis uyan kat câna can
Ruhsârını örten saçı kaldır
O mihr olsun ayân
    Aşk arza şebnem saçmada
    Nazlı çiçekler açmada
    Ley-i saâdet kaçmada
    Artık uyan artık uyan

**

Usûlü: Aksak   Şemseddin Ziyâ Bey

Denizin dalgasını bekliyorum, dinliyorum (Of..of..)
Bir haber almıyorum, ağlıyorum, inliyorum (Of.. of..)
Seni rûhum soruyorum kuşlara, yıldızlara (Of.. of..)
Bir haber almıyorum, ağlıyorum, inliyorum (Of.. of..)

**

ŞEHNÂZ MAKAMI

Usûlü: Yürük Aksak   Şemseddin Ziyâ Bey

Hem aldandım, hem aldatdım
Bugün sevdim yarın atdım
Her havadan çalmak için
Hem ağladım, hem ağlatdım
Esiriyim bir bûsenin
Bugün onun, yarın senin
Hey (6 kere söylenir)
Bütün bütün olamadım
Hayatımda hiç kimsenin
İstediğim zengin değil
Güzel değil, çirkin değil
Vaz geç deli gönül vaz geç
Vaz geç bu yosmalar dengin değil.

NOT: Bu eserin güftesinin de Şemseddin Ziyâ Bey'e ait olduğu söylen-
mekdedir.   S.A.

✻✻

Usûlü: Aydın   Eyyûbî Ali Rıza Şengel

Saçlar dağınık penbe ipek örtü kaşında
Çıkmışdı kıra yokdu henüz yirmi yaşında
Dil dökmek için sevdiğine bir su başında
Çıkmışdı kıra yokdu henüz yirmi yaşında
                    Mef'ûlü/Mefâîlü/Mefâîlü/Feûlün

✻✻

Usûlü: Aksak   *Beste:* Kemanî Cevdet Çağla
                                        Güfte: Ali Şevket Bey
Hicrân ü elem sîne-i pür-hûnumu dağlar
Mahrûm-ı emel gönlümü dünyâya ne bağlar
Öldürdüğünüz aşk-ı perişânımı gömdüm
Bir türbe ki kalbim, gelen ağlar, giden ağlar.
                    Mef'ûlü/Mefâîlü/Mefâîlü/Feûlün

NOT: Bu şarkı TRT Rep. kitabında Hicaz olarak kayıtlıdır. Aynı güfte S.
Kaynak, Hüzzam D.Hindi olarak vardır. S.A.

✻✻

ŞEHNÂZ MAKAMI

Usûlü: Yürük Aksak Hânende Hâfız Yaşar Okur

İç şarâbın bu gece ey meh-likâ
Gül, gözüm görsün seni ey dil-rübâ
Pek münevver, hoş-edâsın şivekâr
Gül, gözüm görsün seni ey dilrübâ

Fâilâtün/Fâilâtün/Fâilün

**

Usûlü: Yürük Aksak *Beste* ve *Güfte:*
Kanûnî Necdet Varol

Şûh-endâz sevdiceğim benim canım efendim
Âh canım efendim
Ülfetin ümmîd ile ser-be ser âvâreyim
Kâm-ı aşka râm için bin tehassür ü enîn
Âh tehassür ü enîn
Rûyi mâh sevdiceğim, benim canım efendim

**

Usûlü: Türk Aksağı *Beste:* Nurhan Hekimoğlu
Güfte: Ümit Gürelman

Karşımda durup, hâlime çok bakma bu akşam
Bir kor gibisin, git, ne olur, yakma bu akşam
Bin türlü keder var yine gönlümde, o yazdan
Sen bendeki son gözyaşısın, akma bu akşam.

Mef'ûlü/Mefâîlü/Mefâîlü/Feûlün

**

ŞEHNÂZ MAKAMI

Usûlü: Devr-i Hindî Dellalzâde İsmail Efendi

Etmedin bir lâhza ihyâ hâtır-ı virânımı
Ömrümün vârı sana kurban ederken cânımı
Meş'âl etmişken rikabında dil-i sûzânımı
Sîne-i pür-dağımı yakdın kurutdun kanımı

Hey ne bî-bâk âfet-i cansın ki ey kaşı keman
Hep şehîd-i nâvek-i müjgânın olmuş âşıkan
Hey ne hûnînsin ki ey âşûb-ı dil ey bî-aman
Çeşme-i hûn-ı ciğergâh eyledin çeşmânımı
                    Fâilâtün/Fâilâtün/Fâilâtün/Fâilün

RİKAB: (burada) ayağını basdığın yer üzengi.
Bî-BÂK: Korkusuz, çekinmeyen,
HÛNÎN: Kan dökücü.

❋❋

Usûlü: Devr-i Hindî *Beste:* Nasibin Mehmed Yürü
                    Güfte: Ahmed Refik Altınay

Subhu bulsam sîne-i sâfında bu şeb ey perî
Anladım ki sendedir zevk-ı hayâtın cevheri
Görmek istersen eğer üftâde bir gül meşheri
Koklasın, öpsün şafaklardan dökülmüş lebleri

❋❋

Usûlü: Devr-i Hindî *Beste* ve *Güfte:*
                    Neyzen Niyazi Sayın

Mübtelây-ı derd-i aşkınla çâk oldum gönül
Derd-i hicrân ile yandım perişân oldum gönül
Ben ferâmuş eylemem hiç ol şirin rûyini hep
Mest eden ol gül cemâlin benim olsun ey gönül

❋❋

ŞEHNÂZ MAKAMI

Usûlü: Sengin Semâî   *Beste:* Tanbûrî Cemil Bey
(Curcuna Değişmeli)   *Güfte:* Nigârî (Nigâr Osman Hanım)

Feryâd ki feryâdıma imdâd edecek yok
Efsûs ki gamdan beni âzâd edecek yok
Te'sîr-i muhabbetle yıkılmış, müteellim
Vîrâne dili bir dahi âbâd edecek yok
(Curcuna): Ya Râb, ne için zâr-ı Nigâr'ı şu cihanda
          Nâşâd edecek çoksa da dilşâd ecek yok
(Sengin Semâî): Nâşâd edecek çoksa da dilşâd edecek yok.

Mef'ûlü/Mefâîlü/Mefâîlü/Feûlün

✻✻

Usûlü: Sengin Semâî   Muhlis Sabahaddin Ezgi

Dün sen yine sâzınla benim gönlümü aldın
Sâzınla bana en güzel âsârını çaldın
Ben mest olarak dinler iken bâde elimde
Sâzınla bana en güzel âsârını çaldın

Mefûlü/Mefâîlü/Mefâîlü/Feûlün

✻✻

Usûlü: Sengin Semâî   Fehmi Tokay

Kalbinde yerim yoksa da çehremde izin var
Binlerce elem çizgisidir bilse bakanlar
Onlar bana sırdaşdır, onu anlayan anlar
Bir çizgi ve bir göz yaşıdır şimdi kalanlar

Mef'ûlü/Mefâîlü/Mefâîlü/Feûlün

✻✻

ŞEHNÂZ MAKAMI

Usûlü: Düyek

Sultan II. Mahmud

Elemdir felek devrinde kârım
Dost cevrinde emekdârım
Ne zamandır mihnet-şiârım
Dost cevrinde emekdârım

Eyledim ise eğer hatâ
Bitmez mi bu tûl-i cefâ
İnsâf eyle artık bana
Dost cevrinde emekdârım

ŞİAR: Alâmet, üstünlük veren işaret, iyi, âdet
Bileşik kelimeler de meydana getirir, meselâ:
Mihnet şiâr: Mihnet çeken.
TÛL: Uzunluk, boy, zaman çokluğu
TÛL-İ CEFÂ: Uzun süren cefâ.

NOT: Bu eserin güftesi dört kupledir. Biz buraya 1. ve 3. kuplelerini
yazdık. 2. ve 4. kepleler (Hacı Ârif Bey Mecmuası Sh. 278) kayıtlı-
dır. Hânende Mecmuası Sh. 443'de ise sadece bizim yazdığımız
kupleler bulunmakdadır. Esasında diğer kupleler okunacak nite-
likde değildirler.   S.A.

✳✳

Usûlü: Düyek

Dellâlzâde İsmail Efendi

Seyr eyleyip hüsnün şehâ
Ben gönlümü verdim sana
Yokdur hilâfım bî-riyâ
Ben gönlümü verdim sana

Dikkatle bakmışdım geçen
Mecbûrun oldum işte ben
İster beğen, ister gücen
Ben gönlümü verdim sana

Müstef'ilün/Müstef'ilün

✳✳

ŞEHNÂZ MAKAMI

Usûlü: Düyek

Hacı Ârif Bey

Oldu ömrüm âh ü zâr ile tebâh
Yâra âhım etmiyor te'sîr âh
Kimde vardır bendeki baht-ı siyâh
Yâra âhım etmiyor te'sîr âh

Aldı başdan aklımı bir gonca-ter
Oldu hâlim Kays-ı sevdâdan beter
Yok imiş feryâd ü nâlemde eser
Yâra âhım etmiyor te'sîr âh

Fâilâtün/Fâilâtün/Fâilün

❋❋

Usûlü: Düyek

Beste ve *Güfte:*
Tanbûrî Mustafa Çavuş

Âh geleydi nûr-aynım şimdi
Pâyine yüzler süreydim şimdi
Gelmezse yâr kan ağlarım şimdi
Nakarat: Bir kerre gördüm cemâlin şaşırdım
       Ne yaman âteşlere duş oldum

Aşk ile dil yanmaklığa kâildir
Zirâ ki o zülf-i yâre maildir
Bâb-ı vaslında kulundur, sâildir
    (Nakarat)

Düşdü gönül şimdi o mû-miyâna
Nâr-ı firkat yine kan etdi câna
Dil ü can fedâ nazlı cânâna
    (Nakarat)

Vücudüm nâr-ı hasretle yandı
İşiden âh ü figânım uyandı
Tanbûrî yârı hercâyî sandı
    (Nakarat)

❋❋

-1348-

ŞEHNÂZ MAKAMI

Usûlü: Sofyan   Hacı Ârif Bey

Bir dil ki ola hüsnüne mâil
Can vermeğe dünden daha kail
Dünyada sana var mı muâdil
Ey mehveş-i sadre menzil

Ey lebleri mül zülf-i siyahım
Ey ruhleri gül tâze fidanım
Kalmaz nideyim sabr ü kararım
Ey mehveş-i sadre menzil

Mihr-i ruhını görmezsem eğer
Dil firkat-i hicrin ile neyler
Rahm etmez isen hâlime dilber
Ey mehveş-i sadre menzil

NOT: Hacı Arif Bey Mecmuası Sh. 288'de bu eserin güftesinin dördün-
cü mısra'ı:
        Ey padişâh-ı sadre menzil
şeklinde kayıtlıdır.

                                                        S.A.

***

Usûlü: Düyek   Sadeddin Kaynak

Dalda bir ishak öter
O yâr gözümde tüter
Vefâsızın hayâli
Daha benden ne ister.
    Nakarat: Su boşalır sel olur
            Eş ayrılır el olur
            Onu unutduracak
            Umduğum ecel olur
(Solo olarak ve serbest okunur): Aramayın aracı
                            Yok bu derdin ilâcı
                            Sevdâda unutulmak
                            Ayrılıkdan çok acı

***

ŞEHNÂZ MAKAMI

Usûlü: Düyek

Tanbûrî Nikoli Ağa
(Nikoli Usta)

Bahar oldu a cânânım
Salın ey kadd-i fettânım
Akıtma çeşm-i giryânım

Nakarat: Buyur hele gir mekânım
Sevindir bu dil ü cânım

Açıldı gül ile sünbül
Figâna başladı bülbül
Seni arzu eder hem mül

(Nakarat)

Mefâîlün/Mefâîlün

NOT: Nakaratda vezin yok.
　　Bu eserin bestekârı, TRT Türk Sanat Musikisi Sözlü Eserler Repertuarı (Tarık Kip) Sh. 28'de (Nikolaki) olarak belirtilmektedir. Türk Musikisi Ansiklopedisi C. II Sh. 84'de (Yılmaz Öztuna) da bu eseri Kemençevî NİKOLAKI'ye ait olarak göstermişdir. Her iki kayıt da yanlışdır. Araştırmalarımız neticesi bu eser Kozyatağı Rıfaî Tekkesi şeyni Halim efendinin hocası Tanbûrî Nikoli Ağa'nın olarak tesbit edildi.　　　　　　　　S.A.

✳✳

Usûlü: Düyek

Tanbûrî Faize Ergin

Dün gece gördüm o yâri daldım hayâle
Bakdım, bakdı, bakışdık, çekdik piyâle
Güldüm, güldü, gülüşdük, geldi miyâne
Bakdım, bakdı, bakışdık, çekdik piyâle

✳✳

ŞEHNÂZ MAKAMI

Usûlü: Düyek　　　　　　*Beste* ve *Güfte:* Mustafa Nâfiz Irmak

Yüzün mihrâbımdır, secdegâhımsın
Meydanı dolduran öz nigâhımsın
Sesimde titreyen gizli âhımsın
Sen benim son aşkım, son penâhımsın

**

Usûlü: Düyek　　　　　　　　　　　　　　　Bimen Şen

Söyle niçin benden kaçdın　　　　　　Seni her dem ben ararım
Yüreğime yara açdın　　　　　　　　　Hem anarım, hem yanarım
Câna cânım, sen cânımsın　　　　　　Leylâ deyip Mecnûn gibi
Yüreğime ateş saçdın　　　　　　　　Cânânımı âh ararım

**

Usûlü: Düyek　　　　　　　　　　　　　　*Beste:* Nevres Paşa
　　　　　　　　　　　　　　　　　　　　Güfte: Bayburtlu Zihnî

Divân

Vardım ki yurdundan ayağ göçürmüş
Yavru gitmiş ıssız kalmış otağı
Câmlar şikest olmuş meyler dökülmüş
Sâkîler meclisden çekmiş ayağı

Kangı dağda görsem ben o maralı
Kangı yerde görsem çeşmi gazâli
Avcılardan korkmuş ceylân misâli
Geçmiş dağdan dağa yokdur durağı

Lâleyi, sünbülü, gülü hâr almış
Zevk ü şevk ehlini âh ü zâr almış
Süleyman tahtını sanki mâr almış
Gam'a tebdîl olmuş ülfetin çağı

Zihnî dert elinden her zaman ağlar
Vardım ki bağ ağlar bağbân ağlar
Sünbüller perişân, güller kan ağlar
Şeydâ bülbül terk edeli bu bağı.

**

ŞEHNÂZ MAKAMI

Usûlü: Curcuna   *Beste:* Zeki Ârif Ataergin
                                Güfte: Kemanî Necati Tokyay

Beni ateşlere salan o kapkara siyah gözler
Beni çılgın gibi yakan o tatlı sözler, güler yüzler
Hayâtımda sana kanmak nasîb olmaz ise eğer
Kapansın perde çekilsin, cihân sensiz hiç değer

✻✻

Usûlü: Curcuna   İhsan Râif Hanım

Gönlümü teshîr eden hüsn-i kemâlindir senin
Ömrümü tenvîr eden şevk-i cemâlindir senin
Her şeyi hoş gösteren te'sîr-i hâlindir senin
Ömrümü tenvîr eden şekv-ı cemâlindir senin

                              Fâilâtün/Fâilâtün/Fâilâtün/Fâilün

✻✻

Usûlü: Curcuna   İhsan Râif Hanım

Nâ-ümîdim bakma doktor dilde aşkın yarası
Söyle var mı fenn-i tıbda hiç sevilmek çâresi
Ölmelidir her kimin var ise baht-ı karası
Söyle var mı fenn-i tıbda hiç sevilmek çâresi

                              Fâilâtün/Fâilâtün/Fâilâtün/Fâilün

✻✻

Usûlü: Curcuna   Hâfız Memduh İmre

Arz etsem eğer hâlimi cânân kanacak var mı
Sönmez mi bu âteş şu gönül hep yanacak mı
Bilmem ki o zâlim acabâ uslanacak mı
Sönmez mi bu âteş şu gönül hep yanacak mı

                              Mef'ûlü/Mefâîlü/Mefâîlü/Feûlün

✻✻

ŞEHNÂZ MAKAMI

Usûlü: Curcuna   İzzeddin Hümâyî Elçioğlu

I-) Neden küsdün aman söyle
Perişân etme gel böyle
Salın pür neşve bir şöyle
Harâb etme beni böyle

II-) Bırakma hâl-i mihnetde
Gözüm nûru küdûretde
Yanar kalbim felâketde
Harâb etme beni böyle

Mefâîlün/Mefâîlün

Küdûret: Gam, tasa, kaygı, bulanıklık.

❋❋

Usûlü: Curcuna   Mildan Niyazi Ayomak

Hüsnünle benim kalbimi, dilhânemi yıkdın
Sevdim, severim ben seni dürdâne-i bahtım
Kalbim, ciğerim yaksa da bâde-i aşkın
İçerim, içerim bıksa da âşiyâne-i bahtım

❋❋

Usûlü: Semâî   *Beste:* Nebiloğlu İsmail Hakkı
                    Güfte: İmset Hakkı Bey

İlk görüşde kalbimi yakdın aman kara kız
Beni yalvartma emi uzun zaman kara kız
Kara amma güzelsin, bin beyaza bedelsin
Sen bir tatlı emelsin, bana inan kara kız

NOT: Her beyit iki kere tekrarlanır.

❋❋

ŞEHNÂZ BÛSELİK MAKAMI

Usûlü: Remel   Beste   Hammâmîzâde İsmail
Dede Efendi *Güfte:* Nâbî

Bir devlet için çarha temennâdan usandık
Bir vaslı için ağyâre müdârâdan usandık
Hicrin çekerek zevk-i mülâkatı unuttuk
Mahmûr olarak lezzet-i sahbâdan usandık
(Terennüm): Ah canım ya la yel lel lel li
Ömrüm te rel lel le le le lel le li yâr
Yâr yâr usandık.

Mef'ûlü/Mefâilü/Mefâilü/Feûlün

✳✳

Usûlü: Darbeyn   Beste   Zekâî Dede

Feryâd kim feryâdımı gûş etmez ol sîmîn-beden
Dilden mi, aşkından mı, bahtımdan mıdır bilmem neden
Ben bir garip âşıkım andan kulak asmaz bana
Bu müddeâya bir delil gûşındeki dürr-i aden
Terennüm: Canım ye le lel le le lel le le lel
Le le lel le lel lel lel le lel lel lel
Le lel li
Gûş etmez ol simin beden
Ben bir garip âşıkım ondan kulak asmaz bana

✳✳

Usûlü: Evsat   Beste   Zekâî Dede

Gönül adâb-ı bezm-i işreti fağfûrdan görmüş
Mey-i nâbın safâsın sâgar-i billûrdan görmüş
(Ah) Kızarmış gül gül olmuş ruhları gül gibi açılmış
Meğer bir pâre âfet bâde-i engûrdan görmüş
Terennüm: Ah ömrüm mîrim aman yâr aman aman
İşreti fağfûrdan görmüş

Mefâîlün/Mefâîlün/Mefâîlün/Mefâîlün
✳✳

ŞEHNÂZ BÛSELİK MAKAMI

Usûlü: Aksak Semâî   Ağır Semâî   *Beste:* Zekâî Dede
                                            Güfte: Fasîh Dede

Nâz etse n'ola cihâna ol gül
Bir gonca-i sad-hezâra bülbül (Tekrar edilir)
Dûr olma Fasîh dergehinden
Bu bâbda eyle gel tehammül
Terennüm: Dir dir te ne nen ni te ne nen dir dir
         Ten ni ten dir dir ten serv-i nâzım
         Dil-nevâzım, çâresâzım hey hey hey yâr-i men
                              Mef'ûlü/Mefâilün/Feûlün

※※

Usûlü: Yürük Semâî   Yürük Semâî   Zekâî Dede

Kul oldum bir cefâkâra cihân bağında gülfemdir
Mecâlim yoktur inkâra firâkı bana mâtemdir
Gönül sevdi o şehnâzı, tükenmez işve vü nâzı
Güzellerin ser efrâzı, gören vaslını hürremdir
Terennüm: Beli beli ye le li yâr beli beli ye lel li dost
         Ye le li lel le le li yâr yâr yâr beli yar
                    Mefâîlün/Mefâîlün/Mefâîlün/Mefâîlün
※※

Usûlü: Ağır Aksak   Hâfız Mehmed Efendi
                                       (Balıkçı - Mevlevî)

Gelmez oldun sevdiğim hiç yanıma
Varsa girmekdir meramın kanıma
Gönlüm aldın bâri kıyma cânıma
(Nakarat): Bir niyazım var benim cânânıma
          Gel tesellî ver dil-i nâlânıma
Hasret-i rûyinle hâlim pek yaman
Sormaz oldun hâtırım n'olsun aman
Kaçma benden kaçma ey şûh-i cihan
                (Nakarat)

                              Fâilâtün/Fâilâtün/Fâilün

※※

ŞEHNÂZ BÛSELİK MAKAMI

Usûlü: Ağır Aksak   Numan Ağa

Ey şeh-i hurşîd- thal'at eyleme asâ zuhûr
Mihr-i vechin çeşm-i bedbin-i adûdan ola dur
Eyle teşrîfinle lûtf et nâsı lebrîz-i sürûr
Makdeminle ver bu nev sâhil-sarâya zîb ü nûr

Verdi bu sâhil-saray Beylerbeyi'ne bir şeref
Kimse mislin görmemiş, yapmamış üstâd-ı selef
Olmasın vakt-i bahârın zevki bîhûde telef
Makdeminle ver bu nev sâhil-sarâya zîb ü nûr
Fâilâtün/Fâilâtün/Fâilâtün/Fâilün

**

Usûlü: Ağır Aksak   Kemanî Mustafa Ağa

Şâhım nice bir olmayım eltâfına meftûn
Şâdî-i cihan lûtf-ı hümâyûnuna merhûn
Her lâhza edersin kulun ihsân ile memnûn
Durdukça cihan ömr-i şerîfin ola efzûn

Vassâfın iken ins ü melek ey şeh-i dânâ
Mümkin mi efendim edeyim medhini inşâ
Her subh u mesâ âlemi adlin eder ihyâ
Durdukça cihan ömr-i şerîfin ola efzûn
Mef'ûlü/Mefâilü/Mefâilü/Feûlün

**

Usûlü: Orta Aksak   *Beste* ve *Güfte:*
                                          Kemençevî Halûk Recâî

Bir zamanlar reng-i çeşmânında buldum cenneti
Hasretinle şimdi cânâ yâr edindim mihneti
Lezzet-i dünyâ mı kaldı dem-be-dem hâlim beter
Dil-harâbın gayri yoktur câna aslâ minneti.
Fâilâtün/Fâilâtün/Fâilâtün/Fâilün
**

ŞEHNÂZ BÛSELİK MAKAMI

Usûlü: Aksak   Hammâmîzâde İsmail Dede Efendi

Seyr edelden hüsn ü ânın
Sarmak ister mû-miyânın
Mâh-ı hüsnüsün zamânın
Sanadır meyli cihânın

Hüsnüne reşk etti güller
Vaslını ister gönüller
Lâline benzer mi müller
Sanadır meyli cihânın

Fâilâtün/Fâilâtün

**

Usûlü: Aksak   Sultan III. Selim

Bugün bir bî-aman gördüm
Kimin cânânıdır kimdir
Kati nâ-mihriban gördüm
Kimin cânânıdır kimdir

Bulunmaz hüsnüne sânî
Değil mesmû akrânı
Cihânın şûh-ı fettânı
Kimin cânânıdır kimdir.

Mefâilün/Mefâilün

MESMÛ: İşitilmiş

**

-1358-

ŞEHNÂZ BÛSELİK MAKAMI

Usûlü: Aksak
Kadıköylü Enderûnî Ali Bey

Şimdi ey şûh-i edâkâr
Dil sana meyletdi naçâr
Var iken sende bu reftâr

Nakarat: Kim görüp olmaz giriftâr
Cilvekârdır, şivekârdır
Kim görüp olmaz giriftâr

Gûyiyâ gîsusu hoş-bû
Gonca-i hüsnünde şebbû
Hüsnüne ey kadd-i dil-cû
(Nakarat)

Fâilâtün/Fâilâtün

❋❋

Usûlü: Aksak
Sahibi Meşhûl

Gönlüm arzu eder yâri
Çekiyorum gamla zâri
Görmeycli gül cemâlin
Helâk oldum ömrüm varı
Nakarat: Güle bülbül olsam bari

Sabr edemem çâre nedir
Bu hüsn-ü ân bilmem nedir
Aklımı başımdan aldın
Bu edâlar sendedir.

❋❋

Usûlü: Aksak
Ûdî Sedat Öztoprak

Cûş edip gözyaşı ister çağlamak
Duş olup aşka ne hoşdur ağlamak
Çâresizdir zülfüne dil bağlamak
Duş olup aşka ne hoşdur ağlamak

Fâilâtün/Fâilâtün/Fâilün

❋❋

ŞEHNÂZ BÛSELİK MAKAMI

Usûlü: Aksak

Tanbûrî Mustafa Çavuş

Küçüksu'da gördüm seni
Gözlerinden bildim seni
İnkâr etmem sevdim seni
Ne kadar cefâ edersen
Gönüy ayrılır mı senden

İnce beli sarmayınca
Gonca gülü dermeyince
Ya sen, ya ben ölmeyince
Ne kadar cefâ edersen
Gönüy ayrılır mı senden

✳✳

Usûlü: Aksak

Ahmet Avni Konuk

Ey gül-i nevrestem üzme bendeni bin nâz ile
Bezme gel ey gül o sünbül kâkülün ibrâz ile
Murg-ı diller sayd olunsun sen gibi şehbâz ile
Nakarat: Bezm-i meyde bî-karar olsun gönül biraz eyle
          Mutrıb âğâz eyledikçe bûselik şehnâz ile
Nağme-i şehnâz ile bulsun gönüller feyz-i tâm
Hâtır-ı uşşâk için bu bezme gel eyle hırâm
Ey peri şevk u tarâb esbâbı bak cümle tamâm
          (Nakarat)

Fâilâtün/Fâilâtün/Fâilâtün/Fâilün

NOT: Nakaratda vezin bozukdur. S.A.

✳✳

Usûlü: Çift Sofyan

Ûdî Sedat Öztoprak

Yazıkdır gamzene söyle
Bana yan bakmasın öyle
Gönül mecrûh iken böyle
Bana yan bakmasın öyle

Mefâilün/Mefâilün

Mecrûh: Yaralı

✳✳

-1360-

ŞEHNÂZ BÛSELİK MAKAMI

Usûlü: Aksak

Beste: M. Reşat Aysu
Güfte: Dr. Cemâlettin Alptekin

I-) Şu gönlümün Leylâ'sı sen
Yüreğimin sevdâsı sen
Eşin, dostun Mevlâ'sı sen
Bu can senin, fedâ olsun.
Nakarat

II-) Virân olan şu gönlümde
Aşk bahçemin bülbülüsün
Gülüm, goncam, sünbülümsün
Bu can senin fedâ olsun.

III-) Dünya da sen ahretim de
Cehennemim, cennetim de
Kanımda sen, canımda sen
Bu can senin, fedâ olsun
Nakarat

NOT: Kolleksiyonumda bulunan nota üzerine kurşun kalemle kuplelerin son mısra'ının altına (Sana canım fedâ olsun) diye yazılmışdır. S.A.

✸✸

Usûlü: Çifte Sofyan

Beste ve Güfte:
Kanûnî Necdet Varol

Bir endâmı, bir salımı, nazenin bir bakışı var
İnce beli, handeleri, gamzeleri, çakışı var
Öyle hoş ki işveleri, gönlü yakın akışı var
Bahar gözü, arzu özü, alev alev bûseleri
Öyle hoş ki işveleri, çalımı var, yakışı var
Öyle hoş ki işveleri neleri var, neleri var.

✸✸

ŞEHNÂZ BÛSELİK MAKAMI

Usûlü: Sengin Semâî   *Beste:* Câvide Hayri Hanım
(Parıltı)   *Güfte:* Ahmed Hâşim

Âteş gibi bir nehr akıyordu
Rûhumla o rûhun arasından
Bahsetti derinden ona hâlim
Aşkın bu unulmaz yarasından

Vurdukça bu nehrin ona aksi
Kaçdım o bakışdan, o dudakdan
Bakdım ona sessizce uzakdan
Vurdukça bu aşkın ona aksi

Mef'ûlü/Mefâîlü/Feûlün

❋❋

Usûlü: Düyek   Sultan II. Mahmud

Ey dilber-i rengîn-edâ
Lâyık mı nâz etmek bana
Ben doğrusu işte sana
Gerçekden oldum mübtelâ

Nâz edip ey ahû-beçe
İşler yaparsın gizlice
Bezme gelirken dün gece
Gerçekden oldum mübtelâ

Müstef'ilün/Müstef'ilün

❋❋

ŞEHNÂZ BÛSELİK MAKAMI

Usûlü: Aksak   Sultan II. Mahmud

Gönlüm o şûh-i gül-izâr
Aşkıyla etdi çün hezâr
Olmaz cihanda böyle yâr
Nakarat: Hem dil-rübâ, hem cilvekâr
        N'ola olursa bana yâr

Bak hüsn ü ân ü perçeme
Akrânı gelmez âleme
Söz yok o şûh-i gül-feme
    Hem dil-rübâ, hem cilvekâr
    N'ola olursa bana yâr

Müstef'ilün/Müstef'ilün

**

Usûlü: Düyek   Dellâlzâde İsmail Efendi

Ey kadd'i bâlâ
Âlâdan âlâ
Afv eyle cânâ
Küsdünse bana

    Ey serv-i nâzım
    Ey çâre-sâzım
    Afvın niyâzım
    Küsdünse bana

Hüsn-i meleğim
Söyle bileyim
Afvın dileğim
Küsdünse bana

Müstef'ilâtün

**

ŞEHNÂZ BÛSELİK MAKAMI

Usûlü: Düyek   Hammâmîzâde İsmail Dede Efendi

Ben müptelâ oldum sana
Rahm etmedin cânım bana
Ey bî-mürüvvet, bî-vefâ
Rahm etmedin cânım bana

Ey dilrübâ cânânesin
Bir misli yok cânânesin
Ammâ bana bîgânesin
Rahm etmedin cânım bana

Müstef'ilün/Müstef'ilün

⁂

Usûlü: Sofyan   Zekâî Dede

Bir nevcivandır   Âşûb-i candır
Serv-i revândır   Kaddi fidandır

Destinde câmı   İçmek meramı
Hoşdur hırâmı   Kaddi fidandır

Bir ince beldir   Pek bî-bedeldir
Gayet güzeldir   Kaddi fidandır

Sev ol nihâli   Mümkün visâli
Yokdur misâli   Kaddi fidandır.

Aynı güfte Ruşen Ferit Kam, tarafından Hicazkâr - Türk Aksağı, olarak
da bestelenmiştir. S.A.

Müstef'ilâtün/Müstef'ilâtün

⁂

Usûlü: Düyek   Nikoğos Ağa

Şâyestedir ey meh-likâ   Aşkın ile cânım benim
Yoluna cân etsem fedâ   Yandı harâb oldu tenim
Almaz mısın ey pür-cefâ   Rahm eylemezsin gül-femim
Yoluna can etsem fedâ   Yandı harâb oldu tenim.

Müstef'ilün/Müstef'ilün

⁂

ŞEHNÂZ BÛSELİK MAKAMI

Usûlü: Düyek　　　　　　　　　　　　　　　　Tâhir Ağa

Cemâlinden senin dûr'um
Niçe demdir ki mehcûrum
Beni dinle be hey nûrum
Sana gâyetle mecbûrum

Kerem kıl ey kadd-i bâlâ
Yanar aşkınla dil hâlâ
Ben ihzâr eylemem ammâ
Sana gayetle mecbûrum

Mefâîlün/Mefâîlün/Feûlün

**

Usûlü: Düyek　　　　　　　　　　　*Beste:* Kemanî Mustafa Ağa
　　　　　　　　　　　　　　　　　　　　　Güfte: Fâik

Ey gül-i gülzâr-ı ıklîm-i merâm
Sen safâ eyle cihân olsun be-kâm
Cünbüşün olsun efendim ber-devâm
Sen safâ eyle cihân olsun be-kâm

Başlasın Fâik kulun şarkılara
Vasfını şerh eylesin bahr ü bere
Bu da vird oldu nice bin kemtere
Sen safâ eyle cihân olsun be-kâm

Fâilâtün/Fâilâtün/Fâilün

**

Usûlü: Düyek　　　　　　　　　　　　　　Ûdî Rüşdü Eriç

Seyreder gönül seni hergün bir vecd içinde
Başka âlem, başka zevk, başka âhenk içinde
İstemem sensiz geçen hayatın bahârını
Neş'e gam olur bana, sensiz cennet içinde

**

ŞEHNÂZ BÛSELİK MAKAMI

Usûlü: Sofyan   Lâtif Ağa

Ey nahl-i emel
Lûtfeyle gel
Duymadan engel
Lûtf eyleyip gel

Senden a nûrum
Yetmez mi dûr'um
Affet kusûrum
Lûtf eyleyip gel

Hecrinle cânım
Gör n'oldu hâlim
Pek bî-mecâlim
Lûtf eyleyip gel.

Müstef'ilâtün

✳✳

Usûlü: Semâî   Denizoğlu Ali Bey

Yolun bulamam
Gönlüm alamam
Karşı duramam
Gönlüm alamam

    Ey çâre sâzım
    Fâş etme râzım
    Vaz geçme lâzım
    Gönlüm alamam

Yandırıp nâra
Düşürdün zâra
Var mıdır çâre
Gönlüm alamam

✳✳

ŞEVK-EFZÂ MAKAMI

Usûlü: Ağır Çenber   Beste   Hammâmîzâde İsmail
Dede Efendi

Ermesin el o şehin şevket-i vâlâlarına
Esmesin bâd-ı keder serv-i dilârâlarına
Zâtı mahfûz ol dâim nazar-ı pür-şerden
Bakmasın ayn-ı adüv rûy-i dilârâlarına
Terennüm: Şevket-i vâlâlarına

✳✳

Usûlü: Hafif   Beste   Kömürcüzâde Hâfız
Mehmed Efendi

Hüsn-i zâtın gibi bir dilber-i sîmin-endâm
Görmemiş devr-edeli âlemi çeşm-i eyyâm
Hâl-i müşkîn-şikenin şîve-zen-i şehr-i Huten
Çîn-i zülf-i siyâhın arbede-i hutta-i Şam
Terennüm: Gel a cânım nev-civânım rûy-i mâhım
Mû-miyânım yâr yâr be li şah-ı men

✳✳

Usûlü: Aksak Semâî   Ağır Semâî   Kömürcüzâde Hâfız
Mehmed Efendi

Dil-besteye lûtf u keremin ma-hazar eyle
Üftâdelere şefkat ile bir nazar eyle
Ümmîd ile dil oldu esîr-i ser-i giysû
Başdan çıkarırsın an ahar hazar eyle
Terennüm: Gel cânım nev-edâsın, pür-vefâsın
Sen şeh-i lûtf u atâsın gel gel gel
Kerem eyle hey cânım.

✳✳

ŞEVK-EFZÂ MAKAMI

Usûlü: Yürük Semâî   Nakış Yürük Semâî   Hammâmîzâde
İsmail Dede Efendi

Ser-i zülf-i anberini yüzüne nikab edersin
Beni böyle hasretinle ciğerim kebab edersin
Terennüm: Ten ni ten ni ten nen ni te nen na te ne dir ney
Ten ni ten ni ten nen ni te nen na te ne dir vay
Yâr yâr dilde nihanım
Dost dost kaşı kemanım
Âh âh rûh-i revânım
Ah beni böyle hasretinle ciğerim kebab edersin. Vay
Ne senin gibi güzel var ne benim gibi cefâ-keş
Ela rağbet-i nüvâziş kuluna itâb edersin
(Terennüm)

✳✳

Usûlü: Ağır Aksak   Kazasker Mustafa İzzet Efendi

Al destine câm-ı müdâm
Def et hicâbı subh u şâm
Ey kameti nâzik hırâm
Nakarat: Etsem sana arz-ı merâm
Maksûd olurdu hep tamam

Firkatle kârım âh u vâh
Varım sana olsun tebâh
Bir gececik tâ subh-gâh
(Nakarat)

✳✳

Usûlü: Ağır Aksak   *Beste:* Neyzen Niyazî Sayın
Güfte: Necmeddin Okyay

Güllerin karşımda her an solmadan durmakdadır
Hem temâşâsiyle gönlüm şâd-mân olmakdadır
Eski bağçem hatıra geldikçe dîdem hûn olur
Şimdi gül tasvirleriyle geçmişi anmakdadır

✳✳

ŞEVK-EFZÂ MAKAMI

Usûlü: Ağır Aksak   Hâşim Bey

Eyledi aşkın eser ey sîm-ten
Ben nasıl âh etmeyim yandı bu ten
Çâk-çâk etdin derûnum sevmeden
Ben nasıl âh etmeyim yandı bu ten

Çeşm–i mahmûru anın gayet elâ
Sırma giysûsu dahi başa belâ
Varsa misli bir dahi işte salâ
Ben nasıl âh etmeyim yandı bu ten

**

Usûlü: Ağır Aksak   Suyolcuzâde Salih Efendi

Hem-demin olsun şehin şâha safâlarla tarab
Hâherin mesrûr u ihyâ eyledin şâhım bu şeb
Sâye-i lûtfunda oldu zevk u şevk âmâde hep
Hâherin mesrûr u ihyâ eyledin şâhım bu şeb

NOT: Şarkının ikinci kuplesi de vardır.   S.A.

**

Usûlü: Aksak   Sultan III. Selim

I-) Ey serv-i gülzâr-ı vefâ
    Niçin etdin bize cefâ
    Unutuldu hâyâl oldu
    Etdiğimiz zevk u safâ

   (Nakarat)
    Gel güzelim zevk edelim
    Etme bana cevr ü cefâ

II-) Elâ gözlüm mestânedir
     Âşık sana bîgânedir
     Bilmez misin hâlim
     Bu tegafül cânânedir

**

ŞEVK-EFZÂ MAKAMI

Usûlü: Ağır Evfer   Tanbûrî Zeki Mehmed Ağa

I-) Uyup ağyârdan seni yana
   Bakıp niçin güldün bana
   Rencîdedir gönlüm sana
   Bakıp niçin güldün bana

II-) Bu elemle benzim soldu
   Dîdelerim yaşla doldu
   Bana dağ-ı derûn oldu
   Bakıp niçin güldün bana

III-) Senin çin ey gül-beden
   Yaş dökerken ben dîdeden
   Neyleyim âh ne yapdım ben
   Bakıp niçin güldün bana

**

Usûlü: Aksak   Numan Ağa

I-) Dîdeden bir dem hayâlin gitmiyor
   Sevdiğim sensiz gönül eğlenmiyor
   Derd-i aşk hiç kimseye söylenmiyor
   Sevdiğim sensiz gönül eğlenmiyor

II-) Olduğun gün dîdeden ey meh nihân
   Zevk duymaz oldu âlemden bu can
   Bîşe-zâre döndü sahn-ı gülistan
   Sevdiğim sensiz gönül eğlenmiyor
   **

Usûlü: Aksak   Tanbûrî Ali Efendi

Neş'esi hatıra geldi nigeh-i dilberinin
Uçuyor gözde hayâli o güzel gözlerinin
Olalı âşık-ı dildâr-ı ziyâ âverinin
Uçuyor gözde hayâli o güzel gözlerinin
**

ŞEVK-EFZÂ MAKAMI

Usûlü: Aksak

Ahmed Ağa

Geçip de karşıma gözlerin süzme
Barışmam boş yere arkamda gezme
Yok sana meylim kendini üzme
Barışmam boş yere arkamda gezme

NOT: 2.ci kuplesi de var. okunmaz. S.A.

⁂

Usûlü: Aksak

Medenî Aziz Efendi

Yeter lûtf eyle gel yâd et
Nasıl istersen imdâd et
Ya bildir cürmümü şâd et
Nasıl istersen imdâd et

Gönül herdem ol gül-i zârın
Sever her gonca-i hârın
Müsâvî lûtf u âzârın
Nasıl istersen imdâd et

⁂

Usûlü: Aksak

Beste ve *Güfte:* Rahmi Bey

Ey gül-ni nev-bahâr-ı ân
Reng-i handen hüsnüne şân
Bûy-i vaslın canlara cân
Nakarat: Gonca bir gülsün açıl gül
　　　　 Şakısın karşında bülbül

⁂

Usûlü: Aksak

Hristaki

Cihân leyl ü nehâr ağlar benim-çün
Dem-a dem kalb-i zâr ağlar benim-çün
O şûh-i şîve-kâr ağlar benim-çün
Bugün şâdım ki yâr ağlar benim-çün

NOT: Aynı güfte, (Aksak) (Hüzzam) Bimen Şen'in şarkısı. S.A.

⁂

ŞEVK-EFZÂ MAKAMI

Usûlü: Aksak   Medenî Aziz Efendi

Sûziş aşkın ile ey meh heman
Yandı cismim kalmadı tâb ü tüvân
Firkatinle gayrı hâl oldu yaman
Nakarat: Ağlarım her dem gamınla el-aman
    El-aman yandım sana ey nev-civân

Hayli demdir kılmayıp vasla sezâ
Sen Ziyâ'yı eyledin mahv ü hebâ
Özleyip dîdârını subh ü mesâ
    (Nakarat)

✱✱

Usûlü: Aksak   Hâfız Yusuf Efendi

Uşşâkına etmek cefâ
Lâyık mıdır bu dil-rübâ
Can ü gönülden mâh-likâ
Oldum sana ben mübtelâ

Aşkınla yandı can ü ten
Kıl merhamet ey gül-beden
Âzâde-ser olmuş iken
Oldum sana ben mübtelâ

✱✱

Usûlü: Aksak   Medenî Aziz Efendi

Dem-a-dem dîde giryân oldu sensiz
Cihân başıma zından oldu sensiz
Hemîşe kârım efgan oldu sensiz
Cihân başıma zından oldu sensiz

Hayâl-i vaslını kurdum oturdum
Sabâdan hep peyâm-ı vaslı sordum
Bu endîşeyle akl ü fikri kurdum
Cihân başıma zından oldu sensiz

✱✱

ŞEVK-EFZÂ MAKAMI

Usûlü: Aksak   Lem'i Atlı

Şikâyet etme cânânım bu hicrâna sebep sensin
Ezelden öldüren, ihyâ eden sevdâmı hep sensin
Ölümden kalmadı korkum hayatdan beklemem bir şey
Ezelden öldüren, ihyâ eden sevdâmı hep sensin

**

Usûlü: Aksak   *Beste:* Hayri Yenigün
                                  Güfte: Faruk Nâfiz Çamlıbel

Şimdi ay bir sevr-i sîmindir suda
Susdu bülbüler hıyâbân uykuda
Âh eden kimdir bu saat kuytuda
Esme ey bâd esme cânân uykuda

**

Usûlü: Aksak   *Beste:* İsmail Baha Sürelsan
                                  Güfte: Mahmud Nedim Güntel

Yine bir bâd-ı hazân esdi güzel bahçemize
Yine bir başka bahâr hasreti âh düşdü bize
Bir ümmid vermeden hülyâmıza bir damla çiçek
Yine bir başka bahâr hasreti âh düşdü bize

**

Usûlü: Aksak   *Beste:* Dr. Alâeddin Yavaşça
                                  Güfte: Dr. Ali Rıdvan Ünal

Akşam koya inmekde bulutlar yedi renk
Rüzgâr dere bülbül ne ilâhî ahenk
Kaçsam bile senden ve güzel her şeyden
Gönlümdeki türben aşkınla eder cenk

**

ŞEVK-EFZÂ MAKAMI

Usûlü: Aksak

Beste: Dr. Alâeddin Yavaşça
Güfte: Mustafa Nâfiz Irmak

Hicrânlarınla dopdoluyum kalbim ağlıyor
Bir nağmesiyle ömrümü şâdân eden sensin
Göz yaşlarım öper gibi hasretle çağlıyor
Bir şarkı söyle vecd ile rûhum serinlesin

**

Usûlü: Aksak

Beste: Tanbûrî Erol Sayan
Güfte: Fuad Uluç

Sevilen bir yüzü toprakda hayâl etmesi zor
Unut artık diyorum gönlüme söz dinlemiyor
Abanır üstüme bir dağ gibi sensiz geceler
Ten erir, can tutuşur kalbimi yakdıkça bu kor

**

Usûlü: Sofyan

Sadullah Ağa

Açıldı bir nev-bahâr ey gonca-i gül
Gönül arzu eder mânend-i bülbül
Düşmüşüm âteşe sevdâ ne müşkül
Âh gönül vah gönül bîçâre gönül

Gönül mübtelâdır sana mâh-likâ
Lâyık mıdır bu nice eylemek cefâ
Kolay mı çekmesi aşk ile sevdâ
Âh gönül vah gönül bîçâre gönül

**

ŞEVK-EFZÂ MAKAMI

Usûlü: Düyek   Lâtif Ağa

Rûyini gördükde ey nevres-nihâl
Gitdi aklım kalmadı sabra mecâl
Yaralandı sîne düşvâr oldu hâl
Nakarat: Derdimi kimlerle etsem hasb-ı hâl
Çâre müşkil neyleyim vuslat muhâl
Bir görüşde aklım aldın ey perî
Mihnet-i aşkınla etdin serseri
Canımı versem yolunda var yeri
(Nakarat)

⁂

Usûlü: Düyek   Sultan Abdülaziz

Ey nev-bahârı hüsn ü ân
Milk-i vücuda ver revân
Gülşende gez de bir zaman
Milk-i vücuda ver revân

NOT: İkinci ve üçüncü kupleleri de vardır, okunması âdet olmamışdır.
                                                                    S.A.

⁂

Usûlü: Düyek   Kemanî İbrahim Efendi

I-) Bil kadrimi hor bakma gel
    Gözden beni bırakma gel
    Düşmüşlere ip takma gel
    Yanmışları sen yakma gel

II-) Mümkün ise ben varmaya
     Fırsat bulup yalvarmaya
     İnce belini sarmaya
     Yanmışları sen yakma gel

III-) Nûrî kulun mahzûn olur
      Lûtf eyle ki memnûn olur
      Cevr eyleme mecnûn olur
      Yanmışları sen yakma gel

⁂

ŞEVK-EFZÂ MAKAMI

Usûlü: Devr-i Hindî   *Beste:* Tanbûrî Hikmet Bey
                                        Güfte: İhsân Râif Hanım

Ben esîr-i handenim üftâdenim ey gül-tenim
Gözlerin Kur'ân-ı aşkımdır, kucağın cennetim
Olsa da hattâ cehennem orda yanmak isterim
Gözlerin Kur'ân-ı aşkımdır, kucağın cennetim

⁜

Usûlü: Devr-i Hindî   *Beste:* Prof.Dr.Alâeddin Yavaşça
                                        Güfte: İbrahim Hakkı Erzurumî

Katreyiz âlemde lâkin dilde deryâ olmuşuz
Cevheriz dehrin bisâtı üzre yektâ olmuşuz
Seyrimiz sahrây-ı candır gayrı yerden farığiz
Kendi sahrâmızda seyyâhız ki sahrâ olmuşuz
Âşıkız misl-i Zelîha, dilberiz Yûsuf gibi
Biz bizi sevmekde Hakkı, ferd-i tenhâ olmuşuz.

Bisât: Kilim, keçe, yaygı, minder.

Burada (dehrin bisâtı) dünyanın yeşilliği üzerinde anlamındadır. S.A.

⁜

Usûlü: Nim Sofyan   *Beste:* Ûdî Cinuçen Tanrıkorur
                                        Güfte: Kul Mehmed

Yine gönlüm üç dilbere yakıldı
Hangisinden ayırayım gönlümü
Biri kulum diye kulluğa salar
Biri ak kolların boynuma dolar
Biri benim diye bağrına basar
Hangisinden ayırayım gönlümü
Uslu adım delilere takıldı

⁜

ŞEVK-EFZÂ MAKAMI

Usûlü: Müsemmen

Beste: Tanbûrî Emin Akan
Güfte: Âşık Ömer

Ey gönül bu hasb-ı hâlim var bilen yârâna sor
Mübtelâ-yı zâr olan bir ehl-i aşk irfâna sor
Her tabibe, derd-i aşka yâr olup sorma ilâç
Dâima derler meseldir hikmeti lokmana sor

❋❋

Usûlü: Türk Aksağı

Şevki Bey

I-) Sanma çeşmân ağlıyor
Dîdeden kan çağlıyor
Yarama sem bağlıyor
Dîdeden kan çağlıyor

II-) Merhametsiz yâr imiş
Bu kaderde var imiş
Neyleyim hunhâr imiş
Dîdeden kan çağlıyor

❋❋

Usûlü: Aksak

Cevdet Çağla

Hicrân gibi âlemde elîm derd-i ser olmaz
Sen bezmimize geldiğin akşam neler olmaz
Dîdârına benzer şafak olmaz, seher olmaz
Sen bezmimize geldiğin akşam neler olmaz

NOT: Cevdet Çağla'nın ilk eseridir.

S.A.

❋❋

ŞEVK-EFZÂ MAKAMI

Usûlü: Curcuna   *Beste:* Mustafa Nâfiz Irmak
      Güfte: Râtip Âşir Bey-Mustafa Nâfiz Irmak

Sebep sensin gönülde ihtilâle
Sürüklersin beni sonsuz melâle
Bilirsin mübtelâyım ben ezelden
Belây-ı âteşe, belki hayâle

Senin cevrin, senin zülmünle şâdım
Niçin dursun figan-ı şûle-zâdım
Benim sensin bu âlemde murâdım
Düşürsen de beni sonsuz melâle

NOT: İkinci kuplenin sözleri Mustafa Nâfiz Irmak'a aitdir.   S.A.

✳✳

Usûlü: Curcuna   *Beste:* Tanbûrî Sadun Aksüt
      Güfte: Mustafa Nâfiz Irmak

Gözlerim gözlerinin üstüne düşsün yansın
Bir kadehden içelim rûhumuz aydınlansın
Sen âteşden yaratılmış gibi bir ceylânsın
Bir kadehden içelim rûhumuz aydınlansın

✳✳

Usûlü: Curcuna   *Beste:* İsmail Baha Sürelsan
      Güfte: Ömer Hayyam'dan Rüştü Şardağ

Bahârda lâle mîsal bir kadeh al gel
O tâze kızla özün içkiye sal gel
Bakarsın ansızın almış seni toprak
Bu lâciverd göğe, sevdâlara dal gel.

✳✳

TÂHİR MAKAMI

Usûlü: Hafif   Beste   Küçük Müezzin
(Mehmed Efendi)

Bâğban sünbül okur biz dahi giysû diyelim
Ah hey canım meh-cebînim dahi giysû diyelim
Nâfe âhûya gerekse biz de bû diyelim
Ah hey canım meh-cebînim biz de bû diyelim
Çünki hercâyîlik etdi bize de meh-rûlar
Ah hey canım meh-cebînim bize de meh-rûlar
Geliniz biz de vefâsızlara yâ-hû diyelim

           Feilâtün/Feilâtün/Feilâtün/Feilün

✳✳

Usûlü: Remel   Beste   Seyyid Nuh

Meyl etdi gönül bir meh-i hurşhid-tirâza
Şimden girü mihnet mi çeker sûz u güdâza
Mestâne-i nâz olsa yine hûn-i nigâhı
Uşşâkına ruhsat mı verir arz ü niyâza
Terennüm: Yen tir lâ tir ye le lâ
       Ya lâ ya lâ ye lelel le le lel
       Hurşîd-tirâza

           Mef'ûlü/Mefâîlü/Mefâîlü/Feûlün

✳✳

Usûlü: Ağır Remel   Beste   Zekâî Dede

Dil düştü yine şevk ile bir dilber-i nâza
Âşık olalı başladı ol sûz u güdâza
Mest olsa mey-i nâz ile o gonca-i nevres
Bakmaz o kadar eylediğim arz-ı niyâza
Terennüm: (Ah) Yen tir la tir yel lel li ya lâ ya lâ
       Ye le ah ye le le le li vay
       Bir dilber-i nâze

           Mef'ûlü/Mefâîlü/Mefâîlü/Feûlün

✳✳

TÂHİR MAKAMI

Usûlü: Ağır Aksak Semâî Ağır Semâî Küçük Müezzin
                   (Mehmed Efendi)

Aldın dilimi zülfün için şâne mi sandın
Bu tarz-ı perîşân ile dîvâne mi sandın
Hûnâbe-i aşkınla edip va'd-i safâyı
Ey gam dil-i pür-hûnumu meyhâne mi sandun

Terennüm: Nâzenînim, işvebâzım, aman aman
     Ah efendim, gel efendim
     Beli yârim

        Mef'ûlü/Mefâilü/Mefâîlü/Feûlün

NOT: Bu eser bazı yerlerde (Haham) adına kayıtlı görüldü. S.A.

      ✱✱

Usûlü: Yürük Semâî Nakış Yürük Semâî Seyyid Nuh

Ne hevâ-yı bağ-ı ruhsâr, men esîr-i zülf-i yârım
Nice olmayım hevâdâr, men esîr-i zülf-i yârım
Ne çemen, ne sâye-i gül, ne sâbâ, ne bûy-i sünbül
Neler etti bana bülbül, men esîr-i zülf-i yârım

Terennüm: Ah ta dir ten ni ten ni ten ni ta na dir
     Dir dir ten
     Ten ni ten ni ten ni ta na dir ney ah
     Ah a canım, ah a gülüm bey

       Mütefâilün/Feûlün/Mütefâilün/Feûlün

      ✱✱

TÂHİR MAKAMI

Usûlü: Ağır Aksak Semâî   Şarkı   Şâkir Ağa

Bir şûhun oldum mâili
Eltâfının yok nâili
Var mı acep bir kâbili
Nakarat: Yahşi yamandır sözleri
      Ahû misâli gözleri
      Çokdur o şûhun sözleri
Çeşmi anın mestânedir
Dil rûyına pervânedir
Gayri bana bîgânedir
     (Nakarat)

Müstef'ilün/Müstef'ilün

**

Usûlü: Aksak   Dellalzâde İsmail Efendi

Ben sana mecbur olmuşum gel yavrucağım (x)
Bir sürüye kurt kapmasın gel kuzucağım (xx)
Sana yatak işte sînem, işte kucağım
Gir sürüye kurt kapmasın, gel kuzucağım

(x) Hâşim Bey mecmuâsında (ah yavrucağım)
(xx) (Gir koyuna kurt kapmasın) şeklinde de görüldü.
Ayrıca 3 kıt'ası daha var. S.A.

**

Usûlü: Aksak   Hristaki

Efem şimdi eller sözüne kandı
Vefâsızdan benim canım
Aman efe pek yandı
Geçti mahabbetin o bir zamandı
Vefâsızdan benim canım
Aman efe pek yandı

**

TÂHİR MAKAMI

Usûlü: Aksak

Beste ve *Güfte:*
Tanbûrî Mustafa Çavuş

I-) Hiç uyutmaz beni derdim
Sana ben gönlümü verdim
Yine bugün yâri gördüm
Nakarat: O güzeldir aklım alan
Gönlüm alan, canım alan
Seni ben küçükden sevdim aman aman
II-) Başına gelmeyen bilmez
Derûnum âteşi sönmez
Her âşık bu cevri çekmez
(Nakarat)
III-) Gör bu âşık bana neyler
Elimde tanbûrum inler
Keman kaşım nâme gönder
(Nakarat)

⁕⁕

Usûlü: Devr-i Hindî

Şâkir Ağa

I-) Ey lebi gonca, izârı sûsen
Gam yemezdim beni biraz sevsen
Bu revâ mı ki rakîbi sev, sen
Gam yemezdim beni biraz sevsen

II-) Gerçi hicrân ile yakdın cânım
Söyle ki tâ be seher giryânım
Cümlesi kayd değil sultânım
Gam yemezdim beni biraz sevsen

III-) Her ne emrin olursa ki mümkün
Dil ise hâk-i derinde sâkin
Garazım şekve değildir lâkin
Gam yemezdim beni biraz sevsen

Feilâtün/Feilâtün/Feilün

NOT: Hânende (Sh. 432) Güfte'nin 2. kuplesi değişik. Terennümler:
Gamyemezdim beni cüz'i sevsen. S.A.

⁕⁕

TÂHİR MAKAMI

Usûlü: Yürük Semâî   *Beste:* Hüseyin Sadeddin Arel
                                  Güfte: Ahmed Nâzım

Kim dedi sana ey kız böyle gülşende, kırda
Kelebekler gibi uç, bülbül gibi şakırda
Kim dedi saçlarını dağıt da uçsun dursun
Gözlerin her gönülde bir ateş tutuşdursun
Kim dedi yanakların olsun kırmızı bir gül
İnce sakında açmış goncalar gibi bükül
Kim dedi böyle narin, böyle fidan boylu ol
Bir edâlı bakışla bin âşina kalbe dol
Kim dedi geçdiğin yer sihrinle dalgalansın
Her güzellik önünde şairler seni ansın.

❋❋

Usûlü: Düyek   Fehmi Tokay

Gönül vermişken el çekdim güzelden
Yıkıldım cevr ile çökdüm tezelden
Esen bâd-ı hazândır şimdi rûha
O sevdâlar ezeldenmiş ezelden.

Severdim canla kendimden geçerdim
Libâs-ı aşkı dillerden biçerdim
İçersem yârin aşkiyle içerdim
O hüyâlar ezeldenmiş ezelden

Gül endâma gönül bağlar yaşardım
Gecem gündüzdü sahralar aşardım
Beni Mecnûn sanırlaıdı şaşardım
O Leylâ'lar ezeldenmiş ezelden

Mefâîlün/Mefâîlün/Feûlün

❋❋

TÂHİR MAKAMI

Usûlü: Nim Sofyan   Kasım İnaltekin

I-) Su gelir taşa değer
   Kirpikler kaşa değer
   Sen üzülme sevgilim
   Bir gün baş başa değer
   (Nakarat): Bir haber ver şu dağları aşar gelirim
              Boz bulanık seller gibi taşar gelirim
II-) Garibim han içinde
    Gözlerim kan içinde
    Benim en çok perişan
    Bütün cihan içinde
    (Nakarat)

**

Usûlü: Sofyan   Nuri Halil Poyraz

Ben giderken ekinleri gök idi
Görünmüyor nenigilin söğüdü
Nakarat: Aman elifim, canım elifim, kuzum elifim
         Ben gelirim elifim ağlama
         Karaları bağlama
         Ben gelirim ağlama vay elifim

Ekinleri harman edip savurdu
Ocağında kavurmayı kavurdu
        (Nakarat)

**

Usûlü: Curcuna   Ûdî Zeki Duygulu

I-) Şu dağlardan ne turnalar geçmişdir
   Sularından ne ceylânlar içmişdir
   Yollarında nice güller açmışdır
   Neyleyim ki benim goncam açmadı vay

II-) Yüce dağlar ne baharlar görmüşdür
    Nice kuşlar mesut yuva örmüşdür
    Ne âşıklar murâdına ermişdir
    Neyleyim ki benim goncam açmadı vay.

**

TÂHİRBÛSELİK MAKAMI

Usûlü: Zencir   Beste   Tanbûrî İsak

Gül ruhun şevkiyle çeşmim ol kadar zâr oldu âh
Her biri müjgânımın gûyâ ki bir hâr oldu âh
Firkat-ı rûy u müjen ile senin her rûz ü şeb
Âlemin hurşîd ü mâhı çeşmime nâr oldu âh
Terennüm: Ah ye le lel lel lel le le le lel li
     Mîrim ya la ye lel lel lel lel le le li
     Âh ol kadar zâr oldu âh
         Fâilâtün/Fâilâtün/Fâilâtün/Fâilün

✳✳

Usûlü: Çenber   Beste   Küçük Mehmed Ağa

Başıma döndükçe bezm-i meyde mînâlar benim
Oldu şevk-i âlem-i âb içre deryâlar benim
Bâde-i lâlin beni şol rütbe serhôş etdi kim
Mest olur meclisde neş'em görse sahbâlar benim
Terennüm: Ömrüm cânım aman mınâlar benim
         Fâilâtün/Fâilâtün/Fâilâtün/Fâilün

MÎNÂ: Kadeh

✳✳

Usûlü: Devr-i Hindî   Beste   *Beste:* Küçük Mehmed Ağa
                             Güfte: Enderûnî Vâsıf

Dest-i sâkîden çekip câm-ı neşâtı Cem gibi
Başladım ol şevk ile cûş u hurûşa yem gibi
Vâsıfâ mecrûh-ı hicrânın unulmaz yarası
Sarmadıkça yârı zahm-ı sîneye merhem gibi
Terennüm: Nâzlı yârım şîvekârım kalmadı sabra kararım
     Âh neşâtı Cem gibi

         Fâilâtün/Fâilâtün/Fâilâtün/Fâilün

YEM: Deniz

✳✳

TÂHİRBÛSELİK MAKAMI

Usûlü: Aksak Semâî   Ağır Semâî   Hammâmîzâde İsmail
Dede Efendi

Söylen ol yâra benim çeşmimi pür-âb etmesin
Seyle verip âlemi eşkimle gark-âb etmesin
Âşkın cevriyle bîtâb eyler imiş ol perî
Cevri bî-had etsin amma böyle bîtâb etmesin
Terennüm: Ah âşık-ı zârım n'eyleyim
Ben bî-kararım n'işleyim
Ah ah ah aman aman beli yârım
Fâilâtün/Fâilâtün/Fâilâtün/Fâilün

✱✱

Usûlü: Yürük Semâî   Yürük Semâî   *Beste:* Hacı Sadullah Ağa
Güfte: Enderûnî Vâsıf

O gül endâm bir al şâla bürünsün yürüsün
Ucu gönlüm gibi ardınca sürünsün yürüsün
Alıp agûşa bu çağında miyân-ı nâzın
Saran ol serv-kaddi Vâsıf öğünsün yürüsün
Terennüm: Gel gel gel serv-i nâzım
Gel gel gel çâre-sâzım
Ah o gül endâm bir al şâle bürünsün yürüsün
Feilâtün/Feilâtün/Feilâtün/Feilün
✱✱

Usûlü: Zencir   Beste   Hacı Fâik Bey

Açıldı bağçe-i reng ü bû'da yâr-ı bahâr
Pür etdi gülşeni hep tuhfe-i diyâr-ı bahâr
Geçer bu devr-i gül ü mül heman güler yüzdür
Çemende meclis-i işretde bergüzâr-ı bahâr
Terennüm: Canım ya la ye le lel lel lel lel lel li
Mîrim te re le le lel le le lel le li vay
Yâr yâr bû'da yâr'ı bahâr
Mefâilün/Feilâtün/Mefâilün/Feilün

BÛ: Güzel koku.   PÜR ETMEK: Doldurmak.
TUHFE: Hediye   BERGÜZÂR: Hediye

✱✱

-1386-

TÂHİRBÛSELİK MAKAMI

Usûlü: Aksak Semâî   Ağır Semâî   Hacı Fâik Bey

Yektâ güherim meclis-i rindân sadefimdir
Mihr-i tarâbım meykede beytü'ş-şerefimdir
Hâs etdi cünûnu bana sultân-ı muhabbet
Bu sanat-ı ma'kûlde bülbül selefimdir
Terennüm: Canım ya le lel lel le le le lel li
         Ömrüm te re le le lâli
         Yâr yâr yâr yâr be li şâh-ı men vay
                        Mef'ûlü/Mefâîlü/Mefâîlü/Feûlün
HÂS ETDİ: Bana mahsus kıldı

NOT: Bu eserin üçüncü mısra'ı Hanende Mecuması Sh. 530'da:
     "Hâs etdi visâli bana cânân-ı muhabbet"
     şeklinde kayıtlıdır. S.A.

✳✳

Usûlü: Yürük Semâî   Yürük Semâî   *Beste* ve *Güfte:*
                                              Hacı Fâik Bey

Düşdüm düşeli mihnet-i dünyâya usandım
Çün gurbete düşdüm de bu gafletden uyandım
Her türlü cefâlar ile âteşlere yandım
Bildim ki rehâ Fâik'a yok şimdi inandım
Terennüm: Ah canım ye le lel lel le le lel lel le le lel li
         Ah be li yârım âh mîrim te re lel lel le le lel lel
         Le le lel li vay
                        Mef'ûlü/Mefâîlü/Mefâîlü/Feûlün
                        ✳✳

Usûlü: Berefşan   Beste   Hâfız Ahmed Irsoy

Bin cefâ görsem ey sanem senden
Tali'imdir seni vefâsız eden
Terennüm: Ten der ten der te na ten ne ta der ni
         Bin cefâ görsem ey sanem senden
                        Feilâtün/Mefâilün/Feilün
                        ✳✳

TÂHİRBÛSELİK MAKAMI

Usûlü: Devr-i Kebîr   Beste   Leon Hancıyan

Zahmdâr-ı hasretim dağımla yaram bağlarım
Seyl-i sahrâ-yı cünûnum hem akar hem çağlarım
Yanarım âteşlere hasretle sînem dağlarım
Ağlarım ammâ niçin bilmem kiminçün ağlarım
Seyl-i sâhra-yı cünûnum hem akar hem çağlarım
Terennüm: Gel efendim sultânım çâresâzım ah ah

Fâilâtün/Fâilâtün/Fâilâtün/Fâilün

❋❋

Usûlü: Lenk Fâhte   Nakış Beste   *Beste:* Hâfız Ahmed Irsoy
                                          Güfte: Muhyiddin Râif Yengin

Bülbül gibi dem-â-dem olmaz mıyım nagemzen
Bir nevbahâr-ı hüsnün meshûr-ı ânıyım ben
Terennüm: Ah a can-ı men ah cânân-ı men

           Dilnüvâz-ı men a zîbâ-yı men
           Bir nevbahhar-ı hüsnün meshûr-ı ânıyım ben
           Te ne nen ni te ne nen ni dir dir ta na te nen ni
           Gel a canım rûy-i mâhım
           Hâlime rahmeyle şâhım
           Bir nevbahâr-ı hüsnün meshûr-ı ânıyım ben
           Be li be li be li mîrim be li be li be li ömrüm
           Ah ha hey hey ah ah hey hey
           Bir nevbahâr-ı hüsnün meshûr-ı ânıyım ben

Müstef'ilün/Feûlün/Müstef'ilün/Feûlün

NOT: TRT Türk San. Mus. Söz. Es. Rep. kitabı (Sh. 265) Zekâî Dede di-
ye kayıtlı, yanlışdır. S.A.

❋❋

TÂHİRBÛSELİK MAKAMI

Usûlü: Çifte Düyek Beste Eyyûbî Ali Rıza Şengel

Bir hemdemim yok tab'ıma muvâfık
Oldum vefâsız bir yâra sâdık
Terennüm: Canım ya la lel la ye lel le le lel lel lel la
　　　　　Ter dil li na dir dir ten na te ne nen na te nen na

Rüsvây-ı aşkım beyne'l-halâyık
Oldum vefâsız bir yâra sâdık
　　　(Terennüm)

Fa'lün/Feûlün/Fa'lün/Feûlün

Vezin bakımından ilk mısra'ın (tab'a muvâfık) olması lâzım gelir. S.A.

✳✳

Usûlü: Ağır Aksak Abdülkadir Töre

Mücrim olsam titremezdim böyle karşında senin
Bî-mecâl düşdüm de kaldım hâk-i pâyinde senin
Senden ayrılmak memâtımdır benim ey sevdiğim
Bâri rûhum defn olunsun şimdi kalbinde senin

Fâilâtün/Fâilâtün/Fâilâtün/Fâilün

✳✳

Usûlü: Ağır Aksak Ûdî Selânikli Ahmed Bey

Cezbe-dâr eyler dil-i uşşâkı pür-fer gözlerin
Bir bakışda mâcerây-ı aşkı söyler gözlerin
Vasfa sığmaz şâirânı ebkem gözlerin
Bir bakışda mâcerây-ı aşkı söyler gözlerin

Fâilâtün/Fâilâtün/Fâilâtün/Fâilün

✳✳

TÂHİRBÛSELİK MAKAMI

Usûlü: Ağır Aksak   Muallim Kâzım Bey (Kâzım Uz)

Görmesem gül yüzünü bir gece ey mâh-ı cenân
Her dakîkam geliyor kalbime bir sâl-i hazân
Şeb-i muzlim gibidir çeşmime sensiz her ân
Her dakîkam geliyor kalbime bir sâl-i hazân
Feilâtün/Feilâtün/Feilâtün/Feilün

**

Usûlü: Ağır Aksak   *Beste:* Hânende Arab Cemâl Bey
(Üsküdarlı)
Güfte: Şeyh Galib

Fâriğ olmam eylesen yüz bin cefâ sevdim seni
Böyle yazmış alnıma kilk-i kazâ sevdim seni
Hastayım, ümmîd-i sıhhat çeşm-i bîmârındadır
Bir devâsız derde oldum müptelâ sevdim seni
Fâilâtün/Fâilâtün/Fâilâtün/Fâilün

KİLK-İ KAZÂ: Kaderin kalemi
**

Usûlü: Ağır Aksak   Eyyûbî Ali Rıza Şengel

Şendim ne düşüncem ne gamım vardı ne derdim
Sevdâna tutuldum elemin ufkuna erdim
Vaktiyle seni anlamış olsaydım eğer ben
Sevdâna tutulmak değil o kalbi ezerdim
Mef'ûlü/Mefâîlü/Mefâîlü/Feûlün
**
Usûlü: Ağır Aksak   Bimen Şen

Pek bozulmuş meh cemâlin, gül tenin
N'oldu eski sînen, eski gerdenin
Ömrümün vârı nedir hâlin senin
N'oldu eski sînen, eski gerdenin
Fâilâtün/Fâilâtün/Fâilün

**

TÂHİRBÛSELİK MAKAMI

Usûlü: Aksak

Hâfız Abdullah Ağa
(Hânende, Hâfız Şehlevendim)

Meyl edip bir gül-izâra
Döndüm aşkıyle hezâra
Başladım feryâd ü zâra
Âşıkım âşık ne çâre
  Nev-fidânım a canım
  Kaşı kemanım a canım
  Neyleyim âşıkına bîgânesin

Fâilâtün/Fâilâtün

NOT: Aynı güfte Nişabürek-Yürük Semâî- şarkı Ali Rifat Çağatay'ın S.A.

⁕⁕

Usûlü: Aksak

Hâfız Ahmed Irsoy

Nim nigâh-ı çeşm-i mestin kalbimi nalân eder
Ateş-i sûzân-ı hecrin bağrımı biryân eder
Derd-i hicrânın demâdem dîdemi giryân eder
Âteş-i sûzân-ı hecrin bağrımı biryân eder

Fâilâtün/Fâilâtün/Fâilâtün/Fâilün

⁕⁕

Usûlü: Aksak

Beste: Hâfız Ahmed Irsoy
Güfte: Hâfîd Bey (Mehmed Hâfid)

Seni candan severim aşkına kurbân olurum
Ölürüm feyz-i garâmınla yine can bulurum
Sanma ölmekle bu sevdâ tükenir kurtulurum
Ölürüm feyz-i garâmınla yine can bulurum

Feilâtün/Feilâtün/Feilâtün/Feilün

NOT: Aynı güfte Hicazkâr-Ağır Aksak şarkı Nasibin Mehmed Beyin. S.A.

⁕⁕

TÂHİRBÛSELİK MAKAMI

Usûlü: Ağır Aksak   Kanûnî Âmâ Nâzım Bey

İlâhî kıl kerem lûtfun beni artık halâs eyle
Adâlet tahtgâhında hakkımı aşikâr eyle
Ya ver maksûdumu bu âlemde ferahnâk eyle
Ya al bu verdiğin canı beni öldür turâb eyle
Gözümden döktüğüm kanlı yaşları bir hesâb eyle
Perişân hâlime bak da şânındansa azâd eyle

⁕⁕

Usûlü: Aksak   *Beste:* Tanbûrî Selâhaddin Pınar
(Cuncuna Değişmeli)   *Güfte:* Midhat Ömer Karakoyun

Kız göğsüne takdığın o kan kırmızı güller
Ne de yakışmış sana sende bütün gönüller
Gülden daha tâzesin gülmek süslenmek çağın
Senin de dört yanını kuşatıyor bülbüller
(Curcuna): Ne bir çiçek ne bir süs gül bir çıban başıdır
          Her biri bir bülbülün kanlı mezar taşıdır
          Göğsünde tutma sakın o kanlı âşüfteyi
(Aksak): Rengi bülbülün kanı kokusu göz yaşıdır.

⁕⁕

Usûlü: Aksak   Râkım Elkutlu

Hülyâm yine bir gölgeli esrâra bürünsün
Göklerden inen nûr yine çehrende görünsün
Rüyâdaki seyrân gibi mehtâb da bürünsün
Göklerden inen nûr yine çehrende görünsün

Mef'ûlü/Mefâîlü/Mefâîlü/Feûlün

⁕⁕

Usûlü: Aksak   Fehmi Tokay

Düşdü gönlüm bir kerre ol âfet-i dildâra
Benzeri yok arasan bir gelmişdir cihâna
Hem güzeldir hem nâzlı gözleri hâle hâle
Benzeri yok arasan bir gelmişdir cihâna

⁕⁕

TÂHİRBÛSELİK MAKAMI

Usûlü: Devr-i Hindî   *Beste:* Kamûnî Âmâ Nâzım Bey
                Güfte: Nâbîzâde Nâzım Bey

Zevk-ı sevdâ duymadın âşık-perestâr olmadın
Ol kadar sevdim de aşkımdan haberdâr olmadın
Bahtiyâr olmakdı sevmekden merâmı tab'ımın
Bahtıma düşman kesildin tab'ıma yâr olmadın
             Fâilâtün/Fâilâtün/Fâilâtün/Fâilün

NOT: Aynı güfte Hicaz-Ağır Aksak- şarkı Leylâ hanımın. S.A.

※※

Usûlü: Devr-i Hindî   Ahmed Mükerrem Akıncı

Necm-i ümmidim de sensin şems-i tâbânım da sen
Ben senin bilmem nenim lâkin benim cânım da sen
Ey perî, ümmid-i aşkım sonra cânânım da sen
Her hayâlim, her ümidim her sevincim sâde sen
             Fâilâtün/Fâilâtün/Fâilâtün/Fâilün

※※

Usûlü: Devr-i Hindî   Kemanî Serkis

Sevdi gönlüm saklamam bir dilber-i bâlâ-teri
Bir nigehle mest eder enzârı mahmûr gözleri
Sînede bu yaralar hep tîğ-i müjgânın yeri
Görmemiş emsâlini çeşm-i felek çokdan beri
             Fâilâtün/Fâilâtün/Fâilâtün/Fâilün

※※

Usûlü: Devr-i Hindî   *Beste:* Fehmi Tokay
                Güfte: Adnân Üryânî

Gülle hem-bezm-i visâliz gerçi hâr olsak da biz
Gönlümüz benzer bahâra ihtiyâr olsak da biz
Âşıkız meh-rûlara nezr eyledik can nakdini
Dönmeyiz sevdâ yolundan târümâr olsak da biz
             Fâilâtün/Fâilâtün/Fâilâtün/Fâilün

※※

TÂHİRBÛSELİK MAKAMI

Usûlü: Sengin Semâî   Hâfız Mehmed Eşref Efendi

Âteş yakıyor dilde hayâlin gece gündüz
İşgâl ediyor fikri visâlin gece gündüz
İhyây-ı vücûd etmek için şîveler eyler
Bir tavr-ı tecellâda cemâlin gece gündüz
Mef'ûlü/Mefâîlü/Mefâîlü/Feûlün

**

Usûlü: Sengin Semâî   Lem'i Atlı

Her subh u mesâ inlese sînemde kemânın
Ey mülhime-i şîr ü garâmım yine kanmam
Tâ haşre kadar gönlümü yaksa nagemâtın
Ey mülhime-i şîr ü garâmım yine kanmam
Mef'ûlü/Mefâîlü/Mefâîlü/Feûlün
**

Usûlü: Sengin Semâî   *Beste:* Tanbûrî Refik Fersan
                                    Güfte: Mesih Bey

Canlandı hayâlimde o şûh sâzı elinde
Andım da geçen günleri sevdâlar elinde
Bin bir elemin nağmesi inlerdi telinde
Andım da geçen günleri sevdâlar elinde
Mef'ûlü/Mefâîlü/Mefâîlü/Feûlün
**
Usûlü: Sengin Semâî   *Beste:* Tanbûrî Selâhaddin Pınar
                                    Güfte: Yaşar Şâdi Bey

Nermin elinle kalbimi aldın niye atdın
Aşkınla gülen ömrüme gam zehrini katdın
Vuslat dediğin demde de hicrânı aratdın
Aşkınla gülen ömrüme gam zehrini katdın
Mef'ûlü/Mefâîlü/Mefâîlü/Feûlün
NOT: İlk mısrâdaki (elinle) kelimesi (eline) olursa vezin tamam olur.
                                                        S.A.

**

TÂHİRBÛSELİK MAKAMI

Usûlü: Sengin Semâî   İsak Varon

Va'dinde vefâ eyle güzel, can senin olsun
Vaslın uğruna dîdelerim kan ile dolsun
Ermezse gönül vaslına dermân nice bulsun
Vaslın uğruna dîdelerim kan ile dolsun
                    Mef'ûlü/Mefâîlü/Mefâîlü/Feûlün

2. ve 4. mısrada vezin bozuk, uğruna (anarak) veya (umarak) olsa vezin düzelir. S.A.

**

Usûlü: Sengin Semâî   Kanûnî Nubar

Derd-i aşkın işliyor artık ciğerde yarası
Zahmıma gel ver tesellî kalbimin ferzânesi
Hasta-i dâğ-i derûnun hep seninçün nâlesi
Zahmıma gel ver tesellî kalbimin ferzânesi
                    Fâilâtün/Fâilâtün/Fâilâtün/Fâilün

**

Usûlü: Sengin Semâî   Karnik Garmiryan

Bir nice zaman aşkına hicrânına yandım
Ey rûh-ı revânım seni hep ağladım andım
Dağlar, dereler, meşcereler hep seni sanım
Ey rûh-ı revânım seni hep ağladım andım
                    Mef'ûlü/Mefâîlü/Mefâîlü/Feûlün

**

Usûlü: Türk Aksağı   *Beste* ve *Güfte:* Rahmi Bey

Geçdi o gamlı eyyâm-ı sermâ
Oldu baharın âsârı peydâ
Giymiş yeşiller kûhsâr u sahrâ
Güller çiçekler açmış serâpâ
Bülbüller olmuş hep nağme-pîrâ

                    Müstef'ilâtün/Müstef'ilâtün

SERMÂ: Kış
KÛHSAR: Dağlık yer
PÎRÂ: Donatıcı süsleyici

**

TÂHİRBÛSELİK MAKAMI

Usûlü: Düyek   Numan Ağa

Afv et a canım ver bize yol
Kiminle âşinâ olursan ol
Gayrı sana olamam kul
Kiminle âşinâ olursan ol

Lâyık mıdır bana bu dek
Aldatıp da sevdim demek
Sana kuzum erişen gerek
Kiminle âşinâ olursan ol

DEK: Bir insanı hasta edip zayıflatmak; döğmek
NOT: Şarkının nakaratındaki (kiminle) kelimesi (K i m l e) şeklinde de
görüldü. S.A.

**

Usûlü: Düyek   *Beste:* Zeki Ârif Ataergin
                                            Güfte: Orhan Seyfi Orhon

Kız bir ince su gibi karşımdan akıp geçme
Nisan bulutu gibi ufkumda çakıp geçme
Erdi her günüm düne kocaldım günden güne
Kız o tâze göğsüne bir çiçek takıp geçme
Beni yalnız bırakma gönlümü artık yakma
Ya bana öyle bakma, ya öyle bakıp geçme

**

Usûlü: Düyek   *Beste* ve *Güfte:* Subhi Ziya Özbekkan

Baht-ı nâsâzım beni dildârdan dûr eyledi (gel hey canım)
Vuslat-ı cânâneden heyhât mehcûr eyledi (gel hey canım)
Sûz-ı hicri sînemde saklardım amma (gel hey canım)
Hâlimi göz yaşlarım ikrâra mecbûr eyledi (gel hey canım
                          Fâilâtün/Fâilâtün/Fâilâtün/Fâilün
3. mısrâda vezin yok

**

TÂHİRBÛSELİK MAKAMI

Usûlü: Düyek   Tanbûrî Selâhaddin Pınar

İlkbahar olmayınca bürünme ala gönül
Tali'yâr olmayınca sevmesi belâ gönül
Ezelden kemse şansım, kader kısmet utansın
Neylesin de inansın böylesi fala gönül
Bu bağda hazân bitmez, gül açmaz bülbül ötmez
Bahar iltifat etmez kurumuş daha gönül

**

Usûlü: Düyek   *Beste:* Hâfız Memduh İmre
                                        Güfte: Bedri Ziya Bey

Canlar yakıyor göz süzüşün gizlice âhın
Mest etdi bu akşam beni mestâne nigâhın
Sevdâlı mısın böyle neden âh ile vâhın
Mest etdi bu akşam beni mestâne nigâhın
                    Mef'ûlü/Mefâilü/Mefâilü/Fâilün
**

Usûlü: Düyek   *Beste:* Rüştü Şardağ
                                        Güfte: Fuad Edip Baksı

Geldik yine bir araya
Merhaba dostlar merhaba
Merhem gibiyiz yaraya
Merhaba dostlar merhaba

Yedi verendir gülümüz
Her dem şakır bülbülümüz
Sevgiye açık gönlümüz
Merhaba dostlar merhaba

Haber verin erenlerden
Bir selâm gönderenlerden
Yakın yerden uzak yerden
Merhaba dostlar merhaba

**

TÂHİRBÛSELİK MAKAMI

Usûlü: Müsemmen Üsküdarlı Hoca Ziya Bey
(Bestenigâr Ziya Bey)

Nim nigâha kail olmam yok mudur bir harf atış
Sâde çeşm-i mestine mahsus mudur bu yan bakış
Yoksa isyânın mı var söyle nedir bu kaş çatış
Sâde çeşm-i mestine mahsus mudur bu yan bakış
Fâilâtün/Fâilâtün/Fâilâtün/Fâilün

**

Usûlü: Müsemmen Hâfız Yaşar Okur

Saçlarına güneş doğmuş hârelenmiş her yeri
Nağmelenmiş aşka gelmiş saçlarının her teli
Gel meleğim, çal güzelim, mest et bizi bu gece
Dertlerimi unutayım sevineyim gizlice

**

Usûlü: Müsemmen Karnik Garmiryan

Kır, kır kadehi bâdeyi dök raksa kıyâm et
Dök saçlarını akl-ı perişânıma dâm et
Vur tekmeyi hâilleri at zevkını tâm et
Lâzım ise bas göğsüme geç raksa devâm et
Mef'ûlü/Mefâîlü/Mefâîlü/Feûlün

**

Usûlü: Curcuna *Beste:* Hâfız Ahmed İrsoy
Güfte: Şeyh Hüseyin Fahreddin Dede

Nâzlım ne kadar güzel yüzün var
Billâh ne şîrin şirin sözün var
Kabil mi nigâhına tahammül
Bilsen ne yaman siyah gözün var
Mef'ûlü/Mefâilün/Feûlün

**

TÂHİRBÛSELİK MAKAMI

Usûlü: Curcuna   Ûdî Selânikli Ahmed Bey

Derd ü gamdan olmadım âzâde hiç
Gülmedim bahtımla ben dünyâda hiç
Yok mudur bir rahm eder feryâda hiç
Gülmedim bahtımla ben dünyâda hiç

Fâilâtün/Fâilâtün/Fâilün

※※

Usûlü: Curcuna   Kemençevî Hasan Fehmi Mutel

Nerdesin ey dil sarılmış yârin ağyâr boynuna
Öldür ağyârı vebâli varsa sar yâr boynuna
Gerdenin kendi gibi bir tâze dilber dişleyip
Takdı gûyâ bir dür-ü lûlûy-ı şehvâr boynuna

Fâilâtün/Fâilâtün/Fâilâtün/Fâilün

LÛLÛ: İnci.

※※

Usûlü: Semâî   Ali Gâlip Alnar

Bahar gelir güller açar
Bülbül öter neş'e saçar
Gül bülbüle bülbül güle
Hayrân olur gönlün açar
    Gel sevdiğim raks edelim
    Bu şevk ile bezm edelim

NOT: Bu şarkı Ali Gâlip Alnar'ın ilk şarkısıdır.   S.A.

※※

TÂHİRBÛSELİK MAKAMI

Usûlü: Semâî   *Beste* ve *Güfte:* Kanûnî Necdet Varol

Bir bakış, bir kaş çatış
    İşveler, işveler âh sevgiler
Gül yüzünde goncalar âh
    Bûseler, bûseler âh bûseler
Hak saklasın nazardan
    Nazarlar gönülden âh gönülden
Gül yüzünde goncalar âh
    Bûseler, bûseler âh bûseler.

٭٭

UŞŞÂK MAKAMI

Usûlü: Ağır Darb-ı Fetih   Beste   Hammâmîzâde İsmail
Dede Efendi

Dil nâle eder bülbül-i şeydâ revişinde
Gül işvelenir dilber‚i râ'nâ revişinde
Âşık da ederdi nazarın gayrıya mâil
Bulsaydı eğer bir dahî Leylâ revişinde

Terennüm: Yâr yâr canım revişinde
Ye lel le lel le lel le lel lel lel li
Te re lel lel lel lel lel lel li
Ya lâ yel lel lel yâr yâr dost be li şâh-ı men

Mefûlü/Mefâîlü/Mefâîlü/Feûlün

NOT: Beste'nin üçüncü mısra'ı (Mecnûn da ederdi...) şeklinde de görül-
dü.   S.A.

∗∗

Usûlü: Çenber   Beste   Zaharya

Câm-ı lâ'lin sun peyâpey hâtır-ı mestâne yap
Bir kadehle sâkîyâ gel bin yıkık virâne yap
Eylesin vaslın harâbât elerin ma'mûr-ı şevk
Gel kenar-ı sîne-i uşşâka işret-hâne yap

Terennüm: Aman aman aman aman of
Hâtır-ı mestâne yap
Aman aman aman aman of
Ma'mûr-ı şevk vay aman

Fâilâtün/Fâilâtün/Fâilâtün/Fâilün

NOT: Her mısra'dan sonra terennüm okunur. S.A.

∗∗

UŞŞÂK MAKAMI

Usûlü: Zencir   Beste   Ebûbekir Ağa

(Yâr) Ne dem ki hüsnüne ol mehveşin nazar ederiz
Felekde kevkeb-i ikbâli cilvekâr ederiz
Gül-i visâli hele zîyb-i seyr edip cânâ
Seninle biz dahi şimden gerû neler ederiz
Terennüm: Ah ye le le le lel li tir ye le le le le lel li
Te re li yel lel lel lel le le lel li vay
Zîyb-i seyr edip cânâ.

Mefâilün/Feilâtün/Mefâilün/Feilün

❋❋

Usûlü: Ağır Aksak Semâî   Nakış Ağır Semâî   Tahir Efendi
(Yürük Semâî Değişmeli)   (Halifezâde)

Pâdişâh-ı işvesin iklim-i hüsn ü ân senin
Her ne kim emreyler isen bendene fermân senin
(Yürük Semâî)
Terennüm: Ey gözleri âhû bakışın ayn-ı letâfet (Tekrar)
          Vay cünbüş-i etvârı nezâketden ibâret (Tekrar)
          Bilmem o şek leb ne kelâmında bî-lezzet (Tekrar)
          Etdim seni ben ey peri Mevlâ'ye emânet (Tekrar)
(Aksak Semâî) Her ne kim emreyler isen bendene fermân senin
                    (Meyan)
Zerreden çok dilberâ dil hastagân-ı vuslatın
Âfitâb-ı âlem arasın bugün devrân senin
(Yürük Semâî)
Terennüm: Bu sende olan hüsn ü tenasüble bu endâm
          Bu gerdân ü bu perçem bu zülf-i siyah-fâm
          Etdin dil-i dîvânemi bî-tâkât ârâm
          Lûtf eyle buyur hâne-i uşşâka bu akşam
(Aksak Semâî): Âfitâb-ı âlem arasın bugün devrân senin

NOT: Bu eserin ilk mısra'ı Hânende Mecmuâsı Sh. 251 de "Serfirhaz-ı
     işvesin..." şeklinde görüldü.
     İlk terennümde birinci mısra'daki ...bakışın ayn-ı letâfet" denilir-
     ken (ayn) kelimesinin buradaki anlamı: Kaynak, Pınar'dır (Ayn)
     kelimesi Arabça'da -GÖZ- anlamına da gelmekdedir.
     İkinci terennüm de aynen birinci terennüm gibi, her mısra' iki ke-
     re tekrarlanmak suretiyle okunur.   S.A.

❋❋

UŞŞÂK MAKAMI

Usûlü: Yürük Semâî Nakış Yürük Semâî *Beste:* Kara İsmail Ağa
Güfte: Enderûnî
Kemâleddin Ağa

Gâhi ki eder turrası dâmânını çîde
Bin dil sarılır her ham-ı kullâb-ı ümîde
Söylendi dili, gamzesi râzın işitildi
Oldu ki mestâne sebep gütf ü şenîde
Terennüm: Canım canım yâr yâr yâr yâr yâr aman
Ye le le li dost dost dost dost aman
A bî-vefâ yâr a pür-cefâ hey hey
Te nen ni ta na dir te nen te nen ni ta na dir
Te nen ten ten ten ten ten aman
Mef'ûlü/Mefâilü/Mefâilü/Feilün

GÂHİ: Bazen
TURRA: Kâkül
DÂMÂN: Etek
ÇÎDE: Devşirilmiş
HAM: Büklüm
KULLÂB: Çengel
RÂZ: Sır
GÜFT Ü ŞENÎD: Dedi-kodu.

✳✳

Usûlü: Yürük Semâî Nakış Yürük Semâî　　　　　Hatibzâde

(Ah) Bir zaman idi hem aguş-i hayâl olduğumuz
(Ah) Yâr bilmez mi talebkâr-ı visâl olduğumuz
Hattî, ümmîd edecek daiye-i vuslat ile
Duydu dilbeste-i sevdây-ı muhâl olduğumuz
Terennüm: Canım ye le lel lel lel le le lâ li
Ömrüm te re lel lel lel le le lâ li
Ta na te ne dir ney yâr bilmez mi

NOT: Sadeddin Heper üsdâdımız bu eser için: Makamı Uşşak değil Ne-
vâ'dır. Dedi. S.A.

✳✳

UŞŞÂK MAKAMI

Usûlü: Yürük Semâî Nakış Yürük Semâî

Recep Çelebî
(Çömlekçizâde)

Ruh-ı nâbı mey-i nâb ile kaçan gül-gül olur
Hemen uşşâkı değil kendi dahi bülbül olur
Saç-ı sevdâsı ile lâle değil desem de
Hâsılı zülf-i nigâr olmaz ise sünbül olur
Terennüm: Yâr ey yâr ey yâr ey vay
    Ten ni ten ni ten ni te nen na te ne dir ney
    Ten ni ten ni ten ni te nen na te ne dir ney
    Ye lel le lel li te rel le lel ya la ya la yen tir ye
    Lel li
    Te rel li hey hey hey hey.

✳✳

Usûlü: Ağır Aksak Semâî   *Beste:* Hammâmîzâde İsmail Dede
Efendi
Güfte: Moralızâde Leylâ Hanım

Pür âteşim açdırma sakın ağzımı zinhâr (canım)
Zâlim beni söyletme derûnumda neler var (canım)
Bilmez miyim etdiklerini eyleme inkâr (canım)
Zâlim beni söyletme derûnumda neler var (canım)

Her derdine sabr edeyim şûh-ı cihanım (canım)
Leylâ'ya cefâ âdetin olsun yine canım (canım)
Te'sîr eder elbet sana bu âh u figahım (canım)
Zâlim beni söyletme derûnumda neler var (canım)

✳✳

Usûlü: Ağır Aksak Semâî   Tanbûrî Ali Efendi

Güzeldir vechine kimler kul olmaz
Doyulmaz sevdiğim sana doyulmaz
Geçer aşkın ile ömrüm doyulmaz
Doyulmaz sevdiğim sana doyulmaz

NOT: Eserin usûlünün sadece (Ağır Aksak) olduğuna dâir de kayıtlar
    vardır. Misâl: Türk Musikisi Ansiklopedisi (Yılmaz Öztuna) Sh.
    31 (Tanbûrî Ali Efendi).   S.A.

✳✳

-1404-

UŞŞÂK MAKAMI

Usûlü: Ağır Aksak   Asdik Ağa

Gamla kıymetdâr ömrüm geldi geçdi mevsimi
Bir dem olsun görmedim âsûde-dil ben kendimi
Olduğum günden o yâr-ı bî-vefânın hemdemi
Bir dem olsun görmedim âsûde-dil ben kendimi

NOT: Meyan mısra'ı bazı mecmua, kitap ve notalarda şu şekilde de gö-
rüldü: "Olduğum günden beri ol bî-vefânın hemdemi"   S.A.

**

Usûlü: Orta Aksak   Asdik Ağa

Seni görmek ile rûşen oluyor dîdelerim
Seni mümkün ise her gün görebilmek dilerim
Bilirim mâni'in oldukça kaçarsın güzelim
Uzak olsam yine ben sevdiğimi çok severim

**

Usûlü: Orta Aksak   Asdik Ağa
(Curcuna değişmeli)
Düşünüp mihneti gayrı n'idelim
Çakıp çakışdırıp ferâh edelim
Gamları bertarâf edip gidelim
Çakıp çakışdırıp ferâh edelim
(Curcuna): Geçene mâzidir derler geçelim
           Bu da geçer efendim zevk edelim
(Orta Aksak): Çakıp çakışdırıp ferâh edelim

**

Usûlü: Ağır Aksak   *Beste:* Şevki Bey
                                   Güfte: Üryânîzâde Said Efendi

Reng-i ruhsârına gülgûn dediler
Şîve-i hüsnüne efzûn dediler
Hâl-i şûrideme meftûn dediler
Şîve-i hüsnüne efzûn dediler

**

UŞŞÂK MAKAMI

Usûlü: Ağır Aksak

Beste: Şevki Bey
Güfte: Hafîd Bey

Ölse de âşık onulmaz yaresi
Aşkın ölmekden de güçdür çâresi
Etmedikçe merhamet mehpâresi
Aşkın ölmekden de güçdür çâresi
✻✻

Usûlü: Ağır Aksak

Beste: Şevki Bey
Güfte: Mehmed Sâ'dî Bey

Gâh ümmîd-i vuslat eylersin gönül
Gâh devam-ı firkat istersin gönül
Gâh ikisin birden özlersin gönül
Gâh devam-ı firkat istersin gönül
(Sende bilmez sinene neylersin gönül)
✻✻

Usûlü: Ağır Aksak

Beste: Şevki Bey
Güfte: Ahmed Râsim Bey

Kimseler gelmez senin feryâd-ı âteş-bârına
Yandın ey bî-çâre dil yandın melâmet nârına
Ye's ü sevdâ rengi çökmüş gül gibi ruhsârına
Yandın ey bî-çâre dil yandın malâmet nârına
✻✻

Usûlü: Ağır Aksak
(Aksak değişmeli)

Beste: Şevki Bey
Güfte: Hafîd Bey

Lûtfeyle tabib dinleme kalbim benim öyle
Gelme ser-i bâlînime üzme beni böyle
Vermez dil-i ağaz hasta dilim yaralı şöyle
Bil derdimi de öyle müdâvâtını söyle
(Aksak) Çek benden elin arz edeyim yaremi yâra
          Belki nigeh-i lûtfu olur derdime çâre
(Ağır Aksak) Belki nigeh-i lûtfu olur derdime çâre
BÂLÎN: Yastık, koltuk.
MÜDÂVÂT: Devâ arama, hastaya bakıp ilâç verme.
✻✻

UŞŞÂK MAKAMI

Usûlü: Orta Aksak

Beste: Şevki Bey
Güfte: Hamdî

Perde çekdin âh a kâfir matla'-î âmâlime
Bâis oldun mahvıma ikbâl ü istikbâlime
İnkisâr etsem de çok mu sen gibi bir zâlime
Bâis oldun mahvıma ikbâl ü istikbâlime

Ülfet-i ihvân ü akrandan beni dûr eyledin
Gülistân-ı zevk-ı âlemden beni mehcûr eyledin
Bu sözü söylemeye Hamdî'yi mecbûr eyledin
Bâis oldun mahvıma ikbâl ü istikbâlime

**

Usûlü: Ağır Aksak

Hacı Karabet (Hânende)

Kaldı âteşler içinde yine sevdâlı serim
Nereden gördü seni kahr olası dîdelerim
Görsem âzâr ü sitem, görmesem artar kederim
Nereden gördü seni kahr olası dîdelerim

**

Usûlü: Ağır Aksak

Lem'i Atlı

Gösterirken rûy-i zerdim derd-i mâ-fi-l-bâlimi
Nûr-ı dîdem sormadın bir gün gelip de hâlimi
Silmedin bir defâcık olsun sirişk-i âl'imi
Nûr-ı dîdem sormadın bir gün gelip de hâlimi

NOT: Bu güfte Ûdî Nevres Bey tarafından aynı usûlde, fakat Hicaz makamından bestelenmiştir. S.A.

**

Usûlü: Orta Aksak

Ûdî Selânikli Ahmed Efendi

Fikr-i vaslın ile ağlar gece gündüz dîdelerim
Seni bir an göremezsem tükenir neş'elerim
Güzelin neş'vesidir âşık üzmek bilirim
Seni bir an göremezsem tükenir neş'elerim

**

UŞŞÂK MAKAMI

Usûlü: Ağır Aksak   Zencî Salih Efendi

Firkat ü hicr ile mahvoldu yazık cism ü tenim
Bana rahm eyleyecek yâr olacakdır kefenim
Bakınız mahvediyor her emeli gül bedenim
Bana rahm eyleyecek yâr olacakdır kefenim

**

Usûlü: Ağır Aksak   Bimeh Şen

Bir görüşde aklım aldın n'eylediğim bilmedim
Ben seni sevdim de zâlim rûz ü şeb âh eyledim
Bana sâdık yâr olmana çok da gayret eyledim
Beni seni sevdim de zâlim rûz ü şeb âh eyledim

**

Usûlü: Ağır Aksak   Ûdî Hasan Bey
                                                        (Hasan Sabri Bey)

Aldı âguş-i visâlimden felek dildârımı
Devr-i firkat eyledi bî-tâb cism-i zârımı
Ben nasıl âh etmeyim aldı elimden yârımı
Dinleyin Allah, için feryâd-ı âteş-bârımı

**

Usûlü: Ağır Aksak   Ûdî Hasan Bey

Muntazır bir emrine bin can senin
Her ne eylerse sezâ fermân senin
Vuslata lâyık iken cânân senin
Etme red Allah, için ihsân senin

**

Usûlü: Ağır Aksak   *Beste:* Râkım Elkutlu
(Curcuna değişmeli)   *Güfte:* N. Hilmi Özeren
Silemem bir gün hayâlimden o güzel kadını
Bana tattırdı bin işveyle bu aşkın tadını
Duyarım bir sızı kalbimde anarken adını
Bana tattırdı bin işveyle bu aşkın tadını
(Curcuna): O güzel gitmemeliydi o bu gönlün emeliydi
            Ona aşkım ezeliydi o güzeller güzeliydi
(Ağır Aksak) Bana tattırdı bin işveyle bu aşkın tadını.

**

UŞŞÂK MAKAMI

Usûlü: Ağır Aksak   Râkım Elkutlu

Artık hicrâna tahammül edemez oldu gönül
Her güzel bezmine gidemez oldu gönül
Eski aşk bahçesine gül ekemez oldu gönül
Kendi derd ü elemin de çekemez oldu gönül
İhtiyâr oldu gönül, söndü gönül, soldu gönül
Kaybedip neş'eyi bir âh ü elem oldu gönül
Kendi derd ü elemin de çekemez oldu gönül

✳✳

Usûlü: Ağır Aksak   Faiz Kapancı

Yandım âteşlere ey mâh seni gördüm göreli
Ah ne baygın bakışın var o beyaz şemsiyeli
Çeşm-i âhûlarının kahr olayım yok bedeli
Ah ne baygın bakışın var a beyaz şemsiyeli

Bana mı böyle göründü a güzel sendeki hâl
Ne kadar canlar yakdın acep ey nûr-ı cemâl
Söylüyor bu sözü âşıkların eyyâm ü leyâl
Ah ne baygın bakışın var a beyaz şemsiyeli

✳✳

Usûlü: Orta Aksak   Hayri Yenigün

Gecenin hüznüne sardım bu onulmaz yaramı
Hıçkıran kalbime serdim yine sarı hâtıramı
Söyle aşkım kara bahtım gibi ömrüm kara mı
Hıçkıran kalbime serdim yine sarı hâtıramı

✳✳

Usûlü: Orta Aksak   Ûdî Şekerci Hâfız Cemil Bey

Nâ-ümîd-i aşka doktor var mı tıbbın çâresi
Neyle ârâm eyler uşşâkın dil-i âvâresi
Hançeremden çok cehennem taşını bîhûdedir
Hançer-i ebrûy-i dildârın ciğerde yaresi

✳✳

UŞŞÂK MAKAMI

Usûlü: Orta Aksak   Ûdî Şekerci Hâfız Cemil Bey

Kaçma dîdemden aman ye gül-tenim
Hâtırım şâd olmuyor sensiz benim
Sen misin ömrüm, bahâr-ı gülşenim
Hâtırım şâd olmuyor sensiz benim

❋❋

Usûlü: Ağır Aksak   Ûdî Selânikli Ahmed Bey
(Curcuna değişmeli)
Bakdı bir goncaya, bir hâre gönül
Minnet etmem dedi ağyâre gönül
Açmadı derdini dildâre gönül
Düşdü sahralara âvhare gönül
(Curcuna): Çâre yok derdini izhâre gönül
      Çâresiz kaldı bu bî-çâre gönül
(Ağır Aksak) Çâresiz kaldı bu bî-çâre gönül

❋❋

Usûlü: Orta Aksak   Ûdî Selânikli Ahmed Bey

Var mıdır tedkıyka hâcet dilberim ef'âlimi
Gösterir sîmay-ı mahzûnum sana ahvâlimi
Hasretinle sen karartdın pertev-i ikbâlimi
Gösterir sîmay-ı mahzûnum sana ahvâlimi

NOT: Bu şarkının aynı melodi ile ve şu güfte ile de okunması pek enteresandır ve her iki güfte şekli çeşitli yerlerde kayıtlıdır.
Var mıdır takrîre hâcet derd-i mâ-fi-l-bâlimi
Tâli'-i nâ-sâzıma ağlar görenler hâlimi
Beklemem artık tulû-i mihr-i istikbâlimi
Tâli'-i nâ-sâzıma ağlar görenler hâlimi.

Güftenin bu ikinci şekli için (Lem'i Atlı)nın Ağır Aksak şarkısı olduğuna ait kayıtlar da vardır. S.A.

❋❋

UŞŞÂK MAKAMI

Usûlü: Aksak   Hammâmîzâde İsmail Dede Efendi

Gitti de gelmeyiverdi
Gözlerim yollarda kaldı
Hele nazlım nerde kaldı
Ne zaman, ne zaman, ne zaman gelir
Gel a nâzlım, lâhurî şallım
Sağı solu dolanalım (aman)
Ne zaman, ne zaman, ne zaman gelir

**

Usûlü: Aksak   *Beste* ve *Güfte:* Hammâmîzâde
                                  İsmail Dede Efendi

(Ah) Ağlatırlar, güldürürler (Tekrar)
Çeşmim yaşın (aman) sildirirler
Bunlar adam öldürürler (Tekrar)
Kimler kimler kara gözlüler
Şîrin sözlüler güzeller (aman aman)
Gönül evine girerler
Âşıkın aklın alırlar da
Yüze gülerler

**

Usûlü: Aksak   Dellâlzâde İsmail Efendi

Muntazırdır sana uşşâk gel güzelim
Bağ-ı sahrâyı beraber gezelim
Efendim gel gönlüm açılsın
Meleğim gel gönlüm açılsın
Yanağında güller seçilsin
Bezmimize safâlar saçılsın
Yâr yâr yâr yâr aman yâr yâr
Gel gidelim sahrâlara âh
Dağlara bağlara yeşil kemhalar döşenmiş
Âh bağlara dağlara

**

UŞŞÂK MAKAMI

Usûlü: Aksak   Rif'at Bey

Mürg-i dili görmedim çok zamandır
Hasret-i yâr ile hâlim yamandır
Gece gündüz işim âh ü figandır
Hasret-i yâr ile hâlim yamandır

⁂

Usûlü: Aksak   Tanbûrî Ali Efendi

Âşıkdan etme can ü hicâbı
Meh tâl'atından kaldır nikabı
Tamiri lûtfet kalb-i harâbı
Meh tâl'atından kaldtır nikabı

NOT: Her mısra' tekrar edilir.

⁂

Usûlü: Çifte Sofyan   Tanbûrî Ali Efendi
(Curcuna Değişmeli)

Benim yârim güzeller serveridir
Melâhat burcunun bir ahteridir
Yoluna canım versem yeridir
Benî âdem değildir bir peridir

(Curcuna): Nâzenindir, dilrübâdır
          Sevmesi cana safâdır
          Âşık-ı üftâdegâna
          Etdiği lûtf u atâdır

(Çifte Sofyan) Benî âdem değildir bir peridir

NOT: Curcuna değişme kısmı hariç, diğer bütün mısra'lar iki keredir.
                                                    S.A.

⁂

UŞŞÂK MAKAMI

Usûlü: Aksak   Asdik Ağa

Ey câzib-i vicdân ne yaman âfet-i cansın
Bî-misl ü bahâ, neşve-fezâ, rûh-ı revânsın
Fevkinde güzel görmedim hiç hûrî cenansın
Kaldır peçeni, aç yüzünü âlem inansın

**

Usûlü: Aksak   Hacı Ârif Bey

Derdinle senin ey gül-i nevreste nihâlim
Gör ki ne yaman oldu benim sûret-i hâlim
Sabrım tükenir kalmadı âzâre mecâlim
Taş mı yüreğin merhametin yok mu a zâlim

**

Usûlü: Aksak   *Beste:* Hacı Ârif Bey
                                        Güfte: Şeyh Galib

Meyhâneyi seyretdim uşşâka mutâf olmuş
Teklif ü tekellüfden sükkânı muâf olmuş
Bir neş'e gelip meclisi bî-havf ü hilâf olmuş
Gam sohbeti yâd olmaz meşrebleri sâf olmuş
Âşıkda keder neyler gam halk-ı cihanındır
Koyma kadehi elden söz pîr-i muganındır

**

Usûlü: Aksak   Hacı Ârif Bey

Başdan başa isterse cihan güllerle donansın
Gönlüm yine isterse kızıl kana boyansın
Mümkün mü gözün açmaz isen bahtım uyansın
Bir kerre daha bak yüzüme ömrüm uzansın

NOT: İstanbul Radyosu Nota Kütüphanesinde (Leon Hancıyan Kollek-
siyonundan alınmışdır.) kaydı vardır. (Uşşâk No: 21). S.A.

**

UŞŞÂK MAKAMI

Usûlü: Aksak

Hacı Ârif Bey

Ağlamaz mı çeşm-i hasret-perverim
Bir melek sîmayı gözler gözlerim
Ummadık sevdâya duş oldu serim
Bir melek sîmayı gözler gözlerim

**

Usûlü: Aksak

Şevki Bey

Ey gözüm ağlama dildâr uyanır (Of...)
Dizim üstünde yatır yâr uyanır (Of...)
Uyanır şûh-ı cefâkâr uyanır (Of...)
Dizim üstünde yatır yâr uyanır (Of...)

**

Usûlü: Aksak

Beste: Hacı Ârif Bey
Güfte: Mehmed Sâ'dî Bey

Meyhâne mi bu bezm-i tarâbhâne-i Cem mi
Peymâne mi bu efser-i darat-ı haşem mi
Sâkîmi bu nevbave-i bûstân-ı cemâlin
Reşk-i çemenistân-ı hıyâban-ı irem mi
Mir'at-ı musaffâ mı dèğil câm-ı şarabın
İç gör ki safâsı ne imiş âlem-i âbın
Çekmez elem ü mihnetini dehr-i fenânın
Pekçe sarılan dâmenine pir ü muganın

Mef'ûlü/Mefâilü/Mefâilü/Feilün

TARÂBHÂNE: Saz çalınan yer.
CEM: Şarabı icâd eden
PEYMANE: Câm: Kadeh
EFSER: Tâc.
NEVBAVE: Turfanda, taptâze
REŞK: Haset, kıskançlık
İREM: Cennetde bir bahçe
MUSAFFÂ: Saflaşmış

**

UŞŞÂK MAKAMI

Usûlü: Aksak   Hacı Ârif Bey

Olmaz dilim elemden bir dem tehi vü hâli
Koydu beni bu hâle yârın hayâl-i hâl'i
Bîhûde etme ey dil feryâd ü âh ü zârı
Ol yâr-ı bî-vefânın mümkün değil visâli

Müstefilün/Feûlün/Müstefilün/Feûlün

NOT: TRT San. Mus. Es. Rep. kitabı (Sh. 278) bu şarkı şanlış olarak Rifat Bey adına kaydedilmişdir.   S.A.

❋❋

Usûlü: Aksak   Şevki Bey

Mahzûn dilimi yâdın ile şâd eder oldum
Âlemde geçen günlerimi yâd eder oldum
Vuslat demini fikr ile feryâd eder oldum
Âlemde geçen günlerimi yâd eder oldum

Gam neşterini çekdi dile bin zahm-ı ciğer-sûz
Hicrin döküyor üstüne her lâhza tuz
Geldikçe hayâle beni şâd eylediğin rûz
Âlemde geçen günlerimi yâd eder oldum

❋❋

Usûlü: Aksak   Şevki Bey

Aşk olsun o rindâne ki gönlünde emel yok
Dilberde vefâ, bende dahi sabra mecâl yok
Ey dil bu kadar şekvâ-ı hicrâna mahâl yok
Bakdım bu gece meclis-i uşşâka menend yok

❋❋

UŞŞÂK MAKAMI

Usûlü: Aksak   Şevki Bey

Kucağımda büyütürken nâgâh
Dîdeden oldu nihan şimdi o mâh
Câyını kıldı ecel hâk-i siyâh
Derdiyle taş basayım bağrıma âh.

✱✱

Usûlü: Aksak   Hacı Ârif Bey

Bir melek sîma peri gördüm der-i meyhânede
Kalmadı gamdan eser aslâ dil-i dîvânede
Var imiş bir başka âlem sohbet-i mestânede
Gözlerim sâkîde kaldı ellerim peymânede

NOT: Şarkının 2 kuplesi de vardır. Okunması âdet olmamışdır.   S.A.

✱✱

Usûlü: Aksak   *Beste:* Şevki Bey
                                        Güfte: Hafîd Bey

Bir perî sûret göründü çeşmime meyhânede
Gözlerim sakîde kaldı ellerim peymânede
Neş'elendikçe dil-i mahzûn dem-i mestânede
Gözlerim sakıde kaldı ellerim peymânede

NOT: İkinci, hatta üçüncü kuplesi de vardır. Birinci kupleden çok farklı
     ve düzensizdirler. S.A.
                                        ✱✱

Usûlü: Aksak   Şevki Bey

Dağlar dayanmaz enînine dil-i mahzûnumun
Bulunmadı gitdi devâsı derd-i derûnumun
Esiri oldum mihnet-i tâb-ı dûnumun
Bulunmadı gitdi devâsı derd-i derûnumun
                    ✱✱

UŞŞÂK MAKAMI

Usûlü: Aksak

Beste: Şevki Bey
Güfte: Mahfî Bey

Hevâ-yı aşk eser serde
Yetiş gel bul devâ derde
Beni terk etdi bu yerde
Efendim nerde ben nerde

Eder feryâd bu efkende
Tahammül kalmadı bende
Hayatım, gönlüm hep sende
Efendim nerde ben nerde

✳✳

Usûlü: Aksak

Şevki Bey

(Of) Bakmadın vaktiyle istikbâline (Of...)
Ağla ey dil ağla şimdi hâline (Of...) Tekrar
Uydu mu sandın kader âmâline (Of...) Tekrar
Ağla ey dil ağla şimdi hâline (Of...) Tekrar

✳✳

Usûlü: Aksak

Şevki Bey

Arzu ediyor vuslat-ı can bahşını cânım
Kurban olayım gözlerine rûh-ı revânım
Gel etme diriğ hasret ile bitti tüvânım
Kurban olayım gözlerine rûh-ı revânım

✳✳

Usûlü: Aksak

Şevki Bey

Kim demiş sûz-ı aşkı dil-i şeydâ bilmez
Hangi dildir güzelim aşk ile sevdâ bilmez
Bilir ammâ o peri hâlimi gûya bilmez
Hangi dildir güzelim aşk ile sevdâ bilmez

NOT: İkinci kuplesi okunacak gibi değildir.

S.A.

✳✳

-1417-

UŞŞÂK MAKAMI

Usûlü: Aksak Şevki Bey

İştibâh etme gözüm nûru bana
Ömrümü vakf eyledim işte sana
Cevrine lâyık isem eyle bana
Ömrümü vakf eyledim işte sana

Âşıkı mahv eyledi o kaş çatış
Gel civânım artık afv eyle barış
Bendene lâyık mıdır bu yan bakış
Ömrümü vakf eyledim işte sana

✼✼

Usûlü: Aksak Şevki Bey

Bilmem kime şekvâ edeyim derd-i derûnum
Târif edemem kimseye bu hâl-i figanım
Gam âlemine atdı beni tâli'i dunum
Bak sen aşkın ile zâr ü zebunum

NOT: İkinci kuplesi okunacak gibi değildir. S.A.

✼✼

Usûlü: Aksak Şevki Bey

(OF) Bu dehrin germ ü serdinden (Of)
   Gönül bıkdım usandım ben (Tekrar)
   Değil hattâ ki kendimden (Of) Tekrar
   Gönül bıkdım usandım ben (Of) Tekrar

✼✼

Usûlü: Aksak *Beste:* Şevki Bey
Güfte: Mehmed Sâ'dî Bey

Telif edebilsem feleği âh emelimle
Dünyayı fedâ eyler idim mâ hasalimle
Ben uğraşırım belki o demde ecelimle
Nakdine-i canı veririm kendi elimle
Hem-bezm-i visâl olsam eğer ol güzelimle

NOT: Lâtif Ağa, aynı güfteyi Mâhûr-Aksak olarak bestelemişdir. S.A.

✼✼

UŞŞÂK MAKAMI

Usûlü: Aksak   Şevki Bey

Mübtelây-ı gam olan rahat-ı dünya bilmez
Zehr-i hicrâna kanan lezzet-i sahbâ bilmez
Sâir-i deşt ü elem nüzhet-i sahra bilmez
Rind-i deryâ-dil olan sâhil-i hülyâ bilmez

SAİR: Gezen, dolaşan

**

Usûlü: Aksak   *Beste:* Şevki Bey
                              Güfte: Galip Paşazâde Reşid Bey

Dûçar-ı hicr-i yâr olalı dîdem ağlıyor
Dîdemle müşterek dil-i gam dîdem ağlıyor
Bu hâlé hem de mehveş,i nâdîdem ağlıyor
Dîdemle müşterek dil-i gam dîdem ağlıyor

Hasret oduyla sîne-i pür derdi dağladım
Hâl-i melâlimi gördükçe kara bağladım
Cûlar misâli kûşe-i mihnetde çağladım
Dîdemle müşterek dil-i gam dîdem ağlıyor

**

Usûlü: Aksak   *Beste:* Şevki Bey
                              Güfte: Mehmed Sa'di Bey

Canım gibi sevdikçe seni gönlüm ey âfet
Göstermedin aslâ bana bir rûy-i muhabbet
Bunca emeğim mahv ü hebâ oldu nihayet
Sen sağ olasın sevdiceğim ben de selâmet

NOT: Güfte 3 kupledir. Diğer iki kuple okunmuyor. S.A.
**

UŞŞÂK MAKAMI

Usûlü: Aksak   Şevki Bey

Ne için geçmez acep bir günüm âzâd-ı elem
Gam ile girye ile geçdi hayatım ne desem
Bırakır mı bu yaşımda beni hiç mâder-i gam
Anın âguş-i vefâsında yetişdim büyüdüm
**

Usûlü: Aksak   *Beste:* Şevki Bey
                                                  Güfte: Hafid Bey

Mecnûn gibi ben dağlar gezerken
Kûhsâr-ı aşkda Leylâ idin sen (Tekrar)
Sahbây-ı aşkı dil şişesinden
Kendi elinle doldurmadın mı (Tekrar
**

Usûlü: Aksak   Şevki Bey

I-) Bıçak düşmez belinden
    Yandım efe elinden
    Bu âlemin dilinden
    Yandım efe elinden
II-) Gitdi efe dereden
    Vakıt geçdi aradan
    Kavuşturdu Yaradan
    Yandım efe elinden
**

Usûlü: Aksak (Yürükçe)   Şevki Bey

Zeybeklerle gezer dağlar başında
Efeciğim gençdir on üç, on dört yaşında
O güzellik, bu güzellik olmaz elmas taşında
Efeciğim gençdir on güç, on dört yaşında

Çıkılır mı efem (aman) bu bayırlar, bu yerler
Nerde olsak efem (aman) elbet bizi tutarlar
Efem sonra (aman aman) sana bana kıyarlar
Efeciğim gençdir on üç, on dört yaşında
**

UŞŞÂK MAKAMI

Usûlü: Aksak Şevki Bey

Ebrûlerinin hançeri bu sînemi ey mâh
Tasvir ediyor yareleri neylemeli âh (Tekrar)
Tîr atmadadır gamzelerin âşıka her bâr
İşler eser-i aşkın ile zahm-ı ciğer-gâh
Bu yareleri neyle nevâ eylemeli
Çâre ne ise bûs-i lebin mi demeli

**

Usûlü: Aksak Şevki Bey

Tepeden nasıl iniyor bakın
Şu kızın nişanlısı şanlıdır
Yaradan nazardan esirgesin
Koca dağ gibi delikanlıdır

Fese bak fese nekadar da al
Ne de hoş belindeki hâreli şal
Demedim mi ben sana bak da kal
Koca dağ gibi delikanlıdır

**

Usûlü: Aksak *Beste:* Şevki Bey
Güfte: Mehmed Sâ'dî Bey

Gülzâra nazar kıldım virâne misâl olmuş
Seyrân-ı safâlar hep bir hâb-ı hayâl olmuş
Güller sararıp solmuş bülbülleri lâl olmuş
Gam âlemidir şimdi zevk emr-i muhâl olmuş
Sabret gelir ol demler kim ehl-i safânındır
Derd üstüne zevk olmaz dem şimdi hazânındır

Mef'ûlü/Mefâilü/Mef'ûlü/Mefâilün

NOT: Dördüncü mısra'ın başı: Gam mevsimidir... Diye girer.
Beşinci mısra'ın sonu ise: ehl-idil ânındır. Şeklinde okunmaktadır,
fakat güftenin aslı bizim yukarıya kaydettiğimiz gibidir. S.A.

**

UŞŞÂK MAKAMI

Usûlü: Aksak   *Beste:* Rahmi Bey

Ağyâra nigâh etmediğin nâz sanırdım
Çok lûtf imiş ol âşıka ben az sanırdım
Gamzen dili rüsvây-ı cihan etdi nihayet
Billâh ben o âfeti hem-râz sanırdım

**

Usûlü: Aksak   *Beste:* Giriftzen Asım Bey
                                                  Güfte: İsmail Safâ Bey

Çaldırıp çalgıyı rakkaseleri oynatalım
Okuyup tatlı gazeller sözü saza katalım
Dehre cennet diyelim kendimizi aldatalım
Çekelim şîşeyi endîşeyi başdan atalım
Gülelim eğlenelim zevkimizi parlatalım

NOT: Aynı güfte Hicaz-Aksak Muallim İsmail Hakkı Bey; Sûz-nâk-
Aksak Neyzen Rıza Bey

**

Usûlü: Aksak   Ûdî Selânikli Ahmed Bey

Nasıl çıksam başa zahm-ı kederle
Doğar her gün elem bahta seherle
Acep kabil mi cenkleşmek kaderle
Doğar her gün elem bahta seherle

**

Usûlü: Aksak   *Güfte:* Pertev Paşa

Hasretle bu şeb gâh uyudum gâh uyandım
        Hep ol mehi andım
Eğlence edip hâb ü hayâli oyalandım
        Tâ subha dayandım
(Serbest):
Kan ağladım içdikçe mey-i bezm-i firakı bî-minnet-i sâkî
        Peymâne gibi gâhi dolup gâhi boşaldım
(Aksak): Her renge boyandım
        Peymâne gibi gâhi dolup gâhi boşaldım
        Her renge boyandım
NOT: Eserin sahibi bilinmemektedir. Ancak Lâvtacı Andon vasıtası ile
        ortaya çık lığı biliniyor. S.A.

**

-1422-

UŞŞÂK MAKAMI

Usûlü: Aksak   Bimen Şen

Ümidim bağına nûrlar saçıldı
Benim şimdi gözüm gönlüm açıldı
Hayat verdi bana şûh-ı dilârâm
Benim şimdi gözüm gönlüm açıldı

✴✴

Usûlü: Aksak   *Beste* ve *Güfte:* Ahmed Râsim Bey

Bir bahar ister gönül gülsüz, çemensiz, lâlesiz
Bülbülü ötmez, çemenzârı çiçeksiz, lâlesiz
Böyle bî-reng ü bahâ, böyle figansız, nâlesiz
Bir hayatın belki vardır başka zevki, neş'esi

✴✴

Usûlü: Aksak   *Beste* ve *Güfte:* Ahmed Râsim Bey

Sen söyle ne oldun yine âvâre mi kaldın
Candan sevenin kalmadı ağyâre mi kaldın
Şaşdım seni gördüm de perişân-ı mükedder
Benden beter oldun daha bîçâre mi kaldın

Sönmüş o güzel gözlerinin nûr-ı nigâhı
Uçmuş o keman kaşlarının reng-i siyâhı
Tutmuş seni en sonra demek gönlümün âhı
Benden beter oldun daha bîçâre mi kaldın

✴✴

Usûlü: Aksak   *Beste* ve *Güfte:* Ahmed Râsim Bey

Aman sâkî, canım sâkî
Doldur doldur da ver (Tekrar)
Neş'em de var bir terakkî (yaşa)
Doldur doldur da ver (Tekrar)

Bir bûsecik başın için
Koklat koklat da ver (Tekrar)
Bugün bana bayram düğün (yaşa)
Doldur doldur da ver (Tekrar)

✴✴

UŞŞÂK MAKAMI

Usûlü: Aksak

Beste: Kemanî Tatyos
Güfte: Ahmed Râsim Bey

Bu akşam gün batarken gel
Sakın geç kalma erken gel
Tahammül kalmadı artık
Aman geç kalma erken gel

Cefâ etme bana mâhım
Sonra tutar seni âhım
Üzme beni şîvekârım
Aman geç kalma erken gel

NOT: Bu şarkının her mısra'ı iki kere okunur. S.A.

✳✳

Usûlü: Aksak

Beste: Lem'i Atlı
Güfte: Kâzım Ömer

Günler geçiyor gönlümün ezvâkı tükendi
Susdum da hazîn rûhumun feryâdı tükendi
Bilmem ki gönül sen ne idin, sende ne vardı
Ömrüm bitiyor aşkımın ilhâmı tükendi

✳✳

Usûlü: Aksak

Beste: Lem'i Atlı
Güfte: Mustafa Nâfiz Irmak

Ümidim öldü artık sevmeyen bir kalp için yandım
Elinden çok cefâ çektim, gözünden yandım, aldandım
Küçük bir hande gördükçe bu hicrânlar geçer sandım
Elinden çok cefâ çektim, gözünden yandım, aldandım

✳✳

UŞŞÂK MAKAMI

Usûlü: Aksak

Lem'i Atlı

Yaşamışdım ne güzel bezmimde cemâlinle senin
Yaşarım gurbet elinde şimdi hayâlinle senin
Yatarım nûrlar içinde fikr-i visâlinle senin
Yaşarım gurbet elinde şimdi hayâlinle senin

NOT: Bu şarkının her mısra'ı iki kere okunur.   S.A.

✳✳

Usûlü: Aksak   *Beste:* Lem'i Atlı
                Güfte: Hüseyin Avni Bey (İzmirli)

Seni arzu eder bu dîdelerim
Görebilmek demâ-dem işvegerim
Yok tahammül devâm-ı firkatine
Gece gündüz gamınla âh ederim

✳✳

Usûlü: Aksak   *Beste:* Lem'i Atlı
                Güfte: Mehmed Paşa (Kuloğlu)
                      (Vezir-Dâmâd-Musâhib)

Siyâh ebrûlerin duruben çatma
Gamzen oklarını âşıka atma
Sana gönül verdim beni ağlatma
Benim gözüm nûru, gönlüm sürûru

Öğütdür verdiğim tut benim sözüm
Severim demeğe tutmadı yüzüm
Âh efendim benim, a iki gözüm
Benim gözüm nûru, gönlüm sürûru

✳✳

Usûlü: Aksak   Subhi Ziya Özbekkan

Ne zaman gelse hayâlin bu harâbata senin
Onu yalnız buluyor hep duyuyor sâde enîn
Beni timsâline döndürdü efendim kederin
Korusun âlemi Rabbim, olayım son eserin

✳✳

UŞŞÂK MAKAMI

Usûlü: Aksak

Beste: Subhi Ziya Özbekkan
Güfte: Dr. Fevzi Bey

Dökülmüş zambak gibi, perişân leylâk gibi
Dağılsın sırma saçın göğsünde yumak gibi
A leylim a leylim gönül sevdi n'ideyim
Alıp seni gideyim gel sevdiceğim

Sözüm riyâdan değil aşkım havadan değil
Bil benim kıymetimi atma oyuncak gibi
A leylim a leylim gönül sevdi n'ideyim
Alıp seni gideyim gel sevdiceğim

❋❋

Usûlü: Aksak
(Curcuna değişmeli)

Subhi Ziyha Özbekkan
Yârım güler güller açar yaz olur
Bilir bunu kâfir bütün nâz olur
Yeni geldin gitme kuzum az olur
Derim, güler kaçar pervâsız
Dönüp bakmaz bile bir kere vefâsız

(Curcuna): Yârım ağlar güller solar güz olur
                   Yumuşarım çatık kaşım düz olur
                   Bu bir değil, bu on değil, yüz olur
                   Ya nâzlığa başlar hemen zamansız
                   Güldüğüme pişmân eder imansız

(Serbest): Âh, sevdiklerim böyle çıkdı, hep böyle
                  Leylâ öyle, Azrâ öyle, bu öyle
                  Uslanmayan deli gönül sen söyle
                  Bu sefer de son aşkım bu yalansız
                  Der de, yine sever misin apansız.

❋❋

UŞŞÂK MAKAMI

Usûlü: Aksak

Beste: Subhi Ziya Özbekkan
Güfte: Cemâl Ekrem Yeşil

Her şey bu zaman evinde nâçâr geçer
En geçmeyecek gönül geçer, yâr geçer
Yalnız günü birlik çağırır bir kapıdan
Akşam kimi bitkin, kimi bîzâr geçer
Harman yeri er geç dağılır, bağ bozulur
Bülbülde nefes kalsa da gülzâr geçer
Yalnız günü birlik çağırır bir kapıdan
Akşam kimi bitkin, kimi bîzâr geçer

✳✳

Usûlü: Aksak

Şemseddin Ziya Bey

Şu salkım söğüdün altı dâima
Gel kız sana olsun kuytu bir yuva
Koyun sürüsünü bırak bir yana
Yüreğimde gel de aşkını ara

At at şu örtüyü gül yüzünü aç
Çöz çöz şu örtüyü saçlarını aç
Görmez bizi bir göz örter bu ağaç
Yüreğimde gel de aşkını ara

✳✳

Usûlü: Aksak

Beste: Tanbûrî Refik Fersan
Güfte: Semih Mümtaz

Seneler geçdi haber yok senden
Kalmadı bende tahammül cidden
Bu tehassürle perişânım ben
Seneler geçdi haber yok senden

Göremem ben seni rüyâda bile
Uykular girmiyor aslâ gözüme
İştiyâkın ezelîdir özüme
Seneler geçdi haber yok senden

NOT: Şarkının her iki kuplesinde de her mısra' iki kere okunur. S.A.

✳✳

UŞŞÂK MAKAMI

Usûlü: Aksak   *Beste:* Râkım Elkutlu
(Curcuna değişmeli)   *Güfte:* Orhan Rahmi Gökçe

Bana hiç yakışmıyor böyle intizâr şimdi
Mâtemzede gönlümde hayat bir mezâr şimdi
Ne ses var, ne kahkaha, her şey âh ü zâr şimdi
Nerde kaldı o âhû nerde lâlezâr şimdi (Tekrar)
(Curcuna): O benim mehtâbımdı, o benim güneşimdi
           O benim her şeyimdi, o benim mehveşimdi
           O benim tesellimdi, o benim son eşimdi
(Aksak): Nerde kaldı o âhû, nerde lâlezâr şimdi

❋❋

Usûlü: Aksak   *Beste:* Sadeddin Kaynak
                                             Güfte: Ali İlmî (Ceyhan'lı)

Perişân ömrümün neş'esi söndü
Hicrân şarâbından içdim içeli
Bu cihan gözümde serâba döndü
Sevdây-ı zülfünden geçdim geçeli
     Telleri inlerdi rebâb-ı aşkın
     Gönülden geçerken mızrâb-ı aşkın
     Her şeyi unutdum kitab-ı aşkın
     Ak'la karasını seçdim seçeli
En şen gönüllerde yine gam buldum
Her zevkin sonunda bir elem buldum
Tesellî yerine hep sitem buldum
Sevdây-ı zülfünden geçdim geçeli

❋❋

Usûlü: Aksak   Sadeddin Kaynak

Yine esdi muhabbetin yelleri
Ördeği gülmeyen göller perişân
Kime kin etdin de giydin alleri
Gerdana dökülen teller perişân
(Serbest): (Âh) yol verin Allah'dan bulası dağlar
           (Âh) yâr ile gezdiğim çöller perîşan
Her kimi gördümse dertlidir ağlar
Ilgıt ılgıt esen yeller perişân

❋❋

UŞŞÂK MAKAMI

Usûlü: Aksak

Beste: Kemanî Sadi Işılay
Güfte: Rüştü Şardağ

En güzel demde gönül bir şeye yanmış gibisin
Bırakılmış, unutulmuş, yaralanmış gibisin
Kimse bilmez neyi ummuş, kime yanmış gibisin
Bırakılmış, unutulmuş, yaralanmış gibisin

**

Usûlü: Aksak

Keman Emin Bara

Bağ-ı hüsnün o güzel gülleri soldu
O geçen günlerimiz bir hayâl oldu
Ufk-ı ümmîde hazân gölgesi doldu
O geçen günlerimiz bir hayâl oldu

**

Usûlü: Aksak

Nuri Halil Poyraz

Ey yâr-ı cânân sana imdâd edecek yok
Ölsen de hicrânını bir yâd edecek yok
Daldın yine bak gam bahrına âvâre gönül
Ölsen de hicrânını bir yâd edecek yok

**

Usûlü: Aksak (Curcuna Değişmeli)

Nuri Halil Poyraz

Gitdin gideli bir haberin almadım hâlâ
Mecnûn gibiyim aşkın ile gelmedin hâlâ
Günler geçiyor bunca zaman gelmedin hâlâ
(Curcuna): Öksüz bırakıp gitme beni gel güzelim gel
        Sevdâma yakın ol ki güzel can vereyim ben
(Aksak): Sevdâma yakın ol ki can vereyim ben

**

UŞŞÂK MAKAMI

Usûlü: Aksak   Faiz Kapancı

Hayâli çıkmıyor bir dem gönülden (gönülden aman)
Unutmak isterim gelmez elimden (elimden aman)
Neler çekdim neler çekdim dilinden (dilinden aman)
Turâb olsam da vaz geçmem gülümden (gülümden aman)

NOT: Her mısra' iki kere okunur. S.A.

✳✳

Usûlü: Aksak   *Beste:* Münir Mazhar Kamsoy
                                        Güfte: İbrahim Akçam

O kadar muztaribim ki bunu ben anlatamam
Ne yazıkdır ki bu sevdâyı içimden atamam
Duramam, eğlenemem, hiç rahat olmam, yatamam
Ne yazıkdır ki bu sevdâyı içimden atamam

✳✳

Usûlü: Aksak   Fehmi Tokay

Sevenleri sev, sen de sitemkâr olma gönül
Ümitsiz emellerle sakın aldanma gönül
Bir vefâsız yâr için kendini yakma gönül
Ümitsiz emellerle sakın aldanma gönül

✳✳

Usûlü: Aksak   Tanbûrî Mustafa Çavuş

Yavrucağım güzellendi
Cihanda yokdur menendi
Şeftalisi çiçek açdı
Yanaklar ebrûlendi
Nakarat: Melin melin gezme böyle debretme derdim
          Aman aman aman aman aman zülf-i kemendim
Bu âşıkın ne çok söyler
Tükenmez mi bu cefâlar
Zamane dilberi canım
Altun ister, söz mü dinler
(Nakarat)

✳✳

UŞŞÂK MAKAMI

Usûlü: Aksak   Refik Fersan

Bekliyorum günlerdir gelmiyorsun sen a güzel
Hayâlinle, sevginle yalnız kaldım ben a güzel
Buluta mı büründün, görünmüyorsun a güzel
Hayâlinle, sevginle yalnız kaldım ben a güzel

**

Usûlü: Aksak   Fehmi Tokay

Bülbül gülün aşkıyla perişandı seherde
Gül bülbüle, bülbül güle hayrandı seherde
Gül rengini güller bile kıskandı seherde
Bülbül güle, gül bülbüle hayrandı seherde
                        Mef'ûlü/Mefâîlü/Mefâîlü/Feûlün

**

Usûlü: Aksak   Fehmi Tokay

Benden kaçarak kolkola bir yaz günü erken
Tenhâda gören var seni ellerle gezerken
Ben dağ gibi hicrânımı kalbimde ezerken
Tenhâda gören var seni ellerle gezerken
                        Mef'ûlü/Mefâîlü/Mefâîlü/Feûlün

**

Usûlü: Aksak   *Beste:* Şerif İçli
                                                Güfte: Selim Aru

Bıkmış gibi gönlüm itiyor aşkı içinden
Bir gizli sevâp müjdesi duydum gidişinden
Bahset bana artık o şeyin dün bitişinden
Bir gizli sevâp müjdesi duydum gidişinden
                        Mef'ûlü/Mefâîlü/Mefâîlü/Feûlün

**

UŞŞÂK MAKAMI

Usûlü: Aksak   Teoman Alpay

Gitdin gideli rûhuma hep gözyaşı doldu
Sevdâmıza bakdım yine bir bilmece oldu
Bilmem ki hayatım ne için kahrile soldu
Sevdâmıza bakdım yine bir bilmece oldu

Mef'ûlü/Mefâîlü/Mefâîlü/Feûlün

**

Usûlü: Aksak   Alâeddin Yavaşça

Dil-i şâdânı görürsün ney içinde
Dil-i virânı görürsün mey içinde
Biri şâdân, biri virân dili sazın
Savt-ı â'lâfı görürsün ney içinde

Savt: Ses, sadâ. - **Alâf:** Otlar, samanlar. Ancak burdaki anlamı,
mecazî olarak (Kamışların sesini) şeklinde olmalıdır.

Feilâtün/Feilâtün/Feilâtün

**

Usûlü: Raks Aksağı   *Beste* ve *Güfte:*
                                               Fethi Karamahmudoğlu

Saçlarının arasında
Özlemle kokladığım yer
İki kaşın arasında
Öperek okşadığım yer
Nakarat: Yalvarışım gözlerinde
         Sıcaklığım heryerinde
         Tam kalbinin üzerinde
         Başımı yasladığım yer
Hasretim bülbül sesinde
Bir kuytunun gölgesinde
İnce belin çevresinde
Kolumu bağladığım yer

**

UŞŞÂK MAKAMI

Usûlü: Aksak

Beste: Şükrü Tunar
Güfte: Hüseyin Rifat Işıl

Öyle çekdim ki cefâ dilde safâ niyetine
Zehire bâde dedim derde devâ niyetine
Bana bir âtıfet oldu feleğin cilveleri
Her vefâsızlığı çekdim de vefâ niyetine

Fâilâtün/Feilâtün/Feilâtün/Feilün

**

Usûlü: Ağır Sofyan

Beste: Zekâî Dede
Güfte: Nakşî

Ben, ben değilim "ben" dediğim sensin hep
Rûhum dediğim, sen dediğim sensin hep
Mânend-i kudüm sîne-kûpân oldum
Ten na te ne na ten dediğim sensin hep

KÛPÂN: Döven.
NOT: Bu eser, Türk Musikisi Ansiklopedisi C. II. İkinci kısmında Sh.
407'de Yılmaz Öztuna tarafından (Ağır Düyek II. Beste) olarak
kaydedilmişdir. Eserin (Beste) formu ile hiç bir ilgisi yokdur; bizim kaydetdiğimiz gibi şarkıdır. S.A.

**

Usûlü: Düyek

Rif'at Bey

Efendim gönlüm sendedir
Uşşâkın ile efkendedir
Nâvek-i hicrin tendedir
Suç sende değil bendedir

N'etdim sana ey bî-aman
Kalmadı tedbire dermân
Hâsılı ey yosma civân
Suç sende değil bendedir

**

UŞŞÂK MAKAMI

Usûlü: Müsemmen   Hacı Ârif Bey

Baht uyansa hâba varsa dîde-i bîdârımız
Düş'de bâri gayrıdan tenhâ düşürsen bârımız (Tekrar)
Biz hazân ü harfından beri bülbülleriz
Sîne-i pür-dağımızdır bağmız, gülzârımız

**

Usûlü: Aksak   Hacı Ârif Bey

Nazar kıl hâlime ey mâh-ı melek
Cihan mülküne gelmemiş sana denk
Hâl-i aşkdır veren mâşuka renk
Cihan mülküne gelmemiş sana denk

Ey mâh-ı nâz etme istiğna bana
Renc ü zârı hiç revâ görmem sana
Cevre, lûtfet kılma uşşâkı sezâ
Renc ü zârı hiç revâ görmem sana

**

Usûlü: Düyek   Kemanî Rıza Efendi

Ateş-i aşkın dile etdi eser
Nâr-ı firkat sînemde etdi yer
Mihnetim günden güne oldu beter
Ağlamakdan kalmadı dîdemde fer

**

Usûlü: Düyek   *Beste:* Osep Ağa
                                       Güfte: Fâik

Hilâfım yokdur ey dilber   Bulunmaz hiç sana benzer
Nazirin var ise göster   Bulunmaz hiç sana benzer
Âhû gibidir gözlerin   Tûtî gibidir sözlerin
Şîve ile revişlerin   Bulunmaz hiç sana benzer

Çeşmin senin mestânedir   Dil rûyine pervânedir
Bakışların ayandır   Bulunmaz hiç sana benzer
Bak şudil-i şikesteye   Meyl etdi sen nevresteye
Sor Fâik-i efkendeye   Bulunmaz hiç sana benzer

**

UŞŞÂK MAKAMI

Usûlü: Düyek

Beste: Lem'i Atlı
Güfte: Nedîm

Bu imtidâd-ı cevre ki bahtın şitâbı var
Mihnet-medâr olan feleğe intisâbı var
Eyler nesîm-i lûtfu bize girdâb-ı gam
Bu rûz-gâr-ı bî-mededin inkılâbı var

✳✳

Usûlü: Sofyan

Melekset Efendi
(Mustafa Nuri)

Ey melâhat bağının verd-i teri
Bülbül-i nâlendenim çokdan beri
Sen gibi bir gül-nihâle ey peri
Vermemek mümkün müdür can ü seri

Sînemi hâr-ı gamın ey dil-şiken
Göz göz oldu şerha açdı yareden
Sende bu hüsn ü letâfet var iken
Vermemek mümkün müdür can ü seri

✳✳

Usûlü: Müsemmen

Melekset Efendi
(Mustafa Nuri)

Ben gibi var mı seven ey sevgili mâhım seni
Tabibim incitme canım, incitir âhım seni
Kalmadı sabrım mürüvvet kıl ciğer oldu kebâb
Çünkü takdim eyledik ağyâre meclisde şarâb
Hâli ol dem âşık-ı bîçârenin oldu harâb
Tabibim incitme canım, incitir âhım seni

✳✳

Usûlü: Müsemmen

Lem'i Atlı

Neler çekdim neler cânârı elinden
Tebâh oldum yeter hicrân elinden
Nihâyetsiz melâl-i hicre düşdüm
Figan eyler gönül her an elinden

✳✳

UŞŞÂK MAKAMI

Usûlü: Nim Sofyan   Tanbûrî Refik Fersan

I-) Kız bürün de şalına
    Gel salına salına
    Salıncaklar kuralım
    Ağaçların dalına

II-) Kız duvağın aç da gel
     Kız anandan kaç da gel
     Gündüzler kararınca
     Görünmeden kaç da gel

**

Usûlü: Düyek   *Beste:* Ûdî Fahri Kopuz
                                  Güfte: Kemâl Emin Bara

Kalmadı kudret efendim bende artık gayrete
Kimseyi Allah, giriftâr etmesin sen âfete
Râzıyım bin cevre yüz bin türlü derd ü mihnete
Kimseyi Allah, giriftâr etmesin sen âfete
**

Usûlü: Düyek   *Beste:* Ûdî Marko Çolakoğlu
                                  Güfte: Besim Bey

Avâre gönül lûtfunu bir gün görecek mi
Bir an gelecek âşık-ı giryân gülecek mi
Bilsem ki sevenler, sevilenler hep ölecek mi (Tekrar)
Bir an gelecek âşık-ı giryân gülecek mi
**

Usûlü: Düyek   Bimen Şen

Ey kuş neden mahzun durursun öyle
Garip garip niçin ötersin böyle
Eşinden mi ayrı düşdün gel söyle
Garip garip niçin ötersin böyle
**

UŞŞÂK MAKAMI

Usûlü: Nim Sofyan · ✓ *Beste:* Münir Nureddin Selçuk
Güfte: Vecdi Bingöl

(Ah) Söyle sevgili, sevgili söyle
  Söyle bana göz bebeğim
  Dalım, yaprağım, çiçeğim
  Senin aşkındır dileğim
  Seviyorum, seveceğim
Nakarat: Ne füsûn etdin rûhuma böyle
  Söyle sevgili, sevgili söyle
  Söyle sevgili, sevgili söyle
  Sevgili söyle
(Serbest): (Ah) Söyle bülbül gül dilinden
  Tut getir yârı elinden
  Dal ayrılır mı gülünden
  Ayrılırsam öleceğim
  (Nakarat)

∗∗

Usûlü: Müsemmen · Fehmi Tokay

Gelmedin bir kerreden mâdâ neden
Başka hiç bir şeyle gönlüm dolmuyor
Râzıyım rûyâda görsem gelmesen
Aşk yanan gözlerde gün hiç solmuyor
Uykusuz gözlerde rûyâ olmuyor

∗∗

Usûlü: Düyek · *Beste ve Güfte:* Yesârî Âsım Arsoy

Bir hâtıray-ı aşksın unutmam seni
Mehtâblı gecelerde hatırla beni
Hayâlimden silemem yakan bûseni
Mehtâblı gecelerde hatırla beni

∗∗

UŞŞÂK MAKAMI

Usûlü: Sofyan   Fâiz Kapancı

Bu sabah bağda erken
Gül açdı sen gülerken
Esmerim sevişelim
Kuş yuvaya dönerken
Nakarat: Güzelim, civânım, oynaşım, a canım (Tekrar)
        Bize uğra geçerken, bize uğra geçerken (Tekrar)
Gül dibi yeşil çemen
Saçları tümen tümen
Elverir coşdu gönül
Sevdâya olmaz dümen
     (Nakarat)
NOT: Her iki kuplede de 1. ile ikinci, 3. ile 4. mısralar ikişer kere oku-
   nur. S.A.

❊❊

Usûlü: Düyek   *Beste* ve *Güfte:* Yesârî Âsım Arsoy

I-) Menekşe gözler hüyâlı
    Bakışları çok mânâlı
    Gönül yakıcı o gözler
    Meğer ezelden sevdâlı
  Nakarat: Gel etme eyleme
        Aksi söz söyleme
        Beni reddeyleme
        Canım gülüm hey
II-) Gözümde tüter durursun
    Kalbime hançer vurursun
    Sevdâyı az çok bilirsin
    Aşkıma çâre bulursun
     (Nakarat)
III-) Yatıp dizinde ağlasam
    Gece ve gündüz çağlasam
    Billâhi sen de acırsın
    Aşkıma mâtem bağlasam
     (Nakarat)

❊❊

UŞŞÂK MAKAMI

Usûlü: Nim Sofyan

Beste: Sadeddin Kaynak
Güfte: Vecdi Bingöl

Niçin bakdın bana öyle
Derdin nedir durma söyle
Durgunsun sular gibi
İçli duygular gibi
Gözlerinde sevdâ var
Derin uykular gibi
Niçin bakdın bana öyle
Dargın mısın yoksa söyle
Gül dalında gonca güller
Bülbül sevdâsında çiler
Söyle dermânın olayım
Dertli olan devâ diler
Niçin bakdın bana öyle
Derdin nedir durma söyle
Mahzûnsun, hayransın
O güzel gözlerle, sürmeli ceylânsın
Ey hilâl kaşlım ağlıyor musun
Kirpiğin yaşlı
Ben senin nen olayım
Kulun kölen olayım
Niçin bakdın bana öyle
Derdin nedir durma söyle

⁂

Usûlü: Düyek

Beste: Sadeddin Kaynak
Güfte: Vecdi Bingöl

Ne yapdım kendimi nasıl aldatdım
Elimle rûhumu ateşe atdım
Kırdım o ince kalbi, gönlümü ele satdım (âh)
Çileli bülbül gibi dilimle derde çatdım
Bin ıztırâb yaratdım
    Değişdim dikeni nazlı gülümle
    Tapdığım mihrâbı yıkdım elimle
    Vefâsızlığımı dedim dilimle
(Âh) Yârı fedâ edip her emelimle
    Aşka ihanetin zehrini katdım

⁂

UŞŞÂK MAKAMI

Usûlü: Sofyan (Aksak Değişmeli)   Sadeddin Kaynak

Gül derler bana gül derler
Ben yâr için ağlarım, niçin bana gül derler
Meler gelir, meler gelir
Kuzular meler gelir
Yiğit aşka düşünce, başına neler gelir
Yârı ellerle gördüm aklıma neler gelir
Hicrân oku sevdiğim sînemi deler gelir
(Aksak): Dağıtır anam dağıtır
         Yel eser duman dağıtır
         Çıkdım dağın başına
         Sordum bu ne dağıdır
         Çirkinler otağ kurar
         Güzel gelir dağıtır
(Âh):   Ellerle güler oynar
         Bana çene dağıtır (vay)
         Bir kez yüzüme gülmez
         Etdiği göz dağıdır
         Onsuz şeker de olsa
         Yesem, bana ağudur.

❋❋

Usûlü: Nim Sofyan   *Beste:* Sadeddin Kaynak
                      Güfte: Ali Rıza Sağman

Gördüm seni bir gün yeni açmış güle döndüm
Coşdum, şakayıp aşk okuyan bülbüle döndüm
Bak ayrılığın şimdi karanlık kucağında
Bir bağrı yanık, boynu bükük sünbüle döndüm
❋❋
Usûlü: Müsemmen   *Beste:* Kemanî Emin Ongan
                      Güfte: Ahmed Râsim Bey

Gönlümün bir hâli var ki gam değil kasvet değil
Neş'e dersen hiç değil, mahzûn-i firkat değil
Anlatır belki bu sözler derdimi erbâbına
Mey o mey, cânân o cânân sohbet ol sohbet değil.
❋❋

UŞŞÂK MAKAMI

Usûlü: Düyek

Beste: Dr. Alâeddin Yavaşça
Güfte: Fuat Edip Baksı

Unutduk dostu yoldaşı
Vefâmız artık dildedir
Yine çılgın gönül kuşu
Her gün bir başka daldadır

Dertlere ses veren teller
Burcu burcu tüten güller
Sevgiye bağlı güzeller
Bizden uzak bir ildedir

**

Usûlü: Düyek

Beste: Dr. Alâeddin Yavaşça
Güfte: Hüseyin Mayadağ

Erenler demiş meseldir, aşk o bir hükm-i ezeldir
Derdi zevkinden güzeldir, kalpde âteş gözde seldir
Her iki faslı emeldir, bilmeyen bîçâre dilhûn
Nerde Leylâ, nerde Mecnûn..
Âşıka fetvâ verilmez, aşk o bir sırdır erilmez
Rengi vuslatdır görülmez, bağı mevhûmdur girilmez
Bilmeyen bîçâre dilhûn, nerde Leylâ, nerde Mecnûn

**

Usûlü: Sofyan

Ahmed Çağan

Gel Kalender'de safâyâb olalım, dem çekelim
Gül açıldıkça, su akdıkça peyâpey çekelim
Hây-huyunda koyup âlemi hey hey çekelim
Gül açıldıkça, su akdıkça peyâpey çekilim

**

UŞŞÂK MAKAMI

Usûlü: Düyek

Beste: Ahmed Çağan
Güfte: Orhan Seyfi Orhon

Her akşam muhakkak tesadüfümüz
Yolumun üstünde yine sen varsın
Nedir bu neş'eyle gülümseyen yüz
Vefâsız galiba çok bahtiyârsın
Sen beni aldat da bu aşk oynunda
Git başka birinin uyu koynunda
Hiç şüphen olmasın güzel boynunda
Aşkın vebâli var bir günâhkârsın
Uzakdan bakarsın gülümserim ben
Bakışır geçeriz bir şey demeden
Bilmem ki bu garip gülümsemeden
Ben ne kast ederim sen ne anlarsın

✳✳

Usûlü: Nim Sofyan

Güfte: Derdli

(Hey) Sâkîyâ câmında nedir bu esrâr (Hey)
   Kıldı bir katresi mestâne beni (Dost)
   Şarâb-ı lâlinde ne keyfiyet var
   Söyletir efsâne efsâne beni

(Hey) Sen güzelsin bin âşıka bedelsin (Hey)
   Yusûf u Kenan'dan dahi güzelsin (Dost)
   Bana nisbet ak gerdanın açarsın
   Ağzın sulansın mı dersin ne dersin

(Hey) Bakmazlar Dertli'ye mecnûndur deyû (Hey)
   Hakîkat bahrına dalgındır deyû (Dost)
   Bir saç-ı Leylâ'ya meftûndur deyû
   Yazdılar deftere dîvâne beni

NOT: Üçüncü kupledeki üçüncü mısra'daki (saç-ı Leylâ'ya) tamlaması
   yanlış olup, bunun aslının (saç-ı leylîye) olması gerekmektedir.
   Bugüne dek yanlış okuna gelmişdir. S.A.

✳✳

UŞŞÂK MAKAMI

Usûlü: Düyek

Beste: Bilge Özgen
Güfte: Prof.Dr. İsmail Kuşçu

Sana gönül borcum var
Ödemek kolay değil
Zaman geçip gidiyor
Dur demek kolay değil

Nakarat: Şu yalancı dünyaya
Yeniden gelebilsem
Seni bir ömür değil
Bin ömür sevebilsem

Hiçbirşey istemezdim
Seni sevmekden başka
Bir ömür yeter mi hiç
Böyle güzel bir aşka
(Nakarat)

❋❋

Usûlü: Düyek

Beste: Yük.Müh.Erdoğan Berker
Güfte: Erol Kavşit

Şarkılar yazdım sana
Sazlar seni kıskandı
İçimdeki sevgiler
Hazlar seni kıskandı

Viran olan gönlümde
Bir çiğdem açdı diye
Yalnız baharlar değil
Yazlar seni kıskandı

İçimdeki sevgiler
Hazlar seni kıskandı

❋❋

UŞŞÂK MAKAMI

Usûlü: Düyek

Beste: Zeynettin Maraş
Güfte: İlkan San

"Selâmı sabahı kesiver gitsin"

I-) Benimle olmakdan bıktıysan eğer
Bu dostluk, bu sevgi burada bitsin
Kâlbinde yok ise aşkımın yeri
Selâmı, sabahı kesiver gitsin

II-) Bir tatlı söz ile gönlümü alma
Elini elimden çekiver gitsin
Özümde, sözümde, gözümde kalma
Kalma ki bu sevdâ tükenip bitsin

III-) Günlerce yalvarsam, peşinden koşsam
Gel deme, kal deme, sev deme gitsin
Ya içden gönül ver ya da tam bitir
Bitir ki gözyaşım kederim dinsin

Selâmı, sabahı kesiver gitsin
⁂

Usûlü: Düyek

Beste: Selçuk Tekay
Güfte: Cemâl Sâfi

"Vurgun"

I-) Gözlerim uykuyla barışdı sanma
Sen gitdin gideli dargın sayılır
Ben de bir zamanlar sevildim amma
Seninki düpedüz vurgun sayılır
Nakarat: Nekadar zûlmetsen âh etmem sana
Her iki cihânda gül kana kana
Seninle cehennem ödüldür bana
Sensiz, cennet bile sürgün sayılır.
II-) Yalan mı söyledin göz göre göre
Nezaman dolacak verdiğin süre
Gönülden gördüğüm takvime göre
Aldığım her nefes bir yıl sayılır.
Nakarat
⁂

UŞŞÂK MAKAMI

Usûlü: Sofyan

Beste: Bilge Özgen
Güfte: Ayten Baykal

I-) Arıyı çiçekde, dalda sevelim
Çiçeği petekde, balda sevelim
Sevdiğim gönülde kal da sevelim
Arı dalda, çiçek balda, sen bize
Görecek gönül ver de sevelim

II-) Bakarsan dünyaya gönül gözüyle
Görürsün her şeyi gerçek yüzüyle
Kovanda bal olur çiçek özüyle
Arı dalda, çiçek balda sen bize
Görecek gönül ver de sevelim

III-) Görmezse o gözler gönül n'eylesin
Kadrini bilmezsen ömür n'eylesin
Sevgiyi gerçekden bilen söylesin
Görse gözler, güler yüzler sen bize
Görecek gönül ver de sevelim

✳✳

Usûlü: Düyek

Beste: Bilge Özgen
Güfte: Ayten Baykal

"Sevgi dolu şu gönlüm"

Sevgi dolu şu gönlüm
Bir kuş gibi kanatlı
Dünyam seninle güzel
Hayat seninle tatlı
   Nakarat: Sen benim herşeyimsin
         Canımsın candan yakın
         Unutur sanma sakın
         Unutmam, unutamam
Sevginle yanar gönlüm
Bağrımdaki ateşsin
Dünyamı aydınlatan
Hayat veren güneşsin
   Nakarat

✳✳

UŞŞÂK MAKAMI

Usûlü: Nim Sofyan

Beste: Alâeddin Şensoy
Güfte: Sâlih Korkmaz

I-) Âşık mıyım bilmem neyim
Ağlarken nasıl güleyim
Feryâd eden divâneyim
Sen gideli sen gideli

Nakarat: Felek beni taşa çaldı
Aşkın tutunduğum daldı
Gönül bağım bombaş kaldı
Sen gideli sen gideli

II-) Dinmez gönlümde yaralar
Gözlerim yoluna ağlar
Boyun bükdü hâtıralar
Sen gideli sen gideli

⁂

Usûlü: Nim Sofyan

Beste: İlgün Soysev
Güfte: Seyhan Girginer

"Öyle özledim ki"

Öyle özledim ki sevgilim seni
Hasret zincirini kırasım geldi
Sevgiyle bakan o güzel gözleri
Özledim sevgilim göresim geldi

Seviyorum dedim anlamadın ki
Uğruna canımı veresim geldi
İmzanı atıp da verdiğin resmi
Basıp şu bağrıma öpesim geldi
Öyle bir sevdâ ki yakdı içimi
Yolunda sevgilim ölesim geldi

⁂

UŞŞÂK MAKAMI

Usûlü: Nim Sofyan

Beste: Alâeddin Pakyüz
Güfte: Gülten Çiçek

I-) Giydiğin ne olsa yakışır sana
Kız başında yaşmak öyle güzel ki
Gönlündeki sırrı söyle sen bana
Seninle paylaşmak öyle güzel ki...
Nakarat: Bakışın alev mi kalbimi yakdı
Gülüşünle coşmak öyle güzel ki
Sevdânın ufkunda şimşekler çakdı
Yanıp sana kavuşmak öyle güzel ki...
II-) Bazen hayâlinle, bazen seninle
Kız yolları aşmak öyle güzel ki
Kaderimi çizdim kendi elimle
Seninle paylaşmak öyle güzel ki...
Nakarat

米米

Usûlü: Devr-i Hindî

Rif'at Bey

Sen gibi bir cilveger şîrin sühân nazik beden
Görmemiş mislin felek devr edeliden bir de ben
Nûrdân mı sevdiğim ma'mûl olundun ya neden
Nâzenîn-i işvesin yokdur eşin dünyada sen

NOT: İkinci kuplesi de vardır. Ancak bir sürü söz söylendiği halde şarkı olarak okunacağı kanaatinde olmadığımız için kaydetmedik.

S.A.

米米

Usûlü: Devr-i Hindî

Rif'at Bey

Arzuy-ı visâlindir bağrımı kan eyleyen
Aklımı sevdây-ı zülfündür perişân eyleyen
Firkatindir başıma dünyayı zindan eyleyen
Aklımı sevdây-ı zülfündür perişân eyleyen

Gözlerin şahbâzını süzmeğe hâcet mi var
Zâti olmuşken sana mürg-i dil-zârım şikâr
Gafil avlanmazdım ama neyleyim ey şîvekâr
Aklımı sevdây-ı zülfündür perişân eyleyen

米米

UŞŞÂK MAKAMI

Usûlü: Devr-i Hindî   Bolâhenk Nuri Bey

Nîm nigâh eyle garib-i gam-keşe
Elverir efendim yakdın âteşe
Sabr olur mu firkatinle sûzişe
Elverir efendim yakdın âteşe

Sevdi gönlüm sen gibi nazik teni
Cevr edip candan usandırma beni
Aşkınla pervâne âsâ bendeni
Elverir efendim yakdın âteşe

NOT: 1. kuplenin 3. mısra'ı: (Sabr olunmaz) diye de görüldü.   S.A.

✳✳

Usûlü: Devr-i Hindî   Lâtif Ağa

Seyredip ruhsârın ey yûsuf-cemâl
Meh acep etmez mi noksanın hayâl
Bağ-ı hüsne kametin nevres nihâl
Bir melek rû'sun sana yokdur misâl

NOT: İkinci kuplesi varsa da birinci kuple ile hiç ilgisi olmadığından
kaydetmedik. S.A.

✳✳

Usûlü: Devr-i Hindî   Hacı Fâik Bey

Geldi bezm-i vuslata ol gonca leb
Biz bize can sohbeti etdik bu şeb
Bertaraf kıldık gam-ı ferdâyı hep
Biz bize can sohbeti etdik bu şeb

✳✳

UŞŞÂK MAKAMI

Usûlü: Devr-i Hindî   Hacı Ârif Bey

Dem-i meydir devrân, ya aşk devrânım mıdır
Mey midir mestân eden, ya mest cânânım mıdır
Bî-haberdir bilmez ol ki kalb-i virânım mıdır
Mey midir mestân eden, ya mest cânânım mıdır

✳✳

Usûlü: Devr-i Hindî   Medenî Aziz Efendi

Ey muhabbet âteş-i hicrâna yakma cânımı
İncitirsin korkarım canımdaki cânânımı
Dil kebab-ı hasret etme sîne-i sûzânımı
İncitirsin korkarım sîne-i sûzânımı

✳✳

Usûlü: Devr-i Hindî   Hacı Ârif Bey

Mahzûn gönüle zevk u safâ kâr-ger olmaz
Sînem gibi peykân-ı belâya siper olmaz
Meydan-ı muhabbetde efendim neler olmaz
Sînem gibi peykân-ı belâya siper olmaz
Nakarat: Ağyâr elemin çekme gönül nâfile gamdır
         Hasmın sitemin anlamamak hasma sitemdir

Kimdir bana emsâl bu gam hânede âyâ
Her türlü cefâya güle karşı tek ü tenhâ
Pek çok gönül uğrar feleğin kahrına amma
Sînem gibi tîğ-i gam-ı aşka siper olmaz.

NOT: 2. kupledeki 2. mısra'da (güle) kelimesi: Kıvrılmış, bükülmüş saç,
     zülüf anlamındadır.
     Hânende mecmuasında (Sh. 267) nakaratın ikinci mısra'ı yanlış-
     lıkla: (Hasmım sitemin anlamak hasma sitemdir) diye yazılmış.
                                                              S.A.

✳✳

UŞŞÂK MAKAMI

Usûlü: Devr-i Hindî   Hacı Ârif Bey

Pâre pâre oldu sînem gamze-i cânâneden
Fark olunmaz çâk-çâk olmuş oyulmuş şâneden
Dağ ber dağ olduğum dildâr için âyâ neden
Terk-i aşk etsem de kurtulsam dil-i divâneden
Nakarat: Dağ-ı dil merhem kabûl etmez onulmaz yareden
İftirak-ı yâr ile sîne, ciğer sad pâreden

NOT: İkinci kuplesi de vardır. Birinci kupleden bir hayli farklı ve edebî
yönden zayıfdır. Okunmaz kanısında olduğumuz için kaydetme-
dik.   S.A.

✲✲

Usûlü: Devr-i Hindî   *Beste:* Hacı Ârif Bey
                                        Güfte: Mehmed İzzet Molla
                                                   (Keçeci-zâde)

Gönlümün bâis-i giryânlığı cânân elidir
Aklımı böyle perişân eden zülfü telidir
Gurbet elde beni sevdâ-zede-i vuslat edip
Gezdiren firkat ile serseri aşkın yelidir

✲✲

Usûlü: Devr-i Hindî   Hâmmâmîzâde İsmail Dede Efendi

Döküp kâküllerin ruhsâre karşı
Gül endâmım açıl gül-zâre karşı
Gül oyna zevke bak ağyâre karşı
Gül endâmım açıl gülzâre karşı

Bestekârı: Mehmed Celâleddin Paşa değil Dede Efendi'dir. Uşşak Faslı
Şamlı İskender No: 3 Sahife: 33 Şarkı Güteleri S. İçli Cild: 1 Sh. 253 De-
de Ef. Şarkı Gütfleri: Türk Mus. Dergisi Neşriyatı No: 1 Sh. 264. (Ay-
nen) S.A.

✲✲

UŞŞÂK MAKAMI

Usûlü: Devr-i Hindî   Mahmud Celâleddin Paşa

Gönlümü üzdün nâz ü istiğnâ ile ey şîvekâr
Rahm ü şefkat etmez oldun eylesem de âh ü zâr
Cüst ü cû-yi çâre-i vaslına oldum bî-karar
Hep kabahat bende bu hâli ben etdim ihtiyâr

NOT: İkinci kuplesi de vardır. Kaydetmeyi uygun bulmadık.   S.A.

**

Usûlü: Devr-i Hindî   Klârnet İbrahim Efendi

Yârda mı, ağyâr da mı, ya sende mi cürm ü kusur
Söyle ey dil gizli gizli böyle feryâdın nedir
Meyde mi, sakîde mi, mutrıbda mı suç kimdedir
Söyle ey dil gizli gizli böyle feryâdın nedir

**

Usûlü: Devr-i Hindî   Bimen Şen

Leblerin gördüm usandım goncadan, âh goncadan
Geçdim ilhâmınla bülbülden de sünbülden de ben
Ben değil meftûnun olan her gören, âh her gören
Nev-nihâlim gül de sen, bülbül de sen, sünbül de sen

**

Usûlü: Devr-i Hindî   İsak Varon

Âşık-ı şûridenim ey gonca-i nevres-nihâl
Dâimâ Hak'dan niyâzım bulmasın nâmın zavâl
Eylesin aşkın beni şimden gerû mahv ü harâb
Dâimâ Hak'dan niyâzım bulmasın nâmın zevâl

**

UŞŞÂK MAKAMI

Usûlü: Devr-i Hindî   Ûdî Nâil Ökte

Âlemi hayretde koydu rûhnüvâz gözlerin
Eyliyor uşşâkı dilşâd âh o râ'nâ sözlerin
Görsem başka bir güzel görmez aslâ gözlerim
Gönlümü yakdı serâpâ âh o şehlâ gözlerin

⁂

Usûlü: Devr-i Hindî   Tanbûrî Şakir Bey

Görmemiş tâ devr-i Yûsuf'dan beri
Çeşm-i âlem sen gibi bir dilberi
Ya nice olmaz görenler serseri
Misli yok bir dilrübâsın ey peri

Hep görenler şîvenin hayrânıdır
Âşıkan ol gamzenin kurbanıdır
Bülbül-i dil vaslının nâlânıdır
Misli yok bir dilrübâsın ey peri

⁂

Usûlü: Sengin Semâî   Mahmud Celâleddin Paşa

Mir'âtı ele al da bak Allah'ı seversen
Sînen ne kadar olmuş o benlerle müzeyyen
Bu hayret ile farkına kadir olamam
Palûze mi ten yâ gümüş âyîne mi gerden

⁂

Usûlü: Yürük Semâî   Rif'at Bey

Bak şu benim tâ'li-i âvâreme
Gör neler açdı dil-i sad-pâreme
Pek yazık oldu dil-i bîçâreme
Gör neler açdı dil-i sad-pâreme

Hayli zamandır sana âşık idim
Yoluna can vermeğe sâdık idim
Merhamet-i vaslına lâyık idim
Gör neler açdı dil-i sad-pâreme

⁂

UŞŞÂK MAKAMI

Usûlü: Yürük Semâî   Tanbûrî Ali Efendi

Yok dilde tahammül elem-i firkate artık
Öldür beni sabreyleyemem hasrete artık
Tâkat mi gelir hiç bu gam-ı mihnete artık
Nakarat: Aklımı aldın, gönlümü çaldın
Zâlim beni sevdâlara saldın
Âşıkınam ben senin
Ey serv-i bülendim, rahm et efendim

Rahm eyle benim hâlime ey şûh-ı cihânım
Kim âteş-i hicrânına gel yakma bu cânım
Elhasılı bu mısra'ı sert etdi zebânım
(Nakarat)
**

Usûlü: Yürük Semâî   Medenî Aziz Efendi

Hırâm-ı yâr çemende tarâbda candır
Nigâhı bâis-i şevk u safây-ı vicdândır
Ne rütbe eylese işve o gonca fem yaraşır
Nihâl-i gülşen-i hüsn ü melâhat ü ândır

Ne bilsin âlem-i âbın neşâtını herkes
Olan o hâlete vâkıf gürûh-ı rindândır
Kemâl-i şevk ü şerefle mesireye çık kim
Nihâl-i gülşen-i hüsn ü melâhat ü ândır
**

Usûlü: Yürük Semâî   Mızıkalı Hâfız İsmail Efendi

Gördüm göreli ey melek seni
Çâk-i çâk oldu derûn ey peri
Ağlasam figan etsem de yeri
Çâk-i çâk oldu derûn ey peri

NOT: İstanbul Radyosu Türk Sanat Müsikisi Nota Kütüphânesi (Uşşâk)
eserler bölümü No: 60'da kayıtlı bulunan bu eser güzel bir şarkı
olmakla beraber hiç tedkîk edilip de okunmuş değildir. Belki
bundan sonra, düşüncesiyle buraya yazmayı uyun bulduk. S.A

**

UŞŞÂK MAKAMI

Usûlü: Yürük Semâî   Tanbûrî Ali Efendi

Tıfl-ı nâzım meclis-i rindâne gel
Bâde nûş eyle açıl cevlâne gel
Çeşm-i mahmûrun süzüp mestâne gel
Bendene lûtf eyle bir peymâne gel
Kaçma ûhûlar gibi meydâne gel

   Aman aman gel, canım canım gel
   Gel, gel, sevdiğim sen bana gel
   Hasretinden bak neye döndüm
   Odlara yandım, sararıp soldum
   Bilmezem n'oldum, gel nazlı gülüm gel
   Gel aman.

❋❋

Usûlü: Sengin Semâî   *Beste:* Hacı Ârif Bey
(Yürük Semâî değişmeli)   *Güfte:* Mehmed Sâ'dî Bey

Eş şûh-i cefâ-pîşe bırak vaz'ı cefâyı
Vaz geç bu sitemden takın etvâr-ı vefâyı
Güldür güzelim bizleri, ağlat hüsemâyı
Sâyende senin tâ sürelim zevk su safâyı

(Yürük Semâî): Sen git gide bir âfet-i devrân olacaksın
                Canlar yakacak âteş-i sûzân olacaksın
                Bilmem ne zaman derdime dermân olacaksın
                Çağın geçecek sonra peşimân olacaksın

NOT: Yürük Semâî değişmeli kısmın son mısra'ının (Sonra peşimân
     olacaksın) kelimeleri Sengîn Semâî usûlünde bestelenmiş olup,
     bu şekilde okunarak eser bitirilir.   S.A.

❋❋

UŞŞÂK MAKAMI

Usûlü: Sengîn Semâî

Enderûnî Ali Bey
(Kadıköylü-Hânende-Kel)

Sen melâhat mülkünün sultânısın
Kâinatın bir meh-i tâbânısın
Merhamet cûd u sahâvet-kânısın
Kâinâtın bir meh-i tâbânısın

MELÂHAT: Güzellik
TÂBÂN: Nûrlu, ışık veren.
KÂN: Sahip.
SAHÂVET: Cömertlik
CÛD: Lûtuf ve kerem sahibi

NOT: Şarkının ikinci kuplesi de vardır. Okunmak âdet olmamışdır. Ayrıca şarkı güftesi olarak da bir hayli ağırdır. S.A.

✳✳

Usûlü: Sengîn Semâî

Mahmud Celâleddin Paşa

Göstermedi bir gün bana bu baht-ı siyâhım
Saddetti gam-ı firkat-ı hicrân ile râhım
Afâkı tutuştursa gerek şûle-i âhım
Eyvâh ki bu hicrân ile mahvoldu refâhım
Yok şimdi bu âlemde benim cây-ı penâhım.

SADDETMEK: Kapatmak
RÂH: Yol.
CÂY: Yer
CÂY-I PENÂH: Sığınılacak yer.

✳✳

UŞŞÂK MAKAMI

Usûlü: Yürük Semâî   Nikoğos Ağa

Bir şûh-ı sitemkâr beni saldı yine derde
Koydu şu benim başımı bin türlü kederde (Tekrar)
Çok görmüş idi dîdelerim vakt-ı seherde
Bir misl-i melek zâtı peri cins-i beşerde
Nakarat: Kandedir ol nâzenînim gelmedi nerde
     Sevdim nideyim terk edemem hayr ile şerde

Aşk ehli güzel sevmez idi çün ayıp olsa
Bu derde devâ eyleyemez bir tabîb olsa
Ağlar şu benim hâlime çün düşmanım olsa
Bir gördü gözüm bir dahi görmek nasîb olsa
     (Nakarat)
NOT: İkinci kuplenin üçüncü mısra'ındaki (çün düşmanım..) (can düş-
manım..) şeklinde olsa gerekdir. S.A.

✳✳

Usûlü: Sengîn Semâî   Enderûnî Ali Bey

Afv eyle günâhım n'olur ey şûh pesendim
Kıydım senin aşkın ile ben kendime kendim
Ağyâre vefâ, bendene bu cevri beğendim
Sevmek seni suç idi fakat sevdim efendim
            ✳✳

Usûlü: Sengîn Semâî   Enderûnî Ali Bey

Bî-rahm-ı vefâ sen gibi mehpâre bulunmaz
Pür renc ü anâ ben gibi âvâne bulunmaz
Gamzen gibi hunrîzi hayâl etme ne mümkün
Dağ-ı dil-i sevdâzedeye çâre bulunmaz

Dil hasta-i hicrânına eser eylemez efsûn
Sevdây-ı muhabbetle olur hâli diger-gûn
Bîhude devâ eylemesin gayrı etibbâ
Dağ-ı dil-i sevdâzedeye çâre bulunmaz
                  ✳✳

UŞŞÂK MAKAMI

Usûlü: Sengin Semâî

Beste: Hristaki (Lâvtacı)
Güfte: Pertev Paşa

Günden güne hâl olmada diger-gûn
Daim yanar hicrân oduna sîne-i mahzûn
Hasretle döker şam ü seher dîdelerim hûn
Ağlatma beni sevdiğim Allah için olsun

Aksetmede tâ arşa dilin âh ile zârı
Şâdet beni vaslınla bırak gayrı bu nâzı
Pertev kulunun budur efendime niyâzı
Ağlatma beni sevdiğim Allah için olsun

❋❋

Usûlü: Yürük Semâî

Dürrîzâde Şevket Bey

Sana te'sîr etmez âhım
Kanıma girme gel mâhım
Sana gönül bir bendedir
Hep ruz ü şeb efkendedir

Bilmezem nedir günâhım
Bilmezem nedir günâhım
Hâsılı sâdık bendedir
Bilmezem nedir günâhım

❋❋

Usûlü: Sengîn Semâî

Rif'at Bey

Mahzûn bakışı âşıka bin lûtfa bedeldir
Vallâhi güzel gözleri, billâhi güzeldir
Bir kerre nigâh etmesi aksây-ı emeldir
Vallahî güzel gözleri, billâhi güzeldir

Yok hüsnüne söz tavr-ı dilârâsı pek âlâ
Olmaz mı gören böyle peri munzır-ı şeydâ
Etdi nigâh-ı mesti benim aklımı yağma
Vallâhi güzel gözleri, billâhi güzeldir.

NOT: Hânende mecmuası Sh. 269'da birinci kuplenin üçüncü mısra'ı
eksikdir. Güfte sahibi M. Nâmık Kemâl'dir. 1 ci kuple Şekerci Ce-
mil Bey tarafından Kürdilihicazkâr, Müsemmen bestelemişdir.
İlk mısra': Mahmûr bakışı diye başlar. S.A.

❋❋

UŞŞÂK MAKAMI

Usûlü: Sengîn Semâî

Beste: Lem'i Atlı
Güfte: Hâmid Refik Bey

Bir çift göz olup gönlüme bir hamlede akdın
Sevdâ beni mecnûna çevirdin de bırakdın
Ezdin beni, üzdün beni yakdın beni yakdın
Sevdâ beni mecnûna çevirdin de bırakdın

*

Usûlü: Yürük Semâî

Beste: Lem'i Atlı
Güfte: Mustafa Nâfiz Irmak

Bir handene meftûn olan âşıkları kandır
Dillerde adın nâle gibi sûz-i devâdır
Sâhilde yıkan bir gece mehtâbı utandır
Dilerde adın nâle gibi sûz-i devâdır

NOT: Bu güftenin sahibi Hüseyin Rif'at Bey görülüyor. (20. Yüz Yıl
Türk Musikisi Mustafa Rona). Oysa, aynı güfte ile kemanî Sâdî
Işılay'da bir şarkı bestelemiştir ve bu şarkıda güfte sahibi Musta-
fa Nâfiz Irmak, görülmektedir. Ayrıca bu güfte Mustafa Nâfiz ta-
rafından bana da kendisinin olarak yazdırılmışdır.   S.A.

*

Usûlü: Yürük Semâî

Beste: Münir Nureddin Selçuk
Güfte: Yahya Kemal Beyatlı

Bir merhaleden güneşle deryâ görünür
Bir merhaleden her iki dünya görünür
Son merhale bir fasl-ı hazândır ki sürer
Geçmiş gelecek cümlesi rüyâ görünür

*

UŞŞÂK MAKAMI

Usûlü: Yürük Semâî
Beste: Neyzen Süleyman Erguner
Güfte: Yahya Kemal Beyatlı

Ömrün şu biten neşvesi tam olsun erenler
Son meclis-i câm üstüne câm olsun erenler
Şükranla vedâ etdiğimiz câm-ı fenâya
Son pendimiz ahlâfa devâm olsun erenler

Câizse harâbât-ı ilâhîde de her şeb
Yârân yine rindân-ı kirâm olsun erenler
Tekrar mülâki oluruz bezm-i ezelde
Evvel giden ahbâba selâm olsun erenler

FENA: Fânilik, geçicilik
PEND: Öğüt
HARÂBÂT: Meyhâne
RİNDÂN: Rintler.
KİRÂM: Büyükler.

⁂

Usûlü: Türk Aksağı   Hacı Ârif Bey

Sakî içelim câm-ı musaffâ-yı keremden
Azâd olalım çekdiğimiz hicr ü elemden
Lûtf eyle safâyâb olalım biz de o demden
Vaz geçmeyecek gerçi o mehpâre sitemden
Teşkil edelim meclisini bâde-i nâbın
Hâsıyyet-i zevkin bulalım âlem-i âbın
Meyl eylemeden neş'esine pîr-i mugânın
İç durma mey-i sagârını rıtl-ı girânın
Gel geç, geçelim biz de bu dâvây-ı sitemden
Nûş eyleyelim bâdeyi o yârın elinden
Gül goncamızı kurtaralım hârın elinden
Zevk eyleyelim çekilelim derd ü kederden

⁂

UŞŞÂK MAKAMI

Usûlü: Türk Aksağı

Beste: Hacı Ârif Bey
Güfte: Mehmed Nâmık Kemâl

Sakî yetişir uyan aman gel
Elvermedi mi figan aman gel
Âh ile tükendi can aman gel
Bir bâde getir aman aman gel

Câmında şarâb malı olsun
Amma ki şarâbın alı olsun
Çeşmindeki neş'eden süzülsün
Gül ruhlerinin misâli olsun
Bir bâde getir aman aman gel

✻✻

Usûlü: Türk Aksağı

Şemseddin Ziya Bey

Ol şûh-ı cefâ-perveri gördüm de bayıldım
Oh koklayarak öpdüğüm ellerle ayıldım
Gisûsu samur, sînesi billûra sarıldım
Ah koklayarak öpdüğüm ellerle ayıldım

✻✻

Usûlü: Türk Aksağı

Beste: Lem'i Atlı
Güfte: Nigâr Osman Hanım (Nigârî)

Rûhunda buldum vecd-i visâli
Hicrânlı aşkın hasretli hâli
Âteş mi vardır sînende cânâ
Yandım tutuşdum mecnûn misâli

✻✻

Usûlü: Türk Aksağı

Beste: Ûdî Mısırlı İbrahim Efendi
Güfte: Ahmed Refik Altınay

Yalnız bırakıp gitme bu akşam yine erken
Öksüz sanırım kendimi ben sensiz içerken
En neş'eli demler bu gece sazla geçerken
Öksüz sanırım kendimi ben sensiz içerken

✻✻

UŞŞÂK MAKAMI

Usûlü: Türk Aksağı

Râkım Elkutlu

Beyhûde kaçırma gözünü sevgilim benden
Bak hasretinin aksini gör gözbebeğimden
Gönlümde, hayâlimde yaşarken senin handen
Bak hasretinin aksini gör göz bebeğimden

✳✳

Usûlü: Türk Aksağı

Beste: Ûdî Şerif İçli
Güfte: Betül Erselik

Aşkınla harâb kalbimi bir lâhza sevindir
Gönlümdeki hasret sana bilsen ne derindir
Hülyâlı geçen günlerimin derdini dindir
Gönlümdeki hasret sana bilsen ne derindir

NOT: TRT. Rep. kitabında Beyatî, kayıtlıdır. S.A.

✳✳

Usûlü: Curcuna

Tanbûrî Ali Efendi

Aşk oduna yandı gönül (Hey)
Yâr bulacak sandı gönül (Hey)
Nâfile aldandı gönül (Hey)
Yâr bulacak sandı gönül (Hey)

✳✳

Usûlü: Curcuna

Rif'at Bey

Müjde yeşillendi yine gülistân
Çağlamaya başladı cûy-i revân
Bülbüller eder güllere karşı figan
Nakarat: Gülşene gel vakt-ı safâdır bu an
Gel açıl ey gonca-i gülzâr-ı ân

Lâle çemende yine yakdı çerâğ
Goncalar aldı ele câm-ı ferağ
Olmak için bizlere dağ üstü bağ
(Nakarat)

✳✳

UŞŞÂK MAKAMI

Usûlü: Curcuna

Beste: Rif'at Bey
Güfte: Mehmed Sâ'dî Bey

Tutuldu dâm-ı zülf-i yâre gönlüm
Şikâr oldu yine âvâre gönlüm
Kapıldı dâne-i ruhsâre gönlüm
Neler çekdi yine bîçâre gönlüm

DÂM: Tuzak.
ŞİKÂR: Av.
DÂNE: Yanakdaki ben

**

Usûlü: Curcuna

Hacı Arif Bey

Bahar erdi yeşillendi çemenler
Dağıldı seyre hep sîmin bedenler
Açıldı lâleler, güller, semenler
Nakarat: Buyur gülzâra bülbüller uyansın
Görüp âl-i ruhın güller utansın

Hemen zevk edelim her sûde bu yaz
Dil olsun şâdumân ey menba-ı nâz
Edip etrafa çeşmin nâvek-endâz
(Nakarat)

NOT: Aynı güfte Kanûnî Amâ Nâzım Bey tarafından da Hicaz maka-
mında ve Düyek usûlünde bestelenmişdir. S.A.

**

Usûlü: Curcuna

Kemanî Cevdet Çağla

Seni rûyâlarımda gördüğüm gün çok oldu
İşte böyle bir ömür geçdi renklerim soldu
Her ıztırâbın sonu kalbim aşkınla doldu
İşte böyle bir ömür geçdi renklerim soldu

**

-1462-

UŞŞÂK MAKAMI

Usûlü: Curcuna   Fehmi Tokay

Nicedir katlanırım sabrederim hasretine
Doyamadım rûhumu teshir edecek ülfetine
Ömrümün geçmedi bir ânı elem yoklamadan
Daldı âfetzede gönlüm feleğin mihnetine

✳✳

Usûlü: Semâî   Ahmed Mükerrem Akıncı

Bahâr kâküllerin ördü mü lâlelerle
Menbâ'lardan içdin mi altın piyâlelerle
O menbâ'lar önünde gözleri bağlı mısın
Bahâr sevdâlı mısın sevdâlı mısın

✳✳

Usûlü: Curcuna   Enderûnî Ali Bey

Sen ey serv-i revân ruhsârı gülgûn
N'olur etsen beni bir dem de memnûn
Olup aşkınla ahvâlim diger-gûn
Gam-ı aşkınla Leylâ oldu mecnûn

Enîsim, mûnisim, gül yüzlü yârım
Gülüm, bağım, gülistânım, bahârım
Yetiş imdâdıma ey şîvekârım
Gam-ı aşkınla Leylâ oldu mecnûn

NOT: Üçüncü kuplesi de vardır. S.A.

✳✳

UŞŞÂK MAKAMI

Usûlü: Curcuna   Hacı Ârif Bey

Ey dil ne bitmez bu âh ü vâhın
Feryâd elinden baht-ı siyâhın
İnsâfı yok mu bilmem ol mâhın
Feryâd elinden baht-ı siyâhın

Bahr-ı elemden girdâba daldım
Başımı derd ü hicrâna saldım
Âvâre oldum bîçâre kaldım
Feryâd elinden baht-ı siyâhın

**

Usûlü: Curcuna   Asdik Ağa

Yeter üzdün beni kaşı hilâlim
Tevahhuş etme de gel gel a zâlim
N'olur bir bûse versen ziyb-i hayâlim
Tükendi kalmadı sabra mecâlim

NOT: İstanbul Radyosu Türk Musikisi Nota Kütüphanesinde bulunan
(Uşşâk No: 130) notada güfte şu şekildedir:
Yeter üzdün beni kaşı hilâlim
Tevahhuş etme ey gül-i zâlim
N'olur bir bûse versen hasb-ı hâlim
Tükendi kalmadı sabra mecâlim
**

Usûlü: Curcuna   Enderûnî Ali Bey

Aşkın ile bülbül gibi artmakdadır âhım
Kaydet beni de defter-i uşşâka a mâhım
Afv eyle eğer şûh-ı cihân varsa günâhım
Kaydet beni de defter-i uşşâka a mâhım

Hülyây-ı visâlin ile var dilde bin efkâr
Aşkın ile mihnetlere etdin beni duçâr
Teşdîd ola dersen yeni başdan dil-i nâçâr
Kaydet beni de defter-i uşşâka a mâhım
**

UŞŞÂK MAKAMI

Usûlü: Curcuna

Beste: Şevki Bey
Güfte: Sâbih Şevket

Bîzar ediyor hâlimi bu hâl-i penâhım
Bilsen neler etmekde bana baht-ı siyâhım
Olmazsan eğer sen de benim cây-ı penâhım
Dinler mi acep başkası bu nâle vü âhım

Yansın mı gönül bu elem ü derd ile nâre
İster misin açsın dil-i bîçârede yare
Bulmazsan eğer sen de benim derdime çâre
Dinler mi acep başkası bu nâle vü âhım

⁂

Usûlü: Curcuna

Beste: Şevki Bey
Güfte: Recâizâde Mahmud Ekrem Bey

I- Yâd ile geçmiş zamanı ağlarım
   Gizlidir derdim nihanî ağlarım
   Saklayıp eşk-i revânım ağlarım
   Gizlidir derdim nihanî ağlarım

II- Etmem ızhâr âteş-i sûzânımı
   Kimseye açmam gam-ı pinhânımı
   Var mı bir duymuş benim efgânımı
   Gizlidir, derdim nihanî ağlarım

III- Hun-i dil oldukça pür cûş ü huruş
   Sine pür âh tahassür leb hâmuş
   Eylerim mahfi nevây-ı kalbi gûş
   Gizlidir derdim nihanî ağlarım

Fâilâtün/Fâilâtün/Fâilün

NOT: Bu şarkının ilk kuplesinin üçüncü mısra'ı Şevki Bey mecmuasında (Yâdigâr-ı Şevk) sahife 135'de:
(Silerim eşk-i revânı ağlarım) şeklinde görüldü. S.A.

⁂

UŞŞÂK MAKAMI

Usûlü: Curcuna   Şevki Bey

Hastasın zannım vefâ mahzûnusun
Söyle gönlüm sen kimin meftûnusun
Deşt-i aşkın şüphesiz mecnûnusun
Söyle gönlüm sen kimin meftûnusun

⁕⁕

Usûlü: Curcuna

Beste: Şevki Bey
Güfte: Bahriyeli Vâsıf Bey

Esîr-i zülfünüm ey yüzü mâhım
Gece doğmuş benim baht-ı siyâhım
Güzel gün görmeğe var iştibâhım
Gece doğmuş benim baht-ı siyâhım

Firakınla senin ey şems-i tâbân
Deminde görmedim bir rûz-i rahşân
Bana aşkın cihanı etdi zindân
Gece doğmuş benim baht-ı siyâhım

⁕⁕

Usûlü: Curcuna

Beste: Civan Ağa
Güfte: Mehmed Sâ'dî Bey

Ey dil ne oldun feryâd edersin
Feryâd ü zârı mu'tâd edersin
Beyhûde ömrün berbâd edersin
Zan etme yârı münkad edersin

Yârın cefâsı tâdâde gelmez
Gûş etmez âhım feryâda gelmez
Bilmem nedendir imdâda gelmez
Zan etme yârı münkâd edersin

⁕⁕

-1466-

UŞŞÂK MAKAMI

Usûlü: Curcuna

Beste: Tahsin Karakuş
Güfte: Hüsnü Kayıran

Derdimi anlatırdım ıssız geceler aya
Ne kadar acı çekdim günleri saya saya
Senin-çün yanan kalbim şimdi sönmüş bir kaya
Ne kadar acı çekdim günleri saya saya

**

Usûlü: Curcuna

Beste: Dr. Alâeddin Yavaşça
Güfte: Nedîm

Cümle yârân sana uşşak olduğun bilmez misin
Cümlenin tâkatleri tâk olduğun bilmez misin
Şimdi âlem sana müştâk olduğun bilmez misin
Cümlenin tâkatleri tâk olduğun bilmez misin

**

Usûlü: Curcuna

Kanûnî Hacı Ârif Bey

Âşık olmaz mı gören ey mâh seni
Aşk için hâlk eylemiş Allah, seni
Âşıkan âh eder anar her gâh seni
Aşk için hâlk eylemiş Allah, seni

**

Usûlü: Curcuna

Ûdî Selânikli Ahmed Bey

Ey benim âhû-misâlim nerdesin
Nerdesin ey nev-nihâlim nerdesin
Kalmadı gayrı mecâlim nerdesin
Nerdesin ey nev-nehâlim nerdesin

**

Usûlü: Curcuna

Giriftzen Âsım Bey

Cânâ rakîbi handân edersin
Ben bî-nevâyı giryân edersin
Bîgânelerle ünsiyet etme
Bana cihanı zindân edersin

Akıtma çeşmim gel mest-i nâzım
Âfâk-ı eşki ummân edersin
Süzme kerem kıl çeşm-i siyâhın
Zirâ ki havfım berkaam edersin

**

UŞŞÂK MAKAMI

Usûlü: Curcuna *Beste:* Nasibin Mehmet Bey (Yürü)
Güfte: Ahmed Refik Altınay

Âşıkından sen nasıl bıkdın neden etdin telâş
Sızlıyor kalbim, gözümden dinmiyor bir lâhza yaş
Dinmiyor hiç ıztırâbım bağrıma bassam da taş
Sızlıyor kalbim , gözümden dinmiyor bir lâhza yaş

**

Usûlü: Curcuna *Beste:* Subhi Ziya Özbekkan
Güfte: Fazıl Ahmed Aykaç

Neden hiç durmadan sevmiş bu gönlüm, durmadan yanmış
Cihân mâdem ki fâniymiş ve hep giryeyle hicrânmış
Demek sevmek de boş şeymiş, demek vuslat da bir anmış
Ve en katil hakîkat anladım ki sâde nisyânmış
Cihân mâdem ki fâniymiş ve hep giryeyle hicrânmış

**

Usûlü: Curcuna Subhi Ziyâ Özbekkan

Gücendi biraz sözlerime münfail oldu
Gönlün neye incindi deyince gözü doldu
Uçdu yüzünün penbeliği gül gibi soldu
Gönlün neye incindi deyince gözü doldu

Gitdikçe güzel gözlerinin nûru süzüldü
Öksüz gibi bakdı yüzüme boynu büküldü
Hep ağladı durdu o gece pek çok üzüldü
Gönlün neye incindi deyince gözü doldu

**

Usûlü: Curcuna *Beste:* Subhi Ziyâ Özbekkan
Güfte: Reşat Özpirinçci

Aklımı başımdan alan gözlerin
Kalbimi âteşle yakan gözlerin
İçimde bir yara kalan gözlerin
Senin o sürmeli ceylân gözlerin
Gözlerin gözlerin yaman gözlerin
Beni öldürecek inan gözlerin

**

UŞŞÂK MAKAMI

Usûlü: Aksak TÜRKÜ

İndim yârın bahçesine ayvalık narlık
Bir elimde dolu bâde bir elim yağlık
Beni yârdan ayıranlar bulmasın sağlık
Kaldır şişeyi doldur bâdeyi
Gül göğsünün üstüne tak menekşeyi

❋❋

Usûlü: Aksak TÜRKÜ

Sarı gülüm var benim
Garip gönlüm var benim
Ölüm var ayrılık yok
Sarı elâ gözlüm
Böylece kavlim var benim

Göz göze bakışırken
Elim değdi eline
Bin âşık fedâ olsun
Sarı elâ gözlüm
Saçının bir teline

❋❋

UŞŞÂK MAKAMI

Usûlü: Düyek   ### TÜRKÜ

Yürü dilber yürü ömrümün varı
    Eridi kalmadı dağların karı (aman)
    Aman aman sürmelim aman
(Of, of) Günde on beş kerre gördüğüm yârı
    Aylar yıllar geçdi de göremez oldum (aman)
    Aman aman sürmelim aman.
(Nakarat) Hey hey... Kaşlar kara, gözler elâ
      Üveyk de gözlere ben yandım
    Aman aman sürmelim aman

Şu dağın başında bir top kar idim
Yağmur yağdı güneş vurdu eridim (aman)
    Aman aman sürmelim aman.
(Of, of) Evvel yârın sevgilisi ben idim
    Şimdi uzaklardan bakan ben oldum (aman)
    Aman aman sürmelim aman.
    (Nakarat)

⁕⁕

Usûlü: Curcuna   ### TÜRKÜ

Cevâhir taşı mısın
Güzeller şâhı mısın
Kapında kölen olam
Sen bana acır mısın
    Haydi gel geçdi gecem
    Sormadın hâlim nice (vay)

NOT: Her mısra' iki kere okunur.

⁕⁕

UŞŞÂK MAKAMI

Usûlü: Aksak Aksağı   (Nim Sofyan Değişmeli)
TÜRKÜ
AYVAZ

Bugün bir keyfiyetim var (Bugün bir keyfim var benim)
Ayvaz mey doldur mey doldur
Arada bir aşıran var (Arada bir işretim var) -şeklinde okunur-
Ayvaz mey doldur mey doldur
Canım sen doldur sen doldur

Firaka bitdim bahs ile
Sevdim seni heves ile
Altın yaldızlı tas ile
Ayvaz mey doldur mey doldur
Canım sen doldur sen doldur

(Nim Sofyan) Sağa sola kolunu da sallama
              Nâfile benim için ağlama
              Annem babam beni sana vermiyor
              Nâfile karaları bağlama

              Altın tabakda vişne
              Gel sen bu aşka düşme
              Bunun sonu yokdur
              Nâfile dile düşme

              Göğsünde altın saat
              Ağlama saat saat
              Sana son sözüm budur
              Sen otur rahat rahat

NOT: Bu türkünün güftesi Radife Erten hanımdan alınmışdır.   S.A.

✳✳

UŞŞÂK MAKAMI

Usûlü: Düyek   Eski Kesik Kerem   Şair Serkis (Ûdî)
(Curcuna Değişmeli)

Gönül kuşu gibi yüksek uçarsın
Ben seni sevdikçe benden kaçarsın (Hey)
Bana nisbet beyaz göğsün açarsın
Ağzın sulansın mı dersin ne dersin (Hey)
    Aman memo canım memo
    Gülüm memo memo
    Dertli memo vay.

(Curcuna): (Âh) Kaleden indim düze (Tekrar)
             Su bağladım nergise (Tekrar)
             Nasıl gönül vermeyim (Tekrar)
             O elâ gözlü kıza (Tekrar)
Aman gel geçdi gece
Haydi yavrum geçdi gece
Sormadın nice vay.

✳✳

Usûlü: Düyek   T Ü R K Ü   Kemanî Sadi Işılay'dan
                                                alınmışdır.

Suluk başında zeytin ağacı (Tekrar)
Bu ayrılık bize ölümden acı (vay vay)
Sürmelim vay

Terennüm: Hey... Siyah da kaşlar, elâ gözler
              Üveyk de gözlere ben yandım aman
              Aman aman sürmelim vay, elâ gözlüm vay.

Değirmenin önünde ot olur (Tekrar)
Sevdâya düşen yanar fevt olur (vay)
Sürmelim vay
        (Terennüm)

✳✳

UŞŞÂK MAKAMI

Usûlü: Raks Aksağı　　　TÜRKÜ　　　Sadeddin Kaynak

Gemim gidiyor başdan
Yelkenleri kumaşdan
Açılıp denizlere
Dolaşacağım başdan
Nakarat: Deniz eri al demiri vira vira vay
　　　　Dolaşalım limanları sıra sıra vay

Gemim yolcu, yük taşır
Limanları dolaşır
Akdeniz bizim deniz
Olmağa pek yaraşır
　　　（Nakarat）

Gemim gider durmadan
Halatları sırmadan
Ay yıldızlı bayrağım
Dalgalanır armadan
　　　（Nakarat）

❉❉

Usûlü: Devr-i Hindhi (Aksak Değişmeli)　　　Ûdî Şerif İçli

Değirmene un yolladım
Nişanlımı dün yolladım
Ben yâd ele ün yolladım
Aksak: Mehmed gitdi askere (Tekrar)
　　　Alır gelir tezkere

Açık sana yol Mehmedim
Aman çavuş ol Mehmedim
Gel gönlüme dol Mehmedim
　　　（Aksak-Terennüm）

❉❉

UŞŞÂK MAKAMI

Usûlü: Sofyan   Rumeli T Ü R K Ü

Çıkayım gideyim Urumeli'ne (aman aman)
Arz-ı hâl vereyim Mehmed beylerbeyine (aman aman)
Kimleri sarayım senin yerine (aman aman)
(Nakarat): Gizli gizli sevdâlarımız âşikâr oldu (aman aman)
       Bize bu ayrılık Mehmed Mevlâ'dan oldu

Çıkayım gideyim bir uçdan uca (aman aman)
Göstereyim sana Mehmed ayrılık nice (aman aman)
Kurbanlar keseyim sardığım gece (aman aman)
     (Nakarat)

⁂

YEGÂH MAKAMI

Usûlü: Hafif   Beste   Tab'î Mustafa Efendi

Buldum peyâm-ı lûtf ile yârın nişânesin
Ahmam netice gûşuma gayrı bahânesin
Vâ'di-i aşk u gamda kalırsa semend-i dil
Çeksin o şûh- zülf-i siyâh tâziyânesin
Terennüm: Ya lel lel le lel le lel lel lel lel li
        Lûtf ile yârın nişânesin
                    Mef'ûlü/Fâilâtü/Mefâîlü/Fâilün

PEYÂM: Haber, başkasından alınan bilgi.
GÛŞ: Kulak, işitme, dinleme.
SEMEND: Kula at, çevik ve güzel at.
TÂZİYÂNE: Kırbaç, Kamçı.

**

Usûlü: Remel   Beste   Ebû-Bekir Ağa

Zülfün hevesi gönlümü sevdâya düşürdü
            Sahrâlara düşdüm
Bu ukde beni sûziş-i ferdâya düşürdü
            Gavgalara düşdüm
Ta key bu kirişme nice bir böyle bir işve
            Ey gülbin-i işve
Nâzın beni gülzâr-ı temennâya düşürdü
            Hülyâlara düşdüm
Terennüm: Ta na dir ten til lil len dost
        De re dil la dir ten
        Sahrâlara düşdüm
                    Mef'ûlü/Mefâîlü/Mefâîlü/Feûlün
                            Müstezaddır
                    Kısa mısra'lar: *Mef'ûlü/Feûlün*
UKDE: Düğüm.
KİRİŞME: (Farsça) Cilve.

**

YEGÂH MAKAMI

Usûlü: Aksak Semâî   Ağır Semâî   Ebû-Bekir Ağa

Günden güne bir serv-i hırâman olacaksın
Can bülbülüne bir leb-i handân olacaksın
Bu mülk-i melâhatda bulunmaz sana hem-tâ
Var ise meğer sen şeh-i hûbân olacaksın
Terennüm: Cânân ey cânım yel lel li yel lel li
          Ömrüm te re li yel le li yâr olacaksın

Mef'ûlü/Mefâîlü/Mefâîlü/Feûlün

MELÂHAT: Güzellik, yüz güzelliği
MÜLK-İ MELÂHAT: Güzellik ülkesi.
HEM-TÂ: Benzer, Denk, eş.

✳✳

Usûlü: Yürük Semâî   Nakış Yürük Semâî   Ebû-Bekir Ağa

Lâlinden o şûhun ki her esrâr sorulmaz
Ol şâhsuvârım reh-i mâ'nâda yorulmaz

Terennüm: Be li be li yâr-ı men yâr yâr be li be li mîr-i men
         Dost dost dir ta na dir ta na de re dil la dir dir tana
         Te ne dir te nen dir dir ten ten ten ten ten gel a canım
         Gel a ömrüm
         Ol şâhsuvârım reh-i mâ'nâda yorulmaz

Ayb-etme görüp cûşûş-ı tâb-ı dil-zârı
Amma su bulanmayıcak elbetde durulmaz
         (Terennüm)

Mefûlü/Mefâîlü/Mefâîlü/Feûlün

✳✳

YEGÂH MAKAMI

Usûlü: Zencir   Beste   *Beste:* Dellâlzâde İsmail Ef.
                                              Güfte: Nazîm

Gönül ki aşk ile pür sînede hazîne bulur
O magribî gibidir gûyiyâ define bulur
Ne ben Nazîm o meh-i hüsne benzerin bulur
Benim gibi ne o meh bende-i kemîne bulur
Terennüm: Ah ye le lel lel lel le le le lel li
          Te re lel lel le le lel le le lel le le le li vay
          Sînede hazîne bulur.
                         Mef'ûlü/Feilâtün/Mefâilün/Feilün

MAGRİBÎ: Define arayan batı Afrika yerlileri.
KEMÎNE: Aciz, hakir, zavallı.

✴✴

Usûlü: Hafif   Beste   *Beste:* Dellâlzâde İsmail Ef.
                                              Güfte: Nazîm

Bir haber gelmedi ârâm-ı dil ü cânımdan
Cânımın cânı habîbimden o cânânımdan
Nâme lâzım değil o şûh bilir hâme gibi
Keşf eder hâl-i dilim çâk-i giribânımdan
Terennüm: Ya le lel li ya le lel li ya lel lel li
          Yel lel li ye le la
          Râm-ı dil ü cânımdan
                         Feilâtün/Feilâtün/Feilâtün/Feilün

ÂRÂM: Dinlenmek.
HABÎB: Dost.
NÂME: Mektup.
HÂME: Kalem
ÇÂK: Yırtmak
GİRÎBÂN: Yakan
NOT: Bu eserin İstanbul Radyosu Türk Musikisi Nota Kütüphanesinde
     bulunan ve (Yegâh makamında 4 No:da kayıtlı olan) notasında
     güftesinin dördüncü mısra'ı:
     Keşf eder râz-ı dilim... şeklindedir.
     Terennümün sonunda ise (Râm-ı dil ü...) diye okunmakdadır.
     Ancak kelimenin ortasından girilmesi bestenin icabındadır. Yok-
     sa aslı (âram-ı dil ü...) olmalıdır.   S.A.

✴✴

YEGÂH MAKAMI

Usûlü: Aksak Semâî   Ağır Semâî   *Beste:* Dellâlzâde İsmail Ef.

Güfte: Nazîm

Piyâle elde ne dem bezmime habîb gelir
Ayağı ile ayâğıma benim nasîb gelir
Nazîm-i hasta derûne ilâç eden bulunur
Anın da derd-i dilinden bilen tabîb gelir.
Terennüm: Şevklere mâye, ömre sermâye
Tenlere candır, canda mihmândır
Ya meded ah ah habîb gelir.

Mefâilün/Feilâtün/Mefâilün/Feilün

PİYÂLE: Kadeh.
NASÎB: Kısmet
MİHMÂN: Misafir, Konuk.

⁂

Usûlü: Yürük Semâî   Yürük Semâî   *Beste:* Dellâlzâde İsmail Ef.

Güfte: Nazîm

Bülbülüm bir güle kim şevkimi efzûn eyler
Hasret-i lâ'l-i lebi goncayı dilhûn eyler
Dili bir ahd-şiken yâra düşürdüm ki Nazîm
Beni hep va'de-i ferdâ ile memnûn eyler
Terennüm: Be li be li dost kameti ar'ar, vechi münevver
Perçemi sünbül, ruhı gül, lebleri müldür
A cânım gel gel gel gülüm gel sana bu can ü dili verdim
Ey meh-i devrân ah ah ey meh-i devrân

Feilâtün/Feilâtün/Feilâtün/Feilün

EFZÛN: Artan
AHD: Candan söz verme.
ŞİKEN: Kıran
VA'D: Söz verme
VA'DE-İ FERDÂ: Yarın için verilmiş söz.
NOT: Bu eserin güftesinin son iki mısra'ı Hânende Mecmuası Sh.
713'de şöyle kayıtlıdır:
Dili bir gonca-dehen yâra düşürdüm ki Nazîm
Beni hep va'de-i vaslı ile memnûn eyler. S.A.

⁂

YEGÂH MAKAMI

Usûlü: Aksak Semâî   Ağır Semâî   Dellâlzâde İsmail
                                                Efendi

Benim âfet-i cihânım (aman) Tekrar edilir.
Yoluna fedâ bu cânım (aman) Tekrar edilir.
Dili dost, kalbi düşman dili dost
Kalbi düşmanım aman
Ah aman etme bu edâyı aman
Aman ah paşam etme bu cevfâyı

NOT: Bu eserin notası İstanbul Radyosu Türk Musikisi Nota Kütüphâ-
nesi (Yegâh Makamı No: 6) da kayıtlı ve mevcutdur.
Yerinde tedkik edilmiş ve güftesi de bu suretle yazılmışdır. S.A.

**

Usûlü: Ağır Aksak   Bolâhenk Nuri Bey

Bâis oldu çeşm-i mestin âşıkın berbâdına
Vermesin fırsat felek ol gamze-i cellâdına
Saplanır bîçâregânın sîne-i pulâdına
Vermesin fırsat felek ol gamze-i cellâdına
                    Fâilâtün/Fâilâtün/Fâilâtün/Fâilün
NOT: İkinci kuplesi de vardır okunmamakdadır. S.A.

**

Usûlü: Ağır Aksak   Hacı Fâik Bey

Feryâdımın âlemde benim bir eseri yok
Müşkil bu ki hâlimden o yârın haberi yok
(Kül olup yandı) cism-i nizârım şereri yok
Müşkil bu ki hâlimden o yârın haberi yok

Bülbüller eder mevsim-i gül nâle ve efgan
Seyrâna çıkar nâz ile ol serv-i hırâman
Var olsa dahi vuslata bir saat-i imkân
Müşkil bu ki hâlimden o yârın haberi yok
                    Mef'ûlü/Mefâilü/Mefâilü/Feûlün

ŞERER: Kıvılcımlar
NİZÂR: Zayıf, lâgar, arık.
NOT: Kül Oldu yanıp...C. Orhon nota kolleksiyonunda böyle görüldü. S.A.

**

YEGÂH MAKAMI

Usûlü: Ağır Aksak

Numan Ağa

Bugünlerde sana gayet özendim
Nasıl sabr edeyim canım efendim
Bu hususda sana gerçi gücendim
Nasıl sabr edeyim canım efendim

Uyup ağyâr ile dâim gezersin
Gizlice gizlice sohbet edersin
Bilirim ki bana nisbet edersin
Nasıl sabr edeyim canım efendim

**

Usûlü: Ağır Aksak

Beste: Bimen Şen
Söz: Dr. Şerefeddin Özdemir

Ne gülün rengini sevdim ne de bülbül sesini
Çünki sevdim yüzünün rengini billûr sesini
Görürüm vecd ile ben her gece rüyâda seni
Çünki sevdim yüzünün rengini billûr sesini

Feilâtün/Feilâtün/Feilâtün/Feilün

**

Usûlü: Ağır Aksak

Beste: F. Nigâr Galip Ulusoy
Güfte: Muallim Naci

Lûtfuna lâyık görüp cânân beni
Şimdi her saat anın-çün öldürür hicrân beni
Gamzesi rüyâda olsun eylesin kurban beni
Tanrı hakkıyçün uyut bir lâhza ey efgan beni

**

YEGÂH MAKAMI

Usûlü: Aksak

Beste: Şevki Bey
Güfte: Hafîd Bey

Dil nâlesini gûş ile bir dâd edecek yok
Bîçâre dili nâleden âzâd edecek yok
Bîhûde tahammül ne gerek vaz'-ı tabîbe
Dil yaresi derd merhemin îcâd edecek yok

Mahzûn dili şad etmeğe Dünyayı dolaşdım
Çeşmân-ı nigârım gibi dilşâd edecek yok
Bîhûde Hafîd eylediğin âh-ı sihrinle
Ölsen de seni bir gececik yâd edecek yok

Mef'ûlü/Mefâîlü/Mefâîlü/Feûlün

NÂLE: İnilti.
GÛŞ: Dinlemek, işitmek.
DÂD: İnsâf
VAZ-I TABÎB: Doktorun bulunuşu
ÂH-I SİHR: Sihirli âh.
SİHR: Büyü, şiir ve güzel söz söyleme gibi insanı meftûn eden
hüner, sanat.

NOT: Bu eserin usûlü hakında: Şevki Bey Mecmuası Sh. 319'da, usûl
bildirilmemişdir. Hânende Mecmuası Sh. 718'de (Curcuna), Türk
Mus. Ans. (Y. Öztuna) C.II. İkinci Kısım Sh. 288'de (Orta Aksak)
Ayrıca I. mısra'da yanlış olarak (gûş ile ber-bâd) diye yazılmış.
TRT T. San. Mus. S. Es. Rep. Sh. 69'da (Ağır Aksak) kayıtlı. S.A.

❋❋

YEGÂH MAKAMI

Usûlü: Aksak   Dellâlzâde İsmail Efendi

Sen etdin kendine efkende gönlüm
Ne hâcet perçeminle bende gönlüm
Beni sen mâha kul eden de gönlüm
Değildi sende mâhım sende gönlüm

Gezerken kendi hâlimde efendim
Sana bend oldu gönlüm dil-pesendim
Güzellerden seni gayet beğendim
Sana bend oldu gönlüm dil-pesendim

Mefâîlün/Mefâîlün/Feûlün

❋❋

Usûlü: Aksak   Dellâlzâde İsmail Efendi

Ben olurum sana bülbül efendim
Ruhın üzre pür-çemen sünbül efendim
Lâ'l-i lebin bu dil içün gül-mül efendim
Ruhın üzre pür-çemen sünbül efendim

Ey dîde-i şâhânesi mestân efendim
Hüsnün lisan-ı nâsda destân efendim
Can ü dilim giysûna da bestân efendim
Ruhın üzre pür-çemen sünbül efendim

RUH: Yanak
NÂS: İnsanlar, Halk.
LİSÂN-I NÂSDA: İnsanların lisânında. Buradaki anlamı ise:
            (Halkın dilinde)

❋❋

YEGÂH MAKAMI

Usûlü: Aksak   Dellâlzâde İsmail Efendi

A benim gözüm nûru cilveli yârım
Hayli demdir efendim ben seni ararım
Hasretinle yok cânâ sabra kararım
Hayli demdir efendim ben seni ararım

A benim gözüm nûru can içre cânım
Sen benimsin efendim derde dermânım
Hasretinle kalmadı tâb ü tüvânım
Hayli demdir efendim ben seni ararım

NOT: Bu eserin usûlü Hânende Mecmuası Sh. 718'de (Sofyan) yazılmış
     ayrıca birinci kuplesinin üçüncü mısra'ının sonuda:
     (cây-ı kararım.) şeklinde kaydedilmişdir.
     Ancak şunu belirtelim ki bugün yukarı yazdığımız şekilde okun-
     makda ve bu şekilde tanınmakdadır.   S.A.

✳✳

Usûlü: Aksak (Yürük)   Hacı Fâik Bey

İşte erdik nevbahâra
Bak şu feryâd-ı hezâra
Neclise gel âşikâra
Yok mecâlim intizâra

Fâilâtün/Fâilâtün

NOT: Bu eserin notası İst. Rad. Türk Mus. Nota Küt. (Yegâh makamı
     No: 13) de bulunmakdadır. S.A.

✳✳

YEGÂH MAKAMI

Usûlü: Aksak   Şevki Bey

Mûcib-i nefret değildir âşıkın âvâresi
Gezdirirse çok mudur çeşmim karası
İltiyâm bulmaz, onulmaz dilde gamzen yarası
Gezdirirse çok mudur çeşmin karası

                                    Fâilâtün/Fâilâtün/Fâilâtün/Fâilün

İLTİYÂM: Yara kapanması, onulma.

NOT: Şarkının ikinci kuplesi de vardır okunmamakdadır.   S.A.

⁕⁕

Usûlü: Aksak   *Beste:* aŞevki Bey
                                        Güfte: Hafîd Bey

Göz gördü gönül oldu güzel hüsnüne mâil
Gamzen ola mı mânî-i aşk olmağa kabil
Çünki olamaz çeşm ü dil-i âşıka hâil
Gamzen ola mı mânî-i aşk olmağa kabil

Gönlümden eğer âleme etsen de şikâyet
Hükmen edemez kimse anı zabta imâlet
Hâlk olmuş iken hilkat-i âdemle muhabbet
Gamzen ola mı mânî-i aşk olmağa kabil

                          Mef'ûlü/Mefâîlü/Mefâîlü/Feûlün

HÂİL: (Eski Türkçe yazı ile yazılışına göre buradaki anlamı) İki
       şey arasında veya önünde perde olan, Engel, mânî olan.

İMÂLET: (Meyl etmekden) Bir tarafa eğilme.

⁕⁕

YEGÂH MAKAMI

Usûlü: Aksak

Beste: Şevki Bey
Güfte: Reşad Bey

Dü çeşmim hûn ile doldu
Nedir bilmem bana n'oldu
Gönül hâtır harâb oldu
Nakarat: Bana çâre efendimden
   Görürsem iltifatındır

Benim hâlim perişandır
Efendim lûtfuna kandır
Nigâhın derde dermândır
  (Nakarat)

Mefâîlün/Mefâilün

**

Usûlü: Aksak
(Curcuna değişmeli)

Beste: Şevki Bey
Güfte: Bahriyeli Vâsıf Bey

Âhım seni sînem gibi bîzâr eder elbet
Her kârını kârım gibi düşvâr eder elbet
İkbâlini tahvil-i pür- idbâr eder elbet
Çeşmânını gönlüm gibi hûn-bâr eder elbet
Curcuna Değişme: Aldanma sakın ehl-i dilin âhına gafil
     Dağlar olamaz ehl-i dilin aşkına hâil
Aksak: Aşkına hâil
    Mef'ûlü/Mefâîlü/Mefâîlü/Feûlün

KÂR: İş.
DÜŞVÂR: Güç, zor.
İKBÂL: Talihin en yüksek derecesi.
İDBÂR: Talihsizlik, bahtsızlık.
HÛN-BÂR: Kanlı dolu

NOT: Yâdigâr-ı Şevk Sh. 322 de güftenin dördüncü mısraı:

(Gönlüm gibi çeşmânını hûn-bâr eder elbet) şeklindedir. S.A.

**

YEGÂH MAKAMI

Usûlü: Aksak   Şeyh Hacı Edhem Efendi

Cânım senin olsun beni canın gabi sakla
Atma beni esrâr-ı nihânın gibi sakla
Bîçârelerin hâlini ey şûh unutma
Geçmişdeki ol hoşça zamanın gibi sakla

Sabreyle gönül derd ü gam ü cevr ü cefâya
Şekvây-ı kader eyleme hiç düşme recâya
Bildirme sakın aşkını ol şûh-ı edâya
Râz-ı dilimi eşk-i revânın gibi sakla

ESRÂR-I NİHÂN: Gizli sırlar.
ŞEKVÂY-I KADER: Kaderden şikâyet etmek.
RÂZ-I DİL: Gönül sırrı

⁕⁕

Usûlü: Aksak   Ûdî Selânikli Ahmed Bey

Gözünün safvetine nûruna meftûn oldum
Seni sevdim sana meshûr, sana mecnûn olum
Yine sevdim, yine mesrûr, yine memnûn oldum
Seni sevdim sana meshûr, sana mecnûn oldum

MESHÛR: Sihirlenmiş, büyülenmiş

⁕⁕

Usûlü: Aksak   *Beste:* Subhi Ziya Özbekkan
                                            Güfte: Orhon Veli Kanık

Dem bezm-i visâlinle hebâ olmak içindir
Cânım senin uğrunda fedâ olmak içindir
Nabzım helecânımda sadâ olmak içindir
Cânım senin uğrunda fedâ olmak içindir

Mefûlü/Mefâîlü/Mefâîlü/Feûlün

⁕⁕

YEGÂH MAKAMI

Usûlü: Devr-i Hindî

Rif'at Bey

Şâd ol gönül ki artık erdin dem-i visâle
Gam mihverin şaşırdı gitdi figan ü nâle
Fasl-ı bahar irişdi geldi zaman-ı lâle
Mutrıb terennüm eyle sâkî getir pîyâle

Bezm-i safâya geldik dilberle mey bulunsun
Tezyîd-i şevke bâdî kanunla ney bulunsun
Kurban olam senin-çün nâlende hey bulunsun
Mutrıb terennüm eyle sâkî getir piyâle

Müstef'ilün/Feûlün/Mestef'ilün/Feûlün

TEZYÎD: Ziyadeleştirme, arttırma.
BÂDÎ: Sebep olan.

✳✳

Usûlü: Devr-i Hindî

Lâtif Ağa

Va'din unutma ey peri
Dil muntazır çokdan beri
Üzdün yeter bu kemteri
Dil muntazır çokdan beri

Vakt-i visâli et hayâl
Eyle o demden hasb-ı hâl
Teşrîfine ey nev-nihâl
Dil muntazır çokdan beri

Müstef'ilün/Müstef'ilün

KEMTER: Âciz, zavallı.

✳✳

YEGÂH MAKAMI

Usûlü: Devr-i Hindî

Beste: Şevki Bey
Güfte: Reşad Paşa

Firâkın kesdi tâb ile tüvânı
Visâl ümmîdidir yoksa gümânı
Bunun dahi gelir elbet zamanı
Visâl ümmididir yoksa gümânı

Gönül yârı acep bir gün bulur mu
Nasıl bu derdime dermân gelir mi
Bu hâle hiç tahammül olur mu
Visâl ümmîdidir yoksa gümânı.

Mefâilün/Mefâilün/Feûlün

TÂB: Parlayan, aydınlatan.
TÂB Ü TÜVÂN: Güç, kudret.
GÜMÂN: Sanma, zan, sezme.

NOT: Şevki Bey Mecmuası Sh. 318'de güftenin ikinci mısra'ı:
　　Vuslat ümmîd eder yoksa gümânı
kayıtlıdır. Ancak, vezin icâbı mısra bizim yukarıda yazdığımız
gibi olmalıdır. Üçüncü kuplesi de vardır. S.A.

✳✳

Usûlü: Devr-i Hindî

İsak Varon

Nâlezendir âşıkın bilmez misin ey dil-rübâ
Yoksa bu hâle tecâhül bir sebep mi mehlikâ
Şîvekârım kıl inâyet arz edem hâlim sana
Râh-ı aşkında bu cânım çok değil etsem fedâ

TECÂHÜL: Bilmemezlikden gelme, câhil gibi görünme.

✳✳

YEGÂH MAKAMI

Usûlü: Yürük Semâî   Mahmud Celâleddin Paşa

Bir hûri gördüm çeşm-i nigârı
Aldandı gönül sevdim o yârı
Sabrım tükendi dil yaralandı
Gördüm o dem ki ol gül-izârı
* * *
Yok zevk u rahat bin cevr ü mihnet
Fark etmez oldum leyl ü nehârı
Firkatle ömrüm geçmekdedir âh
Tç'sîr-i sevdâ hâlâ da cârî

CÂRÎ: Ceryan eden, akan, geçen, yürüyen.

**

Usûlü: Sengin Semâî   Bimen Şen

Âh n'olurdu mâvili sîmin beden
Koklasaydım gül cemâlin ölmeden
Görmedim âlemde böyle penbe ten
Koklasaydım gül cemâlin ölmeden

**

Usûlü: Sengîn Semâî   Hâfız Yaşar Okur

Mestâne nigâhın görerek açdı çiçekler
Rahm eyle mahv ü hebâ oldu emekler
Pervâne sana âlem-i ûlvîde melekler
Fermânına âmâde gönül emrini bekler

**

Usûlü: Türk Aksağı   İzzeddin Hümâî Elçioğlu

Sevdim seni ey gül beden
Efkendeni terk etme sen
Gel üzme bu bîçâreyi
Efkendeni terk etme sen

**

YEGÂH MAKAMI

Usûlü: Düyek

Beste: Şevki Bey
Güfte: Reşad Paşa

Hele vaz geçdim her türlü dilekden
Usandım bitdim evzâ-ı felekden
Ne çâre geçmedi dil bir melekden
Usandım bitdim evzâ-ı felekden
* * *
Bu derd-i hicr ile hâlim yamandır
Gözüm nûru dayanmaz bak buna candır
Yine vird-i lisanımda amandır
Usandım bitdim evzâ-ı felekden.

Mefâîlün/Mefâîlün/Feûlün

NOT: 1. kuplenin ilk mısra'ı ile 2. kuplenin ilk mısra'ında vezin yokdur.
Ayrıca 2. kuplenin üçüncü mısra'ı Şevki Bey Mecmuası Sh.
316'da: (Yine derd-i lisanımda...) yazılı ise de doğrusu yukarıda
bizim yazdığımız gibi olmalıdır. S.A.

EVZÂ: Hâller, vaziyetler.

**

Usûlü: Sofyan

Beste: Şevki Bey
Güfte: Reşad Paşa

Edersen de cefâ eğer
Lûtfun yine dünya değer
Cevr etsen de etmem keder
Lûtfun yine dünya değer
* * *
Gerçi gördüm pek çok sitem
Hele geçdi şimdi o dem
Bundan böyle safâ edem
Lûtfun yine dünya değer

**

YEGÂH MAKAMI

Usûlü: ?

Beste: Şevki Bey
Güfte: Reşad Paşa

Böyle cefâ artık yeter	Alıp başım kande gidem
Âlem sana sonra ne der	Yeter cefâ safâ edem
Lûtfun yine ümmîd eder	Böyle kalmaz elbet bu dem
Etme gönül sakın keder	Etme gönül sakın keder
Bir gün gelir olur biter	Bir gün gelir olur biter.

NOT: Şevki Bey Mecmuası (Yâdigâr-ı Şevk) veya (Mahsûl-i Tabîat) Sh. 313'de bu güfte kayıtlıdır. Daha önce de kaydettiğimiz gibi bu güfte kitabında hiçbir eserin usûlü belirtilmediği için bu şarkının da usûlü belirtilmemiştir. Türk Mus. Ans. C. II. 2. kısmında Sh. 288'de (Yılmaz Öztuna) şarkının usûlünün (Türk Aksağı) olduğunu yazıyor. Şahsen bu eseri hiç tanımadığım ve notasını da görmediğim için usûlünü yazmıyor ve araştırmacılara bırakıyorum.

S.A.

✳✳

Usûlü: Düyek

Beste: Ali Rif'at Çağatay
Güfte: Recâîzâde Mahmud Ekrem Bey

Meclis-i vaslında giryan olduğum mâzur tut
Bir tabîatdır ki kalmış gam zamanından bana
Gülşen-ârâ bülbül-i vahdet-şinâsım kim gelir
Şevki diğer âlemin devr-i hazânımdan bana

✳✳

Usûlü: Curcuna

Tânbûrî Ali Efendi

Ruhların ey gonca leb verd-i mutarrâ mıdır
Verd-i mutarrâ acep sen gibi râ'nâ mıdır
Bu görünen sîne âşıka bir kîne midir
Ya gümüş âyine mi levh-i mücellâ mıdır

VERD: Gül.
MUTARRÂ: Tarâvetli, tâze.
KÎNE: Gönülde gizlenen düşmanlık.

✳✳

YEGÂH MAKAMI

Usûlü: Curcuna   Hacı Fâik Bey

Ne yapsam n'eylesem bu hâl–i zâra
Tahammül kalmadı bu kîl ü kale
İşim her dem benim feryâd ü nâle

Nakarat: Erişdirse felek bahtım kemâle
Gönül vermek ne güç ol meh-cemâle

Gönülde arzûy-ı vuslatı var
Anın-çün böyle eyler aşk ile zâr
Niyâz-ı vasl edilmez pek dil-âzâr

(Nakarat)

NOT: Hânende Mecmuası Sh. 715'de (Aksak) kayıtlıdır.

S.A.

✳✳

Usûlü: Curcuna   Rahmi Bey

Dilde artık kalmadı tâb ü tüvân
El'aman ey aşk elinden el'aman
Nâr-ı te'sîriyle yandı cism ü can
El'aman ey aşk elinden el'aman

* * *

Gönlüme oldun o gülden yâdigâr
Var sana sînemde bir cây-ı karar
Sûzişin etdi ne yapsam cana kâr
El'aman ey aşk elinden el'aman

CÂY-I KARAR: Durma, dinlenme yeri.

✳✳

YEGÂH MAKAMI

Usûlü: Curcuna   Şevki Bey

Mu'tâd edeli giryeyi zevke hevesim yok
Ağlar gezerim hem-demim, hem mültemesim yok
Takrîr-i merâm etmeğe artık nefesim yok
Nakarat: Feryâd ederim boş yere feryâd-resim yok
Feryâd ki feryâda dahi gayrı sesim yok

* * *

Hiç fayda yok nâle-i şam ü seherden
Te'sîr ümmîd etmiyorum eşk–i terimden
Bilmem ki nedir çâresi şaşdım kederimden
(Nakarat)

Mef'ûlü/Mefâîlü/Mefâîlü/Feûlün

MU'TÂD: İtiyad edilmiş, âdet olunmuş, alışılmış.
HEM-DEM: Candan arkadaş.
MÜLTEMES: İltimaslı, kayrılan
RES: Erişen
FERYAD-RES: Sesi duyuracak, feryâdı duyuracak.
TAKRÎR: İfâde.
MERÂM: İstek, maksat, niyet.

NOT: Nakaratın ikinci mısra'ı okunurken: Feryâd ki bu feryâda... şeklinde okunmakdadır.

S.A.

**

Usûlü: Curcuna   Fatma Nigâr Galip
                                                     Ulusoy

Gül gamzelerin penbe yüzün neş'esi miydi
Gülmek o güzel ruhlerinin handesi miydi
Sevmek de seni tâli'imin cilvesi miydi
Gülmek o güzel ruhlerinin handesi miydi

**

YEGÂH MAKAMI

Usûlü: Curcuna   Kemençevî Hasan Fehmi Mutel

Devretmede dünyayı bütün âh ü enînim
Islanmadadır eşk-i cebînim teessürle
Giryân ediyor âlemi feryâd-ı hazînim
Ölsem de rehâyâb olamam gamdan emînim

✸✸

Usûlü: Semâî   Hâfız Ahmed Mükerrem Akıncı

Gül cismini tezyin ediyor bir iki şebnem
Nerden geliyorsun a siyah saçlı muhibbem
Örtünde ne var bir gece siyah kadar nem
Nerden geliyorsun a siyah saçlı muhibbem.

✸✸

Usûlü: ?   *Beste:* Şevki Bey
Güfte: Reşad Paşa

Sana bir şûh-ı sitem-gûn deniyor
Bana dil-hasta ciğer-hûn deniyor
Bize ahvâl-i diger-gûn deniyor
Bana dil-hasta ciğer-hûn deniyor

* * *

Bu cefâyı güzelim terk edelim
Vaz geçip semt-i vefâya gidelim
Âşıkan içre bulunmaz bedelim
Bana dil-hasta ciğer-hûn deniyor

Feilâtün/Feilâtün/Feilün

DÎGER-GÛN: Değişmiş, başkalaşmış.

✸✸

YEGÂH MAKAMI

Usûlü: ?

Beste: Şevki Bey
Güfte: Hafid Bey

Kays-ı sevdâ-perverim bîçâreyim
Bir saçı Leylâ arar âvâreyim
Dûr-ı zevk-ı meclis-i mehpâreyim
Bir saçı Leylâ arar âvâreyim

* * *

Zahm-ı firkatle ciğer-hûn bîkesim
Yaradan âh etmeğe çıkmaz sesim
Bî-penâhım yok cihânda dâd-resim
Bir saçı Leylâ arar âvâreyim.

Fâilâtün/Fâilâtün/Fâilün

KAYS: Leylâ ile Mecnun hikâyesinin erkek kahramanı.
BÎ-PENÂH: Sığınılacak yeri olmayan.
DÂD-RES: Yardıma yetişen, yardımcı.

NOT: Yukarıda güftelerini yazdığımız bu iki eserin bugüne kadar hiçbir yerde yayınlandığına rastlamadım. Ayrıca hiçbir yerde notalarını da görmedim. Usûlleri hakkında herhangi bir bilgiye sahip değilim. Sırf araştırmacılara ışık tutabilmek amacı ile yazdık bu güfteleri.
3. kuplesi de vardır.

S.A.

✳✳

ZÂVİL MAKAMI

Usûlü: Muhammes   Beste   Sultan III. Selîm

O gülden nâzik-endâmım dayanmaz nâle vü âha
Anın-çün başladım bülbül gibi âh-ı sehergâha
Hilâl ebrûlarında kaldı çeşm ü arzûy-ı dil
Nigâh etmem felekde gurre-i ıyd olsa da mâha
Terennüm: Mirim aman ah ye le lel lel lel lel le le li
        Vay aman aman
        Aman aman dayanmaz nâle-vü âha

Mefâîlün/Mefâîlün/Mefâîlün/Mefâîlün

SEHERGÂH: Seher zamanı, sabahın erken zamanı.
GURRE: Parlaklık, ışıldama.
IYD: Bayram

✳✳

Usûlü: Çenber   Beste   Sultan III. Selîm

Bezm-i âlemde meserret bana cânân iledir
İnbisât-ı ezelî vâsıta-i cân iledir
Kâfirin gamzesi çok kimseleri etdi esîr
Yürüyüş mülk-i derûna saf-ı müjgân iledir.
Terennüm: Ömrüm ömrüm aman aman of
        Bana cânân iledir.

Feilâtün/Feilâtün/Feilâtün/Feilün

MESERRET: (Sürur'dan) Sevinç - Sevinilecek şey
İNBİSAT: Yayılma, açılma, iç açılma, ferahlanma.

✳✳

ZÂVİL MAKAMI

Usûlü: Muhammes   Beste   Hacı Fâik Bey

Yakdı cânı bezm-i aşkın âteşîn peymânesi
Bağrı yanıkdır o bezmin nâle-veş mestânesi
Aşkın odur kim şem-i hüsn-ü dilberâ bin can ile
Görmeden mahv-ü vücud etmek gerek pervânesin.
Terennüm: Ya le lel li ya le lel li ya le lel li
          Ya le lel. Âteşin peymânesi

⁂

Usûlü: Aksak Semâî   Ağır Semâî   Küçük Mehmed Ağa

(Ah) Bulunmaz nevcivânsın hemdem-i ağyârsın hayfâ
      Gül-i rengînsin ammâ hem-nişîn-i hârsın hayfâ
      Güzelsin bî-bedelsin söz götürmez hüsnün ammâ kim
      Pek âhen-dil kat'î hûn-rîz çok gaddarsın hayfâ
Terennüm: Canım yele lel le le lel lel li
          Mirim te re lel le le lel lel li
          Gel canım gel ömrüm gel mirim aman
          Ah cânân ey yârsın hayfâ.

Mefâîlün/Mefâîlün/Mefâîlün/Mefâîlün

HEM-NİŞÎN: Beraber oturan, sıkı fıkı arkadaş.

⁂

Usûlü: Yürük Semâî   Yürük Semâî   *Beste:* Sultan III. Selim
                                               Güfte: Dâniş

Olmuş nişân-ı tîr-i mahabbet cuvân iken
Kaşı kemân, çeşmi cihân pehlevân iken
Âhın tamam etmiş eser Dâniş ol mehe
Olmuş hilâl hüsn ile mihr-i cihân iken
      Canım yâr, gülüm yâr, mirim yâr gel efendim gel
      Gelse o şûh nâzenînim dinlese ol âh ü enînim
      Rahm ede şâyet meh–cebînim aman aman aman
      Cânım aman cuvân iken

Mef'ûlü/Fâilâtü/Mefâîlü/Fâilün

-1500-

ZÂVİL MAKAMI

İmâm-ı Şehriyârı Aziz
Efendi

Usûlü: ?

Görmüş değil mislin felek
Yokdur nazîrin ey melek
Sen gelmişin dünyâya tek
Tavrın güzel, aslın melek.
* * *
Bâğ içre sen güldestesin
Çeşmi kebûd nev-restesin
Uşşâka bir dil-bestesin
Tavrın güzel, aslın melek.

KEBÛD: Gök mavisi.

Müstef'ilün/Müstef'ilün

**

Usûlü: Aksak

Bestekârı: ?

Cezbe-i hüsnün hırâm-ı kâmetin
Vasf olunmaz bî-bedel her sûretin
Şîvedir uşşâka âdetin
Nakarat: Nev-nihâlim aç nıkâb-ı vuslatın
        Göster uşşâka fürûğ-ı tâl'atın
* * *
Gözlerin nâvek-zen-i pür-imtinân
Kaşların da iki kavs-i can-sitân
Kirpiğin oklarına gönlüm nişân
        (Nakarat)

Fâilâtün/Fâilâtün/Fâilün

FÜRÛĞ: Işık, aydınlık.
İMTİNÂN: Başa kakma, minnet.
NÂVEK-ZEN: Ok atıcı, ok atan.

NOT: Özel kütüphanemde bulunan Hânende mecmuası (Sh. 151)'de el yazması ile (Tanbûrî Mustafa Ağa) adına kaydı vardır. Araştırmacıların dikkatine sunulur.

S.A.

**

ZÂVİL MAKAMI

Usûlü: Aksak

Hacı Fâik Bey

Ayrılık düşdü dil-i nâlânıma
Hadd-ü pâyân olmuyor efgânıma
Rahm ü şefkat eyle gel sen yanıma
Bak sirişk-i dîde-i giryânıma

* * *

Karaları başına dil bağlıyor
Sûz ü hasretle derûnum dağlıyor
Misl-i fevvâre ne türlü çağlıyor
Bak sirişk-i dîde-i giryânıma

Fâilâtün/Fâilâtün/Fâilün

**

Usûlü: Aksak

Manuk

Yakdı gönlüm şimdi bir meh pâresi
Var mı bu derdin efenim çâresi
Dem-be-dem artar derûnum yaresi
Var mı derdin efendim çâresi

* * *.

Merhamet kıl dîde-i pür–hûnuma
Eyle insaf hâl-i dîgergûnuma
Tâze dağ düştü dil-i mahzûnuma
Var mı bu derdin efendim çâresi.

Fâilâtün/Fâilâtün/Fâilün

**

ZÂVİL MAKAMI

Usûlü: Devr-i Hindî

Hacı Fâik Bey

Şem-i hüsn ü ânına ey meh-likâ
Yandı dil pervâne-veş ser-tâ-be-pâ
İşledi peykân-ı hecrin câna tâ
Merhem-i vaslınla cânâ kıl devâ
* * *
Âteş-i aşkın dili püryân eder
Bîm-i gamzen dîdemi al kan eder
Ta-be-key cevrinle can efgân eder
Merhem-i vaslınla cânâ kıl devâ

Fâilâtün/Fâilâtün/Fâilün

PERVÂNEVEŞ: Pervâne gibi
SER-TÂ-BE-PÂ: Baştan ayağa
PEYKÂN: Okun ucunda bulunan sivri demir.
BÎM: Korku.
TÂ-BE-KEY: Ne zamana kadar.

❋❋

Usûlü: Düyek

İbrahim Ağa

İki çifte bir piyâde bindim kıçına
Gittim fulya bahçesine güller içine
A benim şefkatli yârim bunda suçum ne
Ben bir yanar âteş idim deryâ söndürdü (Tekrar)
* * *
Yârimin kaşları benzer hilâle
Günden güne bak erdi kemâle
Pek kurnazdır gelmez dâm-ı visâle
Ben bir yanar âteş idim deryâ söndürdü (Tekrar)

NOT: Birinci mısra'ın sonu (içine) olarak değiştirilerek okunmalıdır. Zira her ne kadar -arkasına- (Bir çifte kayık veya bir başka teknenin arkasına gibi) anlamına geliyorsa da şarkıda okuyanın ağzına, dinleyenin kulağına hiç de hoş gelmez.

S.A.

❋❋

ZÂVİL MAKAMI

*Usûlü:*Düyek   Kanûnî Ömer Efendi

Ey pâdişâh-ı genc-i nûr
Kıldın cihânı pür-sürûr
Buldu nizâmı her umûr
Kıldın cihânı pür sürûr.
* * *
Hak dâim olsun yâverin
Encüm misâli askerin
Sultânı sensin kişverin.
Kıldın cihânı pür-sürûr.

Müstef'ilün/Müstef'ilün

NOT: Bu eser padişah Abdülhamid'e övgü olarak bestelenmiştir.

GENC: Hazine.
ENCÜM: Yıldızlar, Yıldızlar sayısınca.
KİŞVER: Ülke.

S.A.

**

Usûlü: Düyek   Ârif Sami Toker

Aşkın ile bir makâma erdim ki bu dem
Bir âlem-i nûr oldu gözümde âlem
Rûh olmadadır her neye baksam şimdi
İksir-i mahabbet mi kesildin bilmem
Bir âlem-i nûr oldu gözümde âlem.

Rubâî- AHREB

**

Usûlü: Aksak   Klârnet Şükrü Tunar

I —) Sazına tel bağlamış (efem) bir yosmanın saçından (efem)
İpek çevren ıslanmış bu akşam göz yaşından
Efem bu akşam göz yaşından (efem)
* * *
II —) Nazlı yâr dönmedi mi (efem) yoksa pınar başından (efem)
Yâr karşında duruyor neden üzgünsün söyle (efem)
Neden üzgünsün söyle (efem)

**

İNDEKS

1508

1510

1562

1564

Sevdim seni ey gül beden, 1491
Şâd ol gönül ki artık erdin dem-i visâle,
　1489
Va'din unutma ey peri, 1489
Zülfün hevesi gönlümü sevdaya düşürdü,
　1477
ZÂVİL MAKAMI
Aşkın ile bir makâma erdim ki bu dem,
　1504
Ayrılık düşdü dil-i nâlânıma, 1502
Bezm-i âlemde meserret bana cânân iledir,
　1499
Bulunmaz nevcivânsın hemdem-i ağyârsın
hayfa, 1500

Cezbe-i hüsnün hırâm-ı kâmetini, 1501
Ey pâdişâh-ı genc-i nûr, 1504
Görmüş değil mislin felek, 1501
İki çifte bir piyâde bindim kıçına, 1503
O gülden nâzik endâmım dayanmaz nâle
　vü âha, 1499
Olmuş nişân-i tîr-i mahabbet cuvân iken,
　1500
Sazına tel bağlamış, 1504
Şem-i hüsn ü ânına ey meh–likâ, 1503
yakdı cânı bezm-i aşkın âteşîn peymânesi,
　1500
Yakdı gönlüm şimdi bir meh pâresi ,1502